Die Gold-Verschwörung

1. Auflage November 2003
2. Auflage Dezember 2003
3. Auflage April 2004
4. Auflage Januar 2005
5. Auflage August 2005
6. Auflage Januar 2006
7. Auflage April 2006

Copyright © 2006, 2005, 2004, 2003 bei
Jochen Kopp Verlag, Pfeiferstraße 52, D-72108 Rottenburg

überarbeitete und erweiterte Übersetzung des Buches *Gold Wars*,
Foundation for the Advancement of Monetary Education (FAME),
New York, NY, 2002

Umschlaggestaltung: ARTELIER/Peter Hofstätter
Satz und Layout: Agentur Pegasus, Zella-Mehlis
Printed in Germany

ISBN 3-930219-54-9

Gerne senden wir Ihnen unser Verlagsverzeichnis
Kopp Verlag
Pfeiferstraße 52
D-72108 Rottenburg
Email: info@kopp-verlag.de
Tel.: (0 74 72) 98 06-0
Fax: (0 74 72) 98 06-11

Unser Buchprogramm finden Sie auch im Internet unter:
http://www.kopp-verlag.de

FERDINAND LIPS

DIE GOLD-VERSCHWÖRUNG

JOCHEN KOPP VERLAG

Danksagung und Anmerkung zur Deutschen Ausgabe von *Gold Wars:* *Die Gold-Verschwörung*

Das Buch ist zum größten Teil eine Übersetzung des 2002 in den USA erschienenen Werkes *Gold Wars*. Vieles wurde aktualisiert. Für den deutschen Leser habe ich ein besonderes Kapitel geschrieben, das die Überschrift »Was geschah mit Deutschlands Gold?« trägt.

Das Kapitel über das Schweizer Gold habe ich etwas ergänzt. Zu sagen gibt es hier nichts mehr. Die Schande bleibt. Über Österreichs Gold weiß ich nur so viel, daß die *Österreichische Nationalbank* seit Jahren Gold verkauft und am 2. April 2002 das Kunststück fertiggebracht hat, zum absoluten Tiefstkurs des Jahres Gold zu veräußern.

Dank gebührt den Übersetzern **Andreas Zantop**, Berlin, für die Vorarbeiten und dem Studenten **Stephan Bogner** von der *International School of Management,* Dortmund, für seine Übersetzung, Ausarbeitung und Computerhilfe sowie seinem *Professor Dr. Hans J. Bocker* für die wertvollen Ratschläge.

Speziellen Dank verdient **Dr. Werner Wüthrich**, Zürich, für das Lesen des Manuskriptes sowie für seine wissenschaftlichen Anmerkungen. Ein besonderes Verdienst in Hinblick auf das Buch hat sich mein Bruder **Hans Georg Lips**, *Ciry le Noble* (Frankreich), erworben, der alle Übersetzungen mehrmals kritisch überarbeitet und als früherer Bankier zahlreiche textliche und fachliche Vorschläge eingebracht hat.

Vorwort zur Deutschen Ausgabe

Wenn man den Goldmarkt seit mehr als drei Jahrzehnten beobachtet und kommentiert hat, ist es unmöglich, Ferdinand Lips nicht zu kennen. In Zürich, wo unter dem Pflaster der Bahnhofstraße die Unzen und Barren internationaler Anleger in sicherer Verwahrung liegen, ist Ferdinand Lips seit langem eine Institution. In den USA, wo das vorliegende Buch zuerst erschienen ist und große Verbreitung gefunden hat, genießt der Autor einen Bekanntheitsgrad wie kaum ein anderer europäischer Goldexperte. Und in Südafrika hat er den Aufstieg von *Randgold*, einem überaus erfolgreichen Goldproduzenten, als Mitglied des Verwaltungsrates seit Jahren begleitet — vor kurzem übernahm er diese Funktion auch bei *Afrikander Lease*, einem Newcomer in der südafrikanischen Goldszene.

Dabei ist die Anlagepraxis (und damit hat ein Investment in Goldminengesellschaften schließlich zu tun) nur eine Seite der weitgespannten Interessen von Ferdinand Lips. Er vertritt nicht nur eine originäre Goldphilosophie, er kämpft auch dafür. Er hat immer wieder die politische, gesellschaftliche und moralische Degradierung angeprangert, die von Anfang an mit der Abkehr vom Goldstandard und der Einführung des Papiergeldes einherging. Im deutschsprachigen Raum gab und gibt es keinen konsequenteren Advokaten eines harten und ehrlichen Geldes, das nur mit dem Goldstandard, nie ohne ihn, zu haben ist.

Wir dürfen nicht vergessen, daß Papiergeld ein Kind des Krieges ist. 1914, als Europa in einen schrecklichen Bruderkrieg schlitterte, beschlossen die Regierungen, die Bindung der Währungen an das Gold aufzugeben. Sie wollten Geld drucken können, um den Krieg zu bezahlen. Mit der Goldwährung, dem ersten übernationalen Geld Europas, hätten sie die Feindseligkeiten schon nach wenigen Monaten einstellen müssen. Denn Gold ist bekanntlich nicht beliebig vermehrbar. Später blieben die Politiker beim Papier, um den Sozialstaat und die Wahlversprechungen finanzieren zu können. So kam es, daß selbst die relativ harte Deutsche Mark von 1948 bis zu ihrem Ende Dreiviertel ihres Wertes verlor.

Und doch blieb Gold für weitsichtige Anleger stets die Alternative zu Geldanlagen. Es war immer das Barometer, das auf Kriegsgefahren, Mißwirtschaft, Schuldenmacherei und Geldentwertung sensibel reagierte. Die Regierungen begannen, Gold zu hassen. Sie sahen im Gold eine unbequeme Konkurrenz zu den Zahlungsmitteln, die sie selbst nach ihrem Gutdünken in Umlauf setzten.

Bereits Ende der 1960er Jahre versuchten Regierungen und Notenbanken im damaligen Goldkrieg, den Preis des Metalls durch massive Goldverkäufe künstlich niedrig zu halten. Das gelang ihnen eine Zeitlang, bis dann der Goldpreis in den 1970er Jahren regelrecht explodierte. Wer in Gold und Goldminen investiert hatte, schnitt glänzend ab. Wer auf Aktien und Bonds setzte, verlor.

Geschichte wiederholt sich nicht unbedingt, sie reimt sich aber. In den neunziger Jahren des vergangenen Jahrhunderts zeichnete sich eine neue Goldverschwörung ab: Notenbanken, Goldhandelsbanken, Regierungen und die gesamte Finanzindustrie konspirierten, um einen Goldpreis zu drücken, der eigentlich längst hätte steigen müssen. Denn Jahr für Jahr wurde weltweit mehr Gold nachgefragt als gefördert. Die Notenbanken warfen nicht nur Gold auf den Markt, sie verliehen auch unter dem Mantel der Geheimhaltung einen zunehmenden Teil ihrer Reserven — und Goldkonzerne wie die amerikanische *Barrick* wurden animiert, mehr Gold zu verkaufen, als sie produzierten. Das sogenannte Hedging kam in Mode — eine Entwicklung, die Ferdinand Lips von Anfang an vehement bekämpft hat.

Wer diese Verschwörung anzettelte und welche Interessen dahinterstanden, ist ein zentrales Thema des Buches, das Sie in Händen halten. Ferdinand Lips ahnte sehr früh, was hinter den Kulissen gespielt wurde — und er wußte auch, daß die Manipulation letzten Endes scheitern mußte. Seine Privatbank, die *Bank Lips AG*, stiftete einen Währungspreis, der im November 1992 an den amerikanischen Rechtsanwalt Reginald H. Howe verliehen wurde. Ich hielt damals die Laudatio auf Howe — auf denselben Mann, der später seine berühmte Klage gegen Alan Greenspan und die Großbanken einreichte und es wagte, die Drahtzieher bloßzustellen.

Wieder ein paar Jahre später, im November 2001, hielt Lips in Zürich einen vielbeachteten Vortrag auf einem der G&M-Seminare,

die ich seit 1980 veranstalte. Lips empfahl den Zuhörern eindringlich, in Gold und Goldminen zu investieren. Das Timing war perfekt, die Goldanlagen haben seitdem hervorragend abgeschnitten — ein klares Indiz dafür, daß die Manipulation des Marktes, wie sie in diesem Buch beschrieben wird, an Wirkung zu verlieren beginnt. Man kann eben die Realität nur für eine gewisse Zeit ausschalten. Es stimmt aber auch, daß die Wende am Goldmarkt ohne den kämpferischen Einsatz und die Aufklärung, die von Lips, Howe, Veneroso, Murphy und anderen geleistet wurde, nicht so schnell möglich gewesen wäre.

Ich wünsche diesem verdienstvollen und wichtigen Buch eine weite Verbreitung — und dem Leser eine gewinnbringende Lektüre. Gewinnbringend auch in dem Sinne, daß erfolgreiches Investieren eine intime Kenntnis des Marktes voraussetzt. Goldanlagen sind immer noch das Investment einer kleinen, intelligenten Minderheit. Dabei ist längst erwiesen, daß Gold als Alternative und Gegengewicht zu Geldanlagen eine unersetzliche Rolle spielt, wenn es darum geht, ein Portfolio zu diversifizieren, zu stabilisieren und abzusichern.

Gold vereint Vorzüge in sich, die kein anderes Investment in dieser Kombination aufweisen kann. Es birgt zwar auch ein Preisrisiko, aber kein Bonitätsrisiko — es kann nie pleite gehen. Es behält langfristig über die Jahrhunderte hinweg seine Kaufkraft. Es überlebt jede Währungsreform. Gold unterliegt keinem Länderrisiko, es ist diskret, mobil, jederzeit und überall handelbar und damit der einzige effiziente Markt für einen homogenen, international akzeptierten Sachwert. Daß Gold nicht zuletzt für den hohen Wert der Freiheit steht, daß es gemünzte Freiheit ist — auch diese tiefere Botschaft vermittelt uns das Buch von Ferdinand Lips.

Bruno Bandulet,
Herausgeber GOLD & MONEY INTELLIGENCE, www.bandulet.de
Bad Kissingen, im Juli 2003

WAS MENSCHEN ZU DIESEM BUCH SAGEN

»Es ist das große Verdienst dieses provokativen Buchs von Ferdinand Lips, welches uns verständlich macht, weshalb Gold in der Geschichte der Menschheit immer wieder eine solide Grundlage für wirtschaftliche Stabilität darstellte. Während unsere übermäßig ausgeweitete Globalwirtschaft noch schwierigeren Zeiten entgegen geht, wird das ›Globale Dorf‹ wieder eine unangefochtene wirtschaftliche Basis benötigen, die nicht den Stempel irgendeines bestimmten Landes trägt.

Wie Lips in seinem Buch aufzeigt, kann dies heute nur mit Gold erreicht werden. Gold ist am besten dazu geeignet, wieder Vertrauen in eine angeschlagene Wirtschaft zu geben und diese wieder in der Realität zu verankern. Seit der Antike war Gold für die Menschen das Symbol des höchsten Wertes. Gold, dieses wie die Sonne glänzende gelbe Metall, welches die Qualität des Nichtkorrumpierbaren in sich trägt, ist eine angemessene Metapher für den inneren Kern des Menschen, über den wir uns während unseres Lebens bewußt werden müssen. Dieser Aspekt des Goldes hat uns schon immer fasziniert und inspiriert.

Wie es schon so oft in der Geschichte geschehen ist, werden sich die Menschen und Nationen plötzlich nach einer soliden Grundlage, welche dieses gelbe Metall bietet, zurücksehnen. Dann könnten wir uns — zu unser aller Überraschung — auf dem Weg zurück zu einem soliden Goldstandard befinden.«

Dr. Theodor Abt, *Professor an der* Eidgenössischen Technischen Hochschule *(ETH), Zürich*

»Ich kenne Ferdinand Lips seit 1994 und den stürmischen Tagen der ›*Randgold*-Revolution‹, die das Gesicht der südafrikanischen Goldminenindustrie verändert hat. Die Gruppe von Männern, die diesen Wandel herbeigeführt haben, waren und sind auch zum größten Teil noch die Archetypen des Begriffs ›Gold Bull‹. Lips glaubt fest daran, daß die Goldwährung die einzige Währung ist, die Politiker nicht drucken oder erschaffen können. Ich habe mein ganzes Leben in Afrika verbracht, und ich habe dieses Konzept schätzen gelernt.

Die Geschichte hat immer wieder bewiesen, daß Gold ein effekti-ves Gegenmittel für überhöhte Risiken darstellt. Als Wissenschaftler auf dem Gebiet der Währungspolitik und entschiedener Befürworter des Goldstandards präsentiert Lips in diesem Buch eine gründlich dokumentierte und leidenschaftliche Analyse der Finanz- und Währungs-geschichte. Dieses Buch kommt zu einem perfekten Zeitpunkt. Nie zuvor war die Zukunft so schwer vorherzusagen. Und nie zuvor war die zivilisierte Welt der Politik, druckausübenden Minderheitengruppen und Fanatikern so ausgeliefert und so anfällig wie heute. Ein größeres Verständnis für die Geschichte könnte uns dabei helfen, in der Zukunft einen sichereren Kurs zu steuern.

›Gold und Freiheit sind untrennbar‹ — dies ist die These von *Gold Wars*, ein Manuskript, das ich jeder modernen Geschäftsperson heute zur Lektüre empfehle!«

Dr. D. Mark Bristow, *Generaldirektor der* Randgold Resources Limited, *Johannesburg, Südafrika*

»In seinem Werk *Die Gold-Verschwörung* widmet sich Ferdinand Lips dem wohl am meisten diskutierten und am wenigsten verstande-nen Thema unserer Zeit: Geld. Ihm gebührt Bewunderung, daß er damit einen wichtigen Beitrag geleistet hat, das Verständnis dieses grundlegenden Themas zu verbessern. Er hat dabei sowohl die Ge-schichte als auch kürzliche Entwicklungen beleuchtet, bis hin zu seinen persönlichen Erfahrungen als Schweizer Bankier. Seine lange Karriere im Bankwesen verleiht seinem Buch eine entsprechende Vitalität und Klarheit. Er konzentriert sich auf die ausführliche Verwendung von Aussagen und Meinungen anderer Autoren und Bankiers, von welchen viele auch zu seinen Freunden zählen. Im Grunde genommen waren es Menschen, welche den Weg zu einem soliden Geld- und Bankwesen aufzuzeigen versuchten, aber auch auf die verhängnisvollen Fehler hinwiesen, die begangen wurden.

Im Gegensatz dazu läßt er auch andere Führungskräfte aus Fi-nanz und Politik zu Wort kommen, nämlich diejenigen, welche die Währungspolitik bestimmt haben und welche verantwortlich für die ernsthaften Finanzprobleme sind, mit welchen die Welt nun konfron-tiert ist. Die Ernsthaftigkeit seiner Bemühungen wird in seiner Schluß-folgerung deutlich: ›Der Goldkrieg ist nichts anderes als ein III. Welt-krieg. Es ist nicht nur ein völlig unnötiger Krieg, sondern auch der zerstörerischste von allen. Er sollte sofort beendet werden.‹ In der Tat ist dies ist eine andere Art von Kriegsstory, faszinierend und stets aktuell. *Die Gold-Verschwörung* ist eine wertvolle Lektüre.«

Elizabeth Currier, *Präsidentin des* Committee for Monetary Research and Education *(CMRE), Charlotte, North Carolina, USA*

»*Die Gold-Verschwörung* ist ein Muß für jeden, der verstehen möchte, wie das sich entfaltende Debakel der Finanzmärkte entstanden ist. Lips ist ein ehemaliges Vorstandsmitglied der *Rothschild Bank AG*, Zürich, und ein schweizerischer Privatbankier mit einer beruflichen Karriere von über 50 Jahren. Seine Erfahrung, seine einmalige Sichtweise und sein Durchblick ermöglichen ihm, die Manipulation des Weltwährungssystems und den Betrug an der schweizerischen Nation zu beschreiben.«

Robert K. Landis, *Rechtsanwalt,* Golden Sextant Advisors, *Weston, Massachusetts, USA*

»Die Lektüre *Die Gold-Verschwörung* ist ein absolutes Muß für jeden, der sich Gedanken über seine finanzielle Zukunft macht. Mit einer Tätigkeit im Bankgeschäft von über 50 Jahren ist der schweizerische Privatbankier Ferdinand Lips als ehemaliges Vorstandsmitglied der *Rothschild Bank AG* der geeignete Mann, um zu bestätigen, daß dieses Weltfinanzsystem aufgebaut wurde, um weltweit die Ersparnisse einfacher Bürger zum Nutzen einer kleinen Finanzelite zu plündern.«

Dr. Lawrence Parks, *Direktor der* Foundation for the Advancement of Monetary Education *(FAME), New York*

»Jahrhundertelang war Gold der Grundstein für Regierungen und Währungen. Der Wohlstand der Länder und Menschen wurde in Gold gemessen. Der Westen der Vereinigten Staaten von Amerika, Südafrika und große Teile Australiens, um nur einige Beispiele zu nennen, führen sowohl ihre Entwicklung als auch ihren Wohlstand auf die Entdeckung und den Abbau von Gold zurück.

Heutzutage möchten uns viele Finanziers zum Glauben verleiten, Gold wäre nur noch eine Handelsware wie jede andere und hätte keine Bedeutung mehr als Wertaufbewahrungsmittel. Ferdinand Lips zeigt in seinem treffend betitelten Buch *Die Gold-Verschwörung*, daß dieses Konzept nicht nur ein Trugschluß, sondern auch ein gefährlicher obendrein ist.

Nationen wurden und werden auf dem Fundament der Goldminenindustrie aufgebaut, wobei bestimmte internationale und staatliche Behörden versuchen, Gold und seinen Preis zu ihrem eigenen Nutzen zu kontrollieren. *Die Gold-Verschwörung* erklärt, warum diese Bemühungen nicht von Erfolg gekrönt sein sollten und wie die Konsequenzen aussehen werden, falls doch. Dieses Buch ist erforderlich für jeden, der an einem stabilen Währungssystem interessiert ist.«

Dr. Aubrey L. Paverd, *Geologe, Victoria, Australien*

»Man sollte das Wort ›außergewöhnlich‹ mit Vorsicht benutzen. Und das ist genau das, was dieses Buch ist. Es wird ein Klassiker. Es ist Vergangenheit, Gegenwart und Zukunft in einem — nicht nur für und über Gold, sondern auch über die Gesellschaft und welche Hoffnung auf Stabilität und Freiheit uns noch bleibt. Letztendlich werden Sie verstehen, was der Goldstandard wirklich war. Und warum Politiker dem Gold den Krieg ansagen. Wenn Sie dieses Buch gelesen haben, werden Sie das Thema Gold und die menschliche Natur besser verstehen. Lips läßt die Geschichte des Goldes lebendig werden und wird Sie in begeisternder Weise auffordern, sich ihm in diesem Kampf um Freiheit, freie Märkte und sozialen Frieden anzuschließen. Sie werden 50 Exemplare dieses Buches haben wollen, um sie an Ihre besten Freunde zu verschenken sowie an die Presse und Politiker weiterzureichen.«

Chevalier Harry D. Schultz, International Harry Schultz Letter, *Monte Carlo*

»Das neue Buch von Ferdinand Lips konnte wohl zu keinem günstigeren Zeitpunkt erscheinen. Trotz massiver preisdrückender Manipulationen sind Markt und Preisgefüge nach langer Durststrecke endlich in Bewegung geraten. Im Jahre 2002 verloren sowohl Aktienkurse als auch Fonds weltweit erneut auf breiter Front, während es für Goldpreis, Goldaktien und Goldfonds nur eine Richtung zu geben schien: Nach oben! Die Investorengemeinschaft beginnt in ersten Anfängen zu begreifen, daß Gold als Anlage und als von den Medien totgesagtes ›barbarisches Relikt‹ nicht nur hochinteressant ist, sondern für den längst überfälligen Gesundungsprozeß der Währungs- und Finanzsysteme die wohl einzige Lösung darstellt. Das Buch ist wie eine hochkarätige Goldaktie, zu der die Empfehlung des Spitzenanalysten nur lauten kann: ›Strong Buy‹«!

Dr. Hans J. Bocker, Professor, International School of Management, *Dortmund, Deutschland (»Gold-Dossier«)*

»Ferdinand Lips' Buch *Die Gold-Verschwörung* ist die professionellste und maßgebende Analyse des Wirtschaftskrieges, der heute gegen die Menschheit geführt wird. Ich bin der Ansicht, daß dieses Buch jeden, sei es den ernsthaften Investor oder den Geschichtsstudenten — vor allem der Finanzgeschichte —, reich belohnen wird.«

James E. Ewart, Autor des Buches Money, *Principia Publishing Inc., Seattle, Washington (USA)*

»In seinem Buch *Die Gold-Verschwörung* wiederholt Lips immer wieder in eindrücklichen Bildern, daß die Finanzwelt aus den Fugen geraten ist. Mit seinem Buch zeigt er einen Weg auf und gibt auch Empfehlungen ab, wie die ›verrückten‹ Zustände in der Finanzwelt nachhaltig verbessert werden könnten: sich besinnen auf die menschliche Natur und auf das, was sich in der Kulturgeschichte der Menschheit als zuverlässigstes und sicherstes Geldsystem herausgebildet hat — nämlich das Gold als Geld.«

Dr. rer. publ. Werner Wüthrich, Zürich

ÜBER DEN AUTOR FERDINAND LIPS

Ferdinand Lips wurde 1931 in der Schweiz geboren und ist eine fest etablierte und respektierte Autorität auf dem Gebiet des Goldes und des Goldmarktes. Seine Wurzeln finden sich im Bankwesen, wo er seine Karriere begann. Er war seit der Gründung im Jahre 1968 Vorstandsmitglied der *Rothschild Bank AG* in Zürich.

Im Jahre 1989 eröffnete er seine eigene Bank, die *Bank Lips AG*, ebenfalls in Zürich. 1998 zog er sich aus dem aktiven Berufsleben zurück, als er seine Anteile an der Bank verkaufte. Lips ist nicht jemand, der untätig herumsitzt. Er ist heute weiterhin sehr aktiv im Banken- und Finanzwesen sowie in der Goldminenindustrie. Er ist Aufsichtsrat mehrerer Unternehmen, unter anderem auch afrikanischer Goldminengesellschaften. Ferner gehört er der *Foundation for the Advancement of Monetary Education* (FAME) in New York an, einer Organisation, welche sich die Reform des Weltwährungssystems zum Ziel gesetzt hat.

Lips hatte zuvor bereits zwei Bücher geschrieben: *Das Buch der Geldanlage* (1981), die spanische Ausgabe *Las Inversiones*, und *Geld, Gold und die Wahrheit* (1991). *Gold Wars* (2002) ist sein drittes Buch, und er bringt darin seine Ansichten zum Thema Gold, dem Goldstandard und dem Gold-Devisen-Standard zum Ausdruck wie auch die verschiedenen Versuche, Gold zu manipulieren, um es schließlich beiseite zu drängen. *Die Gold-Verschwörung* ist die Übersetzung von *Gold Wars*, sie wurde aktualisiert und für den deutschen Leser ergänzt.

Als Schweizer widmet er einen wichtigen Teil seines Buchs den Ereignissen, die zu einem teilweisen, jedoch beträchtlichen Verkauf schweizerischer Goldreserven führten.

Seine Freizeit verbringt Ferdinand Lips gern mit seinen beiden Töchtern und dem Studium von Geschichte, Architektur und Philosophie. Lips ist ein überzeugter Anhänger des Goldstandards und lebt in der Nähe von Zürich.

INHALTSVERZEICHNIS

DANKSAGUNG

Die folgenden Personen hatten den größten Einfluß auf die Entstehung, den Inhalt und die Philosophie dieses Buchs.

Dr. D. Mark Bristow, Generaldirektor der *Randgold Resources Ltd*. Als Geologe war Mark Bristow am Aufbau und der Entwicklung von *Randgold Resources* von einer Goldexplorations- zu einer integrierten Goldproduktionsgesellschaft beteiligt. Er spielte eine bedeutende Rolle bei der Entwicklung des Goldbergbaus in Westafrika, vor allem in Mali. Er brachte mir alles bei, was ich heute über den Goldabbau weiß, und gab mir ein fundamentales Verständnis und die Erkenntnis der Wichtigkeit des Bergbaus für den Wohlstand der afrikanischen Länder, welche reiche Goldvorkommen besitzen.

Elizabeth B. Currier, Präsidentin des *Committee for Monetary Research and Education* (CMRE), Charlotte, North Carolina, USA. Frau Currier hat den größten Verdienst daran, mich mit vielen Menschen, die ich hier erwähne, in Kontakt gebracht zu haben. Ihr Lebenswerk ist das CMRE. Das CMRE organisiert Konferenzen und hat über die Jahre über 50 Monographien mit wissenschaftlichen Abhandlungen über Geld und Wirtschaft von einigen der brillantesten Köpfe in der Wirtschaft und Wissenschaft veröffentlicht. Diese Publikationen haben mir ein besseres Verständnis der Themen Geld und Wirtschaft gegeben.

Oberst E. C. Harwood ist der Gründer des *American Institute for Economic Research* (AIER), Great Barrington, Massachusetts, USA. Ich traf ihn erstmals Ende der 1960er Jahre. Er brachte mir die wesentlichen Grundzüge des Entstehens der Inflation, die Gefahren der Keynes-Revolution und des Sozialismus bei. Seine verschiedenen Schriften und besonders ein Artikel im *Economic Education Bulletin* (»Keynes vs. Harwood: A Contribution to Current Debate« von Jagdish Mehra, Vol. XXV, Nr. 11, November 1985), sind wichtiger Bestandteil meiner Wirtschaftsbibliothek. Am 21. Januar 1980 schrieb Robert M. Bleiberg in einem Leitartikel für *Barron's*, wie die SEC (*Securities and Exchange Commission*, U.S.-Wertpapier- und Aufsichtsbehörde) Oberst Harwood beschuldigte, gegen die U.S.-Wertpapiergesetze verstoßen zu haben. Dadurch versuchte die SEC einen Gerichtsbeschluß zu erwirken, um die Anlagen seiner Klienten zu liquidieren. Es war bekannt, daß Oberst Harwood seinen Gefolgsleuten damals empfahl, Papiergeld zu meiden und ihre Ersparnisse statt dessen in Gold und Goldminen anzulegen. Ohne den Anklagepunkten zuzustimmen oder sie zu dementieren, unterschrieb Oberst Harwood im August 1976 eine Einwilligungserklärung, die ihn effektiv aus dem Anlagegeschäft ausschloß, aber gleichzeitig die Anleger um das beraubte, was wir heute als inspirierte Vermögensverwaltung bezeichnen würden.

John Exter, ehemaliger Zentralbankier bei der *Federal Reserve Bank* of New York und Bankier bei der *First National City Bank*. In seinen früheren Jahren als Leiter der Abteilung Fernost der *Federal Reserve* tätig, diente er als Berater der Finanzminister von Philippinen und Ceylon. 1950 wurde er der erste Gouverneur der neu organisierten Zentralbank von Ceylon (heute Sri Lanka). Er berichtete mir über seine aus erster Hand gemachten Erfahrungen mit der wirtschaftlichen Situation der 1930er Krisenjahre. Dabei lernte ich von ihm eine Menge über den zerstörerischen Einfluß der Verschuldung. Er erschuf das Wirtschaftsmodell der »umgekehrten Pyramide«, in welcher Gold die höchste Form der Liquidität ist.

Joseph J. Cacciotti, Philosoph und Börsenmakler. Teilhaber der Brokerfirma *Ingalls & Snyder LLC*, New York. Für viele seit mehr als 30 Jahren eine Quelle des Wissens über Börse, Zyklen und monetäre Situationen wie kein zweiter. Als großer Freund der Schweiz glaubt er, daß die schweizerische Regierung und die *Schweizerische Nationalbank* (SNB) kein Recht haben, schweizerisches Gold zu veräußern, ohne den Schweizer Bürgerinnen und Bürgern die Wahrheit zu sagen. Die Aktivitäten bestimmter Großbanken, der Zentralbank und inkompetenter Politiker werden zu einer Schwächung des Schweizer Franken führen, so daß die Reputation der Schweiz als Vorkämpferin der Freiheit und Unabhängigkeit schweren Schaden erleidet und sie letztendlich in die Bedeutungslosigkeit, ja vielleicht in Armut absinken wird.

Dr. Theodor Abt, Professor an der *Eidgenössischen Technischen Hochschule* (ETH), Gründungsmitglied des *Forschungs- und Ausbildungszentrums für Tiefenpsychologie* (nach Carl Gustav Jung und Marie-Louise von Franz). Seine Lehren und Diskussionen überzeugten mich noch mehr von der Unveränderlichkeit der menschlichen Natur und der edelsten Aufgabe, vor die sich der Mensch durch alle

Zeitalter hindurch gestellt sah: sich selbst zu erkennen und zu entwik-
keln, womit er zu einer menschlicheren Welt beiträgt. Wir müssen uns
wieder den zeitlosen Werten von Religion und Natur zuwenden.

James E. Ewart, Seattle, Washington, USA, Chefredakteur des
Zenger News Service. In seinem Buch *Money* äußert er die Ansicht,
daß in Ermangelung des klassischen Goldstandards das heutige Bankensystem durch den Prozeß der Giralgeldschöpfung (Fractional Reserve Banking) vielleicht nichts weiter als wirtschaftlicher Hokuspokus sei. Banken- und Politik-Insider benutzen es, um Inflation herbei-
zuführen und dadurch auf subtile Weise allen anderen Menschen Milliarden von Dollar aus den Taschen zu ziehen. Heutzutage hat der
U.S.-Dollar weder Gold- noch Silberdeckung. Ich teile seine Meinung,
daß unser heutiges Papiergeldsystem das vielleicht größte Verbrechen
der Menschheitsgeschichte ist.

Professor Antal E. Fekete, Memorial Universität von Neufundland, St. John's, Kanada. Gewinner der Auszeichnung »International
Currency Prize« der *Bank Lips AG*, Zürich, im Jahre 1996, verliehen
für sein Exposé »Whither Gold« (Was nun mit Gold?). Seine profun-
den und aktuellen Studien über die gegenwärtigen Währungsverhältnisse, die geschichtlichen Hintergründe zur Demonetisierung des Silbers, des Bimetallismus, der Zukunft des Papiergeldes ohne Deckung,
des Goldes und der Zinsen, sowie seine Vorschläge zur Verbesserung
der Absicherungspolitik (Hedging) für die Goldminenindustrie waren
beim Verfassen dieses Buchs von unschätzbarem Wert.

Reginald H. Howe, Belmont, Maryland, USA, Rechtsanwalt und
Finanzexperte. Gewinner der Auszeichnung »International Currency
Prize« der *Bank Lips AG*, Zürich, im Jahre 1992, verliehen für seine
Studie mit dem Titel »The Golden Sextant«. Seine Website
(www.goldensextant.com) ist hochklassiger Anschauungsunterricht über
die Mängel des heutigen, destruktiven Finanzsystems. Mr. Howe gebührt das große Verdienst, viel Licht auf die Gefahr der Gold-Derivate
für das weltweite Bankensystem zu werfen. Die Öffentlichkeit hat ihm
für seine Klage gegen die BIZ (*Bank für Internationalen Zahlungsausgleich*) in Basel, Schweiz, sowie gegen die Elite des Bankwesens zu
danken, indem er deren konspirative Umtriebe mittels Manipulation
des Goldpreises und Ausschaltung des Goldes als Krisenbarometer
angeprangert hat.

R. Brett Kebble, Rechtsanwalt und Generaldirektor der *Western Areas Ltd.*, Johannesburg, und Direktor mehrerer anderer südafrikanischer Goldminengesellschaften. Ohne Mr. Kebble und den Auftrag der *Western Areas Ltd.*, eine vergleichende Studie über den Goldmarkt in den 1970er und 1990er Jahren zu verfassen, wäre das vorliegende Buch nicht entstanden. Brett Kebble ist eine der wenigen Führungskräfte in der Goldminenindustrie, welche die Bedeutung von Gold als Geld verstehen. Seine Unterstützung und Ermutigung, dieses Werk fertigzustellen, waren besonders wertvoll.

Roger A. R. Kebble, Vorstandsvorsitzender der *Randgold*-Gruppe, Johannesburg. Roger Kebble organisierte die Aktionärsrevolte, welche 1994 die müde hierarchische Struktur von *Rand Mines Ltd.* zum Einsturz brachte. An ihre Stelle setzte er eine radikal modernisierte Gesellschaftsstruktur, welche die gesamte südafrikanische Goldminenindustrie revolutionieren sollte. Mit seiner unbändigen Energie rettete und verlängerte er erfolgreich das Leben einiger schon todgeweihter südafrikanischer Goldminen. Trotz des niedrigen Goldpreises gelang es ihm, diese zu ertragreichen Unternehmen neu zu strukturieren und in der Folge Tausende von Arbeitsplätzen zu retten. Er war die treibende Kraft hinter der Entwicklung von *Randgold Resources* in West-Afrika, welche er von einer reinen Explorationsgesellschaft zu einem integrierten Goldminenunternehmen von Weltklasse aufbaute. Im Jahre 2000 beteiligte sich der Goldriese *AngloGold* an *Randgolds* Morila-Mine in Mali. Nachdem ich mich aus dem Bankgeschäft zurückgezogen hatte, ermutigte mich Roger Kebble, meine Interessen am Minengeschäft als Aufsichtsrat weiter zu behalten. Er gab mir wertvolle moralische Unterstützung beim Verfassen dieses Buchs. Wie sein Sohn Brett versteht auch Vater Roger Gold als Geld.

Dr. Lawrence M. Parks, Autor des Buchs *What does Mr. Greenspan really think?* und Direktor der *Foundation for the Advancement of Monetary Education* (FAME), New York. FAME ist eine Stiftung, die sich mit Schriften und Publikationen für eine Reform des Weltwährungssystems einsetzt, welches auf ehrlichen Maßen und Gewichten beruht. Dr. Parks ist ein unentwegter Mahner vor den wirtschaftlichen Gefahren, welche unser gegenwärtiges System mit sich bringt, das er als unser »Fraudulent Monetary System« (Betrügerisches Finanzsystem) bezeichnet. Sein profundes Wissen prägte ihn zu einem seriösen und ehrlichen Berater, aber auch zu einem ausgezeichneten und kritischen Herausgeber von *Gold Wars*.

Nicht zuletzt möchte ich auch noch **Thomas Hofmänner**, Rapperswil, Schweiz, erwähnen, der mit seinen wertvollen Beiträgen eine hervorragende Ergänzung des Herausgebers darstellte. Er unterstützte mich ausgiebig, insbesondere, was im Falle der englischsprachigen Ausgabe *Gold Wars* mein Englisch anbetraf (das nicht meine Muttersprache ist). Im Hinblick auf die in diesem Werk zitierten Quellen übte er strikteste Disziplin. Mit seiner reichhaltigen kulturellen Bildung und seinem ausgezeichneten Sinn für Humor hat er ein gutes Licht auf *Gold Wars* geworfen. Sein guter Geist half mir, in den schwierigen Monaten vor der Fertigstellung des Anfang 2002 erschienenen Buchs nicht aufzugeben. Besonderer Dank geht auch an **Vincent LoCascio**, den Autor des Buchs *Special Privilege: How the Monetary Elite Benefit at Your Expense* (Besonderes Privileg: Wie sich die Finanzelite auf Ihre Kosten bereichert), sowie an **Richard Esposito** für die endgültige Überarbeitung des fertigen Manuskripts.

Den größten Einfluß auf mein Denken hatte jedoch der deutsche Ökonom **Wilhelm Röpke**. Ich traf ihn nur einmal, doch seine Bücher haben in meiner Lebensphilosophie den größten Einfluß hinterlassen. Zusammen mit Ludwig Erhard und Walter Eucken gehörte er zu den Vätern des deutschen Wirtschaftswunders. Für diese Denker ist die Wirtschaft ein Gebilde, welches harmonisierend mit der Geschichte des Menschen und seiner Beziehung zu Gott und Natur verbunden ist. Nachdem der Goldstandard aufgegeben wurde, war Röpke der Überzeugung, daß, wenn man der inflationären Politik seitens der Regierungen und herrschenden Klassen nicht Einhalt gebietet, dies schließlich zum Verlust der Freiheit für alle, außer einigen wenigen, führen wird.

Einführung

Eine Gold-Verschwörung ist ein Angriff der Regierung auf die einem Individuum gemäß Verfassung zustehenden Freiheiten. Warum greifen Regierungen auf Gold-Verschwörungen zurück? Manchmal wollen sie Kriege führen, ohne dabei die Steuern erhöhen zu müssen; zu anderen Zeiten wollen sie dies über ein sogenanntes »social engineering« (gesellschaftliches Arrangement des Wohlfahrtsstaates) mittels Umverteilung von Einkommen bewerkstelligen. Doch immer gibt es einen gemeinsamen Nenner: Die Regierungen haben Gold als das einzige Hindernis gegen ihre Versuche erkannt, einen Turm zu Babel nicht einlösbarer Schulden aufzubauen.

Dieses Buch ist viel mehr als lediglich eine Chronik der Goldkriege. Es ist außerdem ein Bericht über den historischen Fehlschlag des »Esperanto-Geldes«. Vor über 100 Jahren erschuf ein polnischer Arzt mit dem Namen Ludovik Lazarus Zamenhof (1859–1917) eine synthetische Sprache in der Hoffnung, mit dieser Einheitssprache den auf der Menschheit lastenden Fluch von Babel aufheben zu können. In der *Bibel* steht, daß der Mensch zu jener Zeit so eingebildet war, daß er Gott herausforderte, indem er einen Turm bauen wollte, der bis in den Himmel reicht. Gott strafte diese Frechheit mit der Sprachverwirrung der Menschen und Nationen. Da die Menschen nun nicht mehr in der Lage waren, miteinander zu kommunizieren, konnte der Turm nicht beendet werden. Zamenhof nannte seine neue Sprache »Esperanto«, was »die Hoffnungsvolle« bedeutet. Diese Hoffnung war jedoch vergeblich, weil daneben andere künstliche Sprachen wie z. B. »Ido« entstanden. Die Verwirrung der Sprachen und der Fluch von Babel sind also geblieben.

Ungedeckte Währungen als »Esperanto-Geld« zu bezeichnen, ist passend. Die biblische Geschichte könnte sinnbildlich als eine Warnung angesehen werden, Gott nicht herauszufordern, indem man versucht, einen ungedeckten Schuldenturm zu erbauen, der bis in den Himmel reicht. Doch die Ermahnung stößt auf taube Ohren. Nun ist Gottes Zorn über uns gekommen. Aber dieses Mal wurden nicht die Sprachen, sondern die Währungen der Nationen verwirrt. Der Turm kann niemals zu Ende gebaut werden, da die Währungen nicht miteinander in Einklang gebracht werden können. Die Hoffnung, mit dem

Esperanto-Geld den biblischen Fluch aufzuheben, ist vergebens. Andere synthetische Währungen entstehen, wie beispielweise die SZR (Sonderziehungsrechte, 1969 geschaffenes zusätzliches Reservemedium des Weltwährungssystems), der Euro und so weiter. Die Verwirrung der Währungen und der Fluch von Babel bestehen weiter.

Der Besitz von Gold hat nichts mit Gier zu tun: Es geht um die Freiheit des Einzelnen. Der Goldstandard ist kein »Spiel«: er ist die Verkörperung des zeitlosen Prinzips *pacta sunt servanda* (Versprechen sind dazu da, gehalten zu werden). Der offizielle Haß aufs Gold, welcher schon ans Neurotische grenzt, erscheint weniger irrational, wenn wir bedenken, daß Gold, und nur Gold allein, imstande ist, die stets vorhandene Täuschungsabsicht hinter den Versprechungen der Regierungsstellen zu entlarven.

Die Amerikaner, nachdem sie im Jahre 1971 ihrer internationalen Goldeinlösungsverpflichtung nicht mehr nachkamen, setzten andere Länder unter großen Druck, das Gold ebenfalls öffentlich anzuprangern. Diese Geschichte erinnert an die Fabel von Äsop über den Wolf, der seinen Schwanz in einer Falle verlor. Da er sich unwohl fühlte, so anders auszusehen als seine Rudelfreunde, versuchte er seine Artgenossen zu überreden, sich dieses hinderlichen und nutzlosen Relikts ebenfalls zu entkleiden. Doch ein weiser alter Wolf machte ihm klar, daß sein Vorschlag besser angekommen wäre, wenn er diesen vor seiner schicksalhaften Begegnung mit der Falle gemacht hätte. Die Schweiz war das einzige Land, das die Politik vertrat, daß die amerikanische Forderung an andere Länder, sich der »überflüssigen« Goldreserven zu entledigen, aufrichtiger gewesen wäre, wenn sie vor der »Abdankung« des Dollars im Jahre 1971 gemacht worden wäre. Diese Geschichte jedoch hatte kein Happy-End: Die Schweiz mußte deshalb gedemütigt werden, weil sie die Frechheit besaß, eine dem Dollar überlegene Währung zu führen.

Lips hat ein wundervolles Buch für den kritischen Leser geschrieben, der die Herausforderung von Gottes Autorität besser verstehen möchte, welche mit der Errichtung des Turms der nicht einlösbaren Schulden zusammenhängt.

Antal E. Fekete, emeritierter Professor der Memorial Universität von Neufundland, St. John's, Kanada, und beratender Professor der Sapienta Universität, Csikszereda, Rumänien.

PROLOG

»Gold ist ein lebender Gott.«[1]
P. B. Shelley

☉ ist das ägyptische Symbol für die Sonne und für Gold. Es ist gleichzeitig auch das Symbol für das Auge. Ohne die Sonne und ohne das Auge kann der Mensch nicht leben.

Seit Beginn der aufgezeichneten Geschichte vor etwa 6000 Jahren übte das Gold auf den Menschen einen tiefprägenden, nachhaltigen Einfluß aus. Gold war und ist immer noch das Symbol für Wohlstand, Macht, Schönheit und Prestige. Es war schon immer fest im Bewußtsein der Menschen verwurzelt. Die Geschichte zeigt: Immer wenn die Akzeptanz und die Verwendung des Goldes in einer Kultur und Gesellschaft als hoch eingestuft wurde, herrschte nicht nur Vollbeschäftigung, sondern auch noch Wohlstand, kultureller Fortschritt und politische Stabilität. Doch was am allerwichtigsten ist: Gold war nicht nur unentbehrlich für Wohlstand und Kultur, sondern auch für persönliche und politische Freiheit der Menschen.

»Gold ist der Maßstab aller großen Zivilisationen.«[2]

Vor 35 Jahren erklärte uns der Vorsitzende der U.S.-Notenbank (*Federal Reserve System*) Alan Greenspan in seinem prägnantem Aufsatz »Gold and Economic Freedom« (Gold und wirtschaftliche Freiheit) den Sachverhalt:

>»Gold und wirtschaftliche Freiheit sind untrennbar. Ohne Goldstandard gibt es keine Möglichkeit, Ersparnisse vor der Konfiszierung durch Inflation zu schützen. Gold steht symbolisch als Beschützer der Eigentumsrechte. Es ist

---

[1] P. B. Shelley, *Queen Mab* (1813) in H. L. Mencken, Hrsg., *A New Dictionary of Quotations on Historical Principles from Ancient and Modern Sources* (New York: Alfred Knopf, 1985), S. 471.
[2] *The American Federationist*, 1896 (Offizielle Publikation der *American Federation of Labor*).

gerade die Politik des Wohlfahrtsstaates, dem Eigentümer
von Vermögen keine Chance zu geben, sich zu schützen.
Das ist das schäbige Geheimnis, das hinter den Tiraden der
Anhänger des Wohlfahrtsstaates steckt, wenn gegen Gold
argumentiert wird. Die Staatsschulden sind nur ein anderes
Wort für die ›heimliche‹ Konfiszierung von Vermögen. Das
Gold steht all dem im Wege und ist allein der Garant des
Eigentums und der Eigentumsrechte.«[3]

J. S. Morill in einer Rede vor dem U.S.-Senat am 28. Januar 1878:

»So wie die Freiheit bleibt Gold nie lange dort, wo es
nicht geschätzt wird.«[4]

---

[3] Alan Greenspan, »Gold and Economic Freedom« in *Capitalism: The Unknown Ideal*, Ann Rand, Hrsg., New York: New American Library, 1966, S. 96, im Internet unter http://www.gold-eagle.com/analysis/ 0003.html.

[4] J. S. Morill, U.S. Senate in H. L. Mencken, *A New Dictionary of Quotations in Historical Principles from Ancient and Modern Sources* (New York: Alfred Knopf, 1985), S. 471.

Vorwort zur amerikanischen Ausgabe

Tief unten im Keller einer Villa im Zürcher Seefeld-Quartier befinden sich ein Dutzend alter Kupferstiche, die eine der erstaunlichsten Episoden aller Zeiten wiedergeben: Die Börsenspekulationshysterie, verursacht durch den schottischen Abenteurer und Mathematiker John Law. Nach dem Tode des französischen Königs Ludwig XIV. führte Law im Auftrage des Prinzregenten eine neue Währung ein, welche durch Grundbesitz gedeckt werden sollte. Er versuchte damit die darniederliegende Wirtschaft und die vor Hunger darbende Bevölkerung zu retten, allerdings vergeblich, wie sich später erweisen sollte. Diese alten Kupferstiche sind Illustrationen des Tanzes um das goldene Kalb und der Rue Quincampoix, der Pariser »Wall Street« des 18. Jahrhunderts — dem Ort, wo die Idee zu unserem heutigen Papiergeld-Experiment geboren wurde.

Die Stiche befanden sich allerdings nicht immer im Keller. Ich hatte sie in einem alten holländischen Geschichtsbuch über John Law entdeckt. Ich war von der Kunst so fasziniert, daß ich einige herausnahm und sie restaurieren ließ. Mit neuer Einrahmung wurden sie an die Wände meines Bankhauses gehängt — als anschauliche Mahnung an die Angestellten und Kunden, was passieren kann, wenn man bestimmte Standards fallen und in Vergessenheit geraten läßt.

Das Seefeld-Quartier in Zürich, nicht weit von den Ufern des schönen Zürichsees entfernt, ist einer der lebendigsten Orte der Stadt. Auf der einen Seite grenzt es an den Bellevue-Platz mit dem Opernhaus und dem weltberühmten Restaurant *Kronenhalle*. Auf der anderen Seite ist der Tiefenbrunnen und seine alte Mühle, welche in ein pulsierendes Zentrum mit stilvollen Bars, Restaurants, Weinläden, Theatern, Clubs, Modellagenturen, Softwarefirmen, Gesundheitszentren und Boutiquen umgewandelt wurde. Es gibt auch Geschäfte mit Artikeln für die täglichen Bedürfnisse einer arbeitenden Bevölkerung, welche in dieser Gegend im allgemeinen in bescheidenen Wohnungen lebt. Mit der Straßenbahn braucht man nur wenige Minuten, um von Zürichs Finanzzentrum in das Seefeld-Quartier zu gelangen. Alle Arten von Restaurants, Schulen, Arztpraxen, Autohändlern, Bürogebäuden und natürlich auch Privatbanken vervollständigen das bunte Bild dieses Quartiers.

Früher gab es hier noch keine Privatbanken, dafür aber die obligatorischen Zweigstellen der Großbanken und der Kantonalbank. Ab 1989 öffneten eine Reihe von Privatbanken, zum Teil mit prominenten Namen, ihre Büros in den schönen »Fin de Siècle«-Villen aus dem 19. Jahrhundert. Da diese großen Häuser infolge Mangel an Personal von immer mehr Familien nicht mehr aufrechterhalten werden konnten, standen einige dieser Villen zeitweise sogar leer und waren dem schrittweisen Verfall ausgesetzt. Eines dieser Häuser sollte das erste Hauptquartier meiner Privatbank werden. Radikale Hausbesetzer hatten das Haus bezogen, bis die Eigentümer beschlossen, es zu renovieren und zu vermieten. Als ich meine Büros ins Seefeld-Quartier verlegte, hatte ich, ohne mir dessen bewußt zu sein, ein neues Finanzzentrum geschaffen. Andere sollten später meiner Initiative folgen.

Mein zweites Büro im Seefeld befand sich in einer anderen, sehr attraktiven größeren Villa direkt nebenan und war umgeben von einem wunderschönen Park. Die Geschichte um dieses Haus ist sehr traurig. Die Familie, welche diese Villa einst ihr Heim nannte, war nämlich auf der einzigen Reise der *Titanic* auf tragische Weise ums Leben gekommen. Einige Jahre lang nutzte eine Ölhandelsgesellschaft das Haus für ihre Büros. Als ich mich für das Anwesen interessierte, stand es bereits seit einiger Zeit leer. Als ich das Haus einrichtete, hing ich Kupferstiche mit dem John-Law-Fiasko an die Wände.

Doch warum sind diese Stiche heute verschwunden? Womöglich liegen diese Kunstwerke auch noch im Keller, wo sich allmählich Staub auf sie legt? Als ich mich vom Geschäft zurückzog und die Bank verkaufte, müssen meine Nachfolger gedacht haben, daß diese antiken Stiche ihren modernen Marketing-Bemühungen hinderlich sein könnten. Mir scheint es, als ob die verborgenen, aber auch offensichtlichen Geschichtslektionen, die in diesen alten Zeitdokumenten enthalten sind, in den Wind geschlagen wurden. Doch wir Menschen sind gut beraten, wenn wir auf die Warnungen hören, welche die Erfahrungen der Geschichte von Jahrhunderten für uns offenbaren. Wenn wir dies versäumen, müssen wir erneut von fatalen Zusammenbrüchen lernen. Mit den neuen Märkten, die überall auf der Welt entstehen, sind solche historischen Zeitdokumente eine zeitlose und notwendige Warnung an uns alle, sei es, man wolle die Botschaft nicht hören, oder weil sie im Widerspruch zur eigenen Tagesordnung steht.

Daniel Defoe sagte über John Law, daß er »das Geld fließen ließ wie das Wasser in der Seine«.[5] Die Folgen und Konsequenzen von Laws Aktivitäten waren lediglich auf Frankreich beschränkt. Man sagt, daß Frankreich sich bis zum heutigen Tag nie ganz vom finanziellen, wirtschaftlichen und sozialen Ruin der John-Law-Episode erholt hat. Die aktuellen Ereignisse auf den globalisierten Finanzmärkten werden jedoch weltweite Auswirkungen haben und uns alle betreffen. Das Studium der Geschichte, insbesondere der Geschichte des Geldes, ist ein Thema, welches vernachlässigt und unterschätzt wird. Wir müssen vergangene Erfahrungen respektieren und akzeptieren. Wenn wir dies nicht tun, sind wir dazu verdammt, Fehler zu wiederholen. Dann wird sich nicht nur Staub auf unsere Ära setzen, sondern es wird sich alles in Staub verwandeln.

Die Idee zu diesem Buch entstand im Sommer des Jahres 1999, als Brett Kebble, Vorstandsvorsitzender der *Western Areas Ltd.*, Südafrika — der wohl reichsten Goldmine der Welt —, mich bat, eine vergleichende Studie über die Goldmärkte der 1970er und 1990er Jahre zu verfassen. Er meinte damals, daß dies unter den gegenwärtigen Marktumständen sehr nützlich wäre, da die meisten Leute eine völlig falsche Vorstellung von Gold und den Goldmärkten hätten. Den ersten Entwurf meiner Studie lieferte ich ihm im Oktober 1999. Schon damals beinhaltete sie geschichtliche Hintergründe. Schließlich kamen wir zu dem Schluß, daß es schade wäre, eine Studie nur über diese beiden Jahrzehnte anzufertigen, denn die Ereignisse, die für den Goldmarkt der 1970er und 1990er Jahre charakteristisch waren, hatten ja ihre Ursprünge in viel früheren Zeiten.

Heute sind die meisten Führungskräfte der Goldminenindustrie, die Bankiers und Investoren in ihren Vierzigern, wenn nicht sogar Dreißigern. Selten ist einer darunter, der über die Geschichte des Goldstandards Bescheid weiß. Und wenn sie davon gehört hatten, dann höchstens, daß er sich nicht bewährt habe, oder daß es nicht genug Gold gibt, damit der Goldstandard überhaupt funktioniert. Ganze Heerscharen von Professoren, Studenten und Politikern glauben seit bald 100 Jahren an die sich als tragisch erweisenden Theorien und

---

[5] Ludovic Hunter-Tilney, »Who wants to be a millionaire?«, *Financial Times*, 2. September 2000. Siehe auch *Daniel Defoe, His Life and Recently Discovered Writings*, William Lee, Hrsg. (New York: B. Franklin, 1969).

Meinungen von John M. Keynes, der verkündete, daß der Goldstandard ein »barbarisches Relikt« sei. Es gibt wahrscheinlich heute keine einzige Universität auf der Welt, die einen Lehrstuhl für Währungsgeschichte hat. Wie soll also irgendeiner etwas davon verstehen?

Heute sind die entscheidenden Politiker nominell für unser Geld verantwortlich. Nach einem Jahrhundert der Hyper-Inflationen gibt es nur eine einzige Schlußfolgerung: Diese verantwortlichen Leute haben eindeutig schlechte Arbeit geleistet. Sie haben kläglich versagt. Leider ist keine Lösung in Sicht, daß wir Geld bekommen, dessen Kaufkraft stabil ist und über lange Zeit auch stabil bleibt. In der heutigen Welt, in der die Börse zum neuen Werkzeug der Konjunktursteuerung geworden ist, sind wir nicht weit von der Ära des John Law entfernt. Das John-Law-Experiment auf einer weltweiten Basis ist jedoch eine schlechte Voraussetzung für die Zukunft der Weltwirtschaft und unsere menschliche Gesellschaft als Ganzes.

Das einzige, was wir von der heute herrschenden politischen Klasse erwarten können, ist Flickwerk. Deshalb möchte ich die jungen Menschen auffordern, »Archäologie« des Geldes zu betreiben und seine Geschichte zu studieren. Die gegenwärtige Situation von einem »Ende der Geschichte« soll zu einem »Beginn der Geschichte« werden. Wir alle wissen: Ohne Kenntnis der Geschichte kann man auch die Zukunft nicht gut meistern. Die einzige Hoffnung, die uns jetzt noch bleibt, ist die junge Generation. Leider bestehen kaum Chancen, daß jemand aus der älteren Generation ihr aus dem gegenwärtigen Geldmorast heraushilft und die Welt vom Abgrund wegführt.

Ich möchte die Führungskräfte der Goldminengesellschaften auf der ganzen Welt auffordern, dasselbe zu tun. Machen Sie sich vertraut mit der Geschichte des wertvollsten Rohstoffs, welchen Sie tagtäglich — unter vielen Schmerzen, hohen Kosten und Risiken — aus der Erde fördern. Dieses Produkt hat einen historischen Verwendungszweck, der viel wichtiger ist als die Verarbeitung zu Schmuck. Es ist die Verwendung des Goldes als die Basis unseres Geldes. Warum wird diese Dimension nicht erkannt? Warum überlegte sich Südafrika, der weltgrößte Goldproduzent, nicht eine Vorwärtsstrategie? Warum dachten die Führer der goldproduzierenden afrikanischen Länder nicht an die Ausgabe von goldgedeckten Anleihen, wie die USA dies früher (als sie noch ein Pionierland waren) auch taten? Wenn die Wichtigkeit des

Goldes richtig begriffen wird, wird es keine Terminverkäufe mehr geben und keine Verkäufe mehr zu Schleuderpreisen. Die Minen werden aufhören zu verkaufen und ihr unterbewertetes Gold behalten. Vielleicht sollten sie eine OGMEC (*Organization of Gold Mining and Exporting Countries* — Organisation der goldfördernden und exportierenden Länder) gründen.

Ich würde gern von westlichen Bankiers und Vermögensverwaltern wissen, welche verworrene Logik sie dazu treibt, in ihren Portfolios keinen Platz für Gold zu lassen. Sie sollten aus der Geschichte gelernt haben, daß die Zukunft des ungedeckten Papiergeldes keine gute Voraussetzung für die Werterhaltung ihrer Kundenportfolios ist. Ich spreche hier in erster Linie die westlichen Bankiers an, denn die Menschen im Osten verfügen über ein besseres Verständnis in bezug auf die Bedeutung des Goldes. Glauben die Portfolio-Manager tatsächlich, daß Aktien von Unternehmen, welche keine Gewinne erzielen, und Anleihen in schlechten Währungen vernünftige langfristige Anlagen darstellen? Sollten sie nicht viel eher Interesse an gesunden Währungsverhältnissen haben? Es würde ihre Arbeit wesentlich vereinfachen.

Ich frage die Zentralbankiers dieser Welt: Kümmern Sie sich wirklich um das, was ihre Hauptaufgabe sein sollte: nämlich die Kaufkraft und Integrität der Währung Ihres Landes zu schützen? Sind Sie wirklich aufrichtig und geben Sie wirklich Ihr Bestes, wenn Sie die Goldreserven Ihres Landes reduzieren, nur um den Erlös in Papiergeldforderungen anzulegen, die dauernd an Schwindsucht leiden und eines Tages vielleicht nicht einmal zurückbezahlt werden können? Erinnern Sie sich: Kein ernsthafter Bauer würde sein Saatgut verkaufen. Wenn Sie die eben gestellten Fragen nicht mit einem »Ja« beantworten können, dann sind Sie eindeutig fehl am Platz und gehören nicht auf diese Posten.

Von den Politikern werde ich nichts verlangen, denn sie werden sich nie ändern. Alles, was sie mit ihrer Politik erreicht haben, ist, die Kaufkraft des Geldes zu zerstören. Sie sollten lernen, Menschen besser zu verstehen und sich bewußt darüber zu sein, daß sich das Verhalten der menschlichen Natur seit 6000 Jahren nie geändert hat. Freie Menschen werden immer an Gold glauben, und wenn die wirtschaftliche und finanzielle Situation nichts als Verzweiflung zu bieten hat, werden die Menschen die Gelddruck-Maschinen loswerden wollen — mit samt den Politikern! Dies würde nicht zum ersten Mal geschehen, und es könnte wieder passieren. Der monetäre Standard ist wichtig, doch der moralische Standard ebenso.

Dieses Buch kann niemals ein vollständiges Werk sein. Sein Zweck ist, zu informieren, zum Nachdenken aufzufordern. Der Schweiz wurde dabei viel Zeit eingeräumt. Die Schweiz hat in der Geschichte eine besondere Rolle gespielt: das Geld der Menschen in unsicheren Zeiten zu schützen. (Diese unsicheren Zeiten scheinen jetzt permanent zu sein.) Indem die Schweiz den Menschen Schutz gewährt, sichert sie deren finanzielle Sicherheit und persönliche Freiheit.

Heutzutage schenken die schweizerische Regierung, die *Schweizerische Nationalbank* (SNB) und die Großbanken der Geschichte keine Beachtung. Sie haben sich ihren Weg aus der Verantwortung erkauft, aber nicht mit ihrem eigenen Geld, sondern mit dem Geld der Aktionäre und dem Geld, das den Bürgern gehört. Glauben sie wirklich, daß man in der Schweiz im Falle eines Krieges oder eines Zusammenbruchs des weltweiten Finanzgebäudes noch von überschüssigem Gold sprechen wird? Der Grundgedanke für die Schweiz war immer, daß Gold und Freiheit untrennbar miteinander verbunden und deshalb notwendig sind. Warum sollte sich das ändern?

Noch als Schlußwort: Ich bin kein Ökonom. Den größten Teil meiner über 50 Berufsjahre war ich praktizierender Bankier. Die daraus gewonnene Erfahrung und 30 Jahre Studium der Währungsgeschichte führten mich zur Erkenntnis, daß das gegenwärtige Geldsystem in Auflösung begriffen ist. Es ist ein Schlag ins Gesicht von Gesetz und Ordnung, der Zivilisation, des Verstandes und des guten Benehmens. Doch der wichtigste Punkt: Es ist eine Bedrohung für unsere Freiheit. Hoffen wir, daß es nicht mehr allzu lange andauert, bis sich die Welt eines Besseren besinnt.

KAPITEL I:
GESCHICHTLICHER HINTERGRUND

»Gold ist Geld und nichts anderes.«[6]
J. P. Morgan

»Nicht Philipp, sondern Philipp's Gold eroberte Griechenlands
Städte.«[7]
Plutarch

Einführung

Um die heutige Währungssituation zu verstehen, ist es wichtig zu
begreifen, was sich seit dem Zusammenbruch des Bretton-Woods-
Abkommens im Jahre 1971 zugetragen hat — oder noch besser: Was
geschah wirklich seit dem Ende des Goldstandards des 19. Jahrhunderts? Eigentlich war Bretton Woods kein Goldstandard, sondern ein
»Gold-Devisen-Standard« oder vielmehr ein »Gold-Dollar-Standard«.
Es war, wie Wilhelm Röpke es nannte, ein denaturierter Goldstandard
und als solcher ein gefährliches Surrogat, in dessen Folge die Weltwirtschaft im vergangenen 20. Jahrhundert zweimal in gefährliche inflationäre und darauffolgende deflationäre Krisen gestürzt wurde. Die Auswirkungen dieser ersten Spielart des Gold-Devisen-Standards als Resultat der Konferenz von Genua 1922 waren weit schlimmer. Sie
verursachte nicht nur die Immobilienkrise von 1925 in Florida. Auch
der Börsenboom Ende der zwanziger Jahre mit dem darauffolgenden

---

[6] Im Jahre 1913 erhob das Pujo-Komittee wegen des instabilen Bankwesens
Vorwürfe gegen die führenden Bankiers des Landes, statt gegen die Regulie-
rungsmaßnahmen, die die eigentliche Ursache waren. Als der Bankier
J. P. Morgan vor dem Komitee aussagte, wurde er zur Rolle des Goldes im
Finanzsystem befragt, und ob es an der Quelle der Probleme liegen könnte. Die
Antwort von John Pierpont Morgan war kurz und bündig — und vor allem klar.
Aus: *Gold and Liberty*, von Richard M. Salsman (Great Barrington, Massachusetts, USA, AIER, 1995), S. 49.
[7] Der griechische Philosoph und Biograph Plutarch bei einem Vergleich der
griechischen und römischen Militärstrategen. *Parallel Lives* (*Aemilius Pau-
lus*), etwa 100 v. Chr.

Krach von 1929 mit anschließender Weltwirtschaftskrise der dreißiger
Jahre (The Great Depression) und schließlich der II. Weltkrieg waren
darauf zurückzuführen.

Bekanntlich war der moderne Goldstandard des 19. Jahrhunderts
nicht das Ergebnis irgendeiner Konferenz, sondern er hatte sich als das
Resultat vieler Jahrhunderte an Erfahrung und Praxis auf eine natürliche Weise ergeben. Er entwickelte sich Schritt für Schritt, fast zufällig,
durch seine Eigendynamik und aufgrund der Logik und Erfahrung, die
man in der Vergangenheit mit der Entwertung von Währungen gemacht hatte.

Die Ägypter waren die ersten, die in großen Mengen Gold abbau-
ten und nutzten. Zwischen 4000 und 2000 v. Chr. könnten die Ägypter
um die 750 Tonnen Gold produziert haben. Der größte Teil dieses
riesigen Schatzes ging in den Besitz der Pharaonen über, ein weiterer
großer Teil fand als kunstvolle mystische Verzierung in den königlichen Grabstätten Verwendung. Vor etwa 4500 Jahren erhielten ägyptische und mesopotamische Beamte ihr Gehalt in Gold. Seit den Ur-
sprüngen der Geschichte hatte der Mensch eine hohe Wertschätzung
für Gold. Von Anfang an war Gold das universale Metall. So unterschiedliche Kulturen wie die von Babylon, China, Äthiopien, Griechenland und der Inka suchten nach Gold und hielten es in ihrem
Besitz. Gold und Silber sind die ersten Metalle, die in der *Bibel* erwähnt
werden, und sie wurden zunächst in Tempeln und Heiligtümern aufbewahrt, um dann in den urzeitlichen Handel zu gelangen. Ihre Verwendung brachte eine wesentliche Erleichterung gegenüber dem Tausch-
handel der Antike. Als Gold und Silber in Umlauf gebracht wurden,
ging es mit Handel und Wirtschaft enorm aufwärts. Dank der vermehrten Arbeitsteilung wurde der Handel sehr viel effizienter.

Die Griechen waren es jedoch, die als erste Gold in Form von
Münzen als Geld verwendeten. Der sagenumwobene lydische Monarch
Kroesus (560–540 v. Chr.) war der erste, der Münzen aus reinem Gold
prägen ließ.

Die alten Griechen und Gold

Die Griechen, wie auch alle anderen Völker der Antike, schätzten
Goldmünzen hoch ein. Um das Jahr 400 v. Chr. herum erreichten die

Gravuren und Prägungen der Münzen ein so hohes, seitdem unübertroffenes künstlerisches Niveau. Nach der Eroberung Mazedoniens schuf König Philipp II. mit seinen Goldstücken für die Griechen im Prinzip etwas ähnliches wie einen Goldstandard. Die Goldstücke waren von unregelmäßiger Größe. Sie hatten die Form von Münzen und bestanden aus einem Metall namens »Elektron«, eine natürlich vorkommende Gold-Silber-Legierung. Man glaubt sogar, daß solche Staters schon viel früher, etwa 750 v. Chr. angefertigt wurden. Obwohl relativ grob markiert, um Gewicht und Feinheit anzugeben, wurden sie ab ungefähr 500 v. Chr. schrittweise durch sorgfältiger angefertigte Münzen ersetzt.[8] Philipps berühmter Sohn, Alexander der Große, vervollständigte das Werk. Er machte die Goldmünzen zum Hauptzahlungsmittel der Welt, indem sie bis nach Indien Verbreitung fanden.

Roy W. Jastram kommentiert in seinem Buch *Silver — The Restless Metal*:

> »Man muß sich im klaren sein, daß die Verwendung von Edelmetallen dem Menschen nicht immer nur Gutes brachte. Ganz im Gegenteil. Schon immer gab es Gier. Die in großen Schatzkammern, in Palästen, Tempeln und Heiligtümern zusammengetragenen Schätze verleiteten die Menschen zu Plünderungen und Kriegen. Als Alexander der Große die Griechen nach Kleinasien führte, nannte er dies einen Rachefeldzug gegen die Perser. Rache war den stolzen Griechen wichtig, aber der zusätzliche Reiz des Feldzuges war die Gelegenheit, die riesigen Gold- und Silberschätze des persischen Reichs zu plündern.
>
> Dieser Krieg, so brutal wie er war, wurde zum Anlaß genommen, eine alte überholte Theokratie, einen großen Teil der zivilisierten Welt beherrschend, zu zerstören. Menschen unterschiedlichster Rassen und Kulturen wurden zusammengebracht und die immensen ungenutzten Reserven des Archimedischen Reiches wurden produktiven Zwecken zugeführt. Das neue Geld, das Alexander aus dem geraubtem Schatz prägte, floß nun in die eroberten Länder und verbreitete dabei Wohlstand (und zufällig auch Inflation).«[9]

---

[8] James E. Ewart, *Money* (Seattle: Principia Publishing, 1998), S. 8.

[9] Roy W. Jastram, *Silver — The Restless Metal* (New York: John Wiley & Sons, 1977), S. 3.

Zunächst wurden die Köpfe von Göttern auf die Münzen geprägt. Doch dann kam der Zeitpunkt, wo Könige an die Stelle der Götter traten. Dieser Wechsel bedeutete die Übertretung einer wichtigen psychologischen Schwelle in der Währungsgeschichte. Der erste Mensch, der seinen Kopf auf eine Münze prägen ließ, war König Salomon, dem Gott große Weisheit verliehen hatte. Cyrus, der König von Persien, war der nächste, der in der Währungsgeschichte eine herausragende Rolle spielte. Er besiegte die Lydier und nahm ihr ganzes Gold mit nach Persien. Von dort aus wurde es bis in den Mittelmeerraum in Umlauf gebracht. Doch der Mann, durch dessen Hände zu jener Zeit die meisten, wenn nicht sogar alle bekannten Goldschätze der Welt flossen, war Alexander der Große. Es ist schon ein eigenartiges Phänomen, daß dieser Mann alle wichtigen Tempel und Heiligtümer, eines nach dem anderen aufsuchte und dabei nie eine dieser geweihten Stätten in seinen Besitz nahm. Was Alexander suchte, war eine neue Art von Beziehungen zwischen den Völkern und ihren verschiedenen Kulturen. Er erschuf so die erste mediterrane Weltordnung, welche bis weit nach Indien reichte. Dies war Alexanders herausragende Leistung — und er war unter den ersten, die ihre Gesichter auf Münzen prägen ließen.

Die alten Römer

Roy W. Jastram:

> »Jahrhunderte später sandte Rom seine Legionäre in die damals bekannte Welt hinaus, um alle Edelmetallschätze zu plündern. Als es mit der Zeit immer weniger zu rauben gab, sahen sich die Römer gezwungen, eine eigene Produktion aufzubauen. Die Minen ihrer asiatischen, afrikanischen und europäischen Provinzen finanzierten Roms Expansion im großen Stil. Letztendlich brachten die Minen nicht mehr ausreichend Edelmetalle hervor, und es begann der Abstieg mittels minderwertiger Münzen.«[10]

Der römische Kaiser Cäsar führte die Aureus-Goldmünze ein. Sie wurde später von seinem Nachfolger Augustus verbessert und bildete die Grundlage des ersten gemeinsamen Marktes in Europa. Jahrhun-

---

[10] Roy W. Jastram, *Silver — The Restless Metal* (New York: John Wiley & Sons, 1977), S. 4.

dertelang diente sie der Menschheit als überlegenes Weltgeld. Auch die
römischen Offiziere erhielten ihren Lohn in Gold. Es war das besondere Privileg des berüchtigten Kaisers Nero, mit der Verschlechterung der
Münzen zu beginnen. So begann das Ende des Reichs. Allerdings
dauerte es noch über 300 Jahre und, wie Edward Gibbon in seinem
Werk *The Decline and Fall of the Roman Empire* schrieb: Man sollte
nicht erstaunt sein, warum Rom unterging, sondern viel eher, warum es
so lange bestanden hatte. Während eines Zeitraums von 75 Jahren
herrschte unter Cäsar und Augustus Stabilität. Doch im Gegensatz zu
den logisch denkenden Griechen konnten die Römer der Versuchung,
sich gegenseitig zu betrügen, einfach nicht widerstehen. Laufend pfusch-
ten sie an den Münzen herum: Verkleinerung, Verdünnung, Abwertung
— bis schließlich zur Wertlosigkeit. Vielleicht ist dies auch einer der
Gründe, warum das Reich fortwährend unter inneren Unruhen und
Bürgerkriegen litt. Auf eine gewisse Art und Weise könnte man die
Römer als die ersten Keynesianer bezeichnen. Sie bewiesen, daß keine
Wirtschaft blühen kann, wenn der Geldwert ständig durch die Währungsbehörden verschlechtert wird.

Für moderne Ökonomen der Keynes'schen Schule wie auch für
die heutige Generation von Investoren sollte es als Anschauungsunterricht dienen, daß, obwohl die römischen Kaiser krampfhaft versuchten, ihre Wirtschaft »in den Griff zu bekommen«, sie die Situation nur
noch verschlimmerten. Lohn- und Preiskontrollen sowie Zahlungsmittelgesetze wurden verabschiedet, doch es war ein ebenso hoffnungsloser
Versuch, wie etwa gegen die Fluten anschwellender Flüsse ankämpfen
zu wollen. Aufstände, Korruption, Gesetzlosigkeit und eine sinnlose
Spekulationsmanie überspülten das Reich wie eine Heimsuchung. Mit
einem solch unzuverlässigen und minderwertigen Geld wurde die
Spekulation in Waren und Rohstoffen bald attraktiver als sie selber
herzustellen.

Es gab viele Gründe für den Untergang des römischen Reichs,
doch ein entscheidender Faktor war die zunehmende Goldknappheit.
Gold hatte begonnen, gen Osten abzufließen.

Ost-Rom

Schließlich bekamen die Römer einen Kaiser, den großen Konstantin, der sowohl etwas von Wirtschaft als auch von Kriegskunst

verstand. Während langer Zeit gelang es Konstantin, den Zerfall des Reichs aufzuhalten. Er wurde zum Gründer des neuen oströmischen Reichs (Byzanz), und er war es, der mit der Prägung der Goldmünzen »Solidus« bzw. »Noumisma« begann. In Wirklichkeit gründete er eine völlig neue Nation, Ost-Rom, welche West-Rom über 1000 Jahre überdauern sollte. Der von Konstantin eingeführte »Solidus« wurde die grundlegende Währungseinheit der Welt. Es ist eine Tatsache, daß das byzantinische Reich nie einem ausländischen Angreifer erlag, solange es die Reinheit und den Wert des »Solidus« oder »Bezant«, wie die Griechen ihn nannten, aufrechterhielt.

Hieraus lassen sich eine Menge Erkenntnisse ableiten. Selbst Historiker, die in Wirtschaftsfragen nicht bewandert sind, bestätigen, daß der lange Fortbestand des byzantinischen Reichs, welches überall von feindseligen Nachbarn umgeben war, hauptsächlich auf seine überragende Wirtschaftsorganisation und die auf Gold basierende Finanzstruktur zurückzuführen war.

Die Abwertung des Goldes begann mit Kaiser Michael IV. (1034–1041), doch es war die tragische Rolle des Alexius I. Comnenus (1081–1118), die Abwertung des »Bezant« fortzuführen, um seine privaten Schulden zu bezahlen. Von diesem Zeitpunkt an waren acht Jahrhunderte Vertrauen und Sicherheit irreparabel beschädigt, und die byzantinischen Goldmünzen waren im internationalen Handel keine stabile Währung mehr.[11] In der Zwischenzeit hatten die Vandalen West-Rom geplündert, so daß kaum noch eine Spur von lebensfähiger Wirtschaft übrig geblieben war. Dasselbe kann von Ost-Rom gesagt werden. Nach weiteren Abwertungen führte das byzantinische Reich eine unsichere Existenz. Innerhalb der nächsten 250 Jahre brach es völlig ein und war nur noch ein Schatten vergangener Tage des Wohlstands und der Größe. Konstantinopel fiel 1453 in die Hände der ottomanischen Türken.

Die Araber

Ein weiteres herausragendes Beispiel des Erfolgs von standardisierten Goldmünzen als hauptsächliches Zahlungsmittel fand sich im

---

[11] P. D. Whitting, *Die Münzen von Byzanz* (München: Ernst Battenberg Verlag, 1973), S. 173.

großen arabischen Reich, gegründet von Mohammed. Dieses Reich, das neben dem byzantinischen existierte (allerdings nicht immer friedlich), erstreckte sich schließlich von Bagdad bis nach Barcelona. Auf seinem Höhepunkt war es eine Zivilisation, die mit ihrem byzantinischen Nachbarn und sogar mit Augustus' Rom rivalisierte. Die Münze des arabischen Reichs war der »Gold-Dinar«, der ungefähr dasselbe Münzgewicht wie der »Bezant« aufwies. Die mächtigen Araber waren große Bewunderer der klassischen griechischen Kultur und Philosophie und hatten die griechische Einstellung zu solidem, gesundem Geld und ehrlichem Handel schnell übernommen. Der Dinar war etwa 450 Jahre unverändert im Umlauf, und in dieser Zeit blühte und gedieh die Zivilisation der Sarazenen (Araber) mit großem Glanz, wohingegen Europa in Dunkelheit, Ignoranz und Hoffnungslosigkeit dahinsiechte. Doch schließlich brach auch die arabische Zivilisation nahezu gleich schnell zusammen, wie sie entstanden war. Der Zerfall war jedoch eher auf Gezänk religiöser Splitterparteien als auf wirtschaftliche oder finanzielle Ursachen zurückzuführen.

Das dunkle Mittelalter

Die endgültige Zerstörung der griechisch-römischen Zivilisation hinterließ Westeuropa für über sechs Jahrhunderte in einem Zustand gesellschaftlicher, politischer, kultureller und wirtschaftlicher Anarchie. Obwohl einige Gelehrte der Neuzeit mittlerweile der Ansicht sind, daß das »dunkle Zeitalter« nicht ganz so finster und trostlos gewesen sei wie zuvor angenommen, war es doch schlimm genug, die Volkswirtschaft größtenteils auf eine primitive autarke Wirtschaft (Wirtschaft ausschließlich für den Eigenbedarf) zu reduzieren.

Gold in der Renaissance

Es war das Aufkommen der ersten italienischen Stadtstaaten, welches Europa aus dem dunklen Zeitalter herausführte. Das, was wir heute als westliche Zivilisation bezeichnen, begann Formen anzunehmen, verbunden mit einem erneuten Interesse an Kultur und einem raschen wirtschaftlichen Fortschritt. Im Jahre 1252 begann die damalige Republik Florenz mit der Prägung der ersten bedeutenden Goldmünzen seit Cäsars Aureus-Münze. Die Florentiner machten diese

neue Münze, den »Fiorino d'Oro« — auch als »Goldflorin« bekannt
— zum allgemeinen Zahlungsmittel. In Wirklichkeit hatte Florenz
einen Goldstandard. Die Republik Venedig folgte dem Beispiel der
Florentiner 28 Jahre später und prägte den Dukaten mit gleichem
Gewicht und Wert wie der Florin. Am Ende des Jahrhunderts gaben
nahezu alle anderen Städte in Norditalien — als auch einige jenseits der
Alpen — Goldmünzen in Florin/Dukaten-Einheiten heraus.

Eine stabile, verläßliche Goldwährung führte eine Periode großen Erfolgs im Handel herbei und brachte Wohlstand in die italienischen Stadtstaaten und schließlich auch dem größten Teil Westeuro-
pas. Gold als Geld bildete nunmehr die wirtschaftliche und finanzielle
Basis der Renaissance. Kulturen gedeihen nur, wenn Wohlstand herrscht,
und nicht, wenn die Menschen arm sind. Die Macht und natürliche
Verläßlichkeit des Goldes brachte die Menschheit wiederum auf eine
höhere Stufe der Zivilisation.

Die spanischen Eroberer

Die spanischen Konquistadoren landeten an der Küste des amerikanischen Kontinents, kurz nachdem Kolumbus 1492 Amerika entdeckt hatte. Die Eroberer stießen auf die goldreichen Kulturen der
Azteken, der Inka und auf die Einwohner Kolumbiens. In all diesen
Kulturen spielte Gold eine wichtige religiöse Rolle. Diese Völker
hatten bereits eine ausgefeilte Handwerkskunst zur Verarbeitung des
Edelmetalls zu Schmuck und Kunstgegenständen von unvergleichli-
cher Schönheit entwickelt. Die Eroberer waren jedoch nicht so sehr an
den religiösen und metaphysischen Aspekten dieser Schätze interessiert. Ihr Hauptziel war, so viel Gold wie möglich zu plündern und es
ihren Königen und Königinnen zu bringen. Man fand ungeheure Mengen davon. Meistens wurde der goldene Reichtum jedoch mit brutaler
Gewalt gestohlen und dabei reiche Kulturen zerstört.

Die Neuzeit

Frankreichs Papiergeld-Experimente

Im Vergleich dazu schlug das erste Papiergeld-Experiment des
schottischen Abenteurers John Law in Frankreich gründlich fehl.[12]

Unter der Herrschaft des »Sonnenkönigs« Ludwig XIV. waren die Finanzen Frankreichs ruiniert. Da Ludwig XV. zum Zeitpunkt des Todes des alten Königs 1715 erst fünf Jahre alt war, wurde der Herzog Philippe von Orléans als Regent eingesetzt. Law, der den Prinzregenten während einer seiner Besuche in einem Pariser Spielkasino kennenlernte, gelang es, den Herzog zu überreden, die trostlose Situation durch die Ausgabe einer Papiernotenwährung wiederzubeleben.

In seinem Werk *Extraordinary Popular Delusions and the Madness of Crowds* schrieb Charles Mackay:

> »Als Law sich am Hof präsentierte, wurde er aufs herzlichste empfangen. Er bot dem Regenten zwei Denkschriften an, in denen er die Übel darlegte, welche Frankreich aufgrund einer unzureichenden Währung befallen hatten, die im übrigen bereits verschiedene Male entwertet worden war. Er behauptete, daß eine reine Metallwährung, nicht mit Papiergeld ergänzt, für die Bedürfnisse eines Handel betreibenden Landes völlig unzureichend sei. Um auf die Vorteile des Papiergeldes hinzuweisen, betonte er besonders die Beispiele Großbritanniens und Hollands. Er führte stichhaltige Argumente zum Thema Kredit auf und schlug als Mittel zur Wiederherstellung der Kreditwürdigkeit Frankreichs vor, zu jenem Zeitpunkt wirtschaftlich eine der schwächsten Nationen, man möge ihm gestatten, eine Notenbank einzurichten, welche die Verwaltung der königlichen Einnahmen übernimmt und Banknoten ausgibt, die sowohl durch diese Einnahmen als auch durch Sicherheiten wie Grund und Boden gedeckt sind.«[13]

Merkwürdigerweise haben Laws Theorien und Praktiken vieles gemeinsam mit dem gegenwärtigen Papiergeld-Experiment Ende des 20. Jahrhunderts. Somit könnte man Law als einen Vorläufer von Keynes bezeichnen. 1716 wurde Law durch ein königliches Edikt ermächtigt, eine Bank unter dem Namen *Law and Company* zu gründen. Diese Bank und die später von ihm gegründete *Mississippi Company* brachten ihn auf den Weg dessen, was als erstes Papiergeld-

---

[12] Vgl. Charles Mackay, *Extraordinary Popular Delusions and the Madness of Crowds* (London: Richard Bentley, 1841), S. 1–45.

[13] Ebenda, S. 10.

Experiment der westlichen Welt bezeichnet werden kann. Zunächst verbesserten sich die Rahmenbedingungen, die Wirtschaft und der Handel erholten sich und die Steuereinnahmen erhöhten sich rasch. Ein gewisser Grad an Vertrauen wurde geschaffen, und das ganze Land fühlte die Vorteile.[14]

Law war der Gründer der *Banque de France* und die berühmte Rue Quincampoix Sitz und Schauplatz des Pariser Aktienmarktes. Die Idee, daß Papiergeld schließlich eine Metallwährung ersetzen könnte, führte schließlich zu einer überhöhten Ausgabe an Papiergeld. Der Börsenhandel nahm dramatisch zu und ähnelte zuweilen mehr einer Orgie als einem ordentlichen Markt. Das Unvermeidbare geschah. Anfang 1720 begannen einige schlaue Spekulanten zu erkennen, daß diese Blase nicht mehr viel länger dauern konnte. Sie begannen Kasse zu machen, indem sie ihre Aktien und Banknoten gegen Gold eintauschten. Es dauerte nicht lange, bis die Anzahl der Verkäufer größer war als die der Käufer und das ganze Kartenhaus, das nur auf heißer Luft basierte, einstürzte. Law versuchte, aus dem Land zu fliehen, wurde aber gefaßt, als er im Begriff war, die Grenze zu überschreiten. Offensichtlich war er seinen früheren Überzeugungen untreu geworden, denn die Kutsche, in der er reiste, war voller Gold- und Silbermünzen …

Die Assignaten

Zwischen 1790 und 1797 folgte auf Laws Experiment als nächstes die Ausgabe sogenannter Assignaten, eine Art Papiergeld der französischen Revolution, gedeckt durch nationalisierten Grundbesitz, dessen Kaufkraft innerhalb kurzer Zeit auf den Wert seiner Herstellungskosten, nämlich Null, absank. In seinem Buch *Fiat Money Inflation in France* beschreibt der amerikanische Professor und Diplomat Andrew Dickson White (1832–1912), wie eine der intelligentesten Nationen, Frankreich, nichts aus dem Mißerfolg von John Laws Pa-

---

[14] François M. A. Voltaire, in *Short Studies: The French Islands:* »Nach dem Tode Ludwigs XIV. verleitete der Schotte John Law — eine sehr außergewöhnliche Person —, dessen viele Pläne und Programme sich als nutzlos erwiesen hatten und sogar schädlich für die Nation waren, die Regierung und die Menschen zu dem Glauben, daß Louisiana genauso viel Gold produzieren würde wie Peru (…).«

piergeld-Experiment gelernt hatte.[15] In dem Vorwort zu diesem faszinierenden Buch machte John Mackay einige Anmerkungen, die auch auf das Papiergeld-Experiment des 20. und 21. Jahrhunderts zutreffen:

> »Der vorliegende Bericht ist eine Aufzeichnung des gigantischsten Versuchs, der je in der Weltgeschichte von einer Regierung unternommen wurde, eine nicht einlösbare Papierwährung zu erschaffen und im Umlauf zu halten. Es handelt sich um die vielleicht größte aller Anstrengungen, die je eine Regierung unternommen hat — mit dem römischen Kaiser Diokletian als möglicher Ausnahme —, gesetzliche Rohstoffpreiskontrollen zu verordnen und durchzusetzen. Jede Fessel, die den Willen oder die Weisheit der Demokratie hätte einengen können, wurde zerschlagen, und als Folge wurde jeder Trick und jedes Mittel eingesetzt, welches unbeschränkte Macht und grenzenloser Optimismus ersinnen konnten. Doch die Versuche scheiterten. Sie hinterließen ein Vermächtnis von moralischer und materieller Trostlosigkeit und Not, unter dem eines der intellektuellsten und geistreichsten Völker Europas noch während über eines Jahrhunderts litt und für alle Zeiten leiden wird.«[16]

Beide Papiergeld-Experimente hatten gravierende politische Auswirkungen, welche die Welt in ihren Grundfesten erschütterte. Es kann keinen Zweifel geben, daß die sich daraus ergebende Französische Revolution die Welt für immer verändert hat. Sie bereitete auch den Nährboden für den Mann auf dem sprichwörtlichen Weißen Pferd: Napoleon.

Napoleon stellte Gesetz und Ordnung schnell wieder her, indem er zunächst das Rechtssystem des Landes und später das Militär reformierte. Als er sich danach der verzweifelten finanziellen Situation zuwandte, handelte er auf brillante Weise. Obwohl ihm empfohlen wurde, eine neue Papierwährung einzuführen, weigerte er sich vehement: »Niemals«, antwortete er: »Ich werde Cash (Gold und Silber) bezahlen oder gar nicht.« Er hat sein Versprechen nie gebrochen, nicht

---

[15] Andrew Dickson White, *Fiat Money Inflation in France, How it Came, What it Brought and How it Ended* (1914, Caldwell, Indiana: Caxton Printers Ltd., 1972).

[16] John Mackay, Vorwort zu *Fiat Money Inflation in France* (s. o.).

einmal während der Herrschaft der »Hundert Tage«. Napoleon gab
Frankreich die vollständige Hartgeldbasis zurück und brachte die Nation somit *de facto* wieder auf einen Goldstandard. Dieser dauerte bis
zum Jahre 1914! Die beliebtesten französischen Goldmünzen werden
immer noch »Napoleon« genannt.

Was würde Andrew Dickson White wohl heute sagen, wo nicht
nur ein Land sondern die ganze Welt am größten, ehrgeizigsten und
rücksichtslosesten Papiergeld-Experiment der Geschichte beteiligt ist?
Er wäre überzeugt, daß die Welt für alle Zeiten darunter leiden würde.

Der Goldstandard des 19. Jahrhunderts

Das Beispiel Großbritannien

Was dem britischen Pfund nach Abschaffung des Goldstandards
widerfuhr, ist eine Katastrophe, weil gerade Großbritannien als das
klassische Beispiel gilt, wie ein moderner Goldstandard funktioniert.
Großbritannien machte seine ersten richtigen Erfahrungen mit Gold
als Geld ab 1664, und sie dauerten, abgesehen von einigen Unterbrechungen, über 250 Jahre bis zum Ausbruch des I. Weltkrieges. Das
Gold-Einlösungsversprechen wurde zwischen 1797 und 1821 unterbrochen, als Großbritannien sich mit Frankreich im Krieg befand.
Britanniens Goldstandard war ein wesentlicher Grund für den Aufstieg
des britischen Weltreiches. Ohne eine starke Währung wäre dies niemals möglich gewesen. Lord William Rees-Mogg schrieb in seinem
Buch *The Reigning Error* kurz und bündig: »Gold war Geld und Geld
war Gold.«[17]

Am 13. Juli 1974 veröffentlichte die Zeitschrift *The Economist*
ein faszinierendes Bild der Entwicklung der Verbraucherpreise während dieser Periode. Dies war indes nur möglich, da Britannien das
einzige Land ist, welches zu jener Zeit verläßliche Statistiken führte.
Zu Beginn wurde der Preisindex bei 100 festgelegt. Die Preise blieben
im allgemeinen stabil oder sanken zeitweise leicht unter das Niveau
von 1664, mit Ausnahme der Zeit der napoleonischen Kriege, als der

---

[17] William Rees-Mogg, *The Reigning Error* (London: Hamish Hamilton Ltd.,
1974).

Preisindex 1813 auf 180 hochschoß, um später wieder zu seinem Langzeitwert zurückzukehren. Im Jahre 1914, zum Zeitpunkt des Ausbruchs des I. Weltkrieges, stand der Index bei 91, was bedeutet, daß er am Schluß niedriger war als 250 Jahre zuvor. Jedermann weiß, was mit dem Pfund passiert ist, nachdem der Goldstandard abgeschafft wurde.

Um 1900 waren etwa 50 Staaten auf dem Goldstandard, alle Industrienationen mit eingeschlossen. Es ist eine interessante Tatsache, daß der moderne Goldstandard nicht auf irgendeiner internationalen Konferenz geplant worden war und auch nicht von irgendeinem Genie erfunden worden ist. Er kam von selbst, auf natürliche Weise und aufgrund der Erfahrungen und Lehren der Geschichte. Das Vereinigte Königreich ging gegen die Absichten seiner Regierung zum Goldstandard über. Erst viel später wandelten entsprechende Gesetze den praktizierten in einen offiziell abgesegneten Goldstandard um.

Das Beispiel der Vereinigten Staaten von Amerika

Die Zeitperioden der Preisstabilität unter dem klassischen Goldstandard wie diejenigen von 1834 bis 1862 und 1879 bis 1913 sind ohne Parallele. U.S.-Verbraucherpreise schwankten in diesen 62 Jahren um bis zu 26 % und waren zu Beginn und Ende dieser beiden Zeitperioden nahezu auf demselben Niveau. Im Jahre 1800 lag der Index für Großhandelspreise in den USA bei 102,2. Bis 1913 ging er auf 80,7 zurück. Von 1879 bis 1913, als die USA und die meisten anderen Nationen auf dem Goldstandard waren, schwankten die U.S.-Verbraucherpreise in 34 Jahren lediglich um 17 %. Die durchschnittliche Inflation lag erneut bei nahezu Null. Die durchschnittlichen jährlichen Preisschwankungen nach oben oder unten betrugen 1,3 %. Dies steht in scharfem Gegensatz zu den durchschnittlichen Preisschwankungen während des Bürgerkriegs (6,2 %), der Periode zwischen dem I. Weltkrieg und Bretton Woods (5,6 %) und der Zeit seit Bretton Woods (6 %).

Es ist nicht der Zweck dieses Buches, einen vollständigen Bericht der amerikanischen Geldgeschichte des 18. und 19. Jahrhundert wiederzugeben, denn zu diesem Thema existiert bereits reichlich fundierte Literatur. Einige Anmerkungen zu ihrer turbulenten Vergangenheit dürften jedoch nützlich sein, die gegenwärtigen Standpunkte besser zu verstehen.

Chronologie des U.S.-Geldes

10. Mai 1775
Der *Continental Congress* bewilligt die Ausgabe von ungedecktem Papiergeld (»The Continental«), dessen Kaufkraft schnell zu einem winzigen Bruchteil seines ursprünglichen Wertes erodierte.

31. Mai 1781
Der »Continental« war nicht mehr als Währung im Umlauf,
sondern wurde zu einem Spekulationsobjekt.[18]

1787
Verfassungsgebende Versammlung und Schaffung der U.S.-Ver-
fassung.

Die Grundprinzipien der Gründungsväter wie Thomas Jefferson,
George Washington, James Madison, John Adams und Benjamin Franklin sowie ihre Philosophien wurden in der Verfassung (The Constitution)
verankert. Diese Männer verfügten über eine Ausbildung in Philosophie, einen hohen Respekt vor der Schöpfung, der Religion und der
menschlichen Natur. Der Hauptansatz war, daß Menschenrechte ihren
Ursprung in der Natur haben. Die in der Verfassung verankerten zentralen Punkte waren das Recht auf Leben, Freiheit, Eigentum (über die
eigene Arbeitskraft zu verfügen) und das Streben nach Glück. Eine
gute Gesellschaft konnte nur existieren, wo diese Naturrechte anerkannt und geschützt wurden. Die Aufgabe der besten Regierungsform
war es, sicherzustellen, daß diese Rechte befolgt wurden. Die
Constitution, so wie sie damals niedergeschrieben wurde, existiert, von
einigen Ergänzungen (Amendments) abgesehen, immer noch. Die
Gründerväter würden sich jedoch zweifellos im Grabe umdrehen,
wenn sie wüßten, wie heute, 200 Jahre später, mit ihren Grundkonzepten
und ihrer Philosophie umgegangen wird.

1789
In Artikel I, Abschnitt 8, Klausel 5, ermächtigt die Verfassung
den Kongreß, Geld herauszugeben. Sie macht keine Aussage darüber,
was exakt als gesetzliches Zahlungsmittel betrachtet werden soll. In
Abschnitt 10 desselben Artikels allerdings untersagt sie den einzelnen

---

[18] Pelatiah Webster, *Not Worth a Continental* (1950), Nachdruck Irvington on
Hudson, New York: Foundation for Economic Education.

Staaten, »… etwas anderes als Gold- und Silbermünzen als Zahlungsmittel zur Begleichung von Schulden herzustellen«. Man sollte sich
diese auf alten Regeln basierende Definition des Begriffs »Zahlungsmittel« (legal tender) erneut zu Gemüte führen. Indem vorgeschrieben
wurde, daß die einzelnen Staaten nichts anderes als Gold und Silber
zum gesetzlichen Zahlungsmittel erschaffen durften, war der Kongreß
gezwungen, diese beiden Metalle zur Währung der Vereinigten Staaten
zu machen.

2. April 1792
      Der Kongreß verabschiedete das Münzgesetz »Coinage Act« von
1792, welches für die freie Prägung von Münzgeld aus Gold und Silber
sorgte.[19]

      »Das Gesetz führte zur Gründung der staatlichen Münzstät-
te (*U.S. Mint*), in der offizielles Geld, Münzen aus Silber und
Münzen aus Gold, hergestellt werden sollten. Geld, das nach
geltenden Gesetzen geschaffen wird, nennt man *rechtmäßiges/
gesetzliches* Geld. Der Ausdruck ›rechtmäßiges Geld der Vereinigten Staaten‹ (›lawful money of the United States‹) bedeutet
Geldmünzen aus Silber und Gold, welche gemäß Gesetz in einer
Münzstätte der Vereinigten Staaten geprägt werden.«[20]

Geld: eine präzise Definition

Geld:
      »Münzen oder andere mechanische Artikel aus Gold, Silber
oder anderen Edel- oder Halbedelmetallen, die in einer Münzstätte fabriziert werden, sind Tauschmittel.«[21]

      »England wirtschaftete nahezu zwei Jahrhunderte lang, von
1717 [manche meinen sogar bereits seit 1664; der Verf.] bis 1914
auf Basis eines Goldstandards, mit Ausnahme der Periode von
1797 bis 1821, als die Konvertierbarkeit während der napoleonischen Kriege aufgehoben worden war. Die Vereinigten Staaten

---

[19] *A Monetary Chronology of the United States* (AIER: *Economic Education
Bulletin*, Great Barrington, Massachusetts, 1994), S. 3.
[20] Ebenda.
[21] James E. Ewart, *Money* (Seattle, Washington: Principia Publishing, 1998).

waren bis 1834 effektiv auf einem Silberstandard, danach bis
1914 auf dem Goldstandard, mit Ausnahme der ›Greenback-Ära‹
(1862–1879). Keine anderen Länder waren so lange Zeit auf dem
Goldstandard, und es ist kein Zufall, daß keine anderen Länder so
wohlhabend waren wie England und die USA während der Zeit
ihrer Goldstandards. Im Gegensatz zum heute weitverbreiteten
Glauben ist Goldgeld weder von Natur aus deflationär, noch stellt
es ein Hindernis für Wirtschaftswachstum und Wohlstand dar.
Das allgemeine Preisniveau blieb unverändert oder sank. In Peri-
oden schnellen Wachstums blieb das allgemeine Preisniveau unverändert oder ging, wie in Großbritannien und den Vereinigten
Staaten, sogar leicht zurück — ein Ergebnis, das viele Ökonomen
heute als unmöglichen Widerspruch ansehen.«[22]

Englands Banktradition geht geschichtlich noch weiter zurück,
was die beträchtlichen Unterschiede in der Geschichte ihres Bankwesens erklärt:

> »Obwohl die Grundprinzipien des soliden Bankwesens in
> den frühen Jahren des 18. Jahrhunderts in England mit zuneh-
> mendem Erfolg Anwendung fanden, wurden diese in den Verei-
> nigten Staaten nicht auf so breiter Basis verstanden. Hunderte
> von Banken wurden in den verschiedenen Staaten der Union von
> Einzelpersonen gegründet, die nichts vom Bankwesen verstan-
> den, abgesehen davon, daß sie unbedingt an diesem mysteriös
> profitablen Geschäft teilnehmen wollten.«[23]

Während eines Großteils der Zeit dient die Geschichte des
U.S.-Geldes nicht gerade als Beispiel für Kontinuität und Stabilität.
Der österreichische Ökonom Felix Somary äußert sich in diesem Zusammenhang in seinem Buch *Erinnerungen aus meinem Leben* (1959)
wie folgt:

> »Im Gegensatz zu England hat die Macht, die heute die
> Erde führt, nicht die Tradition wertbeständigen Geldes. So merk-

---

[22] Richard Salsman, *Gold and Liberty* (AIER: *Economic Education Bulletin*,
Great Barrington, Massachusetts, 1994), S. 3.
[23] Ernest P. Welker, *Why Gold?* (AIER: *Economic Education Bulletin*, Great
Barrington, Massachusetts, 1995), S. 9.

würdig es klingt, hier waren schon seit dem 18. Jahrhundert die Schuldner in überwiegender Mehrheit, und sie sind es jetzt mehr als je zuvor. Der Bundesstaat aber, noch zu Anfang dieses Jahrhunderts fast schuldenfrei, hat eine Schuldenlast in gigantischem Ausmaß und teilt darum die Interessen aller Schuldner.«[24] (Trotz aller offiziellen Erklärungen, die allesamt wertlos sind, bleibt die Situation bis zum heutigen Tag unverändert.)

Am 14. März 1900 verabschiedete der Kongreß den Gold Standard Act. Gemäß diesem Gesetz schuf das Schatzamt (*Treasury*) eine Goldreserve in Höhe von $ 150 Millionen für die Einlösung der Greenbacks oder Treasury Notes, die nur im Austausch für Gold ausgegeben werden konnten. Der Geist dieser Zeit war folgender:

»Wir bekunden erneut unsere Loyalität zum Prinzip des Goldstandards und erklären unser Vertrauen in die Weisheit der Gesetzgebung des 56. Kongresses, durch welche die Parität all unseren Geldes und die Stabilität unserer Währung auf einer Goldbasis abgesichert ist.«
Republican National Platform, 1900.[25]

Vier Jahre später waren sie noch immer der gleichen Überzeugung:

»Wir glauben, daß es die Pflicht der republikanischen Partei ist, den Goldstandard sowie die Integrität und den Wert unserer nationalen Währung aufrechtzuerhalten.«
Republican National Platform, 1904.[26]

»Die republikanische Partei hat den Goldstandard eingeführt und wird ihn weiterhin aufrechterhalten und sich jeder Maßnahme entgegensetzen, welche die Kreditwürdigkeit der Regierung unterminiert oder die Integrität unserer nationalen Wäh-

---

[24] Felix Somary, *Erinnerungen aus meinem Leben* (Zürich: Manesse-Verlag, 1959), S. 411.
[25] Aus H. L. Mencken, Hrsg., *A New Dictionary of Quotations on Historical Principles from Ancient and Modern Sources* (New York: Alfred Knopf, 1985), S. 471.
[26] Ebenda.

rung schädigt. Entlastung durch Inflation ist unvernünftig und in den Resultaten unehrlich.«
Republican National Platform, 1932.[27]

Der Triumph des Goldes

In seinem Buch *Managed Money at the Crossroads* (Währungen am Scheideweg) schrieb Professor Melchior Palyi:

>»Zum ersten Male seit der Blüte Roms gelang es der zivilisierten Welt, eine monetäre Einheit zu erzielen. Die kommerzielle und finanzielle Einheit der Welt wurde ohne militärisches Imperium oder utopische Träume verwirklicht. Die monetäre Einheit des Goldstandards war allgemein akzeptiert und als das einzig rationale Geldsystem anerkannt.«[28]

Der Goldstandard des 19. Jahrhunderts stellt die höchste monetäre Errungenschaft der zivilisierten Welt dar und erscheint heute wie ein Wunder:[29]

Französischer Franc	1814–1914	100 Jahre Stabilität
Holländischer Gulden	1816–1914	98 Jahre
Pfund Sterling	1821–1914	93 Jahre
Schweizer Franken	1850–1936	86 Jahre
Belgischer Franc	1832–1914	82 Jahre
Schwedische Krone	1873–1931	58 Jahre
Deutsche Mark	1875–1914	39 Jahre
Italienische Lira	1883–1914	31 Jahre

Der österreichische Ökonom Ludwig von Mises hatte in seinem Werk *Human Action* folgendes zu sagen:

---

[27] Aus H. L. Mencken, Hrsg., *A New Dictionary of Quotations on Historical Principles from Ancient and Modern Sources* (New York: Alfred Knopf, 1985), S. 471.

[28] Melchior Palyi, *Währungen am Scheideweg* (Frankfurt: Fritz-Knapp-Verlag, 1960).

[29] Aus: *Pick's Currency Yearbook* von Franz Pick (New York: Pick Publishing, 1975).

»Der Goldstandard war der Weltstandard im Zeitalter des Kapitalismus, des steigenden Wohlstandes, der Freiheit und Demokratie …, es war ein internationaler Standard, wie ihn der internationale Handel und die Kapitalmärkte der Welt brauchten …, er trug westliche Industrialisierung, Kapital und Zivilisation in die hintersten und verlassensten Ecken dieser Welt, dabei unerhörte Reichtümer schaffend …, er begleitete den nie dagewesenen Fortschritt des westlichen Liberalismus, um alle Staaten zu einer Einheit von freien Nationen zu schmieden, welche friedlich zusammenarbeiteten …«[30]

Die Erfahrung mit stabilem Geld und Politik

Wirtschaftlicher Fortschritt setzt eine stabile Geldwirtschaft voraus. Trotz aller guten Erfahrungen mit dem Goldstandard teilen viele, besonders Politiker, diese Ansicht nicht.

Ludwig von Mises erläutert den Sachverhalt in seinem Buch *Human Action*:

»All diejenigen, welche die Evolution zu Wohlstand, Frieden, Freiheit und Demokratie stört, verabscheuen den Goldstandard, weil sie nationale Autarkie anstreben …, interventionistische Regierungen bekämpfen ihn, weil sie ihn als das größte Hindernis für ihre Manipulationen betrachten … Aber die fanatischsten Angriffe gegen das Gold kommen von denjenigen, für die Geld- und Kreditschöpfung das Wundermittel zur Behebung aller wirtschaftlichen Übel sind.

Der Goldstandard ist bestimmt nicht ideal oder perfekt. In menschlichen Angelegenheiten gibt es sowieso nichts Perfektes …, die Kaufkraft des Geldes ist nicht stabil … aber in einer ständig wechselnden Welt kann es eine solche Stabilität der Kaufkraft gar nicht geben … ja, es ist sogar ein wichtiger Aspekt des Geldes, daß seine Kaufkraft ständig schwankt. In der Tat geht es den Goldgegnern gar nicht darum, die Kaufkraft des Geldes stabil zu machen. Alles, was sie wollen, ist den Regierungen Macht zu geben, ohne durch externe Faktoren wie den Gold-

---

[30] Ludwig von Mises, *Human Action* (New Haven, Connecticut: Yale University Press, 1949), S. 472.

standard behindert zu werden ... Aber niemand ist in der Lage, etwas Befriedigenderes zu finden als den Goldstandard.«[31]

Die Börsen- und Anleihe-Märkte unter dem Goldstandard

Während einer Studientagung unter dem Titel »Money: A Search for Common Ground«, welche im Jahr 1984 von der *Progress Foundation* in Lugano, Schweiz, veranstaltet wurde, unterbreitete ich eine Forschungsstudie, in der ich das Verhalten der Wertpapiermärkte unter dem Goldstandard des 19. Jahrhunderts analysierte. Mein Aufsatz mit dem Titel »Die Ansichten eines praktizierenden Bankiers« war keine monetär-archäologische Entdeckung, sondern war die Schlußfolgerung, welche ich aus Graham and Dodd's klassischem Werk *Security Analysis* ableitete:

> »Unter dem Goldstandard waren die wichtigsten Währungen lange Zeit stabil. Diese Stabilität wirkte sich äußerst günstig auf die Industrialisierung in der damaligen Zeit aus. Der Grund war, daß es infolge der Währungsstabilität leicht war, sich im Publikum mittels Emission von Aktien und Anleihen zu finanzieren. Infolge der Währungsstabilität blieben die Zinssätze niedrig.«[32]

Das Hauptmerkmal von Qualitätsaktien in der Zeit vor dem I. Weltkrieg war ein stabiler, allgemein steigender Dividendenertrag, basierend auf einer angemessenen Stabilität der Erträge, einer gesunden Finanzstruktur und reichlich vorhandener Liquidität. Da es sich bei Aktien um Risikokapital handelte, boten Aktienanlagen in der Regel eine höhere Rendite als Anleihen mit gleicher oder ähnlicher

---

[31] Ludwig von Mises, *Human Action* (New Haven, Connecticut: Yale University Press, 1949), S. 472.

[32] Benjamin Graham and David L. Dodd, *Security Analysis* (New York: McGraw-Hill, 1951), S. 1–12, und Ferdinand Lips, »Die Ansichten eines praktizierenden Bankiers«, aus: *Money: A Search for Common Ground* (Lugano: Progress Foundation, 1984), S. 65–81. Dies sind veröffentlichte Tätigkeitsberichte einer von der *Progress Foundation* im April 1984 abgehaltenen Konferenz.

Anlagequalität. Da Aktien eine höhere Rendite boten, eigneten sie sich als Sparinstrumente. Die heute weit verbreitete Theorie des »Greater Fool« (zu Deutsch: Der größere Dummkopf) war damals unbekannt. Sie besagt, daß man Aktien zu einem möglichst tiefen Kurs kaufen soll, um sie später, hoffentlich nach einem möglichst großen Kursanstieg, einem noch größeren Dummkopf (Greater Fool) zu verkaufen. Dieser wird dann auf den überbewerteten Aktien sitzenbleiben, die ihm wenig oder gar keinen Gewinn mehr bringen, von einer Dividende, wie dies früher der Fall war, gar nicht zu sprechen.

Nur der klassische Goldstandard ermöglicht es, daß Finanzinstrumente und Märkte für jedermann zufriedenstellend funktionieren können, und dies sowohl für den Kreditgeber, den Aktionär, den Schuldner oder, was am wichtigsten ist: den Sparer. Nur wenn ehrliche Maße und Gewichte vorherrschen, werden die Finanzinstrumente und -märkte ihr volles Potential ausschöpfen können. Die Geschichte ist voller Beispiele von Märkten, welche sich unter dem Regime von nicht in Gold einlösbaren Währungen in Spielkasinos verwandelten. Das gegenwärtige Verhalten der Märkte ist dafür der beste Beweis.

Die Erfahrung, die man aus dieser Zeitperiode gewonnen hat, war im wesentlichen, daß Anleihen einen großen Teil der Investment-Portfolios ausmachten. Sie konnten leicht aufgelegt werden, da man keine Kaufkrafteinbußen zu befürchten hatte. Es gibt keinen besseren Weg zu wirtschaftlichem Fortschritt als stabiles Geld. Ein solches System war in der Vergangenheit und wird auch in Zukunft jedem Papiergeldsystem stets überlegen sein.

In seinem Buch *The Twilight of Gold*, 1914 bis 1936, schreibt Dr. Melchior Palyi:

> »Es war eine Welt der ausgeglichenen nationalen Budgets, in denen es eine Selbstverständlichkeit war, daß öffentliche Schulden getilgt werden, ebenso wie Privatschulden zurückgezahlt werden mußten. Ungedecktes Papiergeld galt als ein Greuel. Lebenswichtige öffentliche Ausgaben (Investitionen) wurden durch den Verkauf langfristiger Anleihen finanziert und nicht durch expansive Geldpolitik. Alles in allem war es eine Welt des kontinuierlichen Realwachstums — mit steigendem Lebensstan-

dard für die Massen und einer allgemeinen ›Sicherheit‹, die durch
die Werterhaltung der Ersparnisse geboten wurde.«[33]

Die Weltwirtschaft funktionierte auf der Basis ihres vollen Poten-
tials, und ein steigender Lebensstandard für die Massen bedeutete
wenig oder gar keine Arbeitslosigkeit. Wenn die heutigen politischen
Führer nach einer »neuen« Finanzarchitektur Ausschau halten, sollten
sie sich an die Erfahrungen mit dem Goldstandard erinnern.

Damals hatte der Schutz der Ersparnisse noch eine weitere Bedeutung. Da es in dieser »goldenen Welt der Sicherheit« keine Inflation gab, konnten die Menschen von ihren Ersparnissen leben und sich
auf kulturelle Aktivitäten konzentrieren. Die Wahrscheinlichkeit, daß
Menschen sparen, ist immer dann am größten, wenn sie Vertrauen
haben, daß sie die Früchte ihrer Arbeit genießen können. Dies setzt
voraus, daß die Menschen Vertrauen in die bestehende Währungsordnung und die Fähigkeit der Regierung haben, Ordnung zu fördern, dem
Gesetz Geltung zu verschaffen und ein stabiles Geldsystem aufrechtzuerhalten. Es gibt kein besseres Dokument darüber, was für eine Bedeutung der Goldstandard für die Menschheit hatte, als die Beschreibung
des »Goldenen Zeitalters der Sicherheit« des österreichischen Autors
Stefan Zweig im Vorwort zu seinem berühmten Buch *Die Welt von
Gestern*[34]. Und niemand beschreibt besser die Tragödien, welche die
Welt heimsuchten, nachdem der goldene Anker törichterweise gehoben wurde.

Das Ende des Goldstandards des 19. Jahrhunderts

Im Jahre 1914, zu Beginn des I. Weltkriegs, wurde der Goldstandard innerhalb weniger Wochen über Bord geworfen. Um Kriege
zu finanzieren, nahm die Welt Zuflucht zu Defizitwirtschaft und Papiergeld. Wäre der Goldstandard nicht aufgegeben worden, hätte der
Krieg nicht länger als ein paar Monate gedauert. Statt dessen dauerte er
über vier Jahre, ruinierte die meisten wichtigen Volkswirtschaften der
Welt und kostete Millionen Menschen das Leben.

---

[33] Melchior Palyi, *The Twilight of Gold* (Chicago: Henry Regnery Company),
S. 7.
[34] Stefan Zweig, *Die Welt von Gestern*, Bermann-Fischer Verlag AB, Stockholm, 1944.

Nach dem Ende des Goldstandards war eine gesunde Währungspolitik ein Ding der Vergangenheit. Die Dauer und das Ausmaß des Krieges zwang die kriegführenden Nationen, jede Währungsdisziplin aufzugeben, indem man die Kriegsausgaben als Entschuldigung benutzte.

Beruhend auf 50 Jahren Erfahrung und Studium der Märkte und der Geschichte des Geldes, ist es meine Überzeugung, daß die Abschaffung des Goldstandards des 19. Jahrhunderts die größte Tragödie aller Zeiten darstellt. Dieses Ereignis hat die Welt in ein mittlerweile 100 Jahre andauerndes monetäres Niemandsland geführt und könnte letztendlich zum totalen Freiheitsverlust der Menschheit führen. Seitdem haben die meisten Ökonomen Scheuklappen vor den Augen. Wer sich aber Zeit und Mühe nimmt, die entscheidenden geschichtlichen Ereignisse zu studieren, wird feststellen, daß Gold der entscheidende Dreh- und Angelpunkt der Weltwirtschaft und auch des Weltschicksals ist. Der monetäre Standard steht in engem Zusammenhang mit dem moralischen Standard und bestimmt als solcher das Schicksal der Menschheit.

Etwas Chronologie zum Thema Geld

Am 14. März 1900 verabschiedete der U.S.-Kongreß den Gold Standard Act, welcher die USA per Gesetz auf einen offiziellen Goldstandard setzte.

Die Kaufkraft des U.S.-Dollars von 1800 bis 1914 blieb mehr oder weniger unverändert. Sie hatte sich vielleicht sogar noch etwas erhöht.

Am 23. Dezember 1913 unterzeichnete Präsident Woodrow Wilson das U.S.-Notenbankgesetz (Federal Reserve Act), welches das Federal-Reserve-System ins Leben rief. Seitdem wurden wiederholt Änderungen am und Ergänzungen zum Federal Reserve Act vorgenommen (Amendments). Das *Federal-Reserve*-System nahm 1914 seine Tätigkeit auf.

1995 war ein U.S.-Dollar aus dem Jahre 1940
nur noch acht Cents wert

Die Absicht, nach Ende des I. Weltkrieges wieder zum Goldstandard zurückzukehren, war praktisch eine beschlossene Sache. Bei
einer wahren Rückkehr wäre man jedoch nicht um eine Abwertung der
Währungen herumgekommen, die durch die Kriegsausgaben unterminiert waren. Großbritannien weigerte sich jedoch, das Pfund abzuwerten, da die Engländer der Ansicht waren, daß dies den Ruf des Pfundes
untergraben würde.

Obwohl es die feste Absicht der größeren Nationen war, wieder
zum Vorkriegs-Goldstandard zurückzukehren, entschieden sie sich zu
einem gefährlichen Ersatz. Auf der Konferenz von Genua 1922 (an der
die USA nicht teilnahmen) wurde der Gold-Devisen-Standard eingeführt, unter dem der U.S.-Dollar und das britische Pfund so gut waren
wie Gold und als Währungsreserve gehalten werden konnten. Leider
kehrte die Welt nicht zum klassischen Goldstandard zurück. Was jedoch jedermann hätte wissen müssen, ist, daß diese Währungen an
Kaufkraft verloren hatten und in Zukunft weiter verlieren würden.
Deshalb konnten sie nicht so gut sein wie Gold.

Die unmittelbare Auswirkung des neuen Systems war, daß Devi-
senreserven nun doppelt gezählt wurden: einmal im Lande ihrer Ausgabe, und ein zweites Mal im Gläubigerland, das sie als Reserve hielt.
Außerdem versetzte dies die Gläubigerländer in die bequeme Lage,
Zahlungsbilanzdefizite aufweisen zu können, ohne dafür bestraft zu
werden, solange die anderen Nationen »Vertrauen« in ihre Währungen
hatten.

Das zeitweilige Ende

Das neue System setzte eine gewaltige Geld- und Kreditmaschine
in Bewegung und schuf die Basis für den inflationären Boom der
1920er Jahre. Am Anfang schien diese zu funktionieren, da sie mehr
von Papier als von Gold abhängig war. Doch mit der Zeit stellte sich der
neue Mechanismus als ein Inflationsmotor heraus, dessen Produkt,
überschüssige Kaufkraft, direkt in den Immobilienmarkt und die Börse
floß. Das Resultat war eine Spekulationsmanie, die 1925 zur Immo-

bilienkrise in Florida und 1929 zum Börsenkrach an der Wall Street führte.

Jacques Rueff sagte dazu in seinem Buch *L'Age de l'Inflation* wie auch in einem am 17. März 1973 gehaltenen Vortrag »Les doctrines monétaires à l'épreuve des faits«:

> »Es ist wohlbekannt und wurde auch wiederholt nachgewiesen, daß der Gold-Devisen-Standard maßgeblich für die Weltwirtschaftskrise der 1930er Jahre verantwortlich war.«[35]

Im Buch *The Invisible Crash* von James Dines steht folgendes:

> »Die Inflation des I. Weltkrieges brachte den Goldstandard, der die Umlaufmenge des Geldes streng begrenzte, vorübergehend zum Entgleisen, und die Konferenz von Genua erkannte das Herumpfuschen der Regierungen mit Papiergeld an. Von jeher konnten Regierungen diesem Rechtsmißbrauch nicht widerstehen, und das direkte Ergebnis war eine galoppierende Inflation in den 1920er Jahren und die unvermeidliche Korrektur in Form der großen Depression.«[36]

In Anbetracht der Tatsache, daß dieselben Fehler 22 Jahre später in Bretton Woods erneut begangen wurden, zeigt, daß die Welt aus der Geschichte nichts lernt, selbst wenn es um einen so zentralen Aspekt unseres Lebens geht wie das Geld.

Franklin D. Roosevelts »New Deal«

Wie zu erwarten, machte man die angebliche Goldknappheit für die Ereignisse verantwortlich.

In der Tat konnte es nur zu diesen Ereignissen kommen, weil der altbewährte Goldstandard fallen gelassen wurde. Dazu James Dines in seinem Buch *The Invisible Crash*:

---

[35] Jacques Rueff, Vortrag gehalten am 17. März 1933 an der *Ecole des Sciences Politiques*, Paris.

[36] James Dines, *The Invisible Crash* (New York: Random House, 1977).

»Franklin Delano Roosevelt [FDR] wurde im November 1932 [zum Präsidenten] gewählt, als die Weltwirtschaft am Boden lag. Es war klar, daß jedermann mit Mitgefühl für den kleinen Mann direkte Maßnahmen einleiten mußte, um zu helfen. In diesem Sinne kann man ihm keine Vorwürfe machen. Doch alle inflationären Übertreibungen, die sich aus der Finanzierung des I. Weltkrieges ergaben, und all die Torheiten des *Federal Reserve*, waren gewaltsam liquidiert worden, so daß FDR einen reinen Tisch vorfand. Hätte man zu jenem Zeitpunkt eine wirklich stabile Währung eingeführt, so wäre der II. Weltkrieg mit großer Wahrscheinlichkeit vermieden worden, und die Wirtschaftsgeschichte hätte für den Rest dieses Jahrhunderts mit Sicherheit einen anderen Weg eingeschlagen.

(…) FDRs ›New Deal‹ war schon immer umstritten. (…) ich behaupte rundweg, daß der New Deal als größter kurzfristiger Erfolg (vier Jahrzehnte) und als größter langfristiger Fehlschlag, den irgendein Wirtschaftssystem je gesehen hat, in die Geschichte eingehen wird.

Es lag eine gottgegebene Gelegenheit vor, das *Federal Reserve* zu liquidieren, die Steuern auf nahezu Null zu senken und eine stabile gesunde Währung einzuführen. Statt dessen stand Roosevelt unter dem Einfluß des britischen Ökonomen Lord John Maynard Keynes und wählte demzufolge den entgegengesetzten Weg.«[37]

John Exter, ehemaliger Zentralbankier, namhafter Ökonom und Goldexperte, beschrieb mir die Situation in einer Reihe von Diskussionen wie folgt:

»Als das *Federal Reserve* 1914 seine Aktivitäten aufnahm, begann es sofort damit, ›Geld zu drucken‹ (d. h. Geld oder Kaufkraft in Umlauf zu setzen), indem es Staatspapiere aufkaufte. Es fuhr damit auch während des I. Weltkrieges fort, bis 1920/21. Anschließend versuchte es seine Bestände abzubauen. Diese Reduktion führte zu einer starken, aber kurzen Rezession. Dann nahm das Fed seinen Expansionskurs wieder auf und setzte ihn während den ganzen 1920er Jahre weiter fort. In den dreißiger Jahren fiel die Wirtschaft in eine Kontraktionsphase.

---

[37] James Dines, *The Invisible Crash* (New York: Random House, 1977).

Dieser Wirtschaftseinbruch war so gewaltig, so unaufhaltsam, daß Roosevelt drei Amtszeiten und einen Krieg brauchte, um uns aus der Situation herauszubringen. Roosevelt versuchte alles, doch nichts half. 1933 lag die Arbeitslosenquote bei 25%. Bis 1937 war sie auf 15% abgesunken, doch 1937/38 ging die Börse noch einmal in die Knie; die Wirtschaft schrumpfte abermals, und die Arbeitslosenquote stieg wieder auf 21%.

Natürlich beendete der II. Weltkrieg die Arbeitslosigkeit. Ohne den Krieg, wer weiß wie lange sie noch gedauert hätte.«[38]

In diesem Zusammenhang erzählte John Exter von einem Gespräch, das er 1974 mit Milton Friedman geführt hatte. Friedman sagte, daß das *Federal Reserve* die Geldmenge um jeden Betrag erhöhen könne und daß diese kontinuierliche Erhöhung der Geldmenge die U.S.-Wirtschaft aus der Depression führen würde. Exter dachte, daß Friedman sich irrt. John Exter war schon immer der Ansicht, daß das Fed durch seine Offenmarktpolitik die Disziplin des Goldstandards von Anfang an verletzt hatte. Seiner Meinung nach hätte es nur Gold kaufen sollen.

---

[38] Persönliche Gespräche des Autors mit John Exter in Zürich.

Kapitel II:
Die Gold-Verschwörung der 1930er Jahre und die Abkehr vom Gold

»An sich ist Papiergeld in Ordnung, vorausgesetzt unsere Obrigkeit ist perfekt und die Könige verfügen über eine göttliche Intelligenz.«[39]
Aristoteles

Einführung

Um die Gründe zu erklären, warum sich die Gold-Verschwörung von Jahr zu Jahr intensivierte, müssen wir auf die entscheidenden geschichtlichen Ereignisse der 1930er Jahre zurückkommen. Keynes' Ideen waren in der Welt zur vorherrschenden ökonomischen Theorie geworden. Abgesehen von kurzen Unterbrechungen, ist das bis heute so geblieben.

Der amerikanische Rechtsanwalt, Dozent und Autor René A. Wormser schrieb in seinem Buch *Conservatively Speaking*:

>»Keine Regierung kann mit einem Währungssystem arbeiten, das ausschließlich auf Papiergeld basiert, ohne schwere wirtschaftliche Aufruhr zu erzeugen und schließlich eines Tages die Zeche bezahlen zu müssen. Ein Papiergeld-System legt die gesetzliche Grundlage für Verschwendung und führt unweigerlich zu Inflation.
>
>1933 veranlaßte uns Präsident Roosevelt, den Goldstandard aufzugeben und der Regierung all unsere Goldzertifikate im Austausch gegen Papiergeld auszuliefern. Man hat uns sogar verboten, Gold als Wertmaßstab bei Verträgen zu benutzen. (Siehe auch ›Restoring Gold Clauses‹ in *Contracts* von René A. Wormser und Donald L. Kemmerer, veröffentlicht vom *Committee for Monetary Research and Education Inc.*, Greenwich, Connecti-

---

[39] Aristoteles, *The Nichomachean Ethics V*, 340 n. Chr.; siehe auch Aristoteles, *Politeia*.

cut, 1975).[40] Seitdem und bis 1975 war es rechtswidrig, Gold zu besitzen, außer für den amtlich zugelassenen oder kommerziellen Gebrauch. Kurz nach dem Erlaß dieser Verbote wertete der Präsident den Golddollar mit Vollmacht des Kongresses ab.

Dieser Schritt leitete die Ära der Defizitfinanzierung und ungeeigneter staatlicher Eingriffe ein und hat uns in die katastrophale Lage gebracht, in der wir uns heute befinden.

Es ist geradezu seltsam, daß Roosevelt nicht sah oder nicht sehen wollte, wie unmoralisch er handelte, als er den Kongreß überredete, diese Goldgesetze einzuführen. Oder war es ihm gleichgültig? Roosevelt hatte anschließend ein Gespräch mit Senator Carter Glass in dessen Büro. Als der Senator von der Bekanntgabe der Gesetze erfuhr, daß die USA ihre vertragliche Verpflichtung, Staatsanleihen in Gold zurückzuzahlen, nicht einhalten würden, sagte er zu Roosevelt folgendes:

›Es ist eine Schande, Sir. Diese hohe Regierung, die so viel Gold besitzt, bricht ihr Versprechen, Gold an Witwen und Waisen auszuzahlen, denen es Staatsanleihen verkauft hatte, mit der Zusicherung, dieselben mit Goldmünzen zum gegenwärtigen Wertstandard zurückzuzahlen. Sie bricht ihr Versprechen, ihr Papiergeld bei Verfall in Goldmünzen zum gegenwärtigen Wertstandard einzulösen. Es ist eine Schande, Sir.‹ Und so war es.«[41]

Es ist sehr wichtig, einen Blick zurück in die Geschichte zu werfen, denn dies vermittelt uns ein klareres Bild, weshalb wir hier überhaupt von einer Goldverschwörung reden. In einer Veröffentlichung mit dem Titel »How Americans Lost Their Right To Own Gold And Became Criminals In The Process« beschreibt Professor Henry Mark Holzer, wie Roosevelt sein Gesetz mit einem undurchsichtigen Paragraphen im »Trading with the Enemy Act« des I. Weltkriegs rechtfertigte. Das Tempo, mit dem diese Gesetzesänderung durch den

---

[40] Tatsächlich ermächtigte der »Trading with the Enemy Act« (Gesetz zum Handel mit dem Feind) Roosevelt nicht, die Banken zu schließen oder das Hartgeld auszusetzen. Am 5. März 1933 schloß er die Banken und setzte die Goldzahlungen aus. Am darauffolgenden Freitag wurde der »Trading with the Enemy Act« rückwirkend ergänzt, um Roosevelt rechtliche Rückendeckung zu geben.

[41] René Wormser, *Conservatively Speaking* (Mendham, New Jersey: Wayne E. Dorland Company, 1979), S. 79.

Kongreß gepeitscht wurde, erinnert uns auffällig an die Art und Weise, wie der »Federal Reserve Act« kurz vor Weihnachten 1913 verabschiedet wurde. Oder ein aktuelles Beispiel aus der Gegenwart, als im April 1999 massiver Druck auf die schweizerische Bevölkerung ausgeübt wurde, über ihre neue schicksalhafte Verfassung abzustimmen.

Professor Holzer führt in seiner Monographie weiter aus:

> »Ein damaliger Professor der Bostoner Universität faßte wortgewandt die dubiosen ›Errungenschaften‹ der Goldmanipulationen des ›New Deal‹ wie folgt zusammen:
> ›Am 6. März 1933 begann diese komplexe Aufeinanderfolge (…) zusammenhängender Bekanntgaben, Nachrichten, Erklärungen, Verordnungen, Gesetze (…), mit denen der Präsident und der Kongreß den nationalen Notstand handhaben. Die erste große Sache, die von Grund auf geändert wurde, betraf das Geld der Menschen. Gold wurde verstaatlicht, das heißt, das Schatzamt beschlagnahmte alle Goldmünzen und -barren, die sich in Privatbesitz befanden und derer es habhaft werden konnte, ebenso wie alle sich noch im Umlauf befindlichen Zertifikate über Golddepots. Gold, der König des Münzwesens, war zum Gefangenen geworden, eingesperrt und scharf bewacht. Kein Gold wurde mehr auf Verlangen und unter Vorlage der entsprechenden Zertifikate vom Schatzamt ausgezahlt. Es wurden keine Goldmünzen mehr geprägt. Man hatte sich ein neues Verbrechen ausgedacht: Der Besitz von Geld in Form von Gold wurde nun als ›Horten‹ bezeichnet und als unehrlich angesehen (…) Für weitere Inflation war damit bereits gesorgt. Auch das Währungsgesetz von 1869, worin das Versprechen der Regierung verbürgt wurde, Staatsschulden immer mit Standardgold zu bezahlen, wurde außer Kraft gesetzt und die durch dieses Gesetz verbürgten staatlichen Versprechen nicht mehr anerkannt: Wir sind weg vom Goldstandard; und wie viele denken auch vom ethischen Standard.«[42]

Holzer kommentiert weiter:

---

[42] Henry Mark Holzer, »How The Americans Lost Their Right to Own Gold and Became Criminals in the Process« (Greenwich, Connecticut: Committee for Monetary Research and Education Inc., 1981).

»In der Tat war es so. Der ›New Deal‹ gebar eine neue Klasse von ›Verbrechern‹; d. h., so wurden nun Personen angesehen, welche die Kühnheit hatten, der Regierung das Recht abzusprechen, ihr Gold zu konfiszieren.«[43]

Wormser hierzu:

»Mit den Gesetzen von 1933 war es den Amerikanern nicht mehr erlaubt, Gold als Wertmaß zu halten. Seitdem war unser Geld ohne Deckung. Nichts stand dahinter. Vor 1933 enthielten unsere *Federal-Reserve*-Banknoten das Versprechen, daß sie in Gold getauscht werden konnten. Später wurde die Aufschrift abgeändert und besagte nun, daß die Banknote gegen ›rechtmäßiges Geld der Vereinigten Staaten‹ eingetauscht werden könne. Als schließlich jemand erkannte, wie absurd diese Aufschrift war, wurde sie fallen gelassen, und unsere Banknoten enthalten nun lediglich die beruhigende Beschriftung ›In God We Trust‹ (Wir vertrauen auf Gott).«[44]

Am 30. Januar 1934 verabschiedete der Kongreß den »Gold Reserve Act«. Er bevollmächtigte den Präsidenten, einen neuen Goldgehalt oder einen Gegenwert des Dollars zwischen 50 und 60 Prozent seines vormaligen Gehalts an 25,8 Grains[45] an Standardgold oder 23,33 Grains an Feingold festzulegen. Im Anschluß daran wertete der Präsident den Dollar auf 13,71 Grains reinen Goldes ab, was einer Devaluation von 41 % entsprach.

Amerikas Anti-Gold-Politik beginnt

In seinem Buch *The U.S. Dollar — An Advance Obituary* schrieb Dr. Franz Pick 1981 folgendes über die Abwertung des Dollars:

---

[43] Henry Mark Holzer, »How The Americans Lost Their Right to Own Gold and Became Criminals in the Process« (Greenwich, Connecticut: Committee for Monetary Research and Education Inc., 1981).

[44] René Wormser, *Conservatively Speaking* (Mendham, New Jersey: Wayne E. Dorland Company, 1979), S. 79.

[45] Kleinste Gewichtseinheit des angelsächsischen Systems. 1 Grain entspricht 0,0648 Gramm; 1 Unze sind somit 480 Grains (troy).

»Die monetäre Funktion des Goldes, welche über 6000 Jahre andauerte, wurde von den Regierungen nicht immer gerne gesehen. Die seit dem 18. Jahrhundert erfolgte Anbindung von wertlosem Papiergeld an eine festgelegte Menge Gold gab den Geldeinheiten eine schwer zu widerstehende Attraktivität, solange die Regierungen bereit waren, sie gegen das gelbe Metall einzutauschen. Doch seit die Herrschenden und später Republiken unfähig waren, ihre Finanzen und damit auch ihre Währungen in den Griff zu bekommen, ohne mehr auszugeben als sie einnahmen, suchten sie nach Wegen, wie sie ihre einstigen Verpflichtungen oder Verträge nicht zu erfüllen brauchten. Sie betrogen einfach all jene, die leichtgläubig genug waren, den Finanzobrigkeiten zu vertrauen. Während der Blütezeit des 19. Jahrhundert bildete der Goldstandard die Grundlage für die erfolgreichste Zeitperiode industrieller und wirtschaftlicher Entwicklung der westlichen Welt. Diese hielt bis 1914 an. Während und nach dem I. Weltkrieg führten die Inflationen, von den Regierungen unverstanden — noch weniger: zu kontrollieren —, zum Zusammenbruch des Pfund Sterling im September 1931 und zur Abwertung des U.S.-Dollars im Januar 1934, als der Goldpreis von $ 20.67 auf $ 35 pro Unze erhöht wurde. Die amerikanische Bevölkerung mußte ihr Gold dem Schatzamt zum Preis vor dieser Abwertung abliefern …«[46]

Seither haben die USA eine Anti-Gold-Politik praktiziert — selbst nachdem der Goldbesitz Ende 1974 wieder legalisiert wurde. Das offizielle Ziel ist, die Menschen davon abzuhalten, ein Metall zu besitzen, das die Regierenden nicht bändigen können.

Eine Flut an irreführender Anti-Gold-Propaganda, die von den machtvollen Papiergeld-Interessen verbreitet wurde, begleitete diese Anti-Gold-Politik. Damit versucht man bis zum heutigen Tage die Illusion aufrecht zu erhalten, daß die USA für ihre Dollarnoten keine Golddeckung brauchen.

---

[46] Franz Pick, *The U.S. Dollar — An Advance Obituary* (New York: Pick Publishing Corporation, 1981), S. 69/70.

Goldaktien in der Deflation der 1930er Jahre

Als die Aktienbörsen zwischen 1929 und 1932 zusammenbrachen, verlor der Dow-Jones-Industrie-Index etwa 90% seines Wertes. Selbst greifbare Vermögenswerte wie Immobilien wurden ähnlich hart getroffen. Wohnhäuser und kommerziell genutzte Gebäude verloren bis zu 80% ihres Wertes. Die meisten Waren- und Rohstoffpreise erlitten ein ähnliches Schicksal. Der U.S.-Verbraucherpreis-Index CPI sank zwischen 1929 und 1933 um 24%. Nur Gold hielt sich gut. Der Goldpreis erhöhte sich um 75%, von $ 20.67 auf $ 35 pro Unze. Aufgrund der Wirkung des Hebeleffektes, demzufolge Aktienkurse unverhältnismäßig stärker steigen als der Preis des zugrundeliegenden Metalls, waren Goldminenaktien die überragenden Börsenstars.

Beim Crash von 1929 waren auch die Goldaktien rückläufig, jedoch nicht so stark wie die Industrieaktien. Erst 1933 kam es zu einem explosionsartigen Kursanstieg, als der Aktienkurs von *Homestake Mining* sich verzehnfachte. Die Aktienkurse der *Alaska Juneau Mines* stiegen von $ 1 auf $ 25. *Dome Mines* fielen Ende 1929 zunächst von $ 5 auf $ 3, stiegen dann aber 1931 auf $ 7 und erreichten 1938 schließlich einen Höchststand von $ 34 7/8. Silber entwickelte sich in dieser Zeitdauer ebenfalls sehr gut.

Gold und der II. Weltkrieg

Mit Ausbruch des II. Weltkrieges wurde Gold zu einer strategischen Ware. Der weltweite Handel mit dem Metall durch Privatpersonen und Firmen wurde verboten. Zur selben Zeit wuchsen die Goldbestände des U.S.-Schatzamts weiter an, da das Ausland Zahlungen für Waffenkäufe in Gold leistete. Auf dem Schwarzmarkt stieg der Preis des Metalls scharf an, und das Horten von Goldmünzen in Nord- und Südamerika wie auch in Europa gewann enorm an Popularität.

Im September 1949 besaß das U.S.-Schatzamt — auf dem Höhepunkt von Amerikas Goldmacht — Gold im Wert von $ 24,6 Milliarden Dollar (zu $ 35 je Unze). Seit dieser Zeit machte die Zerstörung des Dollars rasche Fortschritte. Eine scheinbar endlose Serie von Haushalts- und Zahlungsbilanzdefiziten bewies, daß Politiker und ganz besonders deren unqualifizierte Geldmanager unfähig waren, diese

Masse an gelbem Metall und seine substantielle Macht als Bollwerk gegen weitere Wertminderungen eines bereits angeschlagenen Dollars zu bewahren.

Bretton Woods

Im Jahr 1944, gegen Ende des II. Weltkrieges, fand ein weiteres verhängnisvolles Ereignis statt: die Konferenz von Bretton Woods in New Hampshire, USA. Obwohl diese Konferenz vor mehr als 58 Jahren abgehalten worden war, ist es im Rahmen dieser Untersuchung wichtig zu verstehen, was damals wirklich geschah. Vor allen Dingen hatte die Welt nichts aus ihrer Geschichte gelernt, insbesondere nicht aus den verheerenden Folgen des Gold-Devisen-Standards, welcher 1922 auf der Konferenz von Genua auf die Beine gestellt wurde. Folglich wurde eine weitere goldene Gelegenheit verpaßt.

Im Juli 1944 versammelten sich Vertreter aus 44 Nationen in Bretton Woods, um das internationale Währungssystem der Nachkriegs-Ära zu besprechen. Dieses System, welches 1971 zerbrach, ist unter dem geographischen Namen der kleinen Ortschaft bekannt geworden, in der die Konferenz abgehalten und die neue Währungsordnung für die Gemeinschaft der Nationen vorgeschrieben wurde. Es war nichts anderes als ein amerikanisches Diktat, das in der offiziellen Anerkennung der Vormachtstellung des U.S.-Dollar resultierte, der einzigen Währung, die ausländische Zentralbanken in Gold konvertieren konnten.

Der Plan hierfür wurde schon einige Jahre zuvor ausgeheckt. James Dines beschreibt diese Ereignisse in seinem Buch *The Invisible Crash* wie folgt:

> »Im Jahre 1942 entwarfen Harry Dexter White für die Vereinigten Staaten und Lord John Maynard Keynes für das britische Schatzamt Vorschläge für ein neues internationales Währungssystem. Diese Urquelle finanzieller Schwierigkeiten hatte ihren Ursprung in Bretton Woods, New Hampshire 1944, mit der Gründung des Internationalen Währungsfonds und der Weltbank. Da die USA das stärkste Land der Welt waren, ergriff man die Gelegenheit beim Schopf, den Gold-Devisen-Standard zu einem

Gold-Dollar-Standard umzuwandeln. Somit war die diesbezügliche Politik des New Deal auch international anerkannt worden und die Weltwirtschaft wurde unausweichlich zu ihrem tragischen Rendezvous mit dem Schicksal geführt.

Der IWF verlangte von den einzelnen Ländern, die Paritäten ihrer jeweiligen Währungen in Gold oder U.S.-Dollar festzulegen und die Schwankungen der Wechselkurse innerhalb maximal einem Prozent der ›Parität‹ zu begrenzen. Um den Ländern Zeit zu geben, Ungleichgewichte in ihrem internationalen Zahlungsverkehr in Ordnung zu bringen, gewährte der Fonds Kredite aus seinen Mitteln. Diese Kredite ›kastrierten‹ die Macht des Goldes, indem es damit seine disziplinierende Funktion und Rolle verlor, Länder zu zwingen, ihre Importe und Exporte mehr oder weniger im Gleichgewicht zu halten. Dieser fatale Fehler brachte das Räderwerk des internationalen Gleichgewichts in völlige Unordnung. Der Goldanker war nun verpfuscht und in eine falsche Position manövriert. [Dies war ein wichtiger Schicksalsschlag gegen die disziplinierende Funktion des Goldes und ein wichtiger Sieg für seine Feinde, ohne daß die Welt erkannte, welch verheerende Auswirkungen dies später haben würde. Der Verf.]. Wenn ein Land seine Zahlungsbilanz nicht mehr ausgleichen konnte, indem es seiner Wirtschaft Austerität auferlegte, dann durfte dieses Land von nun an einfach die Parität seiner Währung abändern, womit jede Deflation eliminiert und ein fortwährender ›Rausch‹ erzeugt werden konnte. Die Währungen aller Länder wurden somit in einem bestimmten Dollarkurs ausgedrückt, an welchen sie gekoppelt waren. Der U.S.-Dollar wiederum war an das Gold gebunden. Der Dollar war der Maßstab. Nur die USA konnten den Goldpreis ändern, und alle anderen Nationen waren gezwungen, Auf- oder Abwertungen dollarbezogen vorzunehmen. Diese unglaubliche Macht, die den USA so verliehen werden konnte, wurde schließlich auf verheerende Weise mißbraucht, doch Lord Keynes und die anderen Währungs-Architekten von Bretton Woods waren zu beschäftigt, ihr Währungsmonster zu kreieren, als daß sie sich über solch irdische Dinge Gedanken gemacht hätten.

Bretton Woods verfügte auch, daß die Währungsreserven einer Nation entweder aus Gold oder aus anderen in Gold konvertierbaren Währungen zusammengesetzt werden konnten. Dies war der eigentliche Todesstoß. Sie umfaßten nun den U.S.-Dollar und später auch das britische Pfund, als dieses stark und frei in Gold konvertierbar war. Es war der Todesstoß, weil niemand voraussah, wie der U.S.-Dollar in Grund und Boden verfuhrwerkt werden sollte. Die Folgen waren, daß praktisch jede Währung der Welt untergraben und eine internationale Inflation eingeleitet wurde, wie sie noch nie zuvor gesehen wurde.«[47]

Die Vorteile für die USA waren offensichtlich. Das neue System gestattete schmerzlose Finanzierung von Kriegen, wirtschaftlichen Eroberungsfeldzügen auf der ganzen Welt und erlaubte, teure ausländische Produkte ohne Limit einzuführen — einfach deswegen, weil das Bankensystem die dafür notwendigen Dollars schuf.

Nach Angaben von Ludwig von Mises in seinem Buch *Human Action* war die Bretton-Woods-Konferenz unter sehr merkwürdigen Umständen abgehalten worden:

> »Die meisten der teilnehmenden Länder waren zu jener Zeit vollständig vom Wohlwollen der USA abhängig. Sie wären dem Untergang geweiht gewesen, wenn die USA den Kampf für ihre Freiheit eingestellt hätten und ihnen materiell über das Leih-Pacht-Abkommen (Lend-Lease-Act 1941) keine Hilfe mehr hätten zukommen lassen. Anderseits betrachtete die Regierung der USA das Währungsabkommen insgeheim als einen intriganten Plan für eine verkappte Fortsetzung von Leih-Pacht-Abkommen nach Beendigung des Krieges.
>
> Die USA waren bereit zu geben, und die anderen Teilnehmer — besonders die europäischen Länder, von denen die meisten noch durch die deutschen Armeen besetzt waren, als auch die asiatischen Länder — waren bereit zu nehmen, was ihnen angeboten wurde. Die daraus resultierenden wirklichen Probleme werden erst in dem Moment sichtbar, wo die irrigen Wahnvorstellungen der USA über Finanzangelegenheiten und Handel durch eine realistischere Denkweise ersetzt werden.
>
> Der Internationale Währungsfonds erreichte die Ziele nicht, welche seine Schirmherren erwartet hatten. Bei den Jahrestreffen des IWF gibt es immer ausgiebige Diskussionen und gelegentlich

---

[47] James Dines, *The Invisible Crash*, S. 37/38.

auch sachbezogene Bemerkungen ebenso wie Kritik betreffend Währungs- und Kreditpolitik von Regierungen und Zentralbanken. (…) Währungsangelegenheiten auf der ganzen Welt gehen jedoch weiter, als ob kein Bretton-Woods-Abkommen und kein Währungsfonds existieren würde.«[48]

Mit dem Bretton-Woods-Abkommen hatten sich die Amerikaner verpflichtet, durch Kauf und Verkauf unbegrenzter Mengen an Gold zum Preis von $ 35 pro Unze den Wert des Dollars aufrecht zu erhalten. Ironischerweise waren sie auch die Verpflichtung eingegangen, Gold an ausländische Zentralbanken auszuzahlen, nicht jedoch an amerikanische Bürger, für die der Besitz von Gold noch immer ein Verbrechen darstellte. Die Verpflichtung wurde oft nicht eingehalten, sonst hätten die USA ihr gesamtes Gold verloren. Um das Abfließen des Goldes aus den USA zu verhindern, wurde gelegentlich auch diplomatischer Druck ausgeübt. James Dines erinnert an einen Vorfall, als Präsident Johnson Deutschland davon abhielt, seine U.S.-Dollars in Gold umzutauschen, in dem er den Deutschen wieder ins Gedächtnis rief, daß nach wie vor U.S.-Truppen zwischen ihnen und Rußland stünden.[49]

Abwertungen der Währungen und Kontrollen des Kapital- und Goldflusses blieben bestehen. England wertete unter Bretton Woods gleich zweimal ab. Andere Länder noch häufiger. Einige große Währungen waren bis 1958 nicht einmal an den Dollar gekoppelt. Somit fehlte die strikte Disziplin eines klassischen Goldstandards in einer Reihe entscheidender Aspekte.

Ein prominenter Zeuge

Mein Freund und ehemalige Zentralbankier John Exter erinnerte sich:

> »Meine Ansicht ist, daß das Fed vom ersten Tag seiner Gründung an die Disziplin des Goldstandards verletzte, indem es mit seinen Käufen von Staatspapieren eine expansive Geldpolitik betrieb. Es hätte nur Gold kaufen sollen, doch der Reiz, Papier-

---

[48] Ludwig von Mises, *Human Action* (New Haven, CT: Yale UP, 1949), S. 478.
[49] James Dines, *The Invisible Crash*, S. 47.

werte zu kaufen, welche die Gesamtreserven der Banken erhöhen und diese wiederum zu höheren Kreditausgaben befähigen, ist beinahe unwiderstehlich. Menschen im großen Ganzen mögen keine Disziplin. Das Fed ist keine Ausnahme.

Der II. Weltkrieg half uns, die Depression zu überwinden, und wiederum startete das Fed eine gewaltige Kreditexpansion, indem es Staatspapiere kaufte, um den Krieg zu finanzieren. Dessen ungeachtet sah die Bilanz des Fed, dank des Zuflusses an Gold in den 1930er Jahren, gut aus und dies selbst während des späteren Koreakrieges und den damit verbundenen Ausgaben.«[50]

Einer der Hauptgründe, warum es schwer fiel, währungs- und fiskalpolitische Disziplin einzuhalten, war die zunehmende Rolle des Staates, dessen Regierung unter dem Einfluß der Philosophie eines Keynes stand. Diese Situation erleichterte die Verabschiedung eines Gesetzes, welches verhängnisvolle Auswirkungen auf die Kaufkraft des Geldes und somit auf die Finanzmärkte haben sollte.

Der »Employment Act« von 1946

In den 1950er und 1960er Jahren erschien in *Barron's* eine wöchentliche Kolumne mit dem Titel »The Trader«, verfaßt von einem gewissen Mr. Nelson. Woche für Woche lenkte er unermüdlich die Aufmerksamkeit der Leser auf die Konsequenzen, die dieses Gesetz auf die Kaufkraft der Währung und somit auch auf die Börse hatte.

Mit der Verabschiedung dieses Gesetzes erklärte die U.S.-Regierung der Arbeitslosigkeit offiziell den Krieg und versprach, für Vollbeschäftigung zu sorgen, koste es, was es wolle. Man erhoffte sich damit, die Konjunkturzyklen endlich auszuschalten und dem Lande zu ersparen, jemals wieder in eine Wirtschaftskrise wie die in den 1930er Jahren abzusinken.

Vollbeschäftigung, hohe Produktion und stabile Kaufkraft waren die Ziele. Diese Ziele waren dafür verantwortlich, daß unter Banken, Investoren und in der Öffentlichkeit immer stärker die Überzeugung um sich griff, daß Geschäftsrisiken, die normalerweise zum Auf und Ab der Konjunkturzyklen gehörten, ein Ding der Vergangenheit waren.

---

[50] John Exter im Gespräch mit dem Autor in Zürich (1975–1987).

Es ist nicht überraschend, daß dies zu einer neuen Geschäftsphilosophie
und Kreditmoral führte. Große Liquidität, d. h. Bargeld, zu halten,
schien nicht mehr notwendig. Im Gegenteil: Die Idee, daß die Regierung das Land fortan aus jeder Krise befreien würde, führte zu der
wachsenden Überzeugung, daß die Anhäufung von immer mehr Schulden die richtige Geschäftsphilosophie ist.

Steigende Staatssausgaben und die daraus resultierenden, vom
Fed finanzierten Defizite begannen jedoch allmählich, der Kaufkraft
des Dollars ihren Tribut abzuverlangen und die Vereinbarungen des
Bretton-Woods-Abkommens zu strapazieren.[51]

Das Fed in den 1950er Jahren

John Exter erinnert sich an diese Zeit wie folgt:

> »Während der Ära Eisenhowers benahm sich das Fed mit
> Ausnahme eines schlechten Jahres gut. Ich war in jenen Jahren
> bei der New Yorker Fed für Gold und internationale Geschäfte
> verantwortlich. Bill Martin [William McChesney Martin, Jr.,
> Chairman 1951–1970, d. Verf.] war Vorsitzender des Fed. Ike
> [Eisenhower] mischte sich nicht in die Fed-Politik ein, und es gab
> keine Kreditschöpfung. Dies ist die einzige Zeitperiode in der
> Geschichte des Fed, über die ich wirklich glücklich bin. Das
> Weltfinanzsystem funktionierte und befand sich im Gleichge-
> wicht.
> Während der Mini-Rezession von 1958 hatte das Fed je-
> doch ein schlechtes Jahr, als es $ 2,25 Milliarden an Kredit
> schöpfte. Zu meinem Erstaunen mußte ich $ 2,25 Milliarden
> Gold an ausländische Zentralbanken verkaufen, damit das Gleich-
> gewicht des Systems erhalten werden konnte; es ist nach wie vor
> der größte Goldverlust des Fed in einem einzigen Jahr.«

---

[51] Der Employment Act von 1946, Abschnitt 2, besagt: »Der Kongreß erklärt
hiermit, daß es die fortgesetzte Richtlinie und Verantwortung der Bundesregierung ist, alle praktischen Mittel entsprechend ihrer Bedürfnisse und Verpflichtungen und anderen Betrachtungen nationaler Richtlinien zu nutzen (…) und
all ihre Pläne, Funktionen und Ressourcen zu koordinieren (…), um Vollbeschäftigung, Produktion und Kaufkraft zu fördern.«

John Exter sagte mir privat, daß ihm das Herz blutete, als er sah, wie all das Gold das Fed verließ, und fügte hinzu:

>»So schnell, wie das Fed Dollars schuf, so schnell flossen sie an ausländische Zentralbanken, welche Gold verlangten. Glücklicherweise kam das Fed jedoch 1959 und 1960 zur Besinnung und stoppte die Kreditschöpfung, womit die Goldverluste aufhörten.«[52]

In seinem Buch *How to Invest in Gold Stocks* schrieb Donald J. Hoppe:

>»Obwohl es heute im Jahr 1971, nach zwölf Jahren andauernden Finanzkrisen, unglaublich erscheint [und wieviel unglaublicher jetzt, 2003; der Verf.], kam es im Jahre 1958 beinahe zu einer Panik. Das Kabinett kam zu einer Krisensitzung zusammen, und im Schatzamt brannten die Lichter bis spät in die Nacht. Schatzminister Robert B. Anderson wurde zu einer Sondersitzung des *House Finance Committee* zitiert, um zur Situation auszusagen. Den anwesenden Journalisten Robert S. Allen und Paul J. Scott zufolge lief das Gespräch ungefähr so ab:

>**Schatzminister Anderson:** ›Die liquiden Dollarbestände des Auslands betragen nun $ 17 632 Millionen gegenüber $ 12 000 Millionen 1952. Zusätzlich verfügt das Ausland über U.S.-Wertpapierbestände in Höhe von $ 1500 Millionen. In der Zwischenzeit sind die Goldreserven der USA von $ 23 Milliarden 1952 auf $ 20 582 Millionen gesunken.‹

>**Kongreßabgeordneter Frank Karsten (Demokrat, Missouri):** ›Wie ernsthaft ist dieser Verlust von $ 2,5 Milliarden an Gold? Wir hören widersprüchliche Berichte.‹

>**Anderson:** ›Es könnte uns in eine ziemlich unangenehme Lage bringen, wenn ausländische Länder und Investoren das Vertrauen in den Dollar verlieren und die Auszahlung ihrer Anlagen in Gold verlangen.‹

---

[52] John Exter im Gespräch mit dem Autor in Zürich (1975–1987).

Abgeordneter Karsten: ›Sie wollen damit also sagen, daß es einen großen Ansturm auf unser Gold geben könnte?‹

Anderson: ›Genau, das ist die eigentliche Gefahr.‹

Abgeordneter Lee Metcalf (Demokrat, Montana): ›Sie meinen jetzt gerade?‹

Anderson: ›Ja, jetzt gerade! Tatsächlich verschlimmert sich die Situation immer mehr, je länger der Kongreß benötigt, dieses Problem anzugehen. Es ist eine sehr heikle Sache, duldet keinen Aufschub und darf nicht auf die leichte Schulter genommen werden. Wenn es um das Vertrauen in die Währung einer Nation geht, dann hat man es mit hochexplosivem Dynamit zu tun.‹«[53]

Hoppe:

»Das Ereignis fand 1958 statt! Vergleichen Sie diese besondere Reaktion mit dem Verhalten der Nixon-Administration, die mit ›völliger Ruhe‹ und ›verblüffender Gelassenheit‹ auf das verheerende Zahlungsbilanzdefizit von $ 10,7 Milliarden aus dem Jahre 1970, sowie auf das Defizit von $ 5 Milliarden im ersten Quartal 1971 und die europäische Dollarkrise im selben Jahr reagierte. Es erinnert den Autor in jedem Fall an die dumme Selbstgefälligkeit, welche zwangsläufig größeren gesellschaftlichen und militärischen Katastrophen vorausgeht. Im Sommer 1929 und Herbst 1941 herrschte genau der gleiche, unheimliche Optimismus. Man sagt, daß allzu große Vertraulichkeit Verachtung hervorruft. Wir haben uns schon so lange an die Dollarkrise gewöhnt, daß wir angefangen haben zu bezweifeln, ob sie überhaupt existiert. Das ist das gefährlichste von allen Anzeichen.«[54]

Goldminen-Aktien setzen sich in Bewegung

Im Jahre 1957 arbeitete ich als Finanzanalyst bei *Dominion Securities* in Toronto. Eines Tages rief mich der Präsident der Gesell-

---

[53] Donald J. Hoppe, *How to Invest in Gold Stocks* (New York: Arlington House, 1972), S. 47.
[54] Ebenda.

schaft, Mr. James Strathy, der zu jener Zeit auch Präsident der Börse von Toronto war, zu sich in sein Büro und bat mich, eine Analyse der Goldminengesellschaft *Dome Mines* anzufertigen. Dies war die erste Unternehmensanalyse meines Lebens, und ich kam zu dem Schluß, daß *Dome Mines* ein gutes Unternehmen war, sein Aktienkurs mittelfristig jedoch keine besonderen Perspektiven bieten würde. Ein Jahr später, 1958, begannen die Aktien von *Dome Mines* und der TSE Gold- und Silber-Index ihre Hausse, welche über 35 Jahre anhielt und nach einer längeren Unterbrechung in den 1980er und 1990er Jahren seit 2000 in eine weitere Haussephase eingetreten ist.

Viele Länder, gegenüber denen die USA Defizite unterhielt — Großbritannien, Belgien, Schweiz, Italien — verlangten Gold an Stelle von Dollar.

Private Investoren zeigten ebenfalls ein wachsendes Interesse an Gold und Goldminen-Aktien. James Grant, Gründer von *Grant's Interest Rate Observer* und Autor mehrerer Bücher, bemerkte hierzu:

»Ende 1958 sanken die Goldreserven der USA auf ein neues Nachkriegstief in Höhe von $ 20,7 Milliarden. Das war nicht das einzige Zeichen eines schwindenden Vertrauens der Welt in den Dollar. Ein neuer Gold-Investmentfonds, der ›American South-African Investment Trust‹, besser bekannt unter der Abkürzung ASA, war von *Charles Engelhard und Dillon, Read & Co.* erfolgreich lanciert worden. Charlie Engelhard und die Gründer kamen zu dem Schluß, daß es zur Inflation kommen würde und die Investoren ein Anlagevehikel bräuchten, das sie vor Verlusten schütze. Der Ausgabepreis war $ 28. Anschließend fiel die Aktie bis auf $ 18. Während der Goldhausse der sechziger und siebziger Jahre entwickelte sie sich dagegen bemerkenswert gut, bevor sie dann in den desinflationären 1990er Jahren eher wieder dahinsiechte. Von seiner ursprünglichen Emission im September 1958 bis Anfang September 1994 erzielte man mit ASA eine jährliche Durchschnittsrendite von 8,2 % (ohne Dividenden) und der Preis stieg um das 17fache.«[55]

---

[55] James Grant, *The Trouble with Prosperity* (New York: Random House, 1996), S. 49.

John Exter war viele Jahre der Direktor der ASA-Investmentgesellschaft, und James Dines war für seinen Slogan »All the way with ASA« bekannt.

Der Große Bullenmarkt der Goldminenaktien hatte begonnen.

Die Erfahrung der 1960er Jahre

John Exter zufolge begann die Finanzkrise mit John F. Kennedy und seiner sogenannten Bemühung, »das Land wieder in Schwung zu bringen«. Das Fed gab dem politischen Druck Kennedys nach und begann wieder zu expandieren. (Dies ist, was James Strathy schon Jahre zuvor mit seiner großen Erfahrung vorausgesehen hatte, denn während der letzten Jahre der Eisenhower Präsidentschaft waren Zeitungen und Magazine bereits voller Pro-Kennedy-Propaganda.) Das war der Anfang vom Ende des Gold-Dollar-Standards und des internationalen Währungssystems von Bretton Woods. Der Grund war natürlich der Druck, den John F. Kennedy auf das Fed ausübte, eine inflationäre Kreditpolitik zu betreiben, welche die Kaufkraft des Dollars aushöhlte.

Exter fährt fort:

> »All dies war für mich schon 1962 glasklar, als ich vor dem *Detroit Economic Club* eine Rede hielt und sagte, daß die USA nicht in der Lage sein würden, den Goldpreis bei $ 35 pro Unze zu halten. Damals begann ich für mich Gold zu kaufen. Ich kaufte britische Sovereigns, welche etwa eine Viertelunze Gold enthalten, für $ 9 das Stück.
> Der Rest ist Geschichte. Es wurden mehrere ›Rettungs‹-Versuche unternommen, die Flut einzudämmen und den Goldpreis bei $ 35 zu halten. Doch der Markt gewann schließlich über die Überbrückungsmaßnahmen der Regierung die Oberhand. Das System der festen Wechselkurse brach schließlich zusammen, als Nixon das Versprechen brach, Dollars zum Preis von $ 35 je Unze in Gold einzulösen. Das war am 15. August 1971, ein Wendepunkt in der Währungsgeschichte der USA — und der ganzen Welt. Nixons Aktionen leiteten das Chaos ein, welches wir nun als ›System der freien Wechselkurse‹ kennen.

Was noch wichtiger ist: Die Abkoppelung des Dollar vom Gold beseitigte sämtliche Beschränkungen für das Fed, durch Käufe von Staatspapieren Geld zu schöpfen. Das Ergebnis war eine noch nie zuvor gesehene Schuldenexplosion, die eines Tages von einer Kredit-Kontraktion abgelöst wird, die einen deflationären Kollaps und eine beispiellose Wirtschaftskrise auslöst.

Die Kosten dieser monetären Expansionspolitik kommen dem U.S.-Bürger mit $ 13 Milliarden an Gold bzw. 13 000 Tonnen Gold teuer zu stehen.«[56]

Es kann keinen Zweifel daran geben, daß die offizielle Position der USA zum Gold heute eine andere wäre, hätten sie nicht all dieses Gold verloren.

Richard M. Salsman schreibt in seinem Buch *Gold and Liberty*:

»Verglichen mit dem klassischen Goldstandard sind die Schwächen dieses ›Gold-Dollar-Systems‹ einleuchtend. Die USA hatten die Möglichkeit, das Dollar-Angebot auszuweiten, um dann zuschauen zu können, wie sich diese als Reserven in den Tresorräumen anderer Zentralbanken anhäuften. Es ermöglichte ein andauerndes Zahlungsbilanzdefizit. Bretton Woods zentralisierte das Währungssystem sogar noch mehr als die Finanzpolitik des I. Weltkriegs, denn nun war die Währung eines einzigen Landes (der USA) zur Nabe des Weltwährungssystems geworden. Der Kern dieses internationalen Systems war nicht länger die Glaubwürdigkeit von Gold-Geld, sondern die Glaubwürdigkeit der U.S.-Regierung. 1961 beschrieb dann Präsident John F. Kennedy, was zur Aufrechterhaltung dieses Systems erforderlich ist: ›Das Wachstum der ausländischen Dollarbestände hat den USA eine besondere Verantwortung auferlegt — nämlich die Aufrechterhaltung des U.S.-Dollar als Hauptreservewährung der freien Welt. Dies machte es erforderlich, daß der Dollar von vielen Ländern als genauso wertvoll angesehen wird wie Gold.

---

[56] John Exter im Gespräch mit dem Autor in Zürich, 1975–1987; siehe auch James Blakely, Blakelys *Gold Investment Review*, Vol. I, No. I (1989): S. 4; und die Rede von John Exter »Problems and Possibilities of Returning to the Gold Standard« (Greenwich, CT: The Committee for Monetary Research and Education Inc.).

Unsere Verantwortung liegt darin, dieses Vertrauen aufrechtzuerhalten.‹

Trotz dieser hochtrabenden Phrasen hielten die USA den Dollar nicht ›so gut wie Gold‹. Dies war auch gar nicht möglich, da man sich ja ausdrücklich den Keynes'schen Lehren verschrieben hatte. Bereits ein Jahrzehnt nach Kennedys Rede konnten die USA ihren Verpflichtungen aus dem Gold-Dollar-Standard nicht mehr nachkommen. Die Kennedy- und Johnson-Administrationen führten die USA auf einen Kurs permanenter Defizitwirtschaft und Kreditschöpfung, der in der Geschichte des Landes ohne Beispiel ist.«[57]

In ihren Analysen wiesen Exter und Dines zu Recht der Geschäftspolitik des *Federal Reserve* die Schuld zu. Was auffällt, ist, daß beide Herren fast nie auf die Geldschöpfung durch Banken hinweisen. Die Banken waren nämlich in diesem Drama die Hauptübeltäter.

Defizite ohne Tränen

Wenn man Rückschau hält und gedanklich das heutige, extrem wackelige Gefüge des Scheinwohlstands durchschaut, mutet es schier unglaublich an, wie viele bedeutende Fehler von den Zentralbankiers, den Banken und der Schar scheinbar gedankenloser Ökonomen wiederholt werden konnten. Sie alle hatten keinerlei Gespür und Verständnis für die Geschichte und schauten zu, wie ihre monetäre Mißwirtschaft für die ganze Welt in einer Tragödie endet. An der internationalen Währungskonferenz von Genua 1922 war die Rede davon, daß man mit dem Gold sparsam umgehen sollte, und es wurde empfohlen, Reserven bei Zentralbanken anderer Länder in Form von Devisen zu halten. Um diese Innovation vermehrt zu fördern, schlug das Finanzkomitee des Völkerbundes seinen Mitgliedsländern vor, daß in Gold zahlbare Währungen ebenfalls als Reserve für nationale Papiergeldemissionen benutzt werden sollten, zusammen mit Gold und den in der jeweiligen Landeswährung zahlbaren Krediten. Die besten Analysen der in Genua und Bretton Woods gemachten Entscheidungen finden sich in Jacques Rueffs Buch *Le Péché Monétaire de l'Occident* und in seiner amerikanischen Ausgabe *The Monetary Sin of the West*.

---

[57] Richard Salsman, *Gold and Liberty* (Great Barrington, Massachussetts, AIER, 1975), S. 74.

Schon 1965, in einem Interview mit der Zeitung *The Economist* über »Die Rolle und die Herrschaft des Goldes«[58] war Jacques Rueff davon

> »überzeugt, daß der Gold-Dollar-Standard ein solches Ausmaß an Absurdität erreicht hat, daß kein menschliches Wesen mit gesundem Menschenverstand ihn noch rechtfertigen kann«.[59]

Jacques Rueff hierzu:

> »Im Jahre 1961 habe ich geschrieben, daß der Westen einen Kreditkollaps riskiert und daß der Gold-Devisen-Standard eine große Gefahr für die westliche Zivilisation darstellt … Was ist das Wesen dieses Systems und was ist der Unterschied zur Goldwährung? Es bedeutet, wenn ein Land mit einer Schlüsselwährung ein Zahlungsbilanzdefizit erleidet — nehmen wir als Beispiel die USA —, dann bezahlt es dem Gläubigerland Dollars, die in der Zentralbank des Letzteren landen. Doch noch am selben Tag werden diese als Kredit wieder auf dem New Yorker Geldmarkt ausgeliehen, so daß diese Dollars in ihr Ursprungsland zurückkehren. Somit verliert das Schuldnerland nicht, was das Gläubigerland erwirtschaftet hat. Deshalb spürt das Währungs-Schlüsselland auch nie die Auswirkungen eines Zahlungsbilanzdefizits. Und die Hauptauswirkung ist, daß es überhaupt keinen Grund für das Verschwinden des Defizits gibt, denn es erscheint erst gar nicht.
>
> Um die Sache deutlicher zu erklären: Nehmen wir an, daß ich mit meinem Schneider eine Vereinbarung treffen würde, daß er jegliches Geld, das er von mir erhält, mir am selben Tag als Kredit zurückgibt. Auf diese Weise hätte ich überhaupt keine Bedenken, bei ihm noch viel mehr Anzüge in Auftrag zu geben, auch wenn meine eigene Zahlungsbilanz dann ein Defizit aufweisen würde.
>
> Aufgrund dieser Situation konnten die USA ihr Zahlungsbilanzdefizit in Form von Papierdollars abzahlen. (…) Sobald die

---

[58] Aus dem Englischen: »The Role and the Rule of Gold«.
[59] »Return to Gold — Argument with Jacques Rueff«, *The Economist*, 13. Februar 1965, aus: *The Monetary Sin of the West* von Jacques Rueff (New York: Mac Millan, 1972), S. 75–98.

Zentralbanken Dollars erhielten, benutzten sie diese sofort, um U.S.-Schatzbriefe[60] und Depotzertifikate von New Yorker Banken zu kaufen, womit die Dollars in ihr Ursprungsland zurückkehrten. Dieses hatte somit alle Vermögenswerte, die es gerade ausbezahlt hatte, wieder zurückerhalten.«[61]

Diese überschüssigen Kaufkraft war natürlich höchst inflationär, weil die Dollars, die ins Ausland abflossen, nun zweimal gezählt werden: Zum einen im Ursprungsland und zweitens im Land, wo sie ausgegeben wurden. In einer Reihe von Artikeln in führenden Zeitungen der Welt warnte Rueff davor, daß, wenn dieses System noch längere Zeit praktiziert würde, es unweigerlich drei Konsequenzen nach sich ziehen würde: [62]

»1) Die Zahlungsbilanz der USA würde ein permanentes Defizit aufweisen. Zahlungen in Übersee würden nicht länger automatisch das Kreditvolumen zu Hause verringern. (...) Deshalb waren [und sind es heute noch viel mehr; d. Verf.] die USA in der privilegierten Position, unbegrenzt in anderen Ländern einzukaufen, zu investieren, Kredite zu vergeben oder Geld zu spenden, da die U.S.-Finanzmärkte die Auswirkungen dieses Kapitalabflusses überhaupt nicht spüren. Nachdem die Vereinigten Staaten das Geheimnis des ›Defizits ohne Reue und Tränen‹ ergründet hatten, war es für die USA nur allzu menschlich, dieses Wissen zu nutzen und dadurch ihre Zahlungsbilanz in einem permanenten Defizit zu halten.

2) In den Überschuß-Ländern würde es zu Inflation kommen, da das Volumen der eigenen Währungen um die vermehrten Dollar-Reserven, welche von ihren Zentralbanken als Devisen gehalten werden, erhöht wurde.

3) Die Konvertierbarkeit der Reservewährung Dollar würde schließlich aufgrund der schrittweisen, aber unbegrenzten An-

[60] U.S. Treasury Bills.
[61] Jacques Rueff, *Le Péché Monétaire de l'Occident* (Paris: Plow, 1971), S. 27; Englische Auflage: *The Monetary Sin of the West* (New York: Mac Millan, 1972), S. 75.
[62] Jacques Rueff, *The Monetary Sin of the West* (New York: Mac Millan, 1972), S. 20; siehe auch *Le Monde* (Paris), 27.–29. Juni 1961 und *Fortune Magazine*, Juli 1961.

häufung von Sichtkrediten, welche in U.S.-Gold einlösbar sind, aufgehoben werden.«

Die späteren Ereignisse bestätigten die Ergebnisse seiner fundamentalen Analyse in perfekter Weise. Doch Rueff hatte das Gefühl, daß diese Entwicklungen nicht einem Versagen des Bretton-Woods-Systems anzulasten waren. Dieses System war viel zu effektiv, um zu einem Zusammenbruch zu führen. Die Ursache für den Kollaps muß der Tatsache zugeschrieben werden, daß dem ursprünglichen Bretton-Woods-System ein fremdes Element aufgepfropft worden war, nämlich der Gold-Dollar-Standard, der allein dafür verantwortlich war, daß der Dollar den Status einer Reservewährung genießen konnte. Das war das Krebsgeschwür, das sich über das Bretton-Woods-System hermachte, bis der ganze Organismus kollabierte.

Rueff glaubte fest an die Disziplin und den Automatismus des Goldstandards. Er trat nachhaltig für eine Rückkehr zum Goldstandard ein. Über die Währungs- und Fiskalbehörden hatte er in diesem Zusammenhang folgendes zu sagen:

»Die verfügbaren währungs- und fiskalpolitischen Instrumente sind an sich in Ordnung, doch ihre Schwäche rührt daher, daß es an der Entschlossenheit fehlt, sie fest und prompt einzusetzen. (…) Es ist stets ein Fall von zu wenig und zu spät. (…) Wir stellten betroffen fest, daß es nicht nur in vielen Ländern an zuverlässigen Informationen über den Stand der Konjunktur fehlte, sondern diese auch meist zu spät vorliegen und sich deshalb nur schwerlich für eine prompte und adäquate Konjunkturpolitik eignen.«[63]

Und Rueff schließt:

»Ich glaube in der Tat, daß es Finanzbehörden, ganz gleich wie mutig und gut informiert sie auch sein mögen, nie gelingen wird, eine solche Kontrolle über die Geldmenge auszuüben, für welche der reine Mechanismus des Goldstandards automatisch sorgt.«[64]

---

[63] Jacques Rueff, *The Monetary Sin of the West* (New York: Mac Millan, 1972), S. 42.

[64] Ebenda, S. 41.

Kapitel III:
Die Grosse Gold-Verschwörung 1960–1971

»Gold kann sich seinen Weg mitten durch die Wachen bahnen und die stärksten Barrieren leichter durchbrechen als ein Blitzschlag.«
Carmina Horace[65]

Wenn Gold spricht, schweigen alle Zungen.[66]

Die Goldfalle von Bretton Woods

So lautet die Überschrift des ersten Kapitels eines Buches von Charles A. Coombs[67], einem ehemaligen Direktor der *Federal Reserve Bank* von New York, welcher für die Tätigkeiten des U.S.-Schatzamts und der *Federal Reserve* im Bereich Gold- und Währungsmärkte zuständig war. Nach 33 Jahren im Dienste des Fed in New York zog er sich 1975 zurück. Sein Buch *The Arena of International Finance* ist eine Aufzeichnung seiner Erinnerungen an die aufsehenerregenden und umstrittenen Ereignisse, die sich in der Zeit zwischen dem Abkommen von Bretton Woods, dem Zusammenbruch des Dollars und den Finanzkrisen der Gegenwart zutrugen. Allein schon die Beschreibung seiner Ausbildung und sein Dienstantritt bei der *Federal Reserve Bank* in New York vermitteln ein aufschlußreiches Bild vom Geist dieser Zeit.

»Als Student in den späten dreißiger Jahren war meine akademische Ausbildung im internationalen Finanzwesen zur Hauptsache auf die Ursachen statt auf die Folgen des Weltfinanzsystems gerichtet, das anfangs dieser Dekade zusammengebrochen war. Ich war gründlich über all die Unzulänglichkeiten des alten Goldstandards unterrichtet worden, der angeblich leistungsschwache Länder mit Deflation und Arbeitslosigkeit bestrafte,

---

[65] Horace, Carmina III, ca. 20 n. Chr.
[66] Italienisches Sprichwort.
[67] Charles A. Coombs, *The Arena of International Finance* (New York: John Wiley & Sons, 1976).

während er gleichzeitig bei ihren wohlhabenderen Handelspartnern Inflation hervorrief. Großbritanniens Abkehr vom Goldstandard [präziser: Gold-Devisen-Standard; d. Verf.] im Jahre 1931 signalisierte scheinbar das Ende einer Ära. Jedes Prüfungspapier zitierte Keynes' verächtlichen Hinweis auf Gold als ein ›barbarisches Relikt‹. Die meisten Studenten standen unter dem Eindruck, daß es neben dem System freier oder flexibler Wechselkurse keine wirkliche Alternative mehr gab.

Doch in der Bank erkannte ich neben anderen Tatsachen des Lebens sehr bald einmal, daß Gold seine Rolle noch längst nicht ausgespielt hatte.

Als junger, ›auf Keynes geeichter‹ Student kam mir die ganze Angelegenheit recht barbarisch vor. Ich fand außerdem, je länger mein Sommer-Praktikum bei der Bank dauerte, daß der Zusammenbruch des Goldstandards 1931 und das anschließende Aufkommen flexibler Wechselkurse eine neue und sogar noch gefährlichere Form von wirtschaftlichem Barbarismus geschaffen hatte. Verstärkt durch Devisenkontrollen und inmitten einer Unzahl von Angriffen und Gegenangriffen von miteinander konkurrierenden Währungsabwertungen, welche durch flexible Wechselkurse ermöglicht wurden, war der multilaterale Handel zusehends diskriminierenden bilateralen Handelsabkommen gewichen.

Als ich 1946 nach dem Militärdienst wieder zur *Federal Reserve Bank* von New York zurückkehrte, fand ich heraus, daß amerikanische und britische Finanzminister während der Kriegsjahre weitreichende Reformen des Welt-Finanzsystems ausgehandelt hatten, die 1944 ihren Niederschlag auf der Konferenz von Bretton Woods fanden. Gold wurde wieder als zentraler Wert und als *numéraire* eines auf festen Paritäten beruhenden Systems angesehen, dessen operative Funktionen unter der Aufsicht des Internationalen Währungsfonds mit Hauptsitz in Washington stand.

Ich fand ebenfalls heraus, daß sich während der Kriegsjahre Präsident Allan Sproul und Dr. John H. Williams von der New Yorker *Federal Reserve* energisch gegen die Gründung des Internationalen Währungsfonds eingesetzt hatten und sich weigerten, an der Konferenz von Bretton Woods teilzunehmen.

Tatsächlich war die Konvertibilität des U.S.-Dollars in Gold zu einem Preis von $ 35 pro Feinunze zum Angelpunkt eines weltweiten Systems fester Wechselkurse geworden. Die Wahl von Gold als *numéraire* und höchstes Reserveaktivum des Systems entsprach natürlich zu jener Zeit der geschichtlichen Tradition und der instinktiven, orthodoxen Denkweise aller Finanzkreise hier und im Ausland.

Von Anfang an war Gold die Achillesferse des Bretton-Woods-Systems. Angesichts der außergewöhnlichen Umstände jener Zeit ist die unbefristete Goldeintauschverpflichtung seitens der U.S.-Regierung unter der Bretton-Woods-Gesetzgebung dennoch verständlich. Am Ende des II. Weltkrieges beliefen sich unsere Goldbestände auf $ 20 Milliarden und damit auf etwa 60% der gesamten offiziellen Goldreserven. 1957 lag das Verhältnis der U.S.-Goldreserven zu den gesamten Dollarreserven aller ausländischen Zentralbanken noch bei über drei zu eins. Der Dollar breitete sich auf den Devisenmärkten aus wie ein Koloß.«[68]

Später erklärte Coombs, wie die Anfälligkeit des Bretton-Woods-Systems immer deutlicher sichtbar wurde. Ende 1960 waren die U.S.-amerikanischen Goldreserven von ihrem Höchststand von fast $ 25 Milliarden auf etwas weniger als $ 18 Milliarden gesunken.

Für die anhaltende Erosion der U.S.-Goldreserven gab es mehrere Gründe. Erstens lag der Goldpreis immer noch bei den in 1934 fixierten $ 35 pro Unze und trug dem Kaufkraftverlust, den er vor, während und nach dem Krieg erlitten hatte, keinerlei Rechnung. Zweitens: Nachdem die europäischen Länder begannen, sich wieder aus den Trümmern des Krieges zu erheben, fingen sie sogleich wieder an, ihre Goldreserven aufzubauen. Coombs schrieb weiter, daß ironischerweise Washington dazu neigte, ausländische Zentralbanken, die von den USA Gold kauften, als ›Undankbare‹ oder als etwas noch Schlimmeres zu bezeichnen. Diejenigen Länder, die auf Goldkäufe verzichteten und statt dessen Dollars anhäuften, wurden als die wahren Freunde der USA angesehen.

Die Hauptursache für den fortlaufenden Abfluß der U.S.-Goldreserven waren die in den späten 1950er Jahren entstandenen U.S.-Zahlungsbilanzdefizite. Verschiedene militärische und ausländi-

---

[68] Charles A. Coombs, *The Arena of International Finance* (New York: John Wiley & Sons, 1976), S. 3.

sche Hilfsprogramme verursachten tiefe politische Klüfte innerhalb der Administration. Das U.S.-Schatzamt versuchte einerseits den Dollar stützend zu verteidigen, andererseits wollten das Pentagon und das Außenministerium nicht entscheidende amerikanische Interessen im Ausland mangels Finanzen aufgeben.

Es gab jedoch noch einen weiteren wichtigen Grund — es bestand ja nicht nur ein Markt zwischen Zentralbanken, sondern es existierte auch noch ein privater Markt. Zu jenem Zeitpunkt war es Amerikanern und Engländern als Bürger dieser beiden Nationen, welche die Architekten von Bretton Woods waren, nicht erlaubt, Gold zu kaufen. Dieser Privatmarkt wandelte sich zu einem Goldkäufer, als er spürte, daß die USA immer größere Schwierigkeiten hatten, die Konvertierbarkeit des U.S.-Dollars in Gold aufrecht zu erhalten. Mit anderen Worten: Die USA waren durch ihre Goldverpflichtungen von Bretton Woods in eine Falle geraten.

Am 20. Oktober 1960 kam es zu einem spektakulären Anstieg des Londoner Goldpreises auf $ 40 pro Unze, der auf den ausländischen Devisenmärkten eine regelrechte Spekulationsexplosion gegen den U.S.-Dollar entzündete. Europäische Investoren, im besonderen die Schweiz, nahmen an, daß Senator John F. Kennedy zum Präsidenten gewählt werden würde. Sie gingen davon aus, daß die neue Administration mehr Inflation bringen und die Zahlungsbilanz als Resultat davon noch mehr in Mitleidenschaft gezogen würde. Am Montag, dem 17. Oktober 1960, begannen Schweizer Banken nicht nur ihren Kunden zu raten, Gold zu kaufen, sondern traten auch selbst als Käufer auf. Innerhalb kürzester Zeit durchbrach der Londoner Goldpreis die $-40-Marke.

Die plötzliche Vertrauenskrise wurde später durch eine vom U.S.-Schatzamt herausgegebene Pressemitteilung gelöst, welche formell den Goldverkauf der Bank von England billigte, um den Londoner Goldpreis voll auf Kosten der amerikanischen Goldreserven zu stabilisieren. London war zu jener Zeit das Zentrum des internationalen Goldhandels. Die tägliche Fixierung des Goldpreises, welche im Hause Rothschild erfolgte, war die einzige internationale tägliche Goldpreisfixierung ihrer Art auf der Welt.

Aber es gab nicht nur das U.S.-Zahlungsbilanzproblem, welches das spekulative Interesse an Gold ausgelöst hatte. Es gab auch politische Ereignisse. Der Vorfall mit dem U2-Spionageflugzeug und die anschließende Weigerung des sowjetischen Partei-Generalsekretärs Chruschtschow, an einem Gipfeltreffen mit Präsident Eisenhower teilzunehmen, erwiesen sich als nicht gerade vertrauensfördernd. Zusätzlich ließ die russische Entscheidung vom 13. August 1961, die Berliner Mauer zu errichten, neue Kriegsängste aufleben.

Am 6. Februar 1961 versprach Präsident Kennedy in einer dramatischen Erklärung, den offiziellen Goldpreis des Landes aufrecht zu erhalten. Diese persönliche Verpflichtung stellte sofort wieder das ausländische Vertrauen in den U.S.-Dollar her, und der freie Goldmarktpreis sank in London wieder auf das offizielle $-35-Niveau.

Gegen Ende des Jahres 1949 hatten die U.S.-Goldreserven (etwa 700 Millionen Unzen; entsprechend $ 24,6 Milliarden zu $ 35 pro Unze) einen Anteil von fast 70% der gesamten Goldbestände aller Regierungen und Zentralbanken der freien Welt erreicht. In den 1950er Jahren betrug das kumulative Zahlungsbilanzdefizit $ 17,5 Milliarden. In dieser Zeit waren Ausländer weitgehend damit zufrieden, ihre Dollarbestände zu erhöhen. Dessen ungeachtet mußten die USA 145 Millionen Unzen Gold auszahlen. Im Jahre 1960 hatte sich das Zahlungsbilanzdefizit nicht verringert, und die Nachfrage am Londoner Goldmarkt stieg merklich. Als Folge hiervon hatten sich zum Ende des Jahres 1960 die U.S.-Goldbestände auf 500 Millionen Unzen oder auf $ 17,5 Milliarden verringert.

Eine Reihe von Maßnahmen zur Stützung des U.S.-Dollars wurde ergriffen. Am 14. Januar 1961 sprach Präsident Eisenhower als eine seiner letzten Amtshandlungen ein weltweit geltendes Goldbesitzverbot für U.S.-Bürger aus.[69] Bundesstaatliche Goldgesetze untersagten zu jener Zeit den privaten Kauf von Gold in den USA. Merkwürdigerweise war es U.S.-Bürgern jedoch gestattet, soviel Gold im Ausland zu kaufen und zu besitzen, wie sie nur wollten.

Beschränkungen wie die »Interest Equalization Tax« im Juli 1963, das »Voluntary Foreign Credit Restraint Program« und die »Foreign Direct Investment Controls« vom Februar 1965 wurden eingeführt. Das U.S.-Zahlungsbilanzdefizit bestand jedoch weiterhin fort,

---

[69] *The Pocket Money Book* (Great Barrington, Massachussetts, AIER, 1994).

und bis Ende 1965 wurden weitere 106 Millionen Unzen an Gold von den USA ausgezahlt.[70]

Die Gründung des Gold-Pools

Anstatt die Ursache der Dollar-Tragödie zu erkennen und damit richtig umzugehen, entschieden sich die Geld-Doktoren des U.S.-Schatzamtes, statt den Dollar abzuwerten, für das typisch totalitäre Mittel: nämlich zur Unterdrückung des freien Marktpreises von Gold. Anfang 1961 bildeten die USA und sieben europäische Länder den sogenannten »Gold-Pool«, dessen Auftrag die Stabilisierung des Goldpreises am Londoner Markt war. Der Gold-Pool verhinderte recht erfolgreich eine Wiederholung der Preissprünge (wie die vom Oktober 1960), indem auf dem Londoner Markt immer dann Gold der Zentralbanken verkauft wurde, wenn die Nachfrage den Goldpreis in die Höhe trieb. Nach einer kurzen Periode solcher Verkäufe ließ der Aufwärtsdruck des Goldpreises nach und der gesamte offizielle Goldbestand erhöhte sich. Der Preis wurde auf diese Weise bis zur Goldkrise vom März 1968 effektiv im Bereich der Marke von $ 35 im Zaum gehalten. Damals wurde das berühmte »Two-Tier«-(zweistufige)-Preissystem eingeführt, welches einen fixen Goldpreis und einen frei floatenden Handelspreis parallel nebeneinander erlaubte (Hoppe).[71]

Was tatsächlich passierte, war folgendes: Die Ankunft des Zeitalters des Düsenfluges ermöglichte den hilflosen Zentralbankiers, sich für Konsultationen persönlich zu treffen. Die sogenannten Basel-Treffen bei der *Bank für Internationalen Zahlungsausgleich* (BIZ) waren eine Art solcher Zusammenkünfte. Anstatt jedoch die fundamentale Ursache für die wiederholt auftretende Krise ernsthaft zu studieren, heckten die Zentralbankiers den Plan mit dem Gold-Pool aus. Dieser wurde im November 1961 beim Treffen der Zentralbank-Gouverneure gestartet. Die Hauptmerkmale ihres »brillanten« Plans waren die folgenden:[72]

---

[70] *The Pocket Money Book* (Great Barrington, Massachussetts, AIER, 1994).
[71] Donald J. Hoppe, *How to Invest in Gold Stocks* (New York: Arlington House, 1972), S. 169.
[72] Charles Coombs, *The Arena of Finance*, S. 62/63.

1. Alle Zentralbanken verfolgen das gemeinsame Interesse, Spekulationen am Londoner Goldmarkt auf ein Minimum zu beschränken. Dies sollte durch das Mittel der offiziellen Intervention erreicht werden. Um die Auswirkungen plötzlicher und starker Veränderungen im Markt möglichst gering zu halten, sollte die finanzielle Belastung der Intervention auf alle verteilt werden.

2. Die Zentralbanken der folgenden Länder wurden aufgefordert, Gold im Gesamtwert von $ 270 Millionen in den Pool einzuzahlen:

Deutschland	$ 30 Millionen
Großbritannien	$ 25 Millionen
Italien	$ 25 Millionen
Frankreich	$ 25 Millionen
Schweiz	$ 10 Millionen
Niederlande	$ 10 Millionen
Belgien	$ 10 Millionen
USA	$ 135 Millionen
Gesamt	**$ 270 Millionen**

3. Die *Bank of England* sollte die Intervention am Londoner Goldmarkt durch Verkauf ihrer eigenen Goldbestände durchführen. Am Ende des jeweiligen Monats sollten dann die verschiedenen Teilnehmer, entsprechend dem Anteil ihrer Beteiligungen am Pool, der *Bank of England* ihre jeweiligen Auslagen zurückerstatten.

4. Das unmittelbare Ziel war, den Londoner Goldpreis nicht über $ 35.20 ansteigen zu lassen, was ungefähr den Kosten für die *loco-(»vor Ort«-)*Lieferung von London-Gold entsprach, welches in New York gekauft worden war. Sofern machbar, sollte der Preis unter die Marke von $ 35.20 gedrückt werden, wenn dies ohne übermäßig große Intervention möglich war.

5. Die Dollar-Erlöse solcher Pool-Verkäufe in New York sollten für die Empfänger-Zentralbank jederzeit vollständig in Gold konvertierbar bleiben. Wenn sich der gesamte Dollarbe-

stand einer Zentralbank innerhalb normaler Grenzen bewegte, hofften die Amerikaner, daß die Bank die Dollar-Erlöse aus ihren Londoner Goldverkäufen einbehalten würde. Falls diese Dollar-Erlöse allerdings den Bedarf der Zentralbank nach Dollar-Reserven deutlich überstiegen, würden sie in New York in Gold umgetauscht werden. Da ein Ziel des Pools darin bestand, die unmittelbaren Auswirkungen der U.S.-Intervention auf den Goldbestand des Schatzamtes zu mildern, hoffte man, daß solche Konvertierungen nicht sofort nach Erhalt der Dollar-Erlöse erfolgten. Doch stand es der jeweiligen Zentralbank frei, solche Erlöse innerhalb von einer Woche, einem Monat, mehreren Monaten oder überhaupt nicht zu konvertieren.

6. Die annehmenden Zentralbanken und die USA sollten sich darauf einigen, kein Gold vom Londoner Markt oder von irgendeiner anderen Quelle wie zum Beispiel Rußland oder Südafrika zu kaufen. Außerdem sollten die USA andere Zentralbanken überzeugen, ähnliche Richtlinien einzuführen, sobald sich die Gelegenheit dafür bot.

Charles A. Coombs schrieb in seinem Buch, daß beschlossen wurde, das Abkommen des Gold-Pools vorerst geheim zu halten. Wie es für den traditionellen Geist der BIZ-Meetings typisch war, wurde nicht einmal ein Stück Papier unterzeichnet oder ausgetauscht; das Wort eines jeden Zentralbank-Gouverneurs galt als genauso bindend wie ein schriftlicher Vertrag.

Im November 1961, dem ersten Arbeitsmonat des Pools, war die *Bank of England* relativ erfolgreich, die Goldverkäufe auf $ 17,4 Millionen zu begrenzen.

Nach seiner Rückkehr vom Basler Treffen nach New York arbeitete Coombs einen Vorschlag aus, den Gold-Pool in ein Syndikat für Kauf und Verkauf von Gold umzuwandeln:

»Im Frühjahr 1962 kam es zu russischen Verkäufen in einem solchen Ausmaß, daß der Pool die $ 17 Millionen Goldverkäufe vom November 1961 wieder wettmachte, und bis Ende Mai sich ein Überschuß von $ 80 Millionen ansammeln konnte. Im Mai 1962 sorgte jedoch ein starker Einbruch an der U.S.-amerikanischen Börse (hauptsächlich eine Reaktion auf die Konfrontationen zwischen Präsident Kennedy und der *U.S. Steel*), zusammen mit einer scharfen Attacke auf den kanadischen Dollar, für eine Wiederbelebung von Spekulationskäufen am Londoner Goldmarkt. Mitte Juli 1962 war der Überschuß des Gold- Pools bereits erschöpft. (…) Doch im Oktober 1962 trat eine Herausforderung allererster Größenordnung auf. Während der Kuba-Krise nahm die spekulative Goldnachfrage explosionsartig zu. Die Bank von England intervenierte kräftig mit insgesamt fast $ 60 Millionen über die drei Tage vom 22. bis zum 24. Oktober hinweg. Merkwürdigerweise war ein beträchtlicher Teil der Pool-Intervention dieser drei Tage durch weitere Goldverkäufe der UdSSR finanziert worden. (…) Dennoch war das Gesamtdefizit bis zum 24. Oktober 1962 auf über $ 80 Millionen angewachsen. (…) Als sich die Kuba-Krise entschärfte und sich die russischen Verkäufe fortsetzten, gewann der Pool innerhalb kurzer Zeit $ 70 Millionen zurück, so daß das Nettodefizit Ende November 1962 nicht mehr als $ 12 Millionen betrug. (…)

1963 fiel die private Nachfrage nach Gold von dem hohen Niveau von 1962 deutlich ab, während die südafrikanischen Lieferungen anstiegen und der Pool stetig Gold in mäßigen Mengen erwarb. (…) Der Ernteausfall in Rußland im Herbst 1963 verwandelte dann plötzlich das gesamte Marktbild. Die Sowjets tätigten sogleich umfangreiche Weizenimporte aus Kanada und anderen Erzeugerländern. Um die Einkäufe zu finanzieren, entschied die UdSSR, die immer großen Wert auf ihre makellose Bonitätsbeurteilung legte, statt auf internationale Kapitalmärkte zurückzugreifen, die nötigen Getreideimporte durch den Verkauf von Gold zu finanzieren. (…) Plötzlich sah sich der Pool mit Gold überflutet. Im Verlaufe des letzten Quartals 1963 ließen russische Verkäufe in Höhe von $ 470 Millionen die Poolakquisitionen auf $ 639 Millionen anschwellen, was alles auf die Poolmitglieder verteilt wurde. Im ersten Halbjahr 1964 verkauften die Russen noch einmal verstärkt Gold im Gesamtwert von $ 438 Millionen. Auch die südafrikanischen Lieferungen stiegen um mehr als 25 % an, so daß der Pool bis Ende September weitere $ 656 Millionen angesammelt und auf die Mitglieder verteilt hatte. In 21 Monaten hatte der Pool somit die Goldreserven der BIZ-Gruppe um $ 1,3 Milliarden vermehrt, von denen der Anteil des U.S.-Schatzamtes fast $ 650 Millionen ausmachte.«[73]

Coombs' Schlußfolgerung in bezug auf diese erste Arbeitsphase war, daß sich der Pool weit über die wildesten Vorstellungen aller daran beteiligten Teilnehmer hinaus als erfolgreich erwiesen hatte. Was die Gentlemen allerdings immer noch nicht verstanden (siehe Jacques Rueff's Analyse in diesem Buch), war, daß das Bretton-Woods-Abkommen keine Chance hatte, lange bestehen zu können, wenn sich die Länder, und dies trifft hauptsächlich auf die USA zu, nicht strengster fiskalischer und monetärer Disziplin unterwarfen. Wegen des kostspieligen militärischen Engagements der USA in Vietnam war es nur eine Frage der Zeit, bis die U.S.-Zahlungsbilanz sich noch weiter verschlechtern würde.

Nicht jedermann teilte daher die rosige Ansicht über die Leistungen der Zentralbankiers. Während Charles A. Coombs klar seine Meinung zum Ausdruck brachte, daß man sich nicht auf eine Fortsetzung der bisherigen Glückssträhne verlassen könne, vergaß er, daß die Märkte stets die Meister sind. Die folgenden tragischen Ereignisse haben bis zum heutigen Tag gezeigt, daß es mehr als lohnend gewesen wäre, gründlich über die Einführung eines Goldstandards nachzudenken — als noch Zeit dafür war. Die Alternative war und ist, Zeit und Geld mit einem Gold-Dollar-Standard zu vergeuden, der potentiell imstande war, den Finanzmarkt in eine derartige Krise zu stürzen, von der er sich nie wieder zu erholen vermochte.

In *The Invisible Crash*[74] schrieb James Dines klar und deutlich:

>»Wirtschaftsimperialismus war eine natürliche Konsequenz der Art von Mentalität, die das Denken in Washington in den 1930er Jahren dominierte. Das Zeitalter des Faschismus, das Hitler hervorbrachte, schlug sich in anderen Ländern in subtileren Manifestationen nieder, von denen bis zum heutigen Tage [1975] nicht alle ausgemerzt worden sind. Die Menge an Gütern

---

[73] Charles Coombs, *The Arena of Finance*, S. 62–68.

[74] Jeder, der sich für die täglichen Ereignisse diese Zeitperiode interessiert, sollte das Buch *The Invisible Crash* von James Dines lesen, insbesondere Kapitel 9 »An Odyssey Through the Gold Comments in the Dines Letters, 1961–1974« liest sich wie ein persönliches Tagebuch, wenn Dines an die explosionsartige Währungs- und Goldsituation dieser Zeit sowie an die allgemeine Ignoranz über die Wichtigkeit von Gold erinnert.

und Waren, die amerikanische Touristen aus Europa in die USA zurückbrachten, verringerte sich, und neue Touristensteuern tauchten überall auf. Dieses Absplittern der Freiheiten wurde von den Amerikanern ohne Murren hingenommen. Unter dem Siegel des Kapitalismus wurde auf U.S.-Firmen Druck ausgeübt, Geldmittel zu repatriieren. Tatsächlich kam dies einem faschistischen Akt der Vermögensenteignung von U.S.-Aktionären gleich, so daß statt dessen die Regierung dieses Geld ausgeben konnte. Das hat nichts mehr mit Kapitalismus zu tun. Solche Schikanen durch Leute in hohen Positionen ziemen sich nicht für freie Regierungen, die behaupten, den Kapitalismus zu befürworten. (…) Die Angst der Leute in Washington vor dem Gold war so groß, daß sie vor nichts zurückschreckten, um immer wieder zu demonstrieren, daß Gold ein unbefriedigendes Investment sei. Ihre Anti-Gold-Hysterie entwickelte sich von 1933 bis 1968 zu einer sich selbst verwirklichenden Prophezeiung. Doch so groß die Macht dieser Politiker auch war, die Macht des Goldes war noch größer.

Diese Anti-Gold-Politik war praktisch im Begriff, die gesamte U.S.-Goldminenindustrie zu ruinieren. Kanada mußte seine Goldminen subventionieren, und Südafrika sah sich gezwungen, seinen Arbeitern Pennies zu bezahlen, denn das war alles, was man sich noch leisten konnte. All dies wurde von den Mächten in Washington leichtsinnig ignoriert. Ich frage mich, ob die Leute, die für diese Verbrechen verantwortlich sind, je vor Gericht gestellt werden.

Die Regierung, welche die Goldkrise völlig falsch interpretierte, schob die Schuld sofort den ›Gnomen von Zürich‹ und den ›Währungsspekulanten‹ in die Schuhe. Somit suchten die schuldigen Parteien, welche die Verursacher der Inflation sind, sofort nach einem Sündenbock. Ihre Reaktion verlängerte die Krise, denn sie verdeckte die wahren Schuldigen.[75]

Der Gold-Pool war ausgedacht worden, um Gold auf den Goldmarkt zu werfen, wann immer dieses zu steigen begann. Diese Unterdrückung des freien Marktpreises hat nichts mit freiem Unternehmertum zutun. (…)

Die USA sorgten für 50% der gesamten Nettoverkäufe des

---

[75] Die Schuldigen waren natürlich Politiker, Zentralbanken und ihre jeweiligen Bankensysteme, denen das besondere Privileg gewährt wurde, Sichteinlagen/ Demand Deposits (Geld) aus dem Nichts zu schöpfen.

Pools, was ein deutlicher Hinweis auf den geographischen Standort des wahren Schuldigen ist. Im Juni 1967 zog sich schließlich Frankreich inmitten heftiger Kritik und starkem Druck in weiser Erkenntnis aus dem Pool zurück.«[76]

Zusätzlich zu der Gold- oder eher Dollarkrise gab es aber auch noch … eine Silberkrise.

Das andere Währungsmetall — Silber

Es kann keine Diskussion ums Gold geben, ohne nicht auch einige historische Fakten über Silber und dessen Markt zu diskutieren, dem ersten Metallwährungs-Standard der Antike. Während Gold damals ebenfalls bekannt war, lag es jedoch größtenteils in königlichen oder religiösen Tempeln und Schatzkammern und trat kaum im Handel auf. Der Wert, der dem Silber in Relation zum Gold zugeschrieben wurde, richtete sich nicht nach einem weltlichen, sondern nach einem kosmischen Maßstab. Die Menschen des Altertums hatten eine Erklärung dafür. Da sich der (silberne) Mond 13,3mal schneller durch den Tierkreis bewegt als die (goldene) Sonne, dachte man sich, daß Gold auch 13,3mal so wertvoll sei wie Silber.[77] Der Mensch wurde sich darüber bewußt, daß auch im Geldwesen eine göttliche Ordnung herrschte. Die Goldschätze von Ägypten waren für ihre Beziehung zur Sonne bekannt. Die Silberamulette und Tempelbilder von Ephesus stünden, so dachte man, in einem Verhältnis zu bestimmten Mondeinflüssen.

Einige Menschen glaubten, daß Gold und Silber nicht durch gewählte Regierungen verfügt worden waren, sondern als Folge menschlicher Erfahrung über Jahrtausende hinweg unter göttlicher Führung, und daß sie die wahren Geldmetalle seien, welche uns aus biblischen Zeiten überliefert worden waren. In Ägypten war das Symbol fürs Gold dasselbe wie für die Sonne, und Gold wurde als das Metall der Götter betrachtet. In der Antike wurden Gold und Silber in Heiligtümern und Tempeln aufbewahrt, doch als sie in Umlauf gebracht wur-

---

[76] James Dines, *The Invisible Crash* (New York: Random House, 1977), S. 48/49.

[77] Gérard Klockenbring, *Geld — Gold — Gewissen* (Stuttgart: Verlag Urachhaus, 1974), S. 18.

den, förderten sie den Handel für alle Zeiten, und die Tauschwirtschaft war ein Ding der Vergangenheit.

Das Gold-Silber-Wertverhältnis

Eine der faszinierendsten Fragen der Geldgeschichte, aber auch eine der geheimnisvollsten, ist die wirtschaftliche Interpretation des Gold-Silber-Wertverhältnisses und seiner Veränderungen. In der Antike lag dieses Verhältnis mit 10:1 sehr niedrig. Zu Beginn der Neuzeit war es auf 14:1 gestiegen. Die Regierungen versuchten es im 18. Jahrhundert bei 15:1 zu stabilisieren, allerdings ohne Erfolg. Im 19. Jahrhundert war das Verhältnis völlig aus den Fugen geraten und der Quotient erreichte im Eiltempo die Marke von 60, nur um dann am Ende des I. Weltkriegs wieder bei 16 zu landen. In den Nachkriegsjahren stieg die Kennzahl wieder an und durchstieß während der Großen Depression der 1930er Jahre die Marke von 100, als Silber nur 25 U.S.-Cents die Unze kostete. Von diesem Allzeithoch begann das Verhältnis einen langen Abstieg *pari passu* mit der bewußten Entwertung der Weltwährungen, um schließlich im Jahre 1980 wieder ein Tief von 16:1 zu erreichen. Von da stieg es jedoch wieder an. Momentan, beim Schreiben dieses Buches, liegt der Au/Ag-Quotient[78] bei etwa 78.

Jahrtausendelang fluktuierte das Verhältnis zwischen 10 und 15. Es gab nur eine bemerkenswerte Ausnahme. In der frühen ägyptischen Geschichte stand das Verhältnis auf einem Tiefpunkt von 2,5 — doch es gab einen guten Grund dafür: Es herrschte ein Mangel an Silber, welches hauptsächlich aus Griechenland kam.[79,80]

Vom Bimetallismus zum Monometallismus

Das Ende für Silber als Währungsmetall kam Mitte des 19. Jahrhunderts, zunächst als Folge des Legal Tender Act in den USA vom Februar 1862 und des National Banking Act vom 25. Februar 1863. Doch die Krone der Silber-Demonetisierung gebührt dem kaiserlichen

---

[78] Aurum (Au) und Argentum (Ag) im Periodensystem der Elemente.
[79] C. H. V. Sutherland, *Gold, Its Beauty, Power and Allure* (Wien & München: Verlag Anton Schell, 1970), S. 46.
[80] James U. Blanchard, *Silver Bonanza* (New York: Simon & Schuster, 1993), S. 82.

Deutschland, welches als Folge des Sieges über Frankreich im Jahr 1871 einen großen Goldschatz angehäuft hatte. Die Schatzämter deklarierten den Bimetallismus schlicht als Fehlschlag, und der Verkauf von Silber wurde für sie zu einer echten Einnahmequelle.

Der wohl wahrscheinlichste Grund für den Verkauf ist allerdings darin zu sehen, daß Mitte des 19. Jahrhunderts groß angelegte Regierungs-Interventionen in monetären Angelegenheiten begonnen hatten. Ansonsten hätte das Au/Ag-Wertverhältnis seinen kaum wahrnehmbaren langfristigen Anstieg fortgesetzt. Kreditmanipulation im großen Stil war nur möglich, wenn die Regierung und das Bankensystem die Kontrolle über eines dieser monetären Metalle erlangten. Der erste Schritt in diese Richtung war die Abkehr vom Bimetallismus und die Einführung des Monometallismus.

Da Silber unter der Bevölkerung weiter verbreitet war als Gold, erschien die Kontrolle über Silber als Mittel zur Kreditmanipulation deshalb weniger vielversprechend. Logischerweise wurde Gold somit zum einzigen Währungsmetall. Dies war wohl der wahrscheinlichste Grund für die Demonetisierung, denn ich erinnere mich noch sehr gut daran, daß zu meinen jungen Jahren in der Schweiz sich Silbermünzen in friedlicher Gemeinschaft mit Papierbanknoten bis 1968 im Umlauf befanden.

In jenem Jahr explodierte der Silberpreis. Wegen steigender Inflation begann das Horten, und Silbermünzen verschwanden aus dem Umlauf. Währungsentwertung war ein weiterer Grund, warum Silber seine monetäre Rolle verlor, und nicht wegen des »Versagens des Bimetallismus«. Schlußendlich war es ein Resultat des Herumhantierens der Regierungen mit Geld und Kredit.

Antal Fekete vermittelt eine Sicht der Dinge, wie sie in keinem volkswirtschaftlichen Lehrbuch zu finden ist:

> »Der Coinage Act [Münzgesetz] von 1792 führte ein neues gesetzliches System ein, welches das Doppelwährungs-Verhältnis (Gold/Silber-Preis) bei 15:1 fixierte. Dies war ein klarer Versuch der Valorisation, also der einseitigen Festsetzung von Werten. Er basierte eindeutig auf dem Glauben, daß die Regierung per schlichter Verordnung *(by fiat)* Werte beliebig erschaffen oder vernichten kann. Die Feinde der Freiheit nutzten diesen

Fehler später voll zu ihren Gunsten aus. Nach 100 Jahren des Herumexperimentierens mit Geld, in denen sich der De-facto-Währungs-Standard zwischen Silber und Gold hin- und herbewegte, sowie Veränderungen am offiziellen Gold-Silber-Verhältnis in den Jahren 1834 und erneut in 1837, ganz zu schweigen vom rücksichtslosen Experiment mit den nicht einlösbaren Greenbacks während des amerikanischen Bürgerkrieges und dessen Nachwirkungen, begann die Regierung mit dem Demonetisierungsschwindel. Zuerst wurde Silber demonetisiert, indem sie das verfassungsmäßig garantierte Recht der Menschen auf die freie Prägung des Standard-Silber-Dollars außer Kraft setzte, ein Gesetz, welches der hitzköpfige politische Redner William Jennings Bryan als *Das Verbrechen von 1873* betitelte. 100 Jahre später demonetisierte die Regierung Gold, ein Gesetz, welches in analoger Weise treffend als *Das Verbrechen von 1971* bezeichnet werden kann. Diese Gesetze waren weitere Bemühungen in Richtung Valorisation, genau wie die zahlreichen Gesetzgebungen über die rechtmäßigen Zahlungsmittel, die fortan folgten. Zur Zeit der Jahrhundert- und Jahrtausendwende ergeht sich die Regierung immer noch in Valorisationsaktivitäten. Sie versucht den Goldpreis auf Biegen und Brechen künstlich unten zu halten, um das wahre Ausmaß der Dollar-Entwertung, die im 20. Jahrhundert stattgefunden hat, zu verschleiern.

Es gibt eine Reihe von Lektionen, die man aus diesen Experimenten lernen kann. Erstens: Die Regierung mag vielleicht vorübergehend das eine oder andere Geldmetall erfolgreich valorisieren können, doch wenn sie es mit beiden versucht, ist sie notorisch machtlos und unfähig. Die zweite Lektion ist, daß die Valorisierung eines Geldmetalls vielleicht vorübergehend einen Anstieg des Preisniveaus als solchen vermeiden kann, jedoch war sie *niemals* in der Lage, ein heftiges und unkontrolliertes Ausbrechen der *Volatilität* des Preisniveaus zu verhindern.«[81]

Dann stellt Fekete die Frage:

»Was versucht das Wertverhältnis zwischen Gold und Silber, der Bimetall-Quotient, auszusagen?

---

[81] Antal Fekete, »The Bimetallist Manifesto«, private Korrespondenz mit dem Autor, 2. September 2000.

Seit alters her zeigte das Bimetall-Wertverhältnis eine höchst bemerkenswerte Stabilität, der kein anderer wirtschaftlicher Indikator das Wasser reichen konnte. Obwohl nie konstant, war das bimetallische Verhältnis stabil, zeigte indessen einen stetigen leichten Aufwärtstrend an. Diese Stabilität war kein Zufall. Sie kennzeichnete die Weisheit einer langen Kette von Generationen, die genau verstand, daß die einzige Gefahr für ihr Geldsystem in der Gefahr eines spekulativen Aufkaufs (Corner) bestand. Sollten Piraten oder räuberische Regierungen je versuchen, eines der Geldmetalle spekulativ aufzukaufen und dadurch das Wertverhältnis zu destabilisieren, würden die Menschen das alte Verhältnis durch Arbitrage wiederherstellen. Sie würden das teurere Geldmetall verkaufen und das billigere kaufen. Diese Zustände und Zeiten fanden unmittelbar nach dem amerikanischen Bürgerkrieg und dem französisch-preußischen Krieg 1870/71 ein abruptes Ende. Ein siegreicher Norden in den USA und ein unabhängiges, siegreiches Preußen in Europa begannen mit dem Aufbau eines Imperiums. Sie ließen ihre Geld-Muskeln spielen, indem sie den Demonetisierungsschwindel in Bewegung setzten. Sie gaben ihre Beute aus — bei weitem die größte in der Geschichte bis zu jener Zeit —, um die natürliche Geldordnung zu zerstören. Sie enthoben Silber seines Amtes. Das Bimetall-Wertverhältnis wurde nicht nur destabilisiert, sondern es löste, als ob in den Sog der Wirbelströmung eines ›Big Bang‹ geraten, einen umwälzenden und katastrophalen Anstieg seiner Volatilität oder Preisschwankungen aus, welche bis zum heutigen Tage andauern. Während der Quotient innerhalb der Untergrenze von 15 und der Obergrenze von 100 variierte, waren sowohl die Schwankungsbreite als auch die Häufigkeit der Veränderungen beim Bimetall-Verhältnis von nun an im Zunehmen begriffen.

Seitens der ›Mainstream-Ökonomen‹ gab es herzlich wenig Interesse an den Fragen über die Bimetall-Kennzahl wie auch an seinen Schwankungen. Dies ist ein klares Indiz dafür, daß ihre Zahlmeister, die Regierungen, ängstlich darauf bedacht sind, das Thema aus der öffentlichen Diskussion herauszuhalten. Dennoch kann die Frage nicht ignoriert werden. Es ist nur allzu natürlich, nach einer Erklärung für dieses einzigartige historische Phänomen zu suchen. Wie konnte das Bimetall-Verhältnis, welches mit den ersten beiden in der *Bibel* erwähnten Metallen unabdingbar verknüpft ist, ganz plötzlich destabilisiert und immer volatiler werden, nachdem es über mehrere Jahrtausende hinweg eine bemerkenswerte Stabilität aufzeigte?

Es ist die Grundthese dieses Manifests, daß das Bimetall-Verhältnis die Geschichte der gewaltsamen und üblen manipulativen Eingriffe von Regierungen, inspiriert durch das *Kommunistische Manifest*, in die natürliche monetäre Ordnung getreu aufgezeichnet hat. Regierungen sind versessen darauf, das Geldsystem zu politisieren und die Kreditvergabe in ihren Händen zu zentralisieren, in getreuer Erfüllung der Prophezeiungen von Marx und Engels, selbst wenn dies eine systematische Zerstörung der verfassungsmäßigen Geldordnung und den Sturz der repräsentativ gewählten Regierung bedeutet. Die Destabilisierung des bimetallischen Verhältnisses wird durch bewußt getroffene politische Entscheidungen hervorgerufen, mit dem Ziel, monetäres Gold in die Staatssäckel der Regierungen und in die Kassen ihrer Zentralbanken fließen zu lassen. Es reflektiert die Erkenntnis, daß, wenn sie schon nicht beide Geldmetalle valorisieren konnten, die Regierungen dann in konzertierter Aktion zusammenwirken sollten, um wenigstens eines der beiden zu valorisieren. Die Wahl der Regierungen fiel aufs Gold. Sie glaubten, daß sie Gold leichter unter ihre Kontrolle bekommen konnten als Silber.«[82]

Feketes Analyse und Schlußfolgerung zeigt, daß es vor den »Goldverschwörungen« bereits »Silberverschwörungen« gab. Die nachfolgenden Kapitel werden demonstrieren, daß diese bis zum heutigen Tag andauern.

Silber wird geopfert

Don Hoppe enthüllte in seinem ausgezeichneten Buch über Goldminen-Anlagen, wie die Silber-Thematik völlig falsch gehandhabt wurde:

> »Für die Bürger der Vereinigten Staaten waren Silber-Dollars sowie untergeordnete und ergänzende Silbermünzen das einzige noch verfügbare Geld mit innerem Wert [also Wert ohne Versprechen eines Schuldners], und *Gresham's Law* trieb sie

---

[82] Antal Fekete, »The Bimetallist Manifesto«, private Korrespondenz mit dem Autor, 2. September 2000.

unweigerlich ins Versteck. Zunächst versuchte das Schatzamt mit unverzeihlicher Unbeholfenheit, die Schuld für die steigende Knappheit an Silbermünzen den Aktivitäten der Numismatiker zuzuschieben. Doch zu behaupten, daß das Verschwinden des gesamten *Federal-Reserve*-Bestandes an Silber-Dollar (etwa $ 350 Millionen wert) plus dem nahezu gesamten im Umlauf befindlichen Bestand an halben Dollars das Werk böswilliger »Münzsammler« sei, erfordert schon eine sehr weit gefaßte Definition dessen, was ein Münzsammler eigentlich ist. Das Horten von gewöhnlichen Münzen hat mit Sicherheit nichts mit traditioneller Numismatik zu tun.

Während der folgenden Übergangsphase von der Prägung von Münzen mit innerem Wert zu Münzen aus Nichtedelmetall gelobte das Schatzamt zunächst, die Obergrenze des Silberpreises bei $ 1.29 zu halten, indem es den Markt kontinuierlich mit Silber aus Regierungsbeständen versorgte. Das Schatzamt prahlte, den Silberpreis, falls nötig, bis 1980 stabil halten zu können. Doch der bald darauf einsetzende Ansturm von Spekulanten und Investoren, die ihre immer mehr an Kaufkraft verlierenden Federal-Reserve-Banknoten gegen Silber zum Fixpreis von $ 1.29 eintauschten, erreichte solche Größenordnungen, daß die Direktverkäufe des Schatzamtes im Sommer 1967 suspendiert werden mußten. Der Silberpreis stieg sofort auf über $ 2 die Unze an.

Im August 1967 unternahm die Regierung einen weiteren Versuch, den Silberpreis unter Kontrolle zu bekommen. Man befürchtete, daß ein ungezügelter Anstieg des Silberpreises noch mehr Zweifel an der Integrität des Kredit-Dollars aufkommen lassen und ausländische Besitzer veranlassen würde, weiteres Gold abzuziehen. Wie sich herausstellte, war dies eine unnötige Sorge. Die Goldreserven sanken immer weiter, entsprechend ihrem eigenen scheinbar unflexiblen Fahrplan.

Schließlich wurde eine wöchentliche Auktion von Washington veranstaltet, bei der die Restbestände an Silberbarren, einschließlich des durch Schmelzung von Münzen abgesonderten .900-Feinsilbers, durch die *General Services Administration* anstatt durch das Schatzamt über versiegelte Gebote an industrielle Nutzer verkauft werden konnten. Dieses Programm blieb bis zum November 1970 in Kraft, als die Regierung triumphierend verkündigte, daß sie kein Silber mehr zum Verkauf hätte. Der jüngste und hoffentlich letzte große Zyklus von Regierungs-Interventionen im Silbermarkt, der 1933 begonnen hatte, war schließlich zu Ende.«[83]

Silber, das rastlose Metall

Dies ist auch der Titel eines Buchs von Professor Roy Jastram über die Geschichte des Silbers:

>»Obwohl Silber vorwiegend eine industrielle Ware geworden ist, hat es die Eigenschaften, die es auf dem Edelmetallmarkt hatte, bewahrt. Es wird immer noch von Privaten und Institutionen als Investment, zum Schutz gegen die Inflation und als Spekulationsobjekt erworben.
>Während des Jahrzehnts von 1970 bis 1980 kauften Familien aus dem Mittleren Osten und die Hunt-Brüder aus den USA große Mengen Silber auf. Andere größere Akteure am Markt tätigten ebenfalls ihre eigenen Käufe, ohne sich jedoch des gleichen Interesses wie die Hunts zu erfreuen. (…) Damit war ein breites Fundament für eine heftige Preisbewegung geschaffen worden. 1979 und Anfang 1980 erreichten die Spekulationskäufe ein Crescendo. Täglich neue Silberpreis-Rekorde stimulierten die Spekulation noch stärker. Dann brach der Silberpreis innerhalb von sieben Wochen auf dramatische Weise von $ 48 auf $ 10.80 ein. Das rastlose Metall hatte gezeigt, wie explosiv es sein konnte.«[84]

Einige glauben nun, daß das Gold-Silber-Verhältnis letztendlich wieder auf 16:1 fallen wird, doch sollte man nicht vergessen, daß Silber keine Währungsfunktion mehr hat. In zukünftigen Inflationsphasen könnte es allerdings wieder seine Rolle als »Gold des kleinen Mannes« einnehmen. Und es könnte erneut zu Silberspekulationen und -krisen kommen, solange die Geldschöpfung im Ermessen einer kleinen, besonders privilegierten und verschworenen Clique liegt.

---

[83] Donald J. Hoppe, *How to Invest in Gold Stocks* (New York: John Wiley & Sons, 1977), S. 174.
[84] Roy Jastram, *Silver: The Restless Metal* (New York: John Wiley & Sons, 1977), S. 157.

Der Zusammenbruch des Gold-Pools

Der Pool erlitt weitere Verluste. Es gab ja auch schließlich das chronisch kranke Pfund Sterling. Der Sieg der Labour-Partei bei den Wahlen im Oktober 1964 setzte das Pfund nicht nur einem starken Verkaufsdruck aus, sondern erzeugte gleichzeitig einen Ausbruch spekulativer Nachfrage nach Gold. Charles A. Coombs zufolge stieg der Kaufdruck Anfang 1965 am Londoner Goldmarkt weiter an, als Präsident de Gaulle einen Großangriff auf den Dollar startete und eine Wiedereinführung des Goldstandards verlangte. Hier zeigt sich erneut, daß ein ranghoher Beamter des *Federal Reserve*, in diesem Fall Mr. Coombs, die wahren Gründe für die Krise nicht zu verstehen schien. Doch General de Gaulle verstand sehr gut und sein Berater Jacques Rueff noch besser. Doch Coombs machte erstaunlicherweise de Gaulle für den Untergang des unglücklichen, fehlkonstruierten Bretton-Woods-Abkommens verantwortlich:

> »Aber de Gaulles arrogante Ankündigungen dienten nur der Polarisierung des Themas in eine neue und verwirrende Dimension. Und seine Berater, die ihn drängten, eine Pistole auf den amerikanischen Kopf zu richten, indem er Dollar gegen Gold einlöste, beschleunigten nur den Untergang des Bretton-Woods-Abkommens und bewirkten, daß Gold niemals wieder dieselbe Rolle spielen würde wie zuvor. Zwischen 1962 und 1966 kaufte die französische Regierung dem U.S.-Schatzamt fast $ 3 Milliarden an Gold ab, verschiffte die Masse der in der Obhut der *Federal Reserve* befindlichen Goldbestände von New York nach Paris und forderte allgemein die Funktionsfähigkeit des Bretton-Woods-Systems heraus.«[85]

Und er fährt fort:

> »Im März 1965 begann sogar die chinesische Regierung auf dem Londoner Markt Gold aufzukaufen. Bis zum August 1965 hatte der Pool für Interventionen mehr als $ 200 Millionen ausgegeben. (…) Ende 1965 gab es dann neue, riesige Goldangebote der Russen, und der Pool hatte am Ende des Jahres wieder einen Überschuß von $ 1,3 Milliarden. (…) Darauf folgte ein verstärk-

---

[85] Charles A. Coombs, *The Arena of International Finance*, S. 152–173.

ter Zufluß von Gold aus Südafrika, das damit sein Zahlungsbilanzdefizit finanzieren wollte. (…) Die Nachfrage nach Gold war 1965 auch durch Faktoren wie der Vietnamkrieg angestiegen. (…) Auch die industrielle Nachfrage begann zu steigen. (…) Im Juni 1967 betrug dann das Gesamtdefizit des Pools $ 365 Millionen. (…) Spekulationen, welche als Resultat des IWF-Treffens in Rio de Janeiro 1967 entstanden waren, ließen, zusammen mit einem schwindenden Vertrauen in das britische Pfund, das Defizit des Pools bis Ende Oktober des Jahres auf $ 434 Millionen ansteigen. (…) Im Juli 1967 kam es dann zum ersten offenen Bruch, als die Bank von Frankreich bedauernd darauf hinwies, daß sie nicht weitermachen könne. (…) Im November überschlugen sich die Ereignisse. Die Krise des britischen Pfunds, die sich seit dem Krieg im Mittleren Osten 1967 zu ihrem Höhepunkt verschärft hatte, gipfelte schließlich in der Abwertung des Pfunds von $ 2.80 auf $ 2.40 und erzeugte eine Flutwelle von Spekulationskäufen, welche nun über den Londoner Markt hinwegfegte, und in der darauffolgenden Woche ab dem 20. November erlitt der Pool einen neuen rekordhohen Verlust, $ 1006 Millionen von Januar bis zum 20.–24. November 1967.«[86]

Von nun an bezeichnet Charles A. Coombs den Londoner Goldmarkt wiederholt als den Londoner Goldbasar. Die Krise kam zu ihrem Höhepunkt, als Senator Jacob Javits im März 1968 die Einstellung aller Gold-Pool-Aktivitäten verlangte, ebenso wie andere grundlegende Änderungen in der U.S.-Goldpolitik. Die Verluste des Pools eskalierten nach dem Schneeballprinzip.

Bis März 1968 war der U.S.-Goldbestand bis auf $ 10,5 Milliarden bzw. auf etwa 300 Millionen Unzen abgestürzt, und zwar aufgrund des unklugen Beharrens seitens des U.S.-Schatzamtes, den Goldpreis gewaltsam bei $ 35 halten zu wollen. Bei einem Krisentreffen am Wochenende vom 17. März 1968 in Washington D. C. wurde beschlossen, den Gold-Pool aufzulösen und einen zweistufigen Goldpreis festzulegen. Für James Dines war dies:

»(…) ein offensichtlich letzter verzweifelter Versuch seitens der Währungsmanipulatoren des *Washington Economic Esta-*

---

[86] Charles A. Coombs, *The Arena of International Finance*, S. 152–173.

blishment, den Goldpreis zu unterdrücken. Im April 1968 erreichte der Goldpreis ein Hoch von $ 44. Das Endergebnis war ein
unbestreitbarer Sieg des Goldes über die Währungsbehörden,
Zentralbankiers, Ökonomen und Politiker.«[87]

In Dines Worten:

> »Damit war Gold der unbestrittene Weltmeister der Finanz
> und das höchste an Geld für alle jene, welche die Zusammenhän-
> ge verstanden.«[88]

Am 18. März 1969 beseitigte der Kongreß die 25 % Goldreser-
ven-Deckungspflicht für die Federal-Reserve-Banknoten. Dieser Beschluß beseitigte die letzten verfügten Beschränkungen zwischen der
Geldmenge der Nation und ihrem Goldbestand.

Am 30. Dezember 1969 kam es zu einer Aufhebung der anläßlich
der Gründung des zweigeteilten Marktes verkündeten Politik. Der
IWF gab den Abschluß eines Abkommens bekannt, neu gefördertes
südafrikanisches Gold für $ 35 pro Unze zu kaufen, sollte der Markt-
preis auf $ 35 oder darunter fallen. Dies stellte einen Weg dar, die
offiziellen Währungsvorräte an Gold zu erhöhen. Das Abkommen sah
weiterhin vor, daß die südafrikanische Zentralbank aus eigenen offiziellen Reserven Gold auf dem freien Markt verkaufen könne, um ihren
internationalen Zahlungsverpflichtungen nachkommen zu können, ganz
gleich, wohin sich der Marktpreis gerade bewegte.

Der Mythos der »Goldknappheit« und die Schaffung der Sonderziehungsrechte (SDRs)

Immer wenn Finanzexperten keine Ahnung hatten, was die sich
wiederholenden Finanzkrisen verursachte, gaben sie gewöhnlich die
Schuld dem Gold, indem sie das Märchen der physischen Goldknappheit
in die Welt setzten. Wie wir aus der Geschichte des Goldstandards
mittlerweile wissen, war dies eine eindeutige Fehlinterpretation der
Lage und weit von der Wahrheit entfernt. Das echte Problem war

---

[87] James Dines, *The Invisible Crash*, S. 51.
[88] Ebenda.

immer in genau umgekehrter Richtung zu suchen, daß nämlich zuviel ungedecktes Papiergeld produziert wurde, und genau dies hat die Erfindung der SDRs[89] auch bewirkt. Dieses sogenannte »Papiergold«, welches vom U.S.-Schatzamt mit seinem Minister Fowler und dessen Staatssekretär Paul A. Volcker erschaffen worden war, sollte eine Ergänzung zum Gold darstellen. Es wurde deshalb geschaffen, weil man glaubte, es gäbe nicht genug Gold und Devisen (d. h. U.S.-Dollars) auf dem Markt. Doch in Wirklichkeit hatte die Welt davon mehr als zur Genüge. Im Jahre 1969 wurden die SDRs in das internationale Finanzsystem integriert.

Jacques Rueff kommentierte hierzu:

>»In der Zwischenzeit hatten die Finanzexperten einen genialen Plan ausgeheckt, um die Insolvenz der USA dadurch zu verschleiern, indem man jedem Land eine Quote an besonderen internationalen Reserven zuwies, welche nur von Zentralbanken gehalten werden konnten. Doch um zusätzliche Inflationsauswirkungen zu vermeiden, mußte die Anzahl an Sonderziehungsrechten begrenzt werden. Somit hätten die USA selbst mit Hilfe der SDRs nicht mehr als nur einen kleinen Bruchteil ihrer Dollarschulden begleichen können.«[90]

Das *Wall Street Journal* begrüßte diese Errungenschaft moderner Finanz-Alchemie mit allgemeiner Begeisterung. Hoppe faßte treffend zusammen:

>»›U.S. SCORES PAPER GOLD TRIUMPH‹[91] und der Staatssekretär des Schatzamtes Paul A. Volcker erzählte Journalisten mit einem breiten Lächeln: ›Nun, wir haben dieses Ding vom Stapel gelassen.‹ Das *Journal* begrüßte dieses System als einen ›riesigen Erfolg für die amerikanische ökonomische Schule, da es ein Schlag gegen die altmodischen Anhänger von Gold war, für

---

[89] Sonderziehungsrechte: vom IWF jedem Mitgliedsland zugewiesene Finanzierungseinheiten für Kredite.

[90] Jacques Rueff, *The Inflationary Impact the Gold Exchange Standard Superimposes on the Bretton Woods System* (Greenwich, Connecticut: *Committee for Monetary Research and Education*, 1975), S. 19.

[91] Die USA sonnen sich im Triumph des Papiergoldes.

die Gold einziger Maßstab für Geldwert und Heilmittel der Wirtschaft darstellte‹. Der Kommentar der Zeitung übersah jedoch die Tatsache, daß die SDRs einen bestimmten Nennwert im Verhältnis zum Gold hatten bzw. über eine gewisse Menge an Gold definiert werden mußten. Also war Gold nach wie vor der unbestrittene Maßstab des Geldwertes. Außerdem wurde spezifisch vermerkt, daß die SDRs nie ›abgewertet‹ werden konnten.«[92]

Don Hoppe war überzeugt, daß der SDR-Plan einer der größten Finanzschwindel war, die je begangen wurden, und daß ...

»(...) dies eines fernen Tages von Historikern auf die gleiche Ebene gestellt wird mit anderen Perlen menschlicher Borniertheit wie John Laws Mississippi-Skandal, der Assignaten-Bankrott und der Südsee-Schwindel. Die SDR-Einheit als dem Gold ›gleich‹gestellt zu definieren und dann feierlich zu erklären, die SDRs wären nicht in Gold einlösbar, kommt einem als offensichtliche Absurdität vor. Eine Papierwährung oder eine Krediteinheit kann nur als ›dem Gold gleichgestellt‹ angesehen werden, wenn sie tatsächlich zu einem festen Preis in Gold konvertierbar ist, und dies ohne Beschränkungen.«[93]

Richard M. Salsman war der Ansicht, daß die SDRs das am weitesten vom Gold entfernte Ding sind, das man sich nur vorstellen kann.[94] Daß die Zentralbanken glaubten, sie könnten solche Fiktionen erschaffen und sie ›Gold‹ nennen, war ein Zeichen dafür, wie weit sie von den praktischen Aspekten des Marktes entfernt waren. Die zu jener Zeit als »Papiergold« titulierten SDRs waren nichts als ein unverschämter Versuch, moderne Finanz-Alchemie zu betreiben. Die Schaffung der SDRs erschufen weder ›Gold‹, noch bewirkten sie irgend etwas, um das eigentliche Problem der exzessiven Papiergeldschöpfung und dessen Resultate zu lösen: Weltweite Preisinflation. Wenn überhaupt, dann trugen die SDRs zur Inflation bei, indem sie mehr Kunstgeld-Ansprüche anstatt mehr Wohlstand erzeugten. Auch nachdem die

---

[92] Donald J. Hoppe, How to Invest in Gold Stocks (New York: John Wiley & Sons, 1977), S. 181.
[93] Ebenda.
[94] Richard M. Salsmann, *Gold and Liberty* (Great Barrington, MA: American Institute for Economic Research, 1995), S. 75.

SDRs aus der Taufe gehoben worden waren, verloren die USA weiterhin Gold.

Trotz allem war zu jener Zeit die Auffassung weit verbreitet, daß die Schaffung von SDRs und damit von ›Geld-aus-dem-Nichts‹ das Ende des Goldes als monetäres Metall bedeutete.

Wie reagierten der Goldpreis und die Goldminen-Aktien? Der Goldpreis fiel auf dem Londoner Markt kurz unter $ 35, und in London, New York und Johannesburg überschlugen sich die Spekulanten beim Versuch, ihre Goldaktien abzustoßen.

Der verstorbene Ökonom Dr. Melchior Palyi hatte einige harte Worte zur Idee des Papiergoldes:

> »Die neue SDR-Reservewährung wird nur dazu dienen, eine noch fahrlässigere finanzielle Expansion zu fördern und Inflation auf einer weltweiten Basis zu erzeugen. Die Aufnahme der SDRs wird der Triumph der Inflationisten sein. Damit wird das letzte Hindernis auf dem Weg zu einer vollständig kontrollierten ›Weltwährung‹ beseitigt — einer Währung, die wahrscheinlich nie knapp sein wird. Die SDRs verkörpern buchstäblich die alte ›Greenback‹-Politik auf einer globalen Basis.«[95]

Dr. Palyi gab keinen Hinweis darauf, wer die Geschicke steuern würde. Wahrscheinlich würde es das Direktorium des IWF sein.

Angeblich hatten amerikanische Vertreter andere IWF-Delegationen unter Druck gesetzt, den SDR-Plan zu akzeptieren. Sie gaben ihnen zu verstehen, daß, wenn der Plan nicht akzeptiert würde, die Welt einer Finanzkatastrophe zusteuern würde. Ferner deuteten sie an, daß sie das Risiko eingehen würden, im Ausland befindliche Dollar nicht mehr in Gold einlösen zu können.

Als ich den ehemaligen Zentralbankier John Exter nach seiner Meinung dazu fragte, antwortete er:

> »Unter dem Gold-Standard versprachen die Papiernoten, daß dem Besitzer auf Verlangen eine festgelegte Menge an Gold

---

[95] Melchior Palyi, »A Point of View«, *Commercial and Financial Chronicle*, 24. Juli 1969; siehe auch Hoppe, *How to Invest in Gold Stocks*, S. 180.

im Austausch für diese Banknote ausgezahlt würde. Heutzutage ist unser Papiergeld nichts weiter als ein ›I-O-U nothing‹ (›Ich-schulde-dir-nichts‹). Die Versuche des IWF, das echte Geld (also Gold) mit sogenanntem Papiergold zu ersetzen, ist eines der absurdesten Konzepte, die ich je in meinem Leben gehört habe. Ich bezeichne die IWF-Sonderziehungsrechte als ein ›who-owes-you-nothing-when‹ (›Wer-schuldet-dir-nichts-wann‹) — es gibt keinen wirklichen Schuldner, kein Zahlungsversprechen, keinen Fälligkeitstermin. Es ist das widersinnigste Kreditinstrument, das sich der Mensch je ausgedacht hat.«[96]

Die U.S.-Börse in den 1960er Jahren

Nach dem II. Weltkrieg begann an der Börse eine lange Hausse, die in den frühen 1960er Jahren zu einer Überbewertung vieler Aktien führte. Dieser Zustand konnte nicht allzu lange dauern und wurde schließlich korrigiert. Das erste Gewitter gab es im Frühjahr 1962. Die dunklen Wolken konnten aber schon im Herbst 1961 gesehen werden, als einige Aktien absurde Bewertungen erreichten. Im Frühjahr 1962 begann dann ein wirklich ernster Baissemarkt, und am 20. Mai 1962 fand ein echter Ausverkauf statt. Viele Aktienwerte wurden dabei auf die Hälfte des Niveaus vom Dezember 1961 heruntergestuft. Dieser Dienstag ging als »Black Tuesday« in die Geschichte ein, und selbst sehr ernsthafte und hochprofessionelle Bankiers glaubten an eine Neu-auflage von 1929. Doch weit davon entfernt, die allgemeine Situation blieb noch stabil, und die extremsten Überbewertungen waren korri-giert. Von da an erholte sich der Markt kräftig und der Dow-Jones-Index erreichte 1966 ein neues Allzeithoch von 1000 Indexpunkten, nur um im Oktober desselben Jahres wieder auf 744 Zähler abzufallen.

Die Zinssätze waren seit 1945 kontinuierlich gestiegen und re-flektierten nicht nur einen größeren Kapitalbedarf, sondern auch stei-gende Inflation. Von einem Niveau, das im Jahre 1945 etwas über 1,5 % lag, erhöhten sich die Renditen von Schatzbriefen mit einer Laufzeit von 10 Jahren auf ungefähr 8 % im Jahre 1970, und Wertpa-piere mit kurzfristigen Laufzeiten erzielten 10 % oder mehr. Der Markt wurde kränker und kränker, doch nur wenige erkannten, daß sich die

---

[96] »Classic Exter Opinions«, *Blakely's Gold Investment Review*, 1989, S. 10.

Welt inmitten einer ernsthaften Finanzkrise befand. Noch weniger verstanden, daß dies nur so war, weil Gold mißhandelt wurde.

Spekulationen, vor allem mit Aktien von Mischkonzernen, nahmen Überhand. Ein wilder Übernahmereigen hatte begonnen. Mischkonzerne schütteten keine Dividenden aus, sondern nutzten ihre Aktien hauptsächlich zur Übernahme anderer Firmen, oft sehr viel größer als die eigene, lediglich um zu wachsen. Das Wort »Synergie« wurde nur allzu häufig mißbraucht, denn in vielen Fällen hatten die Aktivitäten der übernehmenden Firmen absolut nichts gemein mit denjenigen, die übernommen wurden.

Dann geriet die Situation wirklich außer Kontrolle. Als ich mich im Herbst 1968 in New York aufhielt, erklärte mir der Börsenanalyst und Financier Bob Wilson, daß die Märkte ähnlich aussähen wie 1929. Kurz danach, 1969, ging es mit dem Markt tatsächlich bergab. Im Frühjahr 1971 fiel der Dow Jones auf 631 Zähler, stieg danach aber wieder auf 1000 Punkte. Nach 1972 begann ein neuer kräftiger Baissemarkt, und im Dezember 1974 sank der Dow Jones bis auf 577 Zähler. Angesichts der steigenden Inflationsrate waren die tatsächlichen Vermögensverluste sogar noch schlimmer. Niemand kam auf die Idee, daß die Ereignisse irgend etwas mit der Goldkrise zu tun haben könnten. In vielen etablierten, in Keynes-Denken geschulten Kreisen, war die Anti-Gold-Propaganda ausgesprochen Mode, und Gold war nichts anderes als ein Vierbuchstabenwort.

Kapitel IV:
Gold-Rausch und Gold-Verschwörung

>»Gold und Silber erhielten ihre Weihe nicht von korrupten Regie-
rungen und ihren handverlesenen Handlangern, sondern durch
Jahrtausende menschlicher Erfahrung unter göttlicher Führung.
Sie sind die wahren Geldmetalle, die uns aus biblischen Zeiten
übergeben und weitergereicht worden sind.«
Antal E. Fekete[97]

>»Gold ist der Souverän aller Souveräne.«
Demokrit[98]

Nachwirkungen und Konsequenzen des
Zusammenbruchs des Gold-Pools

Der Goldmarkt wurde am 17. März 1968 auf Ansuchen der USA hin
geschlossen. Der Londoner Markt blieb daraufhin für zwei Wochen
geschlossen. Als er wieder eröffnet wurde, hatte das Gold-Geschäft
eine fundamental neue Struktur erhalten. Zunächst einmal hatten die
Zentralbanken und der IWF nach einem Treffen in Washington den
zweigeteilten Markt (two-tier market) eingeführt. Auf der einen Ebene
handelten die Zentralbanken und Geldinstitute weiterhin miteinander
zum offiziellen Preis von $ 35 pro Unze (d. h. keine Abwertung des
U.S.-Dollars), währenddessen der Preis auf dem freien Markt sein
eigenes Niveau finden würde. Als Teil dieses Washington-Abkommens
war es den Zentralbanken untersagt, auf dem »freien« Markt zu agie-
ren; sie konnten dort weder kaufen noch verkaufen. Das Zweistufen-
System trennte für die folgenden sieben Jahre monetäres Gold von
nicht-monetärem.

Dann geschah etwas sehr Dramatisches. Nachdem der Gold-Pool
aufgelöst wurde, schlossen auch die Londoner Goldhäuser ihre Türen

---

[97] Im Gespräch mit dem Autor am 2. Februar 2000.
[98] Demokritos, VII, 12, aus: Karl Peltzer, *Das treffende Zitat*, 6. Aufl. (Thun,
Schweiz: Ott Verlag, 1976), S. 291.

für zwei Wochen. In dieser Zeit übernahmen die »Großen Drei« schweizerischen Banken die Initiative, und bildeten ihren eigenen Gold-Pool. Die schweizerischen Banken hatten schon immer ein ausgezeichnetes Verhältnis zu Südafrika, und als niemand bereit war, die südafrikanische Regierung oder südafrikanische Unternehmen zu finanzieren, halfen ihnen die Schweizer und auch die Deutschen aus. Südafrikanische Anleihen konnten auf den schweizerischen Kapitalmärkten leicht plaziert werden. Außerdem hatten die schweizerischen Banken im Gegensatz zu den Londoner Häusern eine enorme Plazierungskraft. Sie agierten als Hauptgläubiger und hatten somit eine gute Ausgangslage, um riesige Goldpositionen zu finanzieren. Den Engländern dagegen fehlte diese Plazierungskraft vollständig.

Schweizer Banken legten nicht nur 10% ihrer internationalen Kunden-Portfolios in Gold an, sondern waren auch die Lieferanten der florierenden italienischen Schmuckindustrie, welche nach wie vor eine führende Stellung in der Welt einnimmt. Ferner belieferten die Schweizer auch andere Handelszentren, wie zum Beispiel den Mittleren und Fernen Osten, welche bereits seit längerer Zeit ihre Bankgeschäfte über die Schweiz abwickelten. Somit war es ein Leichtes, die Südafrikaner zu überzeugen, ihr physisches Gold durch die Schweiz zu leiten.

Die Schweizer wickelten auch den größten Teil der russischen Goldlieferungen ab. Die Russen schätzten die schweizerische Verschwiegenheit und Diskretion. Im Gegensatz zu London wurden von der Schweiz keine Statistiken veröffentlicht, wieviel russisches Gold über die Schweiz verkauft wurde. Als Folge davon verlagerten die verschwiegenen Russen einen großen Teil ihres Goldhandels von London nach Zürich. Sie hatten in Zürich sogar ihre eigene *Wozchod-Handelsbank* eröffnet. In der Folge entwickelte sich diese zu einer sehr wichtigen Goldhandelsbank.

Timothy Green berichtet in seinem 1981 veröffentlichtem Buch *The New World of Gold*, daß zwischen 1972 und 1980 über 2000 Tonnen russisches Gold in die Schweiz geflossen seien.[99] Bereits 1968 hatten die Schweizer geschätzte 80% des physischen Weltgoldmarktes erobert. Sie konnten nicht nur das modernste Bankenwesen anbieten,

---

[99] Timothy S. Green, *The New World of Gold* (London: Rosendale Press, 1993), S. 130.

sondern jede der großen Banken hatte außerdem eine eigene Edelmetall-Raffinerie.

Da Gold nach dem Washington-Abkommen von den Zentralbanken nicht mehr gekauft werden durfte und sich ungefähr $ 2 Milliarden[100] an Gold in Händen von Spekulanten befanden, gab es auf einmal ein gewaltiges Überangebot an physischem Metall. In dieser Situation spielten die schweizerischen Banken eine entscheidende Rolle für Südafrika, und sie wurden für ihre wertvollen Dienste reichlich entschädigt. Von da an war Zürich der größte Goldhandelsplatz der Welt. London begann später mit der Einführung der Gold-Terminmärkte etwas an Bedeutung zurückzugewinnen. Doch auch in der Schweiz wurde ein Handel mit Call- und Put-Optionen für potentielle Käufer und Verkäufer von Gold in Einheiten zu 100 Unzen gestartet.

Die Schließung des »Goldfensters« durch Präsident Nixon oder Die Aufhebung der Goldkonvertibilität

Als die amerikanischen kurzfristigen Dollar-Verbindlichkeiten gegenüber dem Ausland weiter anstiegen, empfahl der französische Ökonom Jacques Rueff, um das Vertrauen in den Dollar wieder herzustellen, eine Verdoppelung des Goldpreises. Als er Präsident Kennedy dies während dessen Besuchs in Paris vorschlug, antwortete dieser, daß er so etwas den amerikanischen Bürgern nicht antun könne. Doch im August 1971 hatte die Situation eine absolut kritische Phase erreicht. Weder das zweigeteilte Marktsystem noch die Beschwichtigungsversuche der Politiker und Ökonomen aller Lager vermochten hier weiterzuhelfen. Im August 1971 wurden die kurzfristigen Dollar-Verbindlichkeiten der USA auf $ 60 Milliarden geschätzt, von denen etwa 2/3 offiziellen Institutionen im Ausland geschuldet wurden. Bei $ 35 pro Unze war der U.S.-Goldbestand auf $ 9,7 Milliarden zusammengeschmolzen.

Am 9. August 1971 erreichte der Goldpreis ein neues Rekordhoch von $ 43.94. Nach einer scharfen Kurskorrektur begann auch das Interesse an Goldminenaktien wieder zuzunehmen. Nachdem die Deut-

---

[100] Timothy S. Green, *The New World of Gold* (London: Rosendale Press, 1993), S. 116.

sche Mark seit dem 10. Mai 1971 zum System der flexiblen Wechselkurse überging, gewann sie 7%. Das bedeutete, daß der U.S.-Dollar
effektiv um 10% abgewertet wurde. In einem Versuch, die wachsende
Währungspanik einzudämmen, suspendierten die Schweizer Banken
vorübergehend den Dollarhandel.

Das Ende dieser Finanztragödie war erreicht, als die Bank von
England und die *Schweizerische Nationalbank* (SNB) Gold im Austausch für ihre Dollars verlangten. In *Gold and Liberty* schrieb Richard
M. Salsman hierzu folgendes, wobei aber auch er nicht ganz zu verstehen schien, um was es hierbei eigentlich ging:

>»Bis 1971 landete mehr als die Hälfte des Goldangebots,
>welches den U.S.-Bürgern in den 30er Jahren gewaltsam abge-
>nommen worden war, in den Tresoren ausländischer Zentralban-
>ken. Dies war der größte Bankraub der Weltgeschichte. Es ge-
>schah in Zeitlupe und mag nicht unbedingt die Absicht jedes
>Beamten gewesen sein, der daran beteiligt war.«[101]

Präsident Nixon reagierte, und am 15. August 1971 schloß er das
Goldfenster, indem er dem U.S.-Schatzamt untersagte, fortan irgendwelche im ausländischen Besitz befindlichen U.S.-Dollars gegen Gold
einzutauschen. »Das Schließen des Goldfensters« war, so Salsman,
»ein höflicher Ausdruck für die Nichterfüllung von Goldzahlungen, in
anderen Worten Zahlungsunfähigkeit und ein Verstoß gegen die internationalen monetären Vereinbarungen. Dieser Bruch von Verpflichtungen unterschied sich im wesentlichen nicht von den Moratorien von
›Dritte Welt‹-Schuldnern, wie sie später in den achtziger Jahren vorka-
men. Die Zahlungseinstellung von Gold entsprach der Handlungswei-
se einer Bananenrepublik. Der Dollar blieb seitdem vom Gold abge-
koppelt.«[102]

Salsman weiter:

>»Als Gold 1971 ›demonetisiert‹ wurde, sagten viele Gold-
>kritiker voraus, daß der Goldpreis unter $ 35 fallen würde. Sie

---

[101] Richard M. Salsman, *Gold and Liberty*, (Great Barrington, MA: American
Institute for Economic Research, 1995), S. 73.
[102] Ebenda, S. 76.

nahmen an, daß der Papierdollar dem Gold Wert verleihen würde, nicht umgekehrt. [Im Gegensatz zu J. P. Morgan wußten diese Leute nicht, daß Gold Geld ist; d. Verf.] Der Direktor des *Federal Reserve Boards*, Henry Wallich, bezeichnete die Aktivitäten auf dem Goldmarkt als ›Nebenvorstellung‹, eine Nebensache eben.[103]

Dies war nun das Resultat, und viele Funktionäre und Ökonomen applaudierten tatsächlich der Abkehr vom Gold bei jedem Schritt.« [Betonung in kursiv d. Verf.]

Es ist sehr aufschlußreich, den Text des *Extract from the Executive Statement* vom 15. August 1971 zu lesen.[104] Präsident Nixon suspendierte die Konvertierbarkeit des Dollars und gab darin den internationalen Geldspekulanten nicht weniger als fünfmal die Schuld an der Finanzkrise. Erfundene Sündenböcke zu beschuldigen ist jedoch eines Präsidenten unwürdig. Schließlich war auch sein Finanzminister, John Connolly, nicht gerade ein großes Licht in monetären Fragen.

Es ist tragisch, daß die Öffentlichkeit — sei es nun die amerikanische oder die europäische — überhaupt nicht begriff, was hier eigentlich vor sich ging. Die asiatische Bevölkerung dagegen (nicht ihre Zentralbanken) hatte schon immer ein viel besseres Verständnis der Tugenden des Goldbesitzes. Dieser Wendepunkt sollte jedoch schon bald darauf die Welt für immer verändern. Dies ist alles umso tragischer, als keiner der heutigen Führer aus Politik und Finanzen sich an diese Ereignisse zu erinnern scheint.

John Exter erzählte mir die folgende Geschichte, die absolut zuverlässig ist, da er selbst zugegen war:

»Am 10. August 1971 hielt eine Gruppe von Bankiers, Ökonomen und Finanzexperten eine inoffizielle Zusammenkunft in Mantoloking an der Küste von New Jersey ab, um die Finanzkrise zu diskutieren. Gegen 15:00 Uhr fuhr ein Riesenauto vor, dem Paul Volcker entstieg. Dieser war zu jener Zeit Staatssekretär für Währungsangelegenheiten im U.S.-Schatzamt.

---

[103] Richard M. Salsman, *Gold and Liberty*, (Great Barrington, MA: American Institute for Economic Research, 1995), S. 76.
[104] Don Hoppe, *How to Invest in Gold Stocks* (New York: Arlington House, 1972), S. 548/549.

Wir diskutierten mehrere Lösungsmöglichkeiten. Wie du
sicher von mir erwartet hättest, trat ich dringend für eine restrikti-
ve Geldpolitik ein, mit einer Erhöhung der Zinssätze. — Doch
dies wurde mit überwältigender Mehrheit abgelehnt. Die anderen
dachten, daß das Fed die Kreditexpansion keinesfalls verlangsa-
men sollte, aus Angst, daß dies eine Rezession auslösen könnte
(…) oder noch schlimmeres. Ich schlug vor, den Goldpreis zu
erhöhen, und Volcker sagte, daß dies durchaus Sinn machen
würde, aber er glaube jedoch nicht, dies durch den Kongreß
boxen zu können. Regierungen, ganz besonders führende Welt-
mächte wie die USA, mögen ihren Bürgern nicht eingestehen,
daß sie die Währung entwertet haben, gleichgültig, wie sehr dies
der Wahrheit entspricht. Es ist ihnen einfach zu peinlich, und die
Krise, der wir damals gegenüberstanden, war der allgemeinen
Öffentlichkeit so ziemlich unbekannt. Es war kein nationaler
Ausnahmezustand wie 1933, als Roosevelt noch so ziemlich alles
machen konnte, was er wollte.

In einem bestimmten Moment wandte sich Volcker mir zu
und fragte, was ich denn in diesem Falle machen würde. Ich sagte
ihm, daß, wenn er weder die Zinssätze noch den Goldpreis erhöhen wolle, ihm nur noch eine Alternative verbliebe. Ich riet ihm,
das Goldfenster zu schließen, denn es mache keinen Sinn, unsere
Goldbestände für $ 35 je Unze auszuverkaufen. Fünf Tage später
schloß Nixon das Goldfenster.

Die letzte Verbindung zwischen Gold und Dollar war somit
zerschlagen. Der Dollar war damit zu einer bloßen Fiat-Währung
degradiert, und das *Federal Reserve* [und insbesondere die Ban-
ken] hatte nun alle Freiheiten, die Geld- und Kredit-Expansion
nach Belieben fortzusetzen. Das Resultat, wie du weißt, war eine
massive Explosion der Schulden. Ich schätze die weltweite Dol-
lar-Verschuldung heute auf mehr als $ 16 Billionen.

Das Problem mit diesem Schuldenberg ist, daß er einfach
nicht mehr zurückgezahlt werden kann. Schulden haben etwas
ausgesprochen merkwürdiges an sich: Sie müssen stets zurückgezahlt werden, wenn nicht vom Schuldner, dann vom Kreditgeber oder, noch schlimmer, von den Steuerzahlern.«[105]

---

[105] John Exter, »The U.S. and the World are …«, *Blakely's Investment Review*,
Vol. 1, No. 1 (1989), S. 4.

Die Gesamtverschuldung der USA liegt Anfang 2003 bei $ 32 Billionen. Die weltweite Verschuldung wird auf über $ 70 Billionen geschätzt. Es wird davon ausgegangen, daß ein großer Teil dieser Schulden künftig nicht mehr bedient werden kann, geschweige denn, daß diese jemals zurückgezahlt werden.

Die Weltbank und der Internationale Währungsfonds

Die Weltbank und der IWF wurden ursprünglich gegründet, um Ländern zu helfen, ihre Zahlungsbilanzen zu »managen«, damit sie auf dem Gold-Dollar-Standard bleiben können — mit anderen Worten, um das Bretton-Woods-System funktionsfähig zu halten. Salsman bemerkt hierzu in *Gold and Liberty*:

> »Als nun das letzte Bindeglied zwischen Dollar und Gold 1971 zerschlagen war, gab es technisch gesehen für diese Einrichtungen keinen Bedarf mehr. Doch wie bei allen Regierungsbürokratien, kämpften sie um ihr Weiterleben. Sie trugen im darauffolgenden Jahrzehnt zur ›Dritte-Welt‹-Kreditkrise bei, indem sie Darlehen an nicht-kreditwürdige Regierungen für Staatsprojekte garantierten. Diese bürokratischen Einrichtungen, von Steuerzahlern der Industrienationen finanziert, fahren fort, mit Steuergeldern Wohlstand von Produzierenden zu Nicht-Produzierenden zu transferieren.«[106]

Seit 1971 haben sich die Aktivitäten dieser Institutionen ausgeweitet. Der IWF wurde zu einem Mechanismus, der Vermögen von armen zu reichen Menschen umverteilt. In den letzten Jahren ist der IWF jedoch zunehmend in die Kritik geraten. Nicht genug damit, daß sich seine Goldpolitik als eine reine Katastrophe erwiesen hatte, nein, Ländern, die in Schwierigkeiten steckten, wurde immer wieder die falsche Medizin verschrieben, nämlich überzogene Sparmaßnahmen und Abwertungen. Wie noch in Kapitel VII besprochen wird, herrscht inzwischen die weit verbreitete Meinung, die sogar von höchsten Stellen der USA geteilt wird, daß man diese Organisation überhaupt nicht vermissen würde, wenn sie erstmal aufgelöst wäre. Die meisten

---

[106] Richard M. Salsman, *Gold and Liberty* (Great Barrington, MA: American Institute for Economic Research, 1995), S. 76.

ihrer nützlichen Funktionen könnten von der *Bank für Internationalen Zahlungsausgleich* (BIZ) in Basel übernommen werden.[107]

Das »Smithsonian-Agreement«

In der Zwischenzeit wurde kein einziges Problem gelöst. Die Flucht aus dem bankrotten Dollar hielt weiter an. In dieser Zeit kauften die *Deutsche Bundesbank* und die SNB Milliarden von Dollars auf, um die U.S.-Währung zu stützen. Vier Monate nach Schließung des Goldfensters kamen die Finanzminister der G-10-Länder bei einem Treffen im *Smithsonian Institute* in Washington D. C. überein, neue Paritäten festzulegen, doch die grundlegende, in Bretton Woods fixierte Idee der festen Wechselkurse wurde entgegen aller Vernunft beibehalten. Zum ersten Mal seit 1935 wurde der Dollar von $ 35 pro Unze Gold auf $ 38 abgewertet. Dies machte nicht viel Sinn, denn der Marktpreis lag bereits bei $ 45 pro Unze. Die nächste offizielle Abwertung des Dollar, von $ 39 auf $ 42.22 pro Unze, kam schließlich am 13. Februar 1972, als der Markt den Goldpreis auf $ 75 pro Unze hinaufgetrieben hatte.

Wie zu erwarten, löste diese Vereinbarung, fortan als »Smithsonian Agreement« bekannt, überhaupt keine der anstehenden Fragen. Don Hoppe sagt uns, daß Präsident Nixon, mit seinem üblichen Hang zu Übertreibungen, diese neue Übereinkunft als das bedeutendste Finanzabkommen der Weltgeschichte anpries. Er wurde nicht müde, ununterbrochen zu versichern, daß es mehr Arbeitsplätze schaffen, die Stabilität des Weltfinanzsystems wiederherstellen, den Bauern helfen, die

---

[107] Siehe verschiedene Artikel: Steve H. Hanke, »IMF Money Buys Trouble in Russia«, *The Wall Street Journal*, 30. April 1992; »An IMF Victim«, *The Wall Street Journal*, 8. Mai 1992; Scott C. Antel, »The IMF's Advice May be Worse Than None at All«, *The Wall Street Journal*, 10. April 1997; William E. Simon, »Abolish the IMF«, *The Wall Street Journal*, 24. Oktober 1997; »Monetary Leadership«, *The Wall Street Journal*, 3. November 1997; James K. Glassman, »The IMF Only Gets in the Way«, *The International Herald Tribune*, 10. Oktober 1997; Robert M. Bleiberg, »Good Money After Bad«, *Barron's*, 1. August 1983; Anna J. Schwarz, R. Christopher Whalen und Walker F. Todd, *Time to Abolish the International Monetary Fund* (Greenwich, CT: CMRE, 1988); Alan Reynolds, *The IMF's Destructive Recipe of Devaluation and Austerity* (Indianapolis, IN: Hudson Institute, 1992).

Exporte fördern, den Abfluß durch das Zahlungsbilanzdefizit beenden und generell allen Wohlstand bringen würde.[108]

Nixon verstand nicht, oder wollte nicht verstehen, daß die USA, mit ihrem explodierenden Zahlungsbilanzdefizit und angesichts eines rasch expandierenden europäischen Marktes, die Fähigkeit verloren hatten, Dollars zu einem festen Kurs in Gold einzulösen. Es lag nicht am Gold, daß der Dollar und sein Umtausch nicht länger kontrolliert werden konnte; es lag am Bankensystem, das zu viele Dollars produzierte. Da aber der Wert einer Währung durch ihre Knappheit bestimmt wird, konnte der Dollar nur an Wert verlieren. Auf dem Devisenmarkt verstärkte sich die Manipulation, weil eine zunehmende Anzahl von Währungsspekulanten die Dollarbaisse ausnutzte. Zur selben Zeit trieb dies den Goldpreis in die Höhe.

Währenddessen erreichte der Dow-Jones-Index gegen Ende 1972 wieder die 1000er-Marke, doch gleichzeitig war die Inflation gefährlich im Steigen begriffen und stellte nicht nur für die Börse, sondern für die gesamte Wirtschaft eine reale Bedrohung dar. Im Januar 1973 unternahm Frankreich einen weiteren Versuch, Gold wieder als Basis des Weltwährungssystems einzusetzen, doch die Amerikaner hatten nicht die Absicht, der Empfehlung aus Paris Folge zu leisten. Im März 1973 brach das System der festen Wechselkurse (Bretton Woods) vollständig zusammen. Am 26. März erreichte der Goldpreis in London ein Rekordhoch von $ 90 die Unze.

Von da an degenerierte das Weltwährungssystem zu einem »Nicht-System«. Alle Währungen schwankten frei gegeneinander. Dies öffnete Tür und Tor für weitere Währungsabwertungen; eine insgesamt kaum zufriedenstellende Situation. Geld ist eben ein Gut, dessen Quantität und Qualität nicht dem Gewinnstreben einer Klasse von besonders privilegierten Privatbankiers überlassen werden darf.

Das System der flexiblen Wechselkurse wurde zu einem Mechanismus, der die volkswirtschaftlichen Übel von einem Land zum nächsten übertrug und die weltwirtschaftliche Situation nur noch verschlimmerte. Dies war das traurige Ergebnis der Tatsache, daß man nicht

---

[108] Don Hoppe, *How to Invest in Gold Stocks* (New York: Arlington House, 1972), S. 189.

verstehen wollte, daß geschichtlich gesehen Gold das Geld ist, das von der kollektiven Weisheit der Menschheit seit Beginn der Zivilisation auserwählt worden war. Der andauernde Krieg gegen das Gold beruhte also im wesentlichen auf einer Verschwörung gegen die Wahl des Marktes und mußte daher zum Scheitern verurteilt sein.

Die Geburt einer atomaren Zeitbombe

Es hat dann auch nicht mehr lange gedauert, um herauszufinden, wie katastrophal die Finanzsituation geworden war. Solange das Räderwerk der Welt auf der Basis der festen Wechselkurse lief, gab es keinen Bedarf für Währungsabsicherung. Dies änderte sich für immer, als Wechselkurse flexibel wurden. Für Produzenten von dauerhaften Gütern, deren Herstellung längere Zeit beansprucht, wie zum Beispiel Flugzeuge, Lokomotiven und Turbinen, entstand durch die Währungsschwankungen ein schwerwiegendes Problem.

Mit einer Volatilität der Devisenmärkte von bis zu 50% in einem Jahr in den Wechselkursen zeichneten sich plötzlich für jeden Exporteur und Importeur ernsthafte Existenzrisiken ab. Aufgrund der Währungsfluktuationen liefen sie jetzt Gefahr zu verlieren, was sie durch ihre Produktion verdienen wollten. Dadurch entstand ein enormer Bedarf an Währungsabsicherung. Die Kosten dieser Absicherung bedeuteten für den Finanzsektor Einnahmen.

Anfangs waren der Umfang und die Anzahl der Instrumente gering, doch im Laufe der Jahre wuchs die Zahl an Derivatkontrakten, Swaps, Optionen und Futures in einem frenetischen Tempo an, womit eine völlig neue Branche entstand. Die Grundidee war, daß Derivate den Unternehmen und Investoren helfen würden, ihre Risiken abzusichern und zu beschränken. Aber eine Reihe von Finanzkatastrophen war der schlagende Beweis dafür, daß der seit jeher erfinderische menschliche Geist sich hier ein neues Las Vegas geschaffen hatte. Im Falle von Long Term Capital Management (LTCM — ein Hedge-Fonds, der eine Handvoll Star-Ökonomen aus der akademischen Welt mitsamt einigen Nobelpreisträgern angeheuert hatte) vermochten selbst die hochentwickeltsten Computer-Modelle den »Flaschengeist des Risikos« nicht mehr zu zähmen, in dem Moment, wo die russische Regierung ihre Schulden nicht mehr bezahlen konnte.

Was den Goldmarkt betrifft, schätzt man, daß der »Papiergold«-Markt um ein Vielfaches größer ist als der eigentliche, zugrundeliegende physische Markt. Schätzungen aus dem Jahre 1999 gingen davon aus, daß für jede physische Unze Gold, die den Besitzer wechselt, Derivatkontrakte mit einem Minimum von 90 bis zu über 100 Papierunzen abgeschlossen werden. Neue Daten, welche die BIZ am 8. Mai 2003 betreffend die OTC-(over-the-counter-)Derivate per Ende 2002 veröffentlichte, zeigen, daß der theoretische Gegenwert der Goldderivate von Mitte 2002 bis zum 31. Dezember von $ 279 Mrd. auf $ 315 Mrd. angestiegen ist, was einer Zunahme von $ 36 Mrd. oder fast 13 % im letzten Halbjahr allein entspricht.[109] Dies ist nicht nur hirnverbrannt oder ein Frankenstein-Monster, wie es James Dines nennt, sondern in seiner Größenordnung ein besorgniserregender Zustand.

Es zeigt aber auch noch etwas anderes, nämlich, daß dieses Derivatevolumen in Anbetracht der physischen Nachfrage nicht mehr ausreichte, den Goldpreis unter der $ 300-Grenze zu halten. Der Goldpreis, welcher sowohl Ende 2000 wie Ende 2001 in der Nähe von $ 275 schloß und sich in den letzten drei Jahren um $ 290 bewegte, stieg Ende 2002 in New York auf $ 347, ein Gewinn von mehr als 25 % gegenüber dem Vorjahr. Es ist eine Tatsache, daß die Goldproduzenten im zweiten Halbjahr 2002 ihre Hedges bedeutend reduziert haben. Die Frage drängt sich auf, warum in der gleichen Zeitperiode der theoretische Gegenwert der Goldderivate um $ 37 Mrd. angestiegen ist? Die Antwort kann nur darin bestehen, daß das sogenannte Anti-Gold-Kartell — wie es Bill Murphy von der GATA bezeichnet— mit Derivaten der Reduktion der Hedges durch die Produzenten entgegenhält und vermutlich noch etwas hinzugelegt hat. Die Kartellteilnehmer taten dies in der klaren Absicht, den Anstieg des Goldpreises in Schranken zu halten. Man muß sich fragen, wie viel Munition sie Anfang 2003 auf den Markt werfen mußten, als Gold im Februar 2003 auf $ 388 stieg. Eines zeigen diese Ereignisse doch, nämlich, daß die Manipulation des Goldmarktes unverändert anhält.

Beim Jahrestreffen der bekannten Investmentgruppe *Berkshire Hathaway* Ende April 1993 vertrat der berühmte Investor Warren Buffett schon damals die Auffassung, daß Derivate eines Tages eine katastrophale Kettenreaktion auf den Weltfinanzmärkten auslösen könn-

---

[109] Siehe im Internet unter http://www.bis.org/publ/otc_hy0305.pdf.

ten. In einem späteren Interview räumte Buffett allerdings ein, daß es sehr schwierig sei, genau vorherzusagen, welche Kette von Ereignissen solch eine Kernschmelze auslösen könnte. In seinem Jahresbrief 2003 zur aktuellen Wirtschafts- und Börsenlage bezeichnete Buffett, der auch »Orakel von Omaha« genannt wird, erneut Derivategeschäfte als »Zeitbomben mit Massenvernichtungscharakter«. In einem Schreiben vom 10. März 2003 an Warren Buffett wies Dr. Lawrence D. Parks, geschäftsführender Direktor von der FAME — *Foundation for the Advancement of Monetary Education* —, New York, auf den Umstand hin, daß die $ 128 Billionen an Derivaten, welche gemäß BIZ existieren, nicht der einzige Faktor sind, welcher zur Unstabilität im Finanzsystem beiträgt, sondern daß der Schuldenberg der USA von $ 32 Billionen genauso berücksichtigt werden müsse.

In einer Rede vor der *New York State Bankers Association* Anfang 1992 warnte E. Gerald Corrigan, zu der Zeit Präsident der *New York Federal Reserve Bank*, daß Derivate die Tendenz haben, »Elemente von Risiko und Verzerrung« in Bilanzen und Gewinn- und Verlustrechnungen von Finanz- und Nicht-Finanzinstituten einzubringen, und daß Manager nicht immer verstehen, was ihre Händler und »Raketenwissenschaftler« da so treiben.[110]

In einem Bericht an die Mitglieder von FAME schrieb Dr. Lawrence Parks am 25. Dezember 1996, daß Alan Greenspan in fast all seinen Reden der letzten Jahre von einem Systemrisiko gesprochen hat. In zwei seiner Reden, die von den Massenmedien nicht aufgenommen wurden, erwähnte Greenspan sogar den möglichen Kollaps des gesamten Bankensystems — natürlich auf Rechnung und zu Lasten des Steuerzahlers.[111]

Als Endresultat der Abkehr vom Gold kam es letztendlich zur Geburt eines Massenwahnsinns, wie ihn die Welt noch nie zuvor gesehen hatte. Eines Tages könnte dies in einem in der Geschichte beispiellosen Finanzkrach enden. Wie schon Keynes sagte: »Langfri-

---

[110] Jonathan R. Laing, »The next meltdown? Fears Grow that Derivatives Pose a Big Threat«, *Barron's*, 7. Juni 1993, S. 10 ff.
[111] Alan Greenspan in einer Rede vor der *International Conference of Banking Supervisors*, Stockholm, Schweden, Juni 1996, und vor der *Catholic University of Louvain*, Belgien, Januar 1997.

stig sind wir alle tot.« Seine zynische Bemerkung könnte sich als Prophezeiung erweisen. Aber es besteht auch Hoffnung, sollte Gold auferstehen und seinen rechtmäßigen Platz wieder einnehmen.

Papiergeld-Systeme versagen immer

Das Smithsonian-System versagte. Das europäische Währungssystem wurde aufgegeben, nur um 1999 vom Maastricht-System ersetzt zu werden. Kein Papier-System wird jemals über lange Zeiträume hinweg zufriedenstellend funktionieren. Gold ist die einzige Ware, die, verglichen mit der jährlichen Neuproduktion, reichlich genug vorhanden ist, um als Geld dienen zu können. Des weiteren gibt es keine Basis für ein ehrliches Geldsystem, solange Regierungen weiter intervenieren, protektionistische Politik betreiben und mehr ausgeben, als sie eigentlich haben. In seinem bahnbrechenden Werk *Grundsätze der Volkswirtschaft* (1871!) und in seinem Artikel »The Origin of Money« (Der Ursprung des Geldes) führte Carl Menger, österreichischer Wirtschaftswissenschafter und ein Entdecker des Marginalprinzips, das Konzept der Liquidität von Rohstoffen ein und erklärte die Entstehung von Geld.[112]

> »Die Rohstoffe, die unter gegebenen lokalen und zeitlichen Verhältnissen die liquidesten waren, wurden zu Geld. (…) Der Grund, warum Edelmetalle zum allgemeinen zwischen den Völkern geläufigen Tauschmittel einer wirtschaftlich fortgeschrittenen Zivilisation wurden, liegt darin, daß ihre Liquidität allen anderen Gütern weit überlegen ist, und gleichzeitig auch, weil sie besonders qualifiziert sind, die begleitenden und unterstützenden Funktionen des Geldes zu erfüllen.«[113]

Professor Antal E. Fekete von der *Memorial University* in St. John's, Kanada, schrieb in seiner Einführung zur Wiederveröffentlichung von Carl Mengers *The Origin of Money*, 92 Jahre nachdem das Original verfaßt worden war:

---

[112] Carl Menger, *Grundsätze der Volkswirtschaft* (Wien: Wilhelm Braunmüller, 1871), S. 250 ff.
[113] Carl Menger, »The Origin of Money«, *Economic Journal*, Band 2, 1892, S. 243.

»Regierungen spielten im historisch evolutionären Prozeß der Erhebung des Goldes in den Rang des Geldes keine wesentliche Rolle. In Wirklichkeit kam dieser Werdegang nicht auf Anordnung zustande: er war eher das unbeabsichtigte gesellschaftliche Resultat kollektiver Weisheit, beschleunigt durch individuelle teleologische[114] Kräfte. Goldmünzen hatten andererseits einen großen Konkurrenten: das Versprechen von Regierungen, auf Verlangen Gold auszuzahlen. Mengers *Origin of Money* zwingt einen dazu, über die ›Weisheit‹ unserer Regierungen nachzudenken, die Privilegien des Marktes an sich zu reißen und durch Zwang zu versuchen, ihre Schulden dem Bürger als das liquideste Anlagegut der Welt als Konzept zu verkaufen.«[115]

Lord Rees-Mogg kleidete diese Thematik in *The Times* vom 12. Dezember 1979 in wunderschöne Worte:

»Gold ist ein Besitz und nicht ein Versprechen. Eine Regierung, die eine Unze Gold besitzt, braucht weder die USA noch irgendjemand anderes um Erlaubnis zu fragen, es in Cash einzulösen. Das Goldangebot ist begrenzt, und genau darin liegt seine monetäre Bedeutung.«

Die Dollar-Krise, der Zusammenbruch des Gold-Pools, der Untergang des Bretton-Woods-Systems und der Krieg gegen das Gold fanden nicht statt, weil Gold versagte. Es geschah, weil diejenigen, die Geld aus dem Nichts schöpften, ihr Versprechen, auf Verlangen Schuldscheine in Gold einzulösen, nicht einhalten konnten. Der verstorbene deutsche Ökonom und Sozialphilosoph Wilhelm Röpke, bis 1966 Professor am *Institut Universitaire de Hautes Etudes Internationales* in Genf, hatte das Gefühl, daß die britische und U.S.-amerikanische Entscheidung vom September 1931 bzw. März 1933, der Verpflichtung des Goldstandards nicht mehr nachzukommen, sich in der Zukunft noch als extrem verhängnisvoll erweisen sollte.

---

[114] Teleologisch, von Teleologie (griech.: Telos — das Geschoß): Auffassung, nach der die Ereignisse oder Entwicklungen durch bestimmte Zwecke oder ideale Endzustände im voraus bestimmt sind und sich darauf zubewegen.
[115] Antal E. Fekete, Einführung zu »The Origin of Money« (Greenwich, Connecticut: Committee for Monetary Research & Education, 1984), S. 17.

Nach Röpkes vorzeitigem Tod im Jahre 1966 schrieb Ludwig von Mises in der *National Review* folgendes:

>»In den späten 1930er Jahren hatte Röpke den Mut, seine eigenen Ideen zu veröffentlichen, obgleich er sehr wohl wußte, welche Konsequenzen dies für ihn haben würde. Er war einer der ersten Professoren, welchen die Nazis hinauswarfen. Er ging ins Exil, zunächst nach Istanbul und später in die Schweiz. (...) In einer Reihe brillant geschriebener Bücher, die allesamt in amerikanischen Ausgaben erhältlich sind, legte Röpke seine wirtschaftlichen und politischen Theorien dar. In diesen Publikationen wurden diejenigen Prinzipien entwickelt, die Ludwig Erhard und seinen Mitarbeiter den Weg zeigten, eine neue deutsche Wirtschaft aus den Trümmern des Nazireichs aufzubauen. Fast alles, was in der gegenwärtigen deutschen Finanz- und Handelspolitik vernünftig und nützlich ist, läßt sich auf Röpkes Einfluß zurückführen. Er und der verstorbene Walter Eucken gelten zu Recht als die intellektuellen Urheber von Deutschlands wirtschaftlicher Wiederauferstehung.«[116]

Röpkes Gedankengebäude sollte daher nicht auf die leichte Schulter genommen werden, denn es ist so topaktuell, daß die heutige Generation von Ökonomen und Politikern gut daran täte, seine Werke zu lesen oder nochmals zu lesen. In seinem Buch *Die Lehre von der Wirtschaft* schrieb er:

>»Seit Großbritannien (1931) und die USA (1933) den verhängnisvollen Schritt unternahmen, ihre Währungen vom Gold zu lösen und das internationale Goldwährungssystem aus kurzsichtigem nationalem Egoismus seinem Schicksal zu überlassen, und weil alle Währungen anfingen zu schwanken und unter den Schatten des Mißtrauens zu fallen, existiert kein Weltwährungssystem mehr, das diesen Namen verdient. Nun wissen wir mit schmerzlicher Gewißheit, wie die Weltwirtschaft ohne eine Goldwährung aussieht. Der ganze Mechanismus funktioniert auf einmal nicht mehr, weil eine seiner wichtigsten Vorbedingungen nicht mehr existiert — und das, was übrig geblieben ist, ein

---

[116] Ludwig von Mises, »Wilhelm Roepke, RIP«, *National Review*, Vol. XVIII, Nr. 10, 1966, S. 200.

einziges Durcheinander manipulierter Währungen darstellt. Die Unbekümmertheit, mit der die führenden Nationen die Disziplin des Goldstandards über Bord geworfen haben — und dies gilt besonders für die USA, wo es absolut unverzeihlich war —, ist nur ein Detail im allgemeinen Desintegrationsprozeß gesetzlicher und moralisch-ethischer Standards, die bisher der Ersatz für ein weltweites Rechtssystem waren. Alles wird aufgeweicht und ausgehöhlt, alles gerät aus dem Gleichgewicht. Die Welt droht sich allmählich daran zu gewöhnen, bestehende Verträge und Konventionen des internationalen Anstands leicht zu nehmen, an Währungen herumzuexperimentieren, Auslandsguthaben zu sperren, Dumping zu betreiben, sowie Ausfuhr und Einfuhr nach Laune und fast täglich wechselnden Freundschaften und Feindschaften hierhin oder dorthin zu dirigieren. Das Gefährliche dieses Auflösungsprozeßes liegt vor allem darin, daß er aus eigener Kraft heraus immer weiter anschwillt.«[117]

Die Ansichten und der Einfluß der akademischen Welt

Der Einfluß der Keynesianischen Ökonomieschule auf Regierungen und Wirtschaftswissenschaftler ist nach wie vor vorherrschend, aber denkbar ungeeignet für die Lösung der heutigen Finanzprobleme, denn die daraus resultierende Wirtschaftspolitik ist stark inflationär. Ein großer Teil des Keynesschen ökonomischen Denkens entstand unmittelbar durch die Erfahrungen der Großen Depression.

Wann immer die private Kreditaufnahme, insbesondere bei Banken, nachließ, wurde sie durch defizitäre Ausgaben seitens der Regierung ersetzt. Dies wurde die Methode der Regierung, die Wirtschaft mit Geldmitteln zu versorgen, wenn der Privatsektor nicht bereit war, sich bei den Banken zu verschulden. Das Problem der Verschuldung wurde indessen niemals wirklich durchdacht. Sobald sich die Regierung verschuldete, wurde das Mißtrauen mit der Erklärung abgetan, daß diese Schulden überhaupt keine Rolle spielen würden, da sie uns selbst geschuldet würden. Gleichzeitig bezeichnete Keynes den Goldstandard als »barbarisches Relikt«.

---

[117] Wilhelm Röpke, *Die Lehre von der Wirtschaft*, 8. Auflage (Erlenbach, Schweiz: Eugen-Rentsch-Verlag, 1958), S. 77.

Milton Friedman und seine monetaristische Anhängerschaft betraten später die Bühne der Wirtschaftstheoretiker. Sie gaben vor, sich zum freien Markt zu bekennen, doch beim wichtigsten Aspekt des Wirtschaftslebens — dem Geld — erwiesen sie sich als reine Interventionisten. Zentralbanken sind eine Erfindung der Planwirtschaft und unvereinbar mit einem freien Markt. Monetaristen bevorzugten flexible statt feste Wechselkurse und befürworteten die Notwendigkeit, die Geldmenge zu einem regelmäßigen Satz zu erhöhen. Damit, meinten sie, wären die meisten Probleme des wirtschaftlichen Lebens gelöst.

Wie John Exter sagte:

»In solch einem System bräuchte kein Land je ein anderes mit gutem wertbeständigem Geld zu bezahlen. Es besteht keine Notwendigkeit für die Disziplin der Konvertibilität. (…) Man erwartet von uns, daß wir unser Öl mit Papierdollar bezahlen, ungeachtet dessen, wieviel wir davon drucken. (…) Der Wunsch der Menschen nach einem guten, wertbeständigen Geld wie Gold, wird ignoriert. In der Tat weigert man sich, Gold als Geld zu bezeichnen und es wird willkürlich behauptet, daß es eine gewöhnliche Ware sei wie Blei oder Zink, ohne jegliche Bedeutung im Währungssystem. Es wurde sogar vorgeschlagen, daß das Schatzamt überhaupt kein Gold mehr besitzen solle und daß die Goldbestände im Laufe der Zeit auf dem Markt abzustoßen seien. Nachdem man das Gold auf diese Weise abgefertigt hatte, definierte man dann völlig willkürlich Papier, Banknoten und Sichteinlagen als Geld und ermahnte die monetären Behörden, dieses Geldaggregat um einen willkürlich festgelegten magischen Satz zu erhöhen. Obwohl sich dieser Satz in den Köpfen von Zeit zu Zeit ändert, wurde sogar empfohlen, den Satz gesetzlich zu verankern. Man erzählt uns nicht, wie diese ständig wachsende Menge an Papiergeld-Schuldscheinen je die Wertbeständigkeitsfunktion des Geldes aufrechterhalten soll. Und man scheint sich der Tatsache überhaupt nicht bewußt zu sein, daß die stetigen Erhöhungen der Geldmengen zu einem festgelegten magischen Satz eines Tages ein Schuldenproblem erzeugen werden.«[118]

---

[118] John Exter, »The International Means of Payment«, in *Inflation and Monetary Crisis*, G. C. Wiegand (Hrsg.) (Washington D. C.: Public Affairs Press, 1975), S. 137.

Exter redet nicht um den heißen Brei herum und faßt zusammen:

»Keynesianismus und Friedmanismus sind einfach nur 20.-Jahrhundert-Varianten von John Law. Diese finden deshalb soviel Anklang, weil durch Nichtbeachtung der Disziplin der Goldkonvertibilität und durch das vorsätzliche Drucken von Papiergeld zu einem Satz, den irgendein Ökonom oder Politiker ausgedacht hat, wir glauben, daß wir die Natur austricksen und etwas gratis bekommen, Wirtschaftszyklen ausschalten und ewige Vollbeschäftigung sicherstellen können — ohne die volkswirtschaftlichen Prügel ertragen zu müssen. Das bedeutet natürlich, daß irgendein Ökonom — oder ein Rat von Ökonomen —, die einer politisch orientierten Regierung dienen und nicht ihr eigenes Geld und Urteilsvermögen am Markt riskieren müssen, so viel über die Funktionen der Wirtschaft zu verstehen glauben, daß sie in ihrer akademischen Weisheit entscheiden können, welche monetäre, fiskalische, Steuer-, Handels-, Preis-, Einkommens- oder ›Welche-auch-immer‹-Politik für uns alle am besten ist, und auf diese Weise unserer mächtigen Wirtschaft die letzte Feinabstimmung geben können.«[119]

Kein Wunder, daß sie Gold nicht leiden konnten, ganz zu schweigen einen Goldstandard. Es ist nun keineswegs so, daß Männer wie Keynes oder Friedman derlei Zusammenhänge nicht verstanden — ganz im Gegenteil —, aber sie beugten sich den politischen Winden ihrer Zeit. Das eigentliche Problem ist, daß sie und ihre akademische Anhängerschaft seit über einem halben Jahrhundert die Köpfe von Generationen von Studenten mit ihren Irrlehren völlig verdorben haben.

Die Wirtschaftspolitiker, die das Produkt dieser neuen Philosophien waren, hinterließen verheerende Spuren in einem 20. Jahrhundert, das voll war von Inflationen, Paniken, Zusammenbrüchen, Währungskrisen und nicht zuletzt — Kriegen. Es fanden sich nur wenige Menschen, die gegen den Strom der Konformität anzuschwimmen versuchten. Leider hatten sie keine Chance, und ihre Namen sind

---

[119] John Exter, »The International Means of Payment«, in *Inflation and Monetary Crisis*, G. C. Wiegand (Hrsg.) (Washington D. C.: Public Affairs Press, 1975), S. 137.

vergessen. Es gibt nur ganz wenige Ausnahmen, für welche die *res publica* immer höchste Priorität hatte. Eine dieser Personen war der Schweizer Dr. Fritz Leutwiler. Bei einem privaten Mittagessen mit Dr. Leutwiler Anfang der 1970er Jahre bekannte er mir gegenüber ganz offen, daß der Goldstandard das beste monetäre System war, das die Welt je hatte.

Da die meisten Ökonomen heutzutage von den Jüngern des Lord Keynes oder von solchen Männern wie dem nobelpreisgekrönten Autor des berühmten Lehrbuchs *Economics*, Paul E. Samuelson, ausgebildet werden, sind die Aussichten düster. In seinem bei *McGraw-Hill* verlegten Buch wimmelt es von mathematischen Formeln und farbigen Tabellen. Doch wenn man seine Ansichten zum Gold liest, welche jeglichen geschichtlichen Hintergrundes entbehren, beginnt man sich zu wundern, warum eine solche Oberflächlichkeit den schwedischen Nobelpreis für Wirtschaft verdienen konnte. Samuelson ist ein ausgezeichnetes Beispiel dafür, wie die akademische Welt des 20. Jahrhunderts die monetäre Forschung komplett verschlafen oder aus aufgezwungenen Gründen verpaßt hat.

Die monetäre Weisheit des Paul E. Samuelson

In seinem Buch *The Invisible Crash* erklärt James Dines:

> »Ökonomische Analphabeten, die von Samuelson großgezogen und gedrillt wurden, um Keynes zu verehren, haben die Welt an den Rand einer riesigen Katastrophe gebracht. Die vollen Auswirkungen sind gegenwärtig noch gar nicht absehbar, obwohl es klar ist, daß es gestern zu einem wichtigen Wendepunkt in der Weltgeschichte gekommen ist [Damit war der Zusammenbruch des Gold-Pools gemeint; d. Verf.]. Der Mann auf der Straße hat noch keine Ahnung was ihn erwartet, obwohl er sich unbehaglich fühlt. Es geht ihm genauso wie den Bewohnern eines Tales, wenn sie das dumpfe Grollen hören, das einem Erdbeben vorangeht.«[120]

---

[120] James Dines, *The Invisible Crash* (New York: Random House, 1977), S. 271.

Samuelson schreibt in seinem berühmten Buch *Economics* über »the free-market tier« (Freier-Markt-Ebene), wie er den »two-tier market« (Zweistufigen Markt) nennt:

> »Außerhalb des IWF-Klubs wurde Gold endlich vollständig demonetisiert [Frage: Wie kann man Gold demonetisieren? d. Verf.]. Sein Preis wird frei durch Angebot und Nachfrage bestimmt, genau wie der Preis von Kupfer, Weizen, Silber oder Salz. Demgemäß verkaufen die wenigen übrig gebliebenen amerikanischen Goldminen 1973 ihre Produktion zum ungefähren Preis, der auf Auktionen in London oder Zürich festgesetzt wurde.
> Neu gefördertes Gold aus Südafrika bildet eine Ausnahme. Südafrika wollte in der Lage sein, einen Teil seiner Produktion auf dem freien Markt zu Preisen von über $ 38 pro Unze und den Rest zum offiziellen Preis an den Klub zu verkaufen, um so die beste beider möglichen Welten zu erlangen. Nach 1970 wurde ein Kompromiß geschlossen. Dafür, daß Südafrika zustimmte, den freien Preis des Goldes nicht zu manipulieren, sagte der IWF zu, Südafrikas verbliebenes, neu abgebautes Gold zum offiziellen U.S.-Dollarpreis pro Unze abzukaufen, womit dem freien Markt eine Art Boden gegeben wurde.«[121,122]

Und so geht's weiter:

> »Wenn Sie einen Hochzeitsring kaufen, bezahlt Ihr Juwelier $ 60 pro Unze, oder $ 70 oder $ 34, je nach dem Kurs.
> Horter aus dem Nahen Osten und Indien können Gold nach Herzenslust horten. Französische Händler und internationale Verbrechersyndikate, die Steuern umgehen wollen, können Gold

---

[121] Paul E. Samuelson, *Economics* (New York: McGraw-Hill, 1973), S. 722.
[122] Aus: *The Pocket Money Book* (Great Barrington, MA: AIER, 1994). Am 30. Dezember 1969 wurde in einer Umkehrungs-Politik der Zwei-Ebenen-Markt (»two-tier market«) eingeführt. Der IWF kündigte eine Abmachung an, neugefördertes Gold aus Süd-Afrika aufzukaufen — und führte somit eine Methode ein, um weltweite Goldbestände von Behörden zu erhöhen — und zwar zu $ 35 pro Unze, falls der Markt unter diese Marke fiel. Das Abkommen ermöglichte ebenfalls, daß die südafrikanische Zentralbank von ihren offiziellen Reserven Gold auf dem freien Markt verkaufen kann, um internationalen Devisenverpflichtungen nachkommen zu können; ungeachtet vom freien Marktpreis.

in ihren Weinkellern und schweizerischen Banktresoren etc. verstecken. (…) Aber denken Sie daran: Dadurch, daß sich der Preis oberhalb irgendwelcher offiziellen Mindestpreise im freien Spiel der Marktkräfte bilden kann, werden Spekulation und Horten zu zweischneidigen Schwertern. Ein Scheich aus dem Mittleren Osten kann sich eine goldene Nase verdienen, wenn er Gold zum Preis von $ 55 kauft und für $ 68 wieder verkauft, aber er kann auch genauso gut sein letztes Hemd verlieren, wenn er zu $ 55 kauft und zu $ 38,50 oder gar $ 33 wieder verkaufen muß. [Dieses Zitat stammt aus der Auflage von 1973, zu einer Zeit veröffentlicht, als der gute Professor Samuelson noch keine Ahnung hatte, daß der Goldpreis 1980 auf $ 850 je Unze ansteigen würde, während der Dollar seit dem II. Weltkrieg über 90% seiner Kaufkraft verloren hatte; d. Verf.] (…) Zum ersten Mal seit 15 Jahren war die internationale Finanzstruktur imstande, den Launen von Gold hortenden Spekulanten und dem Auf und Ab des Goldpreises am freien Markt ziemlich desinteressiert und gelassen gegenüberzustehen.

Das Zweistufen-System funktioniert leidlich, doch kann es nur ein Zwischenstadium, eine provisorische Regelung sein. Die eingefrorene und begrenzte Gesamtmasse offiziellen Goldes würde schon bald eine Drosselung der Expansion des globalen Welthandels bewirken, wäre da nicht der neue, vom IWF übernommene Plan, ›Papiergold‹ in Form von Sonderziehungsrechten (SDRs) zu erschaffen.

Erhöhung des Goldpreises: Diese Position wurde mit de Gaulle und seinem Wirtschaftsberater Jacques Rueff, mit Sir Roy Harrod of Oxford und der *Bank für Internationalen Zahlungsausgleich* in Basel in Verbindung gebracht. [Nun ja, wenigstens ein paar angesehene Herrschaften; d. Verf.]

Was soll man nun von einem derartigen Plan halten? Die Südafrikaner lieben ihn natürlich. Genauso wie Rußland als zweitwichtigste Goldfördernation und nicht minder die Goldhorter und ebenso die Nationen, die sich in den sechziger Jahren am wenigsten kooperationsbereit zeigten, der Versuchung zu widerstehen, Gold offiziell zu horten. Aber auch die Spekulanten, die es stets nach schnellen Kapitalgewinnen gelüstet, schätzen diesen Plan.

Die meisten Experten jedoch betrachten Gold als Anachronismus[123]. Sie finden es schlicht absurd, Geld zu verschwenden, nur um Gold aus der Erde zu graben, um es dann wieder in den unterirdischen Gewölben von Fort Knox zu deponieren. Und warum einen Plan annehmen, der Südafrika, Rußland, Spekulanten und privaten oder auch offiziellen Goldhortern unverhoffte Gewinne beschert? Aber was noch mehr dagegen spricht, sich auf einen Anstieg des Goldpreises zu verlassen, ist folgendes:

Die modernen Misch-Ökonomien werden nicht die Qualen einer Deflation auf sich nehmen und das Risiko von Massenarbeitslosigkeit und Stagnation eingehen, nur um die Regeln des automatischen Goldstandard-Spiels einzuhalten. Und wenn dieses Goldstandard-Spiel nicht streng nach seinen Regeln gespielt wird, läßt sich nicht vermeiden, daß sich kleinere Ungleichgewichte häufen, zu einer immer größeren Schieflage anwachsen, um schließlich zu einer großen Krise und zum Zusammenbruch zu führen.

Auch wenn die Welt nicht zum automatischen Goldstandard zurückkehren wird, bleibt doch die Tatsache unbestritten, daß offizielles Gold existiert und immer noch einen wichtigen Teil der offiziellen internationalen Reserven ausmacht. Infolgedessen tragen die neuen IWF-Reformen dazu bei, wie wir noch sehen werden, Notenbankgold durch neue Reserveaktiven zu ergänzen. Schritt für Schritt verliert dann Gold seine traditionelle Rolle.

(…) Vom Standpunkt der Wirtschaft aus gesehen — Arbeitsplätze, Einkommen, Zinssätzen, Inflation und Sparen — hat Gold nicht die geringste Bedeutung.«[124]

In einem anderen Absatz analysiert der Professor den Goldmarkt wie folgt:

»Auf dem freien Markt treiben alle Teilnehmer wie Juweliere, Zahnärzte, organisierte Gangster und Steuerhinterzieher, die französische Bourgeoisie und Bauern (die gesetzlich berechtigt sind, Gold zu horten), Scheichs aus dem Mittleren Osten und Schweizer Spekulanten — den Goldpreis hinauf und hinunter.«[125]

---

[123] Anachronismus: unzeitgemäßes Verhalten; falsche zeitliche Einordnung.
[124] *The Pocket Money Book* (Great Barrington, MA: AIER, 1994), S. 722–724.
[125] Ebenda.

Die Goldkäufer

Fürs Erste wollen wir nicht zwischen Hortern, Händlern, Spekulanten, Scheichs, Investoren usw. unterscheiden, sondern lediglich
schauen, wer denn nun wirklich all das Gold kaufte. In den USA
betrachteten offizielle Kreise die Goldkäufe nach wie vor als ein Nicht-
Ereignis und erzählten den Menschen, daß alles unter Kontrolle sei,
daß sich die Zahlungsbilanz schon bald zum Guten wenden würde und
daß der Dollar fraglos kerngesund sei. Die Öffentlichkeit jedoch schenk-
te diesen beruhigenden Aussagen keinen Glauben mehr, und der Aktienmarkt durchlief 1973/74 eine gewaltige Korrektur, welche alle Ein-
brüche seit dem II. Weltkrieg weit in den Schatten stellte.

James Dines fährt fort:

>»Der Goldpreis stieg unaufhaltsam, und die haussierenden
Goldminenaktien krönten so ziemlich allein die Ranglisten der
Spitzenperformer, und dies, obschon weniger als eines von
100 Finanzhäusern im Besitz auch nur einer einzigen Aktie von
Goldminengesellschaften war. Das zeigt klar, daß nicht nur die
Öffentlichkeit nicht verstand, was vor sich ging, sondern die
Experten genauso wenig begriffen.
> Am 1. April (!) 1974, gegen Ende des ersten großen Hausse-
marktes in Gold, veröffentlichte *Merrill Lynch*, das größte Broker-
haus der Welt, eine institutionelle Studie über südafrikanische
Goldaktien, die so begann:
> ›Wir glauben, daß ein Portfolio mit führenden südafrikani-
schen Goldminenaktien in den nächsten Jahren eine große Kapital-
rendite in Form von hohem Dividenden-Einkommen und Kapitalgewinnen bieten könnte. Diese Meinung basiert auf unserer
Erwartung, daß der Goldpreis weiter ansteigen und langfristig ein
Niveau erreichen wird, das aller Wahrscheinlichkeit nach weit
über dem gegenwärtigen Preisniveau liegen dürfte.‹«[126]

In Südafrika wurden die Goldminengesellschaften von mächtigen Bergbaukonzernen dominiert und kontrolliert, welche die Geschäftspolitik bestimmten. Die Gewinne der Minen wurden in jenen

---

[126] James Dines, *The Invisible Crash* (New York: Random House, 1977),
S. 458/459.

Tagen, im Gegensatz zu den nordamerikanischen Branchenschwestern, in Form anständiger Dividenden ausgeschüttet. Die Aktionäre sahen folglich nicht nur eine Wertsteigerung ihres Kapitals, sondern erhielten auch Dividenden, welche nun einmal die natürliche Belohnung für ihre Risiko- und Investitionsbereitschaft darstellen. In den 1970er Jahren stieg der Financial-Times-Gold-Mining-Index von etwa 50 im Jahre 1968 auf 730 im September 1980. Es gab etliche Fälle, in denen Investoren auf dem Höhepunkt einer Hausse höhere Dividendenausschüttungen erhielten, als sie ursprünglich in die zugrundeliegenden Aktien investiert hatten.

James Dines fand folgendes heraus:

> »Um den Dollar wieder konvertierbar zu machen, muß genug Gold vorhanden sein, um die Nachfrage all derer zu dekken, die im Besitz von Dollar sind, was momentan etwa $ 100 Milliarden ausmacht. Deswegen müßte unser gegenwärtiger Goldbestand im Wert von etwa $ 10 Milliarden zu $ 42.22 [pro Unze], im Preis um das Zehnfache ansteigen, damit wir all unseren Verbindlichkeiten nachkommen können. Dies entspricht über $ 400 (je Unze).«[127]

Am 30. Dezember 1974 erreichte der Goldpreis $ 197.25 die Unze, und viele erwarteten, daß der Preis nun wirklich explodieren würde. Der Grund dafür war, daß es nach dem 31. Dezember 1974 U.S.-Bürgern zum ersten Mal seit über 40 Jahren wieder erlaubt wurde, Gold in jeglicher Form zu besitzen. James U. Blanchard, der 1971 das *National Committee to Legalize Gold* gegründet hatte, startete die Initiative. Später nannte er es *National Committee for Monetary Reform*. (Blanchard verfügte über ein gewaltiges Maß an Enthusiasmus, eine der ganz großen Qualitäten, die viele Amerikaner aufweisen. Im Gegensatz zu Europa, wo die Menschen jahrhundertelang die Regierungs- und Zentralbankpolitik als die absolute Wahrheit ansahen, gibt es in den USA sehr viel mehr informierte und studierte Köpfe, die für eine Rückkehr zu einem ehrlichen Geldsystem kämpfen.)

Nach Aufhebung des über 40 Jahre andauernden Verbots war es Amerikanern nun gestattet, Gold in jeder Form zu kaufen, zu verkau-

---

[127] James Dines, *The Invisible Crash* (New York: Random House, 1977), S. 403.

fen und zu besitzen. Aus Angst vor möglicher Spekulation stellte sich
das U.S.-Schatzamt zunächst gegen die Legalisierung, gab dann aber
doch nach.

Hoffnungen, daß der Goldpreis von nun an nur noch steigen
würde, wurden schon bald zunichte gemacht. Viele hatten Gold in
Erwartung eines Preisanstiegs gekauft. Diejenigen Amerikaner, welche verstanden, worum es ging, hatten schon lange vorher Gold gekauft. Statt eines starken Anstiegs trat eine Korrektur des Gold-Bullen-
marktes ein und drückte den Preis des Metalls fast auf die Hälfte. Der
Preis sackte auf Tiefststände wie $ 128.75 im Jahre 1975 und $ 103.05
im Jahre 1976 ab. In der Zwischenzeit sanken die Kurse der Goldminen-Aktien sogar noch mehr, z. B. fiel der »Toronto S. E. Gold &
Silver«-Index von 1811 (zu Beginn des Bullenmarktes Ende 1957
stand dieser bei 247) auf ein Tief von 700 Zählern. Während Gold 48 %
an Wert einbüßte, stürzten die Aktien sogar noch tiefer ab (62 %). Aber
bedenken Sie, was zuvor geschah: Von einem Tief von 247 Ende 1957
kletterte der TSE-Index auf 1811 im März 1974, ein Gesamtanstieg
von 633 %. Bei jeder Bewegung fungierten die Goldminenaktien als
führender Indikator, was bedeutet, daß es immer zuerst die Aktien
waren, die im Preis anstiegen, bevor der Metallpreis sich zu bewegen
begann. Es war überaus verblüffend, daß Anfang März 1974 die Aktienkurse zu schwächeln anfingen — ein deutliches Anzeichen, daß
irgendwas nicht stimmte. Aus der Perspektive des Marktes sollte der
Metallpreis demnach immer in seiner Relation zu den Kursen der
Goldminenaktien beobachtet werden. Aufgrund erheblicher Terminverkäufe der Produzenten (Verkauf ungeförderter Goldvorräte unter
der Erde auf Termin) hat dieses Verhältnis jedoch an Bedeutung einge-
büßt.

Im folgenden Bärenmarkt erkannte das U.S.-Schatzamt mit sei-
nen »Sorgen über die Spekulation« sehr schnell, daß dies eine perfekte
Gelegenheit war, seinem »Feind« einen weiteren Schlag zu versetzen.
Am 3. Dezember 1974 kündigte das U.S.-Schatzamt seinen ersten
Goldverkauf an und setzte dann bei zwei öffentlichen Auktionen 1975
relativ kleine Mengen ab.

Der Goldpreis erreichte im Herbst 1976 seinen Tiefststand von
$ 103.05. Dreieinhalb Jahre später stieg der Preis im Zuge einer drama-
tischen Bullenbewegung auf $ 850 im Januar 1980. Gleichermaßen

stiegen auch die Aktien des »Toronto S. E. Gold & Silver«-Index von
700 im Jahre 1976 auf 9644 im Jahre 1995, obgleich diese Entwicklung auf dem Weg nach oben von einer Reihe heftiger Kurskorrekturen
zeitweise unterbrochen wurde.

Wer waren all die Horter, Spekulanten und »Kriminellen«, die Gold kauften?

Die Zentralbanken

Als die Auktionen von U.S.-Schatzamt und IWF stattfanden,
kaufte eine Reihe von Zentralbanken Gold, unter ihnen auch die *Banque
de France* und die SNB, deren Präsident Dr. Fritz Leutwiler ein überzeugter Anhänger von stabilem Geld war. Doch auch die westdeutsche
Dresdner Bank war ein Hauptkäufer des Goldes von IWF und
U.S.-Schatzamt. Es wurde davon ausgegangen, daß beträchtliche Käufe mit Ölgeldern aus dem Mittleren Osten getätigt wurden.[128]

Andere Zentralbanken kauften ebenfalls Gold, einschließlich Japan, Taiwan, Indonesien und die OPEC-Länder (Saudi-Arabien, Iran,
Irak, Libyen, Katar, Oman usw.). Singapur war gleichfalls als großer
Käufer am Markt aktiv, doch tauchte dies nie in offiziellen Statistiken
auf.[129]

Obwohl der Demonetisierungsfeldzug des U.S.-Schatzamtes und
des IWF munter weiterging, wurde Gold von Zentralbanken weiterhin
für Transaktionen eingesetzt.[130] Typische Beispiele waren sogenannte
»Swap Agreements« (Tauschgeschäfte) der *Reserve Bank of South
Africa* im Jahre 1976, als der Goldmarkt schwach und der Bedarf an
Devisen groß war.

1974 wies Italien ein ernsthaftes Zahlungsbilanzdefizit aus. Anstatt Gold in törichter Weise zu verkaufen, was den Wert ihrer eigenen

---

[128] Timothy Green, *The New World of Gold* (New York: Walker and Company,
1981), S. 183.

[129] Ebenda.

[130] Am 11. Juli 1974 beschloß die Gruppe der Zehn, daß Gold (zu marktbezoge-
nen Preisen) als Sicherheit für Kredite zwischen offiziellen Institutionen benutzt werden durfte. *The Pocket Money Book*, S. 13.

Reserven nur gemindert hätte, bewiesen die Italiener weise Voraus-schau. Die *Banca d'Italia* stimmte einem Deal mit Westdeutschland zu, wonach sich Italien $ 2 Milliarden von Deutschland lieh. Der Kredit wurde durch ca. 16,5 Millionen Unzen Gold abgesichert (der Deckungswert des Kredites basierte auf ca. $ 120 je Unze). Als sich die Zahlungsbilanz und die italienische Wirtschaftssituation verbesserten, zahlte Italien seinen Kredit ab und blieb weiterhin im Besitz seines Goldes. Fast 25 Jahre später glaubt die zuvor sehr konservative SNB, daß sie zu viel Gold besitzt, »überschüssiges Gold«, wie sie es nennt. Sie will einen großen Teil davon loswerden und den Erlös anderweitig »investieren« oder mit anderen Worten, ihr Gold in künstlich geschaffenes, ungedecktes Papiergeld wie den Dollar oder den Euro umtauschen.

Es gab andere Länder, die ebenfalls Gold verkauften, wie etwa Portugal oder Costa Rica, doch diese befanden sich in einer Notsituation. Seit der Ära von (Diktator) Salazar ist Portugal im Besitz großer Mengen Gold. Die Goldreserven der Zentralbank hatten sich jedoch seit 1972 nicht mehr erhöht. Erst 1980 und 1981 wurden diese Institutionen unter dem Einfluß der Iran-Krise wieder zu Netto-Käufern.

Die Rolle der Schweizer Banken

Schweizer Banken waren die Portefeuille-Manager der Welt. Sie arbeiteten unter dem schweizerischen Bankgeheimnis und lieferten den besten Service. Ihre Mitarbeiter waren besonders gut ausgebildet, mehrsprachig und ihre Geschäftsführung konservativ. Die Schweizer hatten Tradition. Menschen aus allen Ecken der Welt hatten Konten bei schweizerischen Banken, nicht nur die französische Bourgeoisie und Bauern, wie Samuelson gern glaubt.

Die typische Empfehlung einer schweizerischen Bank war, daß jedes Portefeuille über einen Goldanteil von mindestens 10 % verfügen sollte. Einige Banken empfahlen sogar 40 %. Traditionellerweise waren die Schweizer selbst keine Goldinvestoren, denn die 100 %ige Golddeckung ihrer Währung bedeutete, daß der Schweizer Franken so gut war wie Gold. Für die Schweizer verkörperte Gold deshalb ein Anlageinstrument, welches sich für Kunden aus Ländern mit schwächeren Währungen wie dem Dollar, dem Pfund und der italienischen und türkischen Lira besonders eignete.

Die Portfolio-Manager stammten zudem aus einer Generation, welche die 1930er Jahre, den II. Weltkrieg und eine Reihe von Börsenbaissen durchlebt hatte. Sie wußten aus der Geschichte, daß Gold immer überleben würde, und ihre Kunden wußten das auch. Dies ist gänzlich anders als die heutige Situation, wo die jungen Portfolio-Manager der Gegenwart bis zum Jahr 2000 nur steigende Börsen erlebt haben und es ihnen deshalb an den Erkenntnissen der älteren Generationen mangelt.

Es ist jedoch eine Tatsache, daß die schweizerischen Banken in den späten 1960er Jahren weltweit einen Großteil der privaten Portfolios verwalteten und folglich mit den Investitionsentscheidungen ihrer Bankiers eine erstrangige Wirkung auf den Goldmarkt und Goldpreis ausübten.[131]

Die Rolle des Öl-Reichtums und der OPEC

Zu Beginn der 1970er Jahre zogen Löhne und Preisinflation kräftig an, was zu stolzen Energiepreisen führte, und vice versa. Die Araber begriffen das Phänomen der Wertminderung des Dollars nur sehr langsam — die Währung, mit der ihre Rechnungen bezahlt wurden. Über eine lange Zeit verstanden die Araber nicht, daß sie jahrelang betrogen worden waren. Das Papiergeld, das sie für ihr schwarzes Gold erhielten, hatte bereits einen deutlichen Wertschwund erfahren. 1973 und 1979 erhöhten die Araber dann die Ölpreise massiv, um den Anstieg des »U.S. Consumer Price Index« (CPI) zu kompensieren. Diese plötzliche quasi-Vervierfachung des Ölpreises machte viele Energieproduzenten in kürzester Zeit zu Megamillionären. Im Jahre 1973 entsprach der Wert von einem Faß Rohöl einem Bushel U.S.-Weizen. 1980 konnte mit dem gleichen Faß Rohöl neun Bushel U.S.-Weizen gekauft werden. Mitte der 1970er Jahre explodierte die Goldnachfrage von Investoren aus den Erdöl produzierenden Ländern. Nicht nur einzelne Anleger kauften Gold, sondern auch die OPEC-

---

[131] Siehe auch das Kapitel »The Swiss Portfolio« in *The New World of Gold* von Timothy Green, S. 206/207.

[132] OPEC (*Organization of Petroleum Exporting Countries*): eine Handelsorganisation von dreizehn erdölproduzierenden Ländern mit Hauptquartier in Wien, gegründet 1960, um das Kartell der führenden Ölländer auszugleichen und eine gemeinsame Ölpolitik festzulegen.

Länder als solche[132] waren nun auf dem Markt aktiv. Timothy Green bemerkte hierzu:

> »[Die] wichtigste Entwicklung auf dem Goldmarkt seit 1970 waren die Goldkäufe von Zentralbanken (oder anderen Regierungsinstitutionen) aus ölproduzierenden Ländern: Indonesien, Iran, Irak, Libyen, Katar und Oman, sie alle hatten Gold erworben.«[133]

Die dramatischen Preissteigerungen von 1973 und 1979 versetzten dem Weltfinanzsystem und Volkswirtschaften erhebliche Schocks. Die sofortige Konsequenz war einer der größten Transfers von Reichtum in der Geschichte der Menschheit. Hätten die Vereinigten Staaten einen stabilen Dollar beibehalten, hätte es nie ein OPEC-Problem gegeben.

In seinem Buch *The U.S. Dollar — An Advance Obituary* gab der verstorbene Franz Pick, der von vielen zu jener Zeit als die führende Autorität der Welt in Sachen internationale Währungen und Finanzangelegenheiten angesehen wurde, eine interessante Erklärung ab, wie man Regierungsstatistiken lesen sollte.[134] Laut Pick offenbaren die offiziellen Preisstatistiken die wahre Situation der Geldwertminderungen nur zum Teil.

Im Jahre 1973 beliefen sich die OPEC-Ölexporte auf 29,5 Millionen Barrel pro Tag (bpd — barrels per day). 1979 lagen die Exporte mit 28,5 Millionen bpd nur leicht darunter. Die Einnahmen sprangen jedoch von $ 23,1 Milliarden auf über $ 160 Milliarden pro Jahr in die Höhe. Indem der offizielle inflationsbereinigte Preisdeflator der Regierung Anwendung fand, beliefen sich die Öl-Einnahmen der OPEC-Länder 1973, basierend auf einem Dollar aus dem Jahre 1940, auf $ 7,3 Milliarden, und stiegen bis 1979 auf lediglich $ 30,9 Milliarden (nach realer Kaufkraft also) an. So gerechnet sahen die OPEC-Preiserhöhungen gleich sehr viel mäßiger aus. Pick war der Ansicht, daß sein inoffizieller Deflator nützlicher war, um das wahrheitsgetreue Bild zu erhalten. Nach diesem stiegen die Öl-Einnahmen in inoffiziellen 1940er

---

[133] Timothy Green, *The New World of Gold*, S. 182.

[134] Franz Pick, *The U.S. Dollar — An Advance Obituary* (New York: Pick Publishing Corporation, 1981), S. 39.

U.S.-Dollars im gleichen Zeitraum von $ 5,1 Milliarden auf lediglich
$ 1,2 Milliarden pro Jahr an.[135]

Da die meisten Araber mit dem Wesen von Anleihen und Aktien
nicht vertraut waren, investierten sie ihre überschüssigen Kapitalien
entweder in Immobilien und/oder Gold. Seit biblischen Zeiten war
Gold das beste Mittel, um Reichtum zu erhalten und von Generation zu
Generation weiterzureichen. Gold war deshalb für sie das ideale An-
lagevehikel. Außerdem würden sie nach dem Versiegen der Ölquellen
irgendwann in ferner Zukunft immer noch Gold besitzen. Gold — im
Gegensatz zu Öl — könnte nie vergeudet oder verkonsumiert werden.
Viele Käufe der Araber wurden über schweizerische Banken abgewik-
kelt, denen sie vertrauten.

Zweifelhafte Berechnungen des Wachstums
oder Die wirkliche Inflationsrate

Trotz all seiner Makel beinhaltete der Gold-Dollar-Standard von
Bretton Woods ein Thermometer, um die Höhe des Fiebers anzuzei-
gen: den Goldpreis. Dieser funktionierte auch weiter, obwohl seine
Bedeutung auf einen Bruchteil seiner früheren Funktion unter dem
klassischen Goldstandard abgesunken war. Doch selbst diese geringe
Bedeutung, die ihm noch verblieb, war für die amerikanischen Finanz-
mächte immer noch ein Ärgernis.

In seinem *Currency Yearbook 1977/78* schrieb Franz Pick, daß
nach dem »Goldenen Zeitalter«, welches 1914 endete, Tausende von
Abwertungen stattfanden, seien sie nun partieller oder vollständiger
Natur:

> »Zu Beginn des I. Weltkrieges, und sogar noch mehr seit
> dem II. Weltkrieg, beschleunigte sich die Zerstörung der Währun-
> gen, und die Abwertungen sowie Kaufkraftverluste vervielfach-
> ten sich, und jedes monetäre Ansehen verkam zur Absurdität. —
> Die gigantische Zerstörung der Wirtschaft, die der II. Weltkrieg
> hinterließ, führte zu einer unvermeidlichen Entwertung der Wäh-

---

[135] Franz Pick, *The U.S. Dollar — An Advance Obituary* (New York: Pick
Publishing Corporation, 1981), S. 39.

rungen. In der Nachkriegszeit — gekennzeichnet durch wirtschaftliche Erholung und forcierte Expansion — blieb von der
früheren Einstellung der Regierungen, den Geldwert ihrer Bevölkerung zu bewahren, in praktisch allen Ländern nichts mehr
übrig. Eine zynischere und eiskalte Interpretation der Ethik in
Währungsfragen wurde während dieser Generation den Regierungen zur Regel — alles unter dem Deckmantel von zweifelhaf-
tem ›Wirtschaftswachstum‹ und aus Angst vor einer weiteren
Großen Depression wie die aus den dreißiger Jahren. Dabei
wandelte sich das Währungsmanagement zu nichts anderem als
einem Werkzeug der Enteignung all jener, die dumm genug
waren, der Propaganda ihrer Herrscher zu glauben. Von Stalin bis
Carter wurde die Verschlechterung der Währungen mit nachfol-
gender Abwertung der jeweiligen Einheit zur fragwürdigsten
Waffe im Kampf gegen eine wirtschaftliche Abkühlung — gewöhnlich ohne nachhaltigen Erfolg.

Die wirkliche Seuche des monetären Verfalls wurde durch
die amerikanische Anti-Gold-Politik verursacht, welche die Währungssysteme der nicht-kommunistischen Welt systematisch zu
ruinieren begann. Mit der Einführung des zweigeteilten Goldmarktes im Jahre 1968 erfuhr die Welt eine Beschleunigung der
Währungsschwankungen, einschließlich unerwünschter Aufwer-
tungen als Verteidigungsmaßnahme gegen Washingtons endloser
Gelddruckerei, wie auch den Beginn der flexiblen Wechselkurse ...«[136]

Franz Pick war der Ansicht, daß die USA schon so früh wie 1934
eine Anti-Gold-Haltung eingenommen hatten, als das amerikanische
Publikum sein Gold zu einem Preis (vor der Abwertung) von $ 20.67
pro Unze dem U.S.-Schatzamt aushändigen mußte. Danach wurde der
Goldpreis auf $ 35 erhöht.

»Amerika betrieb weiterhin eine Anti-Gold-Politik — selbst
nachdem der Goldbesitz Ende 1974 wieder legalisiert wurde —,
um die Leute davon abzuhalten, ein Metall zu besitzen, das die
Regierungen nicht im Griff haben können. Ob dies nun aus Angst
war oder einfach nur, weil man nicht wußte, wie man mit einem

---

[136] Franz Pick, *Currency Yearbook 1977–1979* (New York, Pick Publishing:
1981), S. 28.

Goldstandard umzugehen hatte und wie man ihn funktionsfähig hielt, oder ob dieser Komplex das Resultat einer politischen Illusion war, derzufolge die USA ihre Banknoten nicht mehr mit Gold zu decken brauchten, ist schwer zu sagen.«[137]

Pick nahm nie ein Blatt vor den Mund, wenn er über Währungen sprach. Wenn ich das Wort »Investition« erwähnte, verlor er regelrecht die Fassung. Für ihn existierte dieses Wort nicht mehr, weil der Dollar und alle anderen Währungen zum Untergang verdammt seien. Er bezeichnete den Dollar gewöhnlich als »Mini-Dollar«. In einem der Kapitel seines Buches bezeichnete er die umlaufenden Währungen als »Schmelzgeld« und »Geisterwährung«. Er beklagte, daß die meisten Menschen nicht an der Funktionsweise des Währungssystems interessiert waren und deshalb nicht gegen die schrittweise Enteignung ihrer Vermögenswerte durch steigende Lebenshaltungskosten protestierten.[138]

Er war ein Nonkonformist in einer Welt, die Anpasser bevorzugte. Er sagte: »Wirtschaftliche Expansion und Inflation reisen selten auf parallelen Wegen.«[139] PR-Veröffentlichungen via Zeitungen und Fernseher hoben weiterhin das »Wachstum« des Bruttosozialprodukts hervor, ohne der laienhaften Allgemeinheit zu sagen, daß dank Preisinflation sich die Wirtschaft des Landes auf einer Einbahnstraße zu einem Bruttosozialprodukt befindet, das nur rein nominell Wachstum verzeichnen kann. Der Öffentlichkeit wurde geflissentlich verschwiegen, daß alle BSP-Berechnungen für den öffentlichen Verbrauch wie auch für die sogenannten »Investoren« an der Börse auf dahinschmelzenden Geldwerten basierten, die gegenüber dem Basisjahr 1940 nicht korrigiert worden waren. Wären sie korrigiert worden, hätte dies das ganze Ausmaß der Krankheit und der Wertminderung der Währungen enthüllt. Der Grund war einfach. Die Auswirkungen eines schwindenden wirtschaftlichen Ansehens waren in Washington genauso tabu wie in Moskau. Das Prestige jeder Regierung würde darunter leiden.

Pick dachte, daß die wahren Wirtschaftsdaten in den offiziellen Statistiken größtenteils verschleiert wären. Nach seinen statistischen

---

[136] Franz Pick, *Currency Yearbook 1977–1979* (New York, Pick Publishing: 1981), S. 69/70.
[138] Ebenda, S. 30.
[139] Ebenda.

Untersuchungen gaben die offiziellen Zahlen des BSP und der Entwicklung der persönlichen Einkommen nicht das wahre Bild wieder.

Offizielles Pro-Kopf-Einkommen zeigte für den Zeitraum von 1940 bis 1980 eine kräftige Erhöhung, aber basierend auf Picks Statistiken hatte es tatsächlich abgenommen.[140]

Es bleibt die traurige Wahrheit, daß trotz der defizitären Ausgabenpolitik und all der Geldmengenausweitung die Währungsverschlechterung einen negativen Einfluß auf den vielgerühmten amerikanischen Lebensstandard hatte. Tatsächlich ging er für die meisten zurück, ausgenommen für diejenigen, die reich genug waren, in einer Position zu sein, in der sie sich schützen oder aus der Papiergeld-Schöpfung Nutzen ziehen konnten. Wie immer dem auch sei, Pick hatte das Gefühl, daß:

> »[Die] Menschen dieses Planeten werden, auf die eine oder andere Weise, alle Enteignungstechniken via Inflation, verursacht von Regierungen, sowohl gewählten als auch nicht-gewählten, stets auf die eine oder andere Weise überleben. Ob unter solchen Bedingungen Vermögen gebildet oder erhalten werden kann, bleibt immer noch eine der interessantesten Fragen unserer Zeit. Dennoch wird alles Papiervermögen gegenüber Gold und Silber am Ende immer wieder verlieren. Das Edelmetall wird die Kaufkraft geschützt haben, welche unfähige Regierungen zu zerstören versuchten. Der offizielle Goldbestand von 33 000 metrischen Tonnen und die unbekannten, zahllosen Tonnen in Privatbesitz werden sich am Ende durchsetzen und könnten eine Rückkehr des gelben Metalls zu seiner anerkannten monetären Funktion im Währungssystem der Zukunft erzwingen.«[141]

Jetzt kaufte die ganze Welt

Die Araber waren nicht die einzigen Kunden der schweizerischen Banken. Französische und deutsche Geschäftsleute und Industrielle,

---

[140] Franz Pick, *The U.S. Dollar – An Advance Obituary* (New York: Pick Publishing Corporation, 1981), S. 33 ff.
[141] Ebenda, S. 11.

griechische Schiffsmagnaten, südamerikanische Unternehmer und Politiker, reiche Aristokraten aus ganz Europa und Kleinanleger gehörten
ebenfalls zu ihrem Kundenkreis. Die größten Goldkäufer von allen
waren jedoch die Italiener, deren Schmuckproduzenten Jahr für Jahr
Hunderte von Tonnen Gold importierten, welche dann zu Ringen,
Ketten, Medaillons und kleinen Barren umgeformt wurden. Diese
Produkte wurden anschließend in alle Teile der Welt exportiert.

Mitte der 1990er Jahre erreichte die italienische Goldverarbeitung
ein Gesamtvolumen von etwa 500 Tonnen pro Jahr. Das war ungefähr
dieselbe Menge, die die südafrikanischen Goldminen pro Jahr förderten. Asien, von der Türkei bis Südost-Asien, war ebenfalls ein Groß-
einkäufer. Indien repräsentierte einen riesigen Markt mit einem florierenden Schmuggelgeschäft von Dubai in Richtung Indien. Dasselbe
galt für Genf, Beirut und andere Goldhandelszentren, die Länder mit
Gold versorgten, denen Importbeschränkungen auferlegt waren.

London schlägt zurück

Während die Schweiz zum hauptsächlichen Bestimmungsland
für physisches Gold wurde, war die Situation in London keinesfalls
schlecht. Indem es sich an seine traditionellen Kolonialbindungen in
allen Ecken der Welt erinnerte, avancierte London zum führenden
Goldhandelszentrum. So fand die City ihre neue Rolle. In der Zwischenzeit waren die Schweizer so sehr mit Lieferungen beschäftigt,
daß sie einen Teil der großen Gelegenheit verpaßten. Es war fast
dieselbe Situation wie im März 1968, als die Londoner Goldhäuser zu
langsam auf die Auflösung des Gold-Pools reagierten. Londons »good
delivery« (garantierte Auslieferung) war zwar immer noch ein respek-
tiertes Gütesiegel, aber die *Credit Suisse*-Barren hatten in der Zwischenzeit Asien erobert.

Die Folge war, daß sich der Terminhandel für die Goldhäuser der
City of London schnell zur wichtigsten Aktivität entwickelte. Die
London Metal Exchange brachte schon bald neue »Produkte« für den
Handel heraus, welche ihn zum Magnet der Welt machten, wie Timothy
Green es ausführte.

Die Schweizer schlugen jedoch mit einer anderen Strategie zurück. Sie begannen Londoner Broker-Firmen aufzukaufen, um einen

Teil ihrer internationalen Handelsgeschäfte abzuwickeln. Später betraten auch die Deutschen, die Franzosen und die Amerikaner die Bühne. Die neue Welt des Goldes war so wichtig geworden, daß sein Handelsvolumen schließlich das physisch vorhandene Volumen bei weitem übertraf.

Die Amerikaner und ihre neue Einstellung zum Gold

Nach über 40 Jahren Prohibition war es den U.S.-Amerikanern ab dem 1. Januar 1975 wieder gestattet, Gold zu besitzen. Der erwartete Goldrausch blieb jedoch für den Moment aus. Die Goldpreise litten sogar unter einer Baissekorrektur, die fast zwei Jahre lang andauerte. Warum? Viele hatten zuvor schon Gold in Erwartung gekauft, daß der amerikanische Gigant in den Markt eintreten würde. Amerikaner, welche die Lage verstanden, hatten schon lange zuvor Münzen, Aktien und Investmentfonds etc. erworben. Institutionen dagegen kauften nie viel.

Für Leute, die von Harvard, Princeton oder Berkeley ausgebildet wurden, war es viel zu unamerikanisch, so etwas zu tun. Das war den sogenannten Außenseitern vorbehalten. Die Gehirnwäsche der Gefolgsleute solcher Ökonomen wie Keynes, Friedman, Samuelson und Galbraith hatte ihre Spuren hinterlassen. Diese Männer kannten oder kennen mit Sicherheit die Geschichte stabilen Geldes. Doch schenkten sie, aus welchen Gründen auch immer, diesen Lehren keinerlei Aufmerksamkeit. Die USA waren die führende Wirtschaftsmacht, warum sollte sich also irgendjemand irgendwelche Sorgen machen? Außerdem dachten viele, ein Dollar wäre immer noch ein Dollar, obwohl es zum Höhepunkt der Dollarkrise eine Reihe von Vorfällen gab, bei denen amerikanische Touristen in Europa ihre kränkelnden Greenbacks nicht umtauschen konnten.

Überall erschienen nun Newsletters, und Investment-Konferenzen schossen wie Pilze aus dem Boden. Ich besuchte einige dieser Konferenzen, auf denen ich viele wohlmeinende, patriotische und freundliche Amerikaner traf, die die Krise der 1930er Jahre und den großen Krieg miterlebt hatten. Sie hatten Angst und waren deshalb bereit, sich Wirtschaftslektionen anzuhören, wie sie eben nicht in Harvard gelehrt werden, also ohne Mathematik und Sonnenbrille, dafür aber mit gesundem Menschenverstand. Es war unamerikanisch geworden, über Gold zu sprechen. In Europa war die Situation nicht sehr viel anders. Die ältere Generation der Bankiers und Investment-Berater, die noch wußten, wie eine Goldmünze aussieht und klingt, wenn man sie auf einen Tisch fallen läßt (übrigens sehr viel melodischer als Aluminium- oder Kupfermünzen), standen kurz vor dem Ruhestand.

Ein weiterer Grund, weshalb viele Menschen nicht einstiegen, war die kränkelnde Wirtschaft und eine Börse, die gerade erst durch einen ernsten Bärenmarkt gegangen war. Viele Aktien hatten 50 bis 90 % ihres Wertes von 1972 verloren. Die darauffolgende Rezession milderte die unmittelbaren Sorgen um eine Währungsabwertung. Tatsächlich zog der Außenwert des Dollars an.

Vorübergehend gewann die Öffentlichkeit wieder etwas Vertrauen in den Dollar. Politiker massierten die öffentliche Meinung ein weiteres Mal, indem sie erklärten, daß alles zum Besten stehe. Ähnliche Entwicklungen, allerdings in einem viel stärkeren Ausmaß, gab es auch später in den 1980er Jahren, als Gold inmitten eines deflationären Umfelds einen langen Bärenmarkt betrat. Viele hatten auch aus den falschen Gründen gekauft. Sie kauften Gold nur deshalb, weil sie nach etwas suchten, das im Preis stieg, und dieses Etwas war nicht der Aktienmarkt. Ungeachtet der monetären Rolle des Goldes in diesem Drama wurden große Mengen spekulativ auf Kredit gekauft. Da Goldpreisbewegungen stark volatil sein können, kamen viele wegen nachgebender Preise in Bedrängnis oder gar vollständig unter die Räder, mit der Konsequenz, daß sie eine Abneigung gegen Gold entwickelten.

COMEX

Die 1933 gegründete *New York Commodity Exchange* (COMEX) ist die führende Rohstoff- und Warenterminbörse. Ihre eigentliche Funktion besteht darin, als Handelsarena für Käufer und Verkäufer von Metallen wie Kupfer, Platin, Silber und Gold und Metall-Futures-Kontrakten und Optionen auf diese Metalle zu wirken. Sie wurde mit der Einführung ihrer Gold-Futures-Kontrakte am 31. Dezember 1974 bis dato zur führenden Gold-Futures- und Optionen-Börse. Ihr Handelsvolumen und ihre weltweite Anziehungskraft wachsen seit Jahren dramatisch an, doch die Masse des Umsatzes verlagerte sich zum OTC (Over-The-Counter)-Markt. Dies stellt eine erhebliche Gefahr dar, denn es ist viel schwieriger, das Handelsvolumen eines solch großen Marktes auch nur annähernd richtig zu erfassen, denn in diesem Bereich gibt es ein nur sehr geringes Maß an Offenlegung der betrieblichen Zahlen.

Das Scheitern der größten Baisse-Attacke in der Geschichte

Das U.S.-Schatzamt war mittlerweile immer noch fest davon überzeugt, daß es stärker als Gold sei. Es kündigte seine erste Goldauktion zur ungefähr gleichen Zeit an, zu der es den Amerikanern wieder gestattet wurde, ihr von Roosevelt konfisziertes Gold zurückzukaufen.[142] Im Dezember 1974, wenige Tage bevor es U.S.-Bürgern wieder erlaubt wurde, Gold in jeglicher Form zu kaufen, startete das offizielle Washington seine historische Baisse-Attacke. Als Nixon 1971 das Goldfenster schloß, befürchtete die U.S.-Regierung, noch mehr Gold zu verlieren. Jetzt litt man unter einer anderen Angst, daß nämlich eine weitere Gold-Aufwertung den ungedeckten Papierdollar noch stärker diskreditieren würde.

In der Zwischenzeit war eine Großzahl der Europäer einer ähnlichen Gehirnwäsche unterzogen worden und glaubte wieder an die Allmacht des Dollars. In Europa war es wenigstens technisch möglich, physisches Gold zu kaufen. Den am besten organisierten Markt gab es in der Schweiz, wo selbst kleinste Zweigstellen in den kleinsten Dörfern noch einen perfekten Service lieferten. Doch auch in Europa waren viele planwirtschaftliche, bürokratische Hürden zu überwinden.

In vielen Ländern wurden saftige Mehrwertsteuern verhängt, welche potentielle Käufer abschreckten, und der Kauf von Gold in

---

[142] Im Jahre 1934 wurde den U.S.-Bürgern ihr privates Gold gestohlen, das sie bei Banken »deponiert« und wofür sie Einlagenzertifikate erhalten hatten, die in Gold einlösbar sein sollten. Das Gold wurde konfisziert und die Zertifikate wurden widerrufen. Anfang 1963 wurde das Einlösungsversprechen nicht mehr auf den U.S.-Papierbanknoten abgedruckt (Paragraph IV, Artikel 34 der Klage von Reginald H. Howe vs. *Bank für Internationalen Zahlungsausgleich*, Zivilklage No. 00-CV-12485-RCL beim U.S.-Bezirksgericht in Boston, Massachussetts).

Amerika war ebenfalls alles andere als einfach. Es gab so viele Hindernisse, daß Millionen potentieller Käufer den Gedanken an Golderwerb schlicht aufgaben. Schalterpersonal bei den Banken war nicht sonderlich gut ausgebildet, jedoch »ausgebildet« genug, um Kunden von einem Goldkauf abzuraten. Die allgemeine Öffentlichkeit hatte keine Ahnung, wo man Gold kaufen konnte. Viele hatten noch nie in ihrem Leben eine Goldmünze gesehen. Kurz gesagt, der Goldkauf wurde nach allen Regeln der Kunst erschwert. Selbst Paul Volcker wußte nicht, wo man Gold kauft. Eines Tages fragte er John Exter, den ehemaligen Zentralbankier und Direktor der ASA: »John, wo kaufst du dir denn deine Goldmünzen?«

In einer Veröffentlichung der AIER mit dem Titel *Why Gold?* von Ernest P. Welker wird die Baisse-Attacke und ihr Fehlschlag sehr gut beschrieben:

> »1975 starteten die USA mit Hilfe der wichtigsten Mitglieder des IWF auf dem Weltgoldmarkt eine Baisse-Attacke. Es war ein Überfall von beispiellosem Ausmaß und Dauer. Das allem zu Grunde liegende Ziel dieser Attacke war, die Bürger der wichtigsten Länder davon zu überzeugen, daß Papierwährungen besser sind als Gold. Der Erfolg dieser Operation würde sicherstellen, daß das Inflationieren durch exzessives Drucken von Papiergeld endlos weitergehen konnte.«[143]

In der Tat wurde keine Anstrengung und Mühe gescheut, um die Öffentlichkeit davon zu überzeugen, daß Gold ein barbarisches Relikt sei, unmodern und altmodisch verglichen mit der Genialität des Menschen, neue, zweckmäßigere Währungssysteme zu konstruieren.

Einige Ökonomen sagten voraus, daß Gold ohne offizielle Nachfrage für Währungszwecke so ziemlich wertlos würde. Einige Beobachter gaben sogar zu verstehen, daß ohne monetäre Nachfrage der Gleichgewichtspreis von Gold so um die $ 25 pro Unze liegen würde.

Die Finanzbehörden hatten einen triftigen Grund, ihre Baisse-Attacke zu planen und in die Tat umzusetzen. In den Jahren 1973 und

---

[143] Ernest P. Welker, *Why Gold?* (Great Barrington, Massachussetts, AIER, 1981), S. 33.

1974 stieg nämlich das allgemeine Preisniveau in den meisten Ländern um zweistellige Prozentzahlen, und der Goldpreis zog um mehr als 200% an. Man sprach damals sogar über die Möglichkeit einer galoppierenden Inflation, einer Flucht aus den Währungen und eines Zusammenbruchs der internationalen Finanz- und Währungsabkommen.

Im Januar 1975 fand dann die erste Goldauktion statt. Zwei Millionen Unzen wurden verkauft. Im Juni desselben Jahres kam es zu einer zweiten Auktion, bei der eine halbe Million Unzen abgesetzt wurden.

Im August 1975 beschlossen die als G-10 bezeichneten führenden Industrienationen und die Schweiz im Zuge einer weiteren Bemühung, Gold zu demonetisieren, daß die offiziellen Reserven der G-10-Länder und des IWF nicht erhöht werden sollten. Dagegen wurde beschlossen, die Goldreserven des IWF um 50 Millionen Unzen zu reduzieren, von denen 25 Millionen Unzen über einen Zeitraum von vier Jahren verkauft werden sollten. Die erste Auktion fand am 2. Juni 1976 statt, die letzte am 7. Mai 1980.

Doch Gold erwies sich als stärker. Nachdem der Goldpreis bei $ 103.50 seinen Tiefpunkt erreicht hatte, begann er seinen historischen Aufwärtstrend und erreichte im September 1979 $ 430.

Der dramatische Coup der *Dresdner Bank*

Der entscheidende Durchbruch der $-400er-Marke erfolgte jedoch, als die *Dresdner Bank* bei der Auktion des U.S.-Schatzamts im August 1979 ein Gebot für das gesamte zu vergebene Gold abgab. Dies schlug ein wie eine Bombe, und die Goldhausse trat in eine hochspekulative Phase ein. Dies sollte sich auch als die Schlußexplosion erweisen, wobei die Zurückhaltung, die vom eher gedrückten Goldminenmarkt ausging, schon seit einiger Zeit genügend Warnung gewesen wäre, daß mit einem so hohen Goldpreis etwas nicht stimmen konnte. Der Markt der Goldminenaktien hatte sich nämlich bisher als führender Indikator erwiesen und war bereits Monate zuvor in eine Phase der Kurskorrektur eingetreten.

Offizielle Goldauktionen scheiterten

Selbst nach einer Erhöhung der Goldmengen von 300 000 auf 750 000 Unzen pro Auktion vermochte das U.S.-Schatzamt den anhaltenden Gold-Bullenmarkt nicht zu stoppen. Erst als das U.S.-Schatzamt im November 1978 ankündigte, daß es die zum Verkauf anstehende Goldmenge für Dezember auf 1,5 Millionen Unzen anheben wolle, reagierte der Markt, indem es zu einer kleinen Korrektur des Aufwärtstrends kam.

Es war in der Tat ein Angriff gewaltigen Ausmaßes. Im Januar 1980 erreichte der Goldpreis ein historisches Hoch von $ 850! Die Öffentlichkeit hatte mittlerweile Angst bekommen und stellte sich die bange Frage, was die Regierungen eigentlich aus ihrem Geld machten. Es hatte viele Jahre gebraucht, die Menschen wachzurütteln. Als sie schließlich erwachten, konnte keine Kraft der Welt die Macht des Goldes mehr stoppen.

Der Rückzug des U.S.-Schatzamtes

Am 16. Oktober 1979 kündigte das U.S.-Schatzamt an, daß es seine regelmäßigen Goldauktionen einstellen werde. Das Schatzamt hatte nie erwartet, daß der Goldpreis bis auf $ 850 klettern würde. Gleichzeitig wurde verlautbart, daß die bisherigen regelmäßig stattfindenden Auktionen durch »Überraschungs-Auktionen« ersetzt werden würden, wann immer die Experten in Washington das Gefühl hatten, es bestünde ein Bedarf für »geordnete Märkte«.

In seiner Publikation *Why Gold?* ging der AIER[144] davon aus, daß das U.S.-Schatzamt immer auf dem Goldmarkt intervenieren würde — direkt oder über Mittelsmänner —, um »Spekulanten« abzuschrecken, wann immer ein größerer Anstieg des Goldpreises die Akzeptanz des Fiat-Dollars gefährden würde. Das Schatzamt hatte bisher schon an den Devisenmärkten im Interesse des Dollars fortlaufend interveniert und würde vermutlich nicht zögern, in ähnlicher Weise auf dem Goldmarkt aufzutreten.

---

[144] Ernest P. Welker, *Why Gold?* (Great Barrington, MA, AIER, 1981), S. 33f.

Gold für $ 850 war zu hoch — Die Iran-Krise

Es wäre viel besser für den Goldpreis gewesen, wenn er sich irgendwo zwischen $ 400 und $ 430 eingependelt hätte. Wenn man bedenkt, daß Gold bei einem Preis von $ 35 pro Unze lange Zeit unterbewertet war, hätte dieser Anstieg dem Kaufkraftverlust des Dollars seit dem II. Weltkrieg entsprochen. Statt dessen erreichte der Preis zu Weihnachten 1979 sogar $ 510, und dann jagte eine regelrechte Panik den Goldpreis in der zweiten Januarwoche 1980 auf $ 850 hinauf.

Einer der Hauptgründe für diese letzte steile Aufwärtsbewegung war die Iran-Krise. Ende 1979 stürmte eine »Revolutionäre Garde« iranischer Studenten die U.S.-Botschaft in Teheran und nahm U.S.-Diplomaten als Geiseln. Zu ungefähr derselben Zeit besetzten religiöse Fanatiker zeitweilig die Große Moschee in Mekka. Beide Ereignisse erzeugten Ängste vor einer weiteren Krise im Mittleren Osten, die ihrerseits zu einer neuen Ölkrise führen könnte.

Im November 1979 handelte die U.S.-Regierung sofort, indem sie iranisches Gold in der *Federal Reserve Bank* von New York einfror. Was die Iraner getan hatten, war ein Akt der Gesetzlosigkeit — doch was die USA machten, fiel unter die gleiche Kategorie. Auf einmal erkannten die Zentralbanken rund um die Welt, daß ihr Gold in Fort Knox nicht völlig sicher war. Es war vorzuziehen, Gold zu kaufen und es im eigenen Tresor unterzubringen, als es im unmittelbaren Zugriff einer ausländischen Macht zu belassen. Als Irans Vermögen eingefroren wurde, waren die davon Betroffenen so verängstigt, daß sie in Zürich Gold zu kaufen begannen. Auch der Irak mit seinem Ölreichtum war ein weiterer wichtiger Käufer. Dies war genau der Funke, den es brauchte, innerhalb weniger Wochen eine Goldpreisexplosion auf über $ 800 auszulösen.

Silber Bonanza und die Gebrüder Hunt

In seinem Buch *The Silver Bulls* schrieb Paul Sarnoff:

»Im Jahre 1973 begannen die Gebrüder Hunt aus Texas gemeinsam mit zahlreichen Freunden, darunter das saudische

Königshaus, Silber in all seinen marktgängigen Formen zu horten
und sogar einen totalen Aufkauf anzuvisieren. Bunker Hunts
Leidenschaft für Silber entsprach Baron von Thyssens innerem
Zwang, Gemälde alter Meister zu erwerben. In beiden Fällen war
die Leidenschaft stärker als der Drang, noch größere Vermögen
aufzuhäufen.«[145]

Es wird berichtet, daß die Hunts Silber zu kaufen begannen, als
der Preis bei etwa $ 1.60 pro Unze lag. Im Sommer 1980, lange nach
dem Silberkrach, waren sie im Besitz von 63 Millionen Unzen (*Fortune*,
11. August 1980). Insgesamt führten die Käufe zu einem heftigen
Preisanstieg, der seinen Höhepunkt Anfang 1980 erreichte. Die sich
von Tag zu Tag überbietenden Rekordpreise stimulierten nicht nur die
Spekulation mit dem weißen Metall, sondern wirkten sich auch auf den
Goldpreis aus. Dann brach der Silberpreis innerhalb von sieben Wochen auf dramatische Weise von $ 48 pro Unze auf $ 10.80 ein. In
seinem Buch *Silver — The Restless Metal* weist Professor Roy Jastram
in diesem Zusammenhang darauf hin, wie sprunghaft sich der Silberpreis seit 1875 verhält.[146]

Auf dem Höhepunkt des Marktes im Januar 1980 hätten die
Hunts ihre Position liquidieren und mehrere Milliarden Gewinn kas-
sieren können. Aber sie taten es nicht. Den Brüdern wurde im Januar
1980 ein beinahe tödlicher Schlag versetzt, als die COMEX einfach
ihre Regeln änderte, den Hunts und ihren Partnern den Kauf von Silber
untersagte und einen »nur Liquidations«-Handel einführte.

Es gibt keinen Zweifel daran, daß beide Ereignisse, die Irankrise
und das Silberabenteuer der Hunts, den Goldmarkt stark beeinflußt
haben und umgekehrt, mit all den negativen Nebenwirkungen, die
Dramen dieser Art gewöhnlich nach sich ziehen.

---

[145] Paul Sarnoff, *The Silver Bulls* (Westport, Connecticut: Arlington House,
1980), S. 3.
[146] Roy Jastram, *Silver — The Restless Metal* (New York: John Wiley & Sons,
1977), S. 69.

Die Weisheit der östlichen Völker

In den 1970er Jahren kauften Menschen aus dem Osten viel Gold. Im Mittleren Osten hat der Kauf von Gold ohnehin eine jahrtausendealte Tradition. Als der Ölschock einsetzte, begann massives Horten. Weitere Großkäufer fanden sich auf dem indischen Subkontinent, in Südostasien und im Fernen Osten. Doch so sehr diese Menschen Gold auch liebten, erwiesen sie sich dennoch höchst preisbewußt. Als der Westen und die Zentralbanken auf dem Höhepunkt des Bullenmarktes immer noch Gold kauften, begann der Osten lautlos zu verkaufen. Am Ende erreichte jedoch die Enthortung des Goldes Ausmaße, denen man fast nicht Herr wurde, weder bei den Händlern noch den Metall-Raffinerien. Innerhalb kürzester Zeit fiel der Goldpreis auf unter $ 600 je Unze.

Im Gegensatz zum sprichwörtlich berühmten Mann auf der Straße legten die östlichen Zentralbanken weniger Weisheit an den Tag. Die Bank von Japan und die Bank von Taiwan, mit Fiat-Dollar-Reserven von mehreren Hundert Milliarden, hielten im Vergleich zu den großen Goldpositionen der westlichen Länder nur winzige Goldreserven. (Zwanzig Jahre später galt dies für Japan und Taiwan immer noch.) Sie wurden in betrügerischer Weise ausgetrickst, ebenso wie die Araber, als sie ihr Öl für nicht in Gold einlösbare Papierscheine verkauften.

Die immerwährende Kaufkraft des Goldes kontra Papiergeld

In seinem Buch *The Golden Constant — The English and American Experience 1560–1976* demonstrierte der amerikanische Professor Roy Jastram die beeindruckenden Qualitäten des Goldes als Werterhaltungsmittel. Seine Kaufkraft ist über Jahrhunderte hinweg konstant geblieben. So war zum Beispiel die Kaufkraft des Goldes Mitte des 20. Jahrhunderts nahezu genauso stark wie im 17. Jahrhundert.

»Nichtsdestoweniger behält Gold seine Kaufkraft über lange Zeiträume, zum Beispiel über Intervalle von halben Jahrhunderten. Der faszinierende Aspekt dieser Schlußfolgerung besteht

darin, daß dies nicht so ist, weil Gold sich irgendwann den
Rohstoffpreisen anpaßt, sondern die Rohstoffpreise dem Gold.«[147]

In den Jahren nach dem II. Weltkrieg lag der jährliche Anstieg des
U.S.-Verbraucherpreis-Index (CPI) unter dem System des Gold-Dollar-Standards in den meisten Jahren bis 1965 unter 1%. Nur 1956 und
1957 wich der Index vom Trend ab und stieg 1956 auf 2,9% und 1957
auf 3,0%. Während der Zeit der Johnson-Administration im Jahre
1966 stieg die Inflationsrate, als Resultat der Finanzierung des Viet-
namkriegs, gewaltig an. Der CPI-Index zog 1956 um 3,4% und 1970
um 5,5% an, bis er dann im Jahre 1980 15% erreichte, als die Dinge
unter der Carter-Administration wirklich in jeder Hinsicht außer Kontrolle gerieten.

Es war nicht überraschend, daß die Amerikaner begannen, ihre
Wahl-Stimme in Form von Goldkäufen abzugeben, und zwar in jeglicher Form, die ihnen gesetzlich gestattet war.

Das Ende der 1970er Jahre und das Ende der Großen Goldhausse

Der Anstieg des Goldpreises auf $ 850 im Januar 1980 hatte
natürlich mit Vernunftgründen überhaupt nichts mehr zu tun. Nach den
inflationären 1970er Jahren schien die Welt am Rande einer Katastrophe zu stehen, und die wirtschaftliche Zukunft war alles andere als
sicher. All dies wäre nie passiert, wäre die Welt zu einem Goldstandard
zurückgekehrt. Das ist die Tragödie unserer Zeit, welche zu Krisen und
Kriegen geführt hat. Es ist das Resultat der Aufgabe stabilen Geldes —
der Aufgabe des Goldes.

Die 1970er Jahre waren das Jahrzehnt, in dem die U.S.-Regie-
rung, das Schatzamt und das *Federal-Reserve*-System das Gold zu
besiegen versuchten. Es war ein bitterer Krieg und ein unnötiger
Kampf. Der Schaden wird eines Tages in den Geschichtsbüchern
nachzulesen sein. Aber: Die Schlacht endete mit einem Sieg des Goldes.

---

[147] Roy Jastram, *The Golden Constant* (New York: John Wiley & Sons, 1977),
S. 132/189.

Es gibt noch einen anderen wichtigen Schluß, den man eines Tages aus dem monetären Drama ziehen wird. Mr. Ray Vicker, europäischer Chefkorrespondent des *Wall Street Journals*, schrieb am 16. Mai 1973:

> »Anstatt das Gold um jeden Preis zu verteufeln und um jeden Preis vom Währungssystem loszulösen, sollte Amerika überprüfen, wie Gold zur Förderung eigener Interessen zu nutzen wäre.
>
> (...) Es scheint, daß sich politische Entscheidungsträger in den USA mehr Gedanken darüber machen sollten, wie sie Gold als Verbündeten der amerikanischen Politik benutzen könnten, statt noch mehr Zeit damit zu verschwenden, es zu bekämpfen, als wäre es ein monetäres Krebsgeschwür, das entfernt werden muß.«[148]

Amerika ist der zweitwichtigste Goldproduzent der Welt. Das Land würde eindeutig von einer blühenden Goldminen-Industrie profitieren. Dasselbe trifft zu für andere Branchen und die Wirtschaft als Ganzes, ganz zu schweigen von den anderen goldproduzierenden Ländern und somit vom Rest der Welt.

---

[148] Ray Vicker, *The Wall Street Journal*, 16. Mai 1973, zitiert aus: *The Invisible Crash* von James Dines.

KAPITEL V:
DIE NICHT GANZ SO GOLDENEN 1980ER JAHRE

»Obwohl es [Papiergeld] keinen inneren Wert hat, aber wenn
man die Geldmenge begrenzt, ist sein Austauschwert ebenso
groß wie ein entsprechender Nennwert an Münzen oder Goldmünzen (…) Erfahrung zeigt jedoch, daß noch kein Staat und
keine Bank unbegrenzte Macht hatten, ohne diese auch zu miß-
brauchen. In allen Staaten sollte deshalb die Ausgabe von Papiergeld gewissen Kontrollinstanzen unterstehen, und nichts scheint
zu diesem Zweck geeigneter zu sein, als die Herausgeber von
Papiergeld zu verpflichten, ihre Banknoten in Goldmünzen oder
-barren einzulösen.«[149]
David Ricardo, Ökonom (1817)

Gold beginnt einen langen Baisse-Markt

Ein Goldpreis von über $ 800 ließ sich nicht aufrechterhalten, und
während der Preis des Silbers zusammenbrach, sank der Goldpreis auf
$ 475 pro Feinunze ab. In den zehn darauffolgenden Jahren schwankte
der Preis grob gesprochen zwischen $ 300 und $ 500 je Unze. Wenn es
zu finanziellen oder politischen Krisen kam, schoß der Goldpreis
jeweils auf ungefähr $ 500, und sobald der Schock überstanden war,
ging er wieder auf etwa $ 300 zurück. Dieses Niveau wurde zweimal
erreicht, einmal 1982 und ein zweites Mal Anfang 1985.

Das letzte Mal, daß Gold die $-500-Marke erreichte, war im
Dezember 1987 nach dem Oktober-Krach, doch war dies nichts weiter
als eine zyklische Erholung in einem Bärenmarkt.

Veränderungen beim Fed

In den letzten Jahren der Carter-Präsidentschaft verschlimmerte
sich die Situation an allen Fronten. Die Inflation war außer Kontrolle

---

[149] David Ricardo, *Complete Works*, Piero Sraffa (Hrsg.), (Cambridge University
Press, 1966).

geraten. Dann wurde Paul Volcker 1979 Vorsitzender des *Federal-Reserve*-Systems. Eine Weile setzte sich der Inflationsprozeß fort, doch dann zog Volcker die Zinszügel an. In der Zwischenzeit war Ronald Reagan Präsident geworden. Innerhalb einer kurzen Zeitspanne gelang es Volcker, den Schwund der Dollar-Kaufkraft zu begrenzen. Seine Strategie resultierte in stabileren Preisen im Inland und verbesserte den Wert des U.S.-Dollar an den internationalen Devisenmärkten. *Barron's*-Ausgabe vom 4. Oktober 1999 zufolge hatte Volcker es geschafft, die Inflationsrate von 12% auf ein Niveau im Bereich von 3 bis 4% zu senken, bevor er 1987 das Zepter an Alan Greenspan weitergab.[150] Anleihenrenditen brachen ebenfalls stark ein, von einem Spitzenwert von 15% für langfristige Schatzanleihen auf unter 6%, und der Leitzins — die Basis für die Zinssätze der Bankkredite — sank von einem Hoch von 21% Ende 1980 auf 8% ab.

Die Welt auf dem Weg zu einer konservativeren Wirtschaftspolitik

Gegen Ende der 1970er und zu Beginn der 1980er Jahre wiesen die amerikanische und die britische Wirtschaft viele Gemeinsamkeiten auf. Beide Nationen schienen vor einem größeren Niedergang zu stehen. Politisch gesehen gab es jedoch in beiden Ländern eine starke konservative Bewegung, oder zumindest hatte dies den Anschein. Es gab überraschende Parallelen zwischen den 1920er und den 1980er Jahren. In beiden Jahrzehnten waren konservative Regierungen an der Macht. In beiden Jahrzehnten wurden Reichtum und Geschäfte glorifiziert, und die Politik trug mit dem Einzug republikanischer Präsidenten ins Weiße Haus deutlich konservativere Züge. In den 1980er Jahren waren es Ronald Reagan im Weißen Haus und Margaret Thatcher in Großbritannien.

In beiden Jahrzehnten, den 1920er und den 1980er Jahren, sorgten größere Steuersenkungen für einen sich ausweitenden Kreditaufschwung, indem die Effektiv-Verzinsung für Kreditgeber nach Abzug der Steuern erhöht wurde. In den 1920er Jahren wurden die persönlichen Einkommenssteuersätze in den USA auf 25% reduziert. In den

---

[150] William Pesek, »Happy Anniversary«, *Barron's*, Vol. 79, Issue 40, 4. Oktober 1999, S. 28–30.

1980er Jahren wurden sie von 70 auf 28 % gesenkt! Sowohl in den Zwanzigern als auch in den Achtzigern erwiesen sich die Konsumentenausgaben der Privathaushalte, getrieben durch zunehmende Verschuldung, als Hauptmotor des Wachstums. Ein Wirtschaftshistoriker schrieb über die zwanziger Jahre folgendes:

>»Das Publikum hatte sich auf breiter Basis verschuldet, um den Kauf von Häusern und dauerhaften Konsumgütern zu finanzieren. (…) In beiden Jahrzehnten stieg die Zahl der Arbeitsplätze im Dienstleistungssektor, nicht aber in der Fabrikation. In beiden Jahrzehnten machte sich die Überzeugung breit, daß der Wohlstand nun dauerhaft sei und sogar, daß es nie wieder eine Rezession geben würde.«[151]

Es gab also viele Ähnlichkeiten, aber auch viele Unterschiede. Mehr dazu aus derselben Quelle:

>»In den zwanziger Jahren waren die USA der weltgrößte Gläubiger. In den Achtzigern der weltweit größte Schuldner. Die Regierung der USA hatte von 1920 bis 1930 jedes Jahr einen Haushaltsüberschuß zu verzeichnen. Von 1980 bis 1990 dagegen häuften die USA massive Defizite an. Die Staatsverschuldung wurde in den Zwanzigern um über 33 % gesenkt. Sie erhöhte sich jedoch um 342 % in den Achtzigern. In den Zwanzigern hatten die USA einen beträchtlichen Außenhandelsüberschuß aufzuweisen. In den Achtzigern hatten sie das größte Zahlungsbilanzdefizit einer Wirtschaftsnation in der Weltgeschichte angehäuft.«[152]

In vielerlei Hinsicht waren die 1980er Jahre eine Dekade der Exzesse. Die Auswirkungen dieser Exzesse machten und machen sich im gesamten System bemerkbar, besonders durch Anhäufung eines gigantischen Schuldenberges. Viele Jahre lang stiegen die Schulden in den USA — vom Rest der Welt ganz zu schweigen — schneller als das Bruttosozialprodukt. Dies ist besonders ernst, weil der Dollar die Rolle der Weltreservewährung einnimmt.

---

[151] James Dale Davidson und William Rees-Mogg, *The Great Reckoning* (New York: Summit Books, 1991), S. 143.
[152] Ebenda.

Die U.S.-Goldkommission

1981 bat Präsident Reagan, der ein Anhänger des Goldstandards war, den Kongreß, eine Goldkommission einzuberufen. Reagan war über die Zahlen der Preisinflation, der Zinsen und der Arbeitslosigkeit besorgt, welche unerträgliche Ausmaße angenommen hatten. Mehr und mehr begannen einzelne sich zu fragen, ob ein Goldstandard vielleicht die Finanzkrise beenden könnte. Eine 17-köpfige Studiengruppe trug riesige Aktenberge über die Funktion des Goldstandards und die Verwendung von Gold als Währungsmetall zusammen. Wie zu erwarten war, wurde die Zusammensetzung der Kommission so manipuliert, daß man entschied — statt Gold zu studieren —, es für immer aus dem sogenannten Währungssystem zu verbannen. Von den 17 Mitgliedern der Kommission sprachen sich nur ganze zwei (Dr. Ron Paul, Kongreßabgeordneter aus Texas, und Geschäftsmann Lewis Lehrman) für einen Goldstandard aus.[153]

Goldproduktion in den 1980er Jahren

Hohe Goldpreise und modernisierte Gewinnungstechniken der Minengesellschaften resultierten in einer starken Erhöhung der Goldproduktion in der westlichen Welt. Dies geschah zu einer Zeit, als die Zentralbanken nicht länger als Käufer auftraten und das Vertrauen in die Papierwährung langsam zurückkehrte. In den 1980er Jahren stieg die jährliche Produktion von 962 Tonnen (1980) auf 1746 Tonnen (1990). 1980 war Südafrika der bei weitem größte Produzent mit 70% oder 675 Tonnen. Zehn Jahre später lag sein Anteil nur noch bei 37%, während die USA ihre Produktion auf 259 Tonnen verachtfachten. Australien, der drittgrößte Produzent, verzwölffachte sogar seine Produktion auf 197 Tonnen, und Kanada, das vierte Land auf der Liste, spurtete mit einem 300% Anstieg auf 158 Tonnen.

Laut Michael Kile in seinem Buch *The Case for Gold in the 1990s,* war die beeindruckendste Entwicklung des Jahrzehnts auf der Nachfrage-Seite zu verzeichnen, die der Kapazität des internationalen Marktes — besonders in den Marktsegmenten Schmuckbranche und

---

[153] Ron Paul und Lewis Lehrman, *The Case for Gold — A Minority Report of the U.S. Gold Commission* (Washington D. C.: Cato Institute, 1982).

Geldanlage —, welche die Rekordproduktion absorbierte und dadurch eine beträchtliche Preisstabilität lieferte.[154] Diese Situation wurde immer wichtiger, als schweizerische Portfolio-Manager begannen, das Gold aus den Depots ihrer Kunden zu verkaufen, bis die meisten überhaupt kein Gold mehr enthielten. Während der ganzen 1980er Jahren wurde unaufhörlich Propaganda gemacht, daß Gold seine Rolle als Geld endgültig ausgespielt habe.

Gold als Schmuck und seine Bedeutung für die Goldminen-Industrien

In seinem Essay »The Near Death & Resurrection of the Gold Mining Industry« kam Dr. Lawrence Parks von der *Foundation for the Advancement of Monetary Education* (FAME) zu interessanten Schlußfolgerungen. Die goldproduzierende Industrie, die gegenwärtig in einer mißlichen Lage stecke, täte gut daran, ihre gegenwärtigen Strategien gründlich zu überdenken:

> »Die Gold-als-Schmuck-Strategie war keine positive Entwicklung. Die Goldmenge, die zu Schmuck verarbeitet wird, ist ein *Gegen*-Indikator vom Wohlergehen der Goldproduzenten. Je mehr Gold zu Schmuck verarbeitet wird, desto *niedriger* ist der Goldpreis, desto *niedriger* sind die Erträge der Goldproduzenten und desto *niedriger* liegt der Börsenwert ihrer Unternehmen. (…) Es ist bemerkenswert, daß seit 1987 (dem Jahr, in dem der *World Gold Council* seine Arbeit aufnahm) der Absatz von Schmuck und der Goldpreis mehr als 14 Jahre lang in einer ständigen und merklichen *negativen* Korrelation zueinander standen. Wann immer der Goldpreis sank, erhöhte sich der Absatz von Goldschmuck — und vice versa. Angesichts dieser sehr negativen Korrelationen muß jedem klar werden, daß die Schmuckindustrie für die Produzenten kein profitables Geschäft ist. (…) Wenn der Goldpreis als niedrig wahrgenommen wird, steigt die Verarbeitungsrate der Schmuckindustrie. Steigt dagegen der Bedarf an Gold für höherwertige Zwecke, zieht der Goldpreis an, und der Bedarf an Gold für Schmuckzwecke geht zurück. (…) Was immer

---

[154] Michael Kile, *The Case for Gold in the 1990s* (Perth, Australien: Gold Corporation, 1991,) S. 12.

der höherwertige Verwendungszweck des Goldes ist — *dies* ist genau der Markt, auf den sich die Produzenten konzentrieren sollten, *nicht* auf die Schmuckfabrikation, die, wie die Daten belegen, einen minderwertigen Verwendungszweck darstellt.«[155]

Wie reagierten die Produzenten auf niedrigere Goldpreise?

Lawrence Parks führt hierzu weiter aus:

>»Die Goldproduzenten reagierten auf den rückläufigen Unzenpreis, wie dies Ingenieure zu tun pflegen — *technisch*. Die Produzenten konzentrierten sich auf Innovationen beim Goldabbau. Sie fanden neue effizientere Wege, das Metall zu gewinnen, und erwiesen sich im Auffinden neuer Reserven als einfallsreich. Doch trotz ihrer vorzüglichen Errungenschaften auf dem Gebiete der Technologie sowie der Suche nach dem Edelmetall blieb ihr Lohn auf der Strecke, und dasselbe gilt auch für ihre Aktionäre.«[156]

Es trifft allerdings zu, daß nicht die ganze Schmucknachfrage auf Schmuck mit niedrigem Goldgehalt entfällt. Zum Beispiel zielt ein großer Teil der Nachfrage aus Asien auf hochkarätigen Schmuck mit relativ geringer Qualitätsarbeit ab, weil dieser hauptsächlich Investitionszwecken dienen soll.

Am 29. Dezember 1989 lag das letzte Goldfixing des Jahres bei $ 401/Unze.

---

[155] Lawrence Parks, »The Near Death & Resurrection of the Gold Mining Industry« (New York, FAME, 2000). Siehe mehr zum Thema ausführlich im Internet unter www.fame.org.
[156] Ebenda.

KAPITEL VI:
DIE GOLD-VERSCHWÖRUNG DER 1990ER JAHRE

John Law — der Mann, der Frankreich ruinierte

»Es glückte ihm, den Kontinent zu erreichen, den er drei Jahre bereiste. Er widmete einen großen Teil seiner Aufmerksamkeit den Finanz- und Bankgeschäften der Länder, durch die er reiste. (…)

Er war schon recht bald mit dem Umfang des Handels und der Ressourcen jedes Landes ganz genau vertraut, und jeder Tag bestärkte ihn zunehmend in seiner Meinung, derzufolge kein Land ohne Papiergeld gedeihen kann. (…)

Law nahm jede Gelegenheit wahr, seine Finanzdoktrinen all jenen einzuimpfen, die sich in der Nähe zum Thron befanden und deshalb prädestiniert waren, in nicht allzu ferner Zukunft eine wichtige Rolle innerhalb der Regierung zu spielen. (…)

Als Law sich am Hof präsentierte, wurde er aufs herzlichste empfangen. Er übergab dem Regenten zwei Denkschriften, in denen er die Übel beschrieb, die Frankreich aufgrund einer unzulänglichen Währung, die zu verschiedensten Zeiten abgewertet wurde, befallen hatten. Er behauptete, daß eine Metallwährung, nicht ergänzt durch Papiergeld, für die Bedürfnisse eines auf Handel ausgerichteten Landes völlig unangemessen sei. (…)

Er gebrauchte viele vernünftige Argumente zum Thema Kredit und schlug vor, daß man ihm gestatten solle, eine Bank zu errichten, welche die Verwaltung der königlichen Einnahmen übernehmen und auf der Basis derselben, als auch auf Sicherheiten wie Grundbesitz, Banknoten herausgeben solle. (…)

Er machte all seine Banknoten zahlbar auf Sicht und zu dem Kurs, der zur Zeit der Emission bestand. Das letztere war ein taktischer Geniestreich, der seine Banknoten sofort wertvoller machte als die Edelmetalle. (…)

Jeden Tag erhöhte sich der Wert der alten Aktien, und die neuen Zeichnungen, welche durch die goldenen Träume der gesamten Nation hervorgerufen wurden, waren so zahlreich, daß man es für ratsam hielt, nicht weniger als 300 000 neue Aktien auszugeben.

(…) Law war nun auf dem Höhepunkt seines Glücks, und die Menschen näherten sich rasch dem Zenit ihrer Verblendung. (…)

Menschen jedes Alters, Geschlechts und Lebenslage spekulierten mit dem Auf und Ab seiner Mississippi-Anleihen. (...)

Diese stiegen manchmal innerhalb nur weniger Stunden um 10 bis 20% im Kurs, und viele Menschen aus bescheidenen Verhältnissen, die am Morgen noch arm aufgestanden waren, gingen am Abend wohlhabend zu Bett. (...)

Die Warnungen des Parlaments, daß ein Übermaß an Papiergeld-Schöpfung früher oder später das Land in den Bankrott führen würde, wurden nicht beachtet. Der Regent, der von der Philosophie des Finanzwesens nichts verstand, dachte, daß ein System, das solch gute Resultate hervorgebracht hatte, nie zu einem Exzeß führen würde. (…)

Ein Jahr später, 1720: Als jedoch die Alarmglocken einmal ertönten, konnte kein Kunstgriff das Vertrauen der Menschen zum Papiergeld, das nicht gegen Metalle eintauschbar war, wiederherstellen. M. Lambert, Parlamentspräsident von Paris, sagte dem Regenten unverhohlen ins Gesicht, daß er lieber Hunderttausend Livres in Gold und Silber hätte als 5 Millionen in Banknoten seiner Bank. (…)

John Law war weder ein Gauner noch ein Verrückter, er war eher ein Getäuschter als ein Täuschender, jemand, gegen den eher gesündigt worden war, als daß er selbst gesündigt hätte. Er war mit der Philosophie und den wirklichen Prinzipien eines Kreditsystems gründlich vertraut. Er verstand die monetären Fragen und Probleme besser als jeder andere Mensch seiner Zeit, aber als sein System mit einem gewaltigen Krach zusammenbrach, dann nicht so sehr, weil es sein Fehler war, als vielmehr jener Menschen, inmitten derer er es errichtet hatte.«[157]

---

[157] Charles Mackay, *Extraordinary Popular Delusions and the Madness of Crowds, Money Mania — The Mississippi Scheme 1719 and 1720* (London: Richard Bentley, 1841), S.1ff.

Was waren die Gründe für die Goldschwäche der späten 1990er Jahre?

Die jährliche Neuproduktion von Gold lag 1999 weltweit bei ungefähr 2500 Tonnen, etwa dieselbe Menge wie schon 1998 und die ebenfalls für 2000 prognostiziert worden war. Die Nachfrage nach Gold lag jedoch bei über 4000 Tonnen jährlich. Wie ist es möglich, daß der Goldpreis Jahr für Jahr nachgibt, wenn es eine so starke und sogar noch wachsende Nachfrage nach dem Metall gibt?

Wie ist es möglich, daß über einen Zeitraum von Monaten, wenn nicht sogar Jahren, der Goldpreis in New York niedriger schließt als das zeitlich vorangegangene Londoner Fixing? Es war ein tagtäglicher Aspekt der Goldpreismanipulation, daß in New York Verkäufe in der letzten Stunde und Minuten des Handels regelmäßig jeden vorangegangenen Preisanstieg in Übersee zunichte machten.[158] Wie ist es möglich, daß die New Yorker Gold-Händler auf diese Weise Tag für

---

[158] Am 6. Oktober 2000 berichtete Bill Murphy von der GATA-Organisation in seiner Midas-Kolumne bei *LeMétropoleCafé*, daß Gold in Fernost und in Europa 40 von 42 Mal am Morgen höher gehandelt wurde, nur um dann kurz vor Handelsschluß wieder von der COMEX gedrückt zu werden. Außerdem:
1) Unter der Überschrift »Evidence of Gold Manipulation on the COMEX«, veröffentlicht am 6. Dezember 2000 bei Reginald Howes *Gold Sextant*, präsentierte Michael Bolser eine gründliche Analyse mit dem Titel »Anomalous selling in COMEX gold, 1985 to November 2000«.
2) In seiner am 7. Dezember 2000 beim U.S.-Bezirksgericht für Massachussetts in Boston (*United States District Court for the District of Massachussetts, Boston*) eingereichten Klage gegen die *Bank für Internationalen Zahlungsausgleich* in Basel, Schweiz, gegen verschiedene Regierungs- und Zentralbank-Offizielle und bestimmte größere Bullion-Banken, warf der amerikanische Anwalt Reginald H. Howe diesen Parteien eine Manipulation des Goldpreises von 1994 bis dato vor, anhand einer Verschwörung von öffentlichen Behörden und großen Bullion-Banken. Dieses manipulative Schema scheint auf drei Ziele ausgerichtet zu sein: 1) steigende Goldpreise zu vermeiden, um keine Warnsignale hinsichtlich U.S.-Inflation abzugeben; 2) steigende Goldpreise zu vermeiden, um nicht eine Schwäche des internationalen Werts des U.S.-Dollar zu signalisieren, und 3) Banken und andere Personen und Institutionen zu schützen, die sich selbst durch Goldausleihungen zu niedrigen Zinssätzen finanziert haben. Sie sind im Markt »short« an physischem Gold und würden Gefahr laufen, als Konsequenz aus einem steigenden Goldpreis riesige Verluste zu erleiden. Siehe ebenfalls Anhang.

Tag die Londoner Gold-Häuser regelrecht lächerlich machen konnten? Wann wird New Yorks Kontrolle über den Goldpreis aufhören? Was könnte diese höchst eigenartige Situation beenden?

War ein boomender Aktienmarkt der Schuldige?

Nach einer inflationären Periode, welche für die Dauer von 36 Jahren anhielt, erreichte die Inflation in den USA 1981 ihren Höhepunkt. Rohstoffpreise und Zinssätze erzielten neue Höchststände. Anleihen waren so attraktiv wie noch nie in dieser Generation. 1981 begann die größte Hausse am Obligationenmarkt und 1982 die größte Hausse am Aktienmarkt, die den Dow-Jones-Index der Industriewerte in knapp zwei Jahrzehnten von etwa 800 auf über 11 000 anhob, ein Zuwachs von etwa 1400%.

Während dieser Zeit fanden viele Gesellschafts-Restrukturierungen statt. Der Trend zur Globalisierung der Weltaktienmärkte schuf ein äußerst vorteilhaftes Umfeld für Aktien. Dividendenpapiere gewannen extreme Popularität, und Tausende neuer Investmentfonds wurden gegründet. Die ersten Zeichen einer Überhitzung wurden 1987 sichtbar. Im Oktober kam es zum größten Kurssturz in der Geschichte der U.S.-Aktienmärkte. Der Rückschlag war jedoch nur von kurzer Dauer, und eine aggressive Geldpolitik half, verlorenen Boden wieder gut zu machen. Von da an kam das Publikum zur Auffassung, daß der desinflationäre Trend nicht ewig anhalten würde, und daß — um die Kaufkraft des Kapitals zu erhalten — es am besten war, die eigenen Ersparnisse in Aktien zu investieren statt in irgendwelche anderen Anlageinstrumente.

Diese Entwicklungen waren für Edelmetallanlagen höchst ungünstig — zumindest bis 1999, als die meisten Rohstoffpreise eine Talsohle erreichten und sich zu erholen begannen; ein erster Hinweis, daß hinter den Kulissen ein weiterer Inflationszyklus drohte. Dies war am offensichtlichsten bei den Rohölpreisen, die im Dezember 1998 ihren Tiefpunkt erreichten und sich seither mehr als verdreifachten.

Während ein deflationäres Umfeld mit einem boomenden Aktienmarkt sicherlich nicht die ideale Basis für eine lebhafte Goldnachfrage darstellt, ist die Schwäche des Goldpreises das gesamte Jahrzehnt hindurch dennoch nur schwer zu verstehen. Fast all die Gründe und Einflußfaktoren, die den Aktienmarkt zum Steigen gebracht haben, hätten ebenfalls positiv für Gold sein können. Das System verfügte über überreichliche Liquidität, und der Kaufkraftschwund von Währungen begleitete uns immer noch. Ein Preis von $ 400 bis $ 450 pro Unze Gold schien immer noch gerechtfertigt zu sein, wenn man den Kaufkraftverlust betrachtete, den der Dollar seit dem II. Weltkrieg erlitten hatte. Außerdem begann in den frühen 1990er Jahren, im Gegensatz zu den Achtzigern, die Goldnachfrage die Neuförderung zu übertreffen.

Die folgenden Gründe erklären das Verhalten des Goldpreises teilweise:

1. Goldverkäufe zwecks Portfolio-Umlagerung, besonders von Schweizer Banken, bis es in den meisten Portfolios schließlich gar kein Gold mehr gab;
2. Ein deflationäres Wirtschaftsumfeld;
3. Der Boom an den Aktienmärkten, der die Aktien zum Hauptkonkurrenten machte;
4. Das riesige Überangebot an Gold inklusive Zentralbank-Verkäufe und -Ausleihungen; sowie
5. Eine demographische Verschiebung des Goldbesitzes. In Gold investieren vorwiegend ältere Menschen. Nach deren Ableben stoßen die Erben das Gold ab; eine Entwicklung, die wahrscheinlich auch in Frankreich stattfand.

Während der erste, der zweite und der fünfte Grund Fakten sind, werden die beiden anderen Punkte einer ernsthaften Analyse wahrscheinlich nicht standhalten. Es gibt jedoch keinen Grund, warum Gold sich als Anlage nicht gut machen sollte, während Aktienkurse anziehen, obgleich steigende Aktienmärkte immer so interpretiert werden, als ob sie der Effizienz des Papiergeld-Systems zu verdanken sind. Kräfte, die auf Aktien eine positive Wirkung ausüben, so wie eine lockere Geldpolitik und ein schnell wachsendes Geldangebot, sollten grundsätzlich auch fürs Gold positiv sein.

Bleibt Punkt 4 — die Zentralbanken als Schuldige. Dieser Grund ist jedoch nicht ganz zufriedenstellend. Wir sollten diesen jedenfalls näher betrachten, da die Zentralbanken sehr große Positionen an Gold halten. Allerdings ist ihr prozentualer Anteil am Weltgoldbestand im Schwinden begriffen und dieser Trend hält an. Vor 1971 ging das gesamte neu abgebaute Gold, welches nicht zu Schmuck verarbeitet

wurde, in die Tresore der Zentralbanken. Seither wurden die Zentralbanken zu Nettoverkäufern, wenn auch auf tiefem Niveau.

Die Rolle der Zentralbanken als Verkäufer wird übertrieben. Die
meisten ihrer Verkäufe, die gewöhnlich von der BIZ in Basel getätigt
werden, fanden ihren Weg in die Tresore anderer Zentralbanken. Goldverkäufe hatten meistens negative Auswirkungen auf die Kurse wegen
des schädlichen Medienrummels, der sie begleitete, und nicht wegen
der tatsächlich zum Verkauf angebotenen Goldmenge. Zentralbanken
werden jedoch immer weniger zu einer Bedrohung, weil der Goldbesitz des privaten Sektors immer mehr zunimmt. Dieser Trend hält
nach wie vor an. Während noch vor 50 Jahren 70 % des Weltgoldbestands
von den Zentralbanken gehalten wurden, liegt ihr Anteil heute bei
weniger als 25 %.

Seit den frühen 1990er Jahren lag ich mit meiner Analyse des
Goldmarktes häufiger falsch als richtig, obwohl ich alle verfügbaren
Informationen sorgfältig sammelte. Ich konnte nicht verstehen, warum
der Goldpreis trotz der verbesserten Angebot-/Nachfrage-Situation
nicht anstieg, sondern in einem gedrückten Zustand verharrte. Ich
begann deshalb nach einer Erklärung zu suchen, und es brauchte eine
ganze Weile, bis ich herausfand, welche neuen Kräfte hier am Werke
waren.

Waren es die Zentralbanken?

Am 6. Februar 1996 besuchte ich *J. Aron & Co.*, eine bestens
etablierte Bullion-Firma in London. Sie ist eine Tochtergesellschaft
der angesehenen Wall-Street-Firma *Goldman, Sachs & Company*. Ihr
ehemaliger Vorstandsvorsitzender Robert Rubin diente zu jener Zeit
als U.S.-Finanzminister. Rubin ist inzwischen von seinem Posten zu-
rückgetreten. Ein Börsenmakler aus Johannesburg, Merton Black von
Ivor Roy Jones — mittlerweile im Besitz der *Deutschen Bank* — führte
mich bei *J. Aron & Co.* ein. An jenem Tag hatte ich ein Treffen mit Neil
R. Newitt, dem Geschäftsführer, und Philip Culliford, dem Generaldirektor.

Obwohl ich diese Herren nie zuvor getroffen hatte, kannten sie
meinen Namen und waren mir gegenüber, wie mir schien, sehr offen.
Culliford sah eine starke Nachfrage nach Gold als Anlage von Seiten

der U.S.-Fonds, aber nur wenig Nachfrage aus dem Mittleren Osten. Newitt war dem Gold gegenüber à la Baisse eingestellt und sagte, daß die Zentralbanken jede Erhöhung des Goldpreises stoppen würden. Er war im Goldmarkt seit 1968 aktiv und seitdem in regelmäßigem Kontakt mit Zentralbanken gewesen. Er schien zu wissen, wovon er sprach. Allerdings war er der Auffassung, daß von den 35 000 Tonnen Gold, die die Zentralbanken hielten, nur ein kleiner Teil, etwa 3500 Tonnen, ausgeliehen oder verkauft werden könne. Die Schlußfolgerung aus unserem Gespräch war, daß es keinen Zweifel daran geben konnte, daß die Zentralbanken den Preis kontrollierten.

Ich verließ das Haus ziemlich verdutzt und wunderte mich, warum die Zentralbanken ein Interesse daran haben könnten, den Preis ihrer einzigen Anlage von Wert niedrig zu halten. Anschließend besuchte ich die *Deutsche Morgan Grenfell*, wo mir Robert Weinberg sagte, daß die Firma *J. Aron* sehr aktiv im Goldleihgeschäft sei. Aus diesem Grund waren sie sehr an den Forward-Verkäufen der Goldminenunternehmen interessiert. Weinberg erwähnte auch, daß Newitt dafür bekannt war, notorisch auf fallende Goldkurse zu setzen. Dies war verständlich, da er wußte, was gespielt wurde.

Nachdem ich die Tochtergesellschaft der *Goldman Sachs* verließ, war mir immer noch nicht klar, warum die Zentralbanken ein Interesse daran hatten, den Goldpreis niedrig zu halten. Als Verkäufer wäre es für sie doch nur normal gewesen, wenn sie versucht hätten, zum höchstmöglichen Preis zu verkaufen. In der Geschäftswelt ist es der Käufer, der an einem niedrigen Preis interessiert ist.

Da Zentralbanken für die Verwaltung von Vermögenswerten verantwortlich sind, die Volkseigentum darstellen, ist ein derart unverantwortliches Verhalten schwer zu verstehen. Ein Ergebnis meines Besuchs war jedoch die Erkenntnis, daß die Gentlemen von *J. Aron & Co.*, die für die Zentralbanken aktiv waren, zweifellos bessere Informationen und mehr Vorauswissen hatten, welches leicht ausgenutzt werden konnte. Was ich zu dem Zeitpunkt allerdings noch nicht realisierte, war, daß dies genau die Leute waren, die in Wirklichkeit die Zentralbanken berieten.

Es sind nicht nur die Zentralbanken!

Und so fand ich — leider etwas spät — heraus, wer das größte Interesse daran hatte, den Goldpreis unten oder zumindest unverändert zu halten. Es waren nicht die Zentralbanken — es waren die Bullion-Banken. Provisionsgeschäfte waren ihnen wichtiger als ein stabiles Währungssystem. Die Bankiers befinden sich hier in einer Zwickmühle. Sie erzielen ihre Gewinne infolge der Volatilität des Marktes. Gäbe es monetäre Stabilität, würden ihre Einnahmen sinken, zumindest in diesem Bereich ihrer Aktivitäten. Letztendlich sind es die Banken, die die Kontrolle über das Währungssystem ausüben. Sie *sind* das Währungssystem.

Über Jahre hinweg waren provisionshungrige Goldhändler damit beschäftigt, Gerüchte und Angst zu verbreiten, daß der Goldpreis nur in eine Richtung gehen könne — nach unten. Um das Produzentengeschäft zu erobern, sagten die Goldhändler jahrein-jahraus niedrigere Goldpreise voraus. Wer weiß, wie hoch ihre eigenen Positionen an Leerverkäufen waren?

Zentralbanken und mehrere Regierungen machen Gold instabil

Bei einer vom *World Gold Council* organisierten Konferenz in Paris am 19. November 1999 machte Robert Mundell, Professor an der *Columbia University* und Nobelpreisträger für Wirtschaft 1999 während der Fragezeit nach seinem Vortrag über »The International Monetary System at the Turn of the Millennium« die folgenden Bemerkungen:

> »Gold unterliegt dem Einfluß vieler destabilisierender Elemente, nicht zuletzt dem Versuch mehrerer Regierungen, es zu destabilisieren. (…) Schauen Sie sich an, was in den letzten 20 Jahren in der Politik dieser Regierungen in bezug aufs Gold abgelaufen ist. Niemand verkaufte Gold, als der Preis Richtung $ 800 pro Unze hochschnellte. Es wäre ein gutes Geschäft gewesen, und es hätte sich stabilisierend ausgewirkt, wenn sie es getan hätten. Aber die Leute verkaufen erst, wenn es tief ist, die Engländer haben ihr Gold gerade jetzt verkauft, wo es am tiefsten war [so machen es auch die Schweizer! d. Verf.]. Dieses Element — Regierungen, die verkaufen, wenn der Preis niedrig ist, oder nicht

verkaufen, wenn er hoch ist — destabilisiert das Ganze. Regierungen sollten (...) niedrig kaufen und hoch verkaufen.«[159]

Also was bezwecken Regierungen eigentlich, wenn sie schuld sind an einer Destabilisierung oder Unterdrückung des Goldpreises? Sie wollen ganz einfach die verrückte Falschgeld-Illusion aufrechterhalten.

Wichtige Veränderungen der Notenbank-Aktivitäten in den 1990er gegenüber den 1970er Jahren

Eines der Ziele dieses Buches ist, zu informieren und auf eine Reihe bedeutender Veränderungen und Entwicklungen bei den Aktivitäten der Zentralbanken und ihren Einfluß auf die Goldmärkte und die Weltwirtschaft hinzuweisen. Die theoretische Rolle einer unabhängigen Zentralbank besteht darin, die Integrität der Währung des betreffenden Landes aufrechtzuerhalten und zu schützen. Das ist zumindest das, was der Öffentlichkeit erzählt wird. Die wahre Rolle der Zentralbanken, vor allem des *Federal-Reserve*-Systems, besteht jedoch darin, den Banken Liquidität zuzuführen, wenn deren Bilanzen angeschlagen sind. Sie sind die sogenannten »Lenders of last resort« (Kreditgeber in letzter Instanz). Der Begriff kennzeichnet die Funktion der Zentralbank, die Banken mit der nötigen Liquidität zu versorgen, daß auch bei krisenhaften Entwicklungen an den Finanzmärkten die Funktionsfähigkeit und die Stabilität des Finanzsystems gewahrt bleiben. Immer wieder sind ungedeckte Papiergeldwährungen überall auf der Welt zusammengebrochen. Die Beispiele von Rußland, Mexiko, Indonesien, Thailand, Südkorea, Türkei und sonstwo haben dies zur Genüge bewiesen — doch die Zentralbanken machen unbeirrt weiter.

Was für eine entscheidende Rolle die Propaganda der Zentralbanken auf das Publikum hat, erklärte der verstorbene Professor Murray Rothbard wie folgt:

>»Die offizielle Legende behauptet, daß es Zentralbanken braucht, um die verhängnisvolle Tendenz der Geschäftsbanken

---

[159] *Gold and the International Monetary System in a New Era*, *World Gold Council Conference*, Paris, 19. November 1999, (London: World Gold Council, 1999), S. 47.

zur Überexpansion zu zügeln, weil sonst solche Hochkonjunktu-
ren stets zu Pleiten führen. Eine vom öffentlichen Interesse be-
herrschte ›unparteiische‹ Zentralbank könnte und würde die Banken von deren natürlicher engstirniger, beschränkter und eigen-
nütziger Tendenz, Profite auf Kosten des Gemeinwohls einzu-
streichen, abhalten. Die blanke Tatsache, daß es die Bankiers
selbst waren, die dieses Argument vorbrachten, sollte als Beweis
dienen, wie edel und uneigennützig diese Institute wirklich sind.

Wie wir gesehen haben, war es tatsächlich so, daß sich die
Banken verzweifelt eine Zentralbank wünschten. Der Grund war
jedoch nicht, sie bei ihrer natürlichen Neigung, zu inflationieren,
einzuschränken. Nein, ganz im Gegenteil, die Zentralbanken sollten ermöglichen, daß alle zusammen inflationieren und expandieren konnten, ohne die Konsequenzen des Marktwettbewerbs
auf sich nehmen zu müssen. Als ›Kreditgeber in letzter Instanz‹
konnte die Zentralbank ihnen erlauben und sie ermutigen zu
inflationieren, wenn sie normalerweise ihr Kreditvolumen hätten
verkleinern müssen, allein schon, um sich selbst zu retten. Kurz,
der tatsächliche Grund für die Erschaffung des *Federal Reserve*
und dessen Befürwortung durch die Großbanken war das exakte
Gegenteil ihrer laut herausposaunten Beweggründe. Anstatt eine
Institution zu errichten, die ihre eigenen Profite im Namen des
öffentlichen Interesses in Schranken halten sollte, wollten die
Banken in Wirklichkeit eine Zentralbank, die ihre Gewinne steigern würde. Sie sollte ihnen ermöglichen, weit über die Grenzen
dessen hinaus zu inflationieren, was die Wettbewerbssituation
des freien Marktes erlaubte.«[160]

Infolge der Regeln des Automatismus gab es unter dem Goldstandard des 19. Jahrhunderts natürliche Inflationsbeschränkungen.
Regierungen und die Geschäftswelt wußten mit der Tatsache zu leben,
daß eine übermäßige Geldschöpfung mit einem Verlust von Gold
bestraft würde. Gold würde anfangen, aus dem Land abzufließen. Dies
würde zu einer »automatischen« Verknappung der Geldmenge und
Verteuerung des Geldes führen, bis die Regeln eines ausgeglichenen
Budgets und stabiler Finanzpolitik wieder befolgt würden. Gold fun-
gierte als eine natürliche Bremse, und man brauchte keine Zentralbank.

---

[160] Murray N. Rothbard, *The Case against the Fed* (Auburn, Alabama: Ludwig
von Mises Institute, 1994), S. 83.

Damit wird einleuchtend, warum nicht nur die Zentralbanken, sondern auch die Geschäftsbanken Gold hassen. Sie können Gold nicht leiden, weil der Goldpreis das Thermometer ist, das angibt, wie expansiv das Bankensystem ist. Es zeigt an, wann Maßhalten notwendig wird. Der Goldstandard verlangte Disziplin. Im gegenwärtigen »Falschgeld-System« ist Disziplin nicht notwendig und auch nicht wirklich erwünscht, denn es gibt ja immer noch den »Retter in letzter Instanz«. Das ist der Grund, warum Politiker und das Bankensystem nicht zum Goldstandard zurückkehren wollen und warum Zentralbanken Gold loswerden wollen. Die Funktion des »Kreditgebers in letzter Instanz« und der Goldstandard sind unvereinbar.

Die Aktivitäten des *World Gold Council* (WGC)

Der WGC hat eine Reihe von Studien über den Goldmarkt und die Goldpolitik der Zentralbanken veröffentlicht, welche einen guten Einblick in einige Aspekte der »Neuen Goldwelt« vermitteln. Einige Beispiele dafür seien angeführt:

- *Die Änderung der monetären Rolle des Goldes*
- *Das Zentralbankwesen in den 1990er Jahren — Vermögensverwaltung und die Rolle des Goldes*
- *Derivative Märkte und die Rolle des Goldes*
- *Der Goldleih-Markt — ein Jahrzehnt des Wachstums*
- *Nutzung von Leihgold durch die Minenindustrie — Entwicklungen und Zukunftsaussichten*

Der WGC ist eine Organisation, die von der Goldminen-Industrie gegründet wurde und finanziert wird, um den Absatz von Gold auf weltweiter Basis zu fördern. Während der WGC Studien veröffentlicht und gelegentlich öffentliche Konferenzen abhält, bleiben seine Motive jedoch vage, da er sich hauptsächlich für Gold in Form von Schmuck stark macht. Die Verarbeitung von Gold zu Schmuck ist im wesentlichen eine minderwertige und eher marginale Verwendung des Goldes. Die Schmuckindustrie hat zudem ein wohlbegründetes Interesse an einem niedrigen Goldpreis.

Seit 1987, dem Jahr, in dem der WGC seine Arbeit aufnahm, hat er sich für die Vermarktung von Goldschmuck eingesetzt. Der WGC spricht so gut wie nie über die Werterhaltungsfunktion des Goldes und überhaupt nicht über Gold als Geld. Es erscheint mir, daß Werbung für Gold als Schmuck zu Sonderpreisen weder im Interesse der Industrie ist, die der WGC eigentlich repräsentieren soll (die Goldminen-Industrie und ihre Aktionäre), noch im Interesse der Gold produzierenden Länder. Gold ist zu wertvoll, als daß es allein zur Verwendung als Schmuck benutzt wird. Dies ist, was der WGC nicht zu verstehen scheint oder nicht verstehen will.

Sowohl der WGC als auch die Goldminen-Industrie sollten begreifen, daß der wichtigste Verwendungszweck des Goldes seine Funktion als Wertaufbewahrungsmittel und seine Funktion als Geld ist. Auch wenn es gegenwärtig nicht sehr offensichtlich ist — Gold ist immer noch im Herzen des Kapitalismus und wird zweifellos zu seiner ehemaligen Bedeutung zurückfinden, solange die Welt mit den katastrophalen Auswirkungen des gegenwärtigen Währungs-Wirrwarrs konfrontiert ist. Wenn der WGC dies nicht versteht und keine Schritte in Richtung einer Schadensbegrenzung der Situation unternimmt, dann sind die gegenwärtigen Aktivitäten des WGC fragwürdig, und all seine bisherigen Anstrengungen müßten als ein Fehlschlag seiner Mission abgestempelt werden. Robert Pringle, Geschäftsführender Direktor des WGC, schrieb indessen dem Verfasser in einem Brief vom 3. Dezember 2002, daß seine Organisation sehr viel Forschung in die praktischen Aspekte von Gold als Geld betrieben habe, daß es aber aus politischen Gründen im Moment nicht opportun sei, solche Überlegungen publik zu machen.

Für den Goldpreis wäre es äußerst positiv, wenn bald Schritte unternommen würden, in dieser bedauerlichen Situation Abhilfe zu schaffen. Dazu bedürfte es des Umdenkens bei einigen Mitgliedern der Minenindustrie, doch das bleibt wohl solange eine Illusion, als einige der großen Goldproduzenten einen sinkenden oder zumindest einen niedrigen Goldpreis wollen, damit sie kleinere Produzenten günstig aufkaufen können, bevor der Preis in die Höhe geht! Es ist auch unverzeihlich, daß der WGC die Goldstatistiken des *Gold Fields Mineral Services* (GFMS) verwendet und dafür auch noch zahlt. GFMS, eine auf Rohstoffe spezialisierte Londoner Beratungsfirma, steht bei GATA und der Goldindustrie in Verdacht, notorisch die Goldstatistiken, aber insbesondere Angaben im Zusammenhang mit der Höhe des ausgeliehenen und auf Termin verkauften Goldes im Interesse der Goldmanipulation zu schönen.

Die Rolle des Goldes der *Europäischen Zentralbank* (EZB) und der Euro

Zunächst gab es eine Menge Rätselraten um die Rolle des Goldes im neuen europäischen Währungssystem. Es tauchten einige Zweifel auf, ob das Metall überhaupt eine Rolle spielen würde. Letzten Endes wurde beschlossen, daß die EZB nicht all ihre Reserven in Papierwährungen haben sollte, sondern 15 % davon in Gold.

Dennoch, was nach wie vor fehlt, ist eine sinnvolle und verbindliche Verknüpfung. Man kann schließlich keine Fiat-Währung installieren und gleichzeitig hoffen, daß es eine starke Währung wird. Es kann noch so viel Gold im Keller liegen, ohne eine explizite Verbindung mit dem Papiergeld bleibt es immer noch eine ungedeckte Währung. Hier stellt sich allerdings die Frage: Ist eine Verknüpfung, ein »Link«, überhaupt durchführbar, wenn das ganze Gold der Europäer, wie vielfach vermutet wird, dummerweise in Amerika liegt, d. h. nicht greifbar ist? Aber den Menschen in Europa wurde versprochen, daß der Euro ein Erfolg wird, und den Deutschen wurde versprochen, daß er mindestens so stabil ist wie die DM. Interessanterweise war es das erste Mal in der Geschichte, daß eine Währungsunion vor einer politischen Union gebildet wurde. Seltsamerweise hat die EZB einen Präsidenten, aber Europa hat immer noch keinen Finanzminister. Jedes Land behält sein eigenes Finanzministerium und seine eigene Zentralbank. Das schlimmste von allem ist jedoch, daß die EZB keine Kontrolle über das EU-Bankensystem hat, welches weiterhin Euros aus dem Nichts schöpft. Jeder, der sich näher mit der Geschichte der Verträge von Maastricht und der Entstehung des Euro befassen möchte, sollte sich das Buch *The Rotten Heart of Europe — The Dirty War for Europe's Money* von Bernard Connolly, 1995, erschienen bei *Faber and Faber Limited*, London und Boston, vornehmen. In diesem Werk beschreibt Connolly, wie nach dem Niedergang des Bretton-Woods-Systems im Jahre 1971 die *Deutsche Bundesbank* zur wichtigsten Institution Europas avancierte und dies den Franzosen einfach ein Dorn im Auge war. Bernard Connolly, der bei der Europäischen Kommission verantwortlicher Beamter für Wechselkursfragen war und nach Veröffentlichung des Buches fristlos entlassen wurde, ist heute Konsulent bei einer internationalen Finanzgruppe.

Der Start des Euro am 1. Januar 1999 war ein großes Ereignis. Vor der Einführung des Euro bemühten sich Wissenschafter, Politiker und gekaufte PR-Spezialisten, den Europäern die Einheitswährung als Stabilitätspakt und große Zukunftschance Europas zu verkaufen. Allein die deutsche Bundesregierung setzte 80 Millionen DM für den Werbefeldzug zugunsten des Euro ein. Primäres Ziel der PR-Kampagne war, die durchwegs berechtigten Vorbehalte gegenüber der neuen Währung zu zerstreuen. Die anfängliche Schwäche des Euro im ersten Jahr kam nicht überraschend, wenn man bedenkt, wie die meisten europäischen Länder »kreative Bilanzbuchführung« betrieben und an ihren volkswirtschaftlichen Bilanzen herumdoktern mußten, nur um die Kriterien von Maastricht einigermaßen erfüllen zu können.

Die neue Währung hat in letzter Zeit einen höheren Grad an Glaubwürdigkeit erreicht. Was passiert allerdings, wenn die EU eines Tages die osteuropäischen Länder in die Union aufnimmt? Die Glaubwürdigkeit des Euro würde sich enorm verbessern, wenn die EZB Gold kaufen und damit die Möglichkeit einer zukünftigen Verknüpfung mit dem Edelmetall schaffen würde. Entscheidet sich die EZB, dies nicht zu tun, sieht die zukünftige Wertentwicklung der europäischen Fiat-Währung nicht vielversprechend aus. Dr. Bruno Bandulet, Herausgeber des deutschen Anlagebriefes *Gold & Money Intelligence*, schreibt folgendes in einem Artikel unter dem Titel »Der Euro, wer hat Angst vor Mr. Duisenberg?«:

> »Seit seiner Geburt am 1. Januar 1999 als virtuelle Währung ist der Euro immer noch eine staatenlose, synthetische Papiergeldwährung ohne eine wirkliche politische Autorität als Stütze. Die *Europäische Union* ist kein optimales Währungsumfeld. Man kann keine einheitliche Währungspolitik machen, die den Interessen Deutschlands, Spaniens und Irlands gleichzeitig dient.
>
> Die *Europäische Zentralbank* ist eine multikulturelle Institution, die immer noch eine ›Corporate Identity‹ entwickeln muß.«[161]

Seit die Devisenmärkte 2002 in eine neue Phase der Dollarschwäche eingetreten sind, hat sich der Euro entsprechend gefestigt.

---

[161] Bruno Bandulet, »The Euro: Who is afraid of Mr. Duisenberg?«, *Ambiance Magazine*, Spezialausgabe privates Bankwesen, Zürich, September 2000, S. 27.

Diese neue Stärke der Einheitswährung sollte jedoch richtig verstanden werden. Sie basiert auf der Schwäche des Dollars.

In einem Artikel in *Zeit-Fragen* vom 28. Oktober 2002 beschreibt Reinhard Koradi den Euro-Stabilitätspakt als — ein Sandkastenspiel:

> »Bei der Währungsunion ging es also nicht um Krieg oder Frieden, sondern um handfeste Interessen transnationaler Konzerne. Daher stand hinter den Konvergenzkriterien auch nicht das ernsthafte Bemühen der Regierung um Stabilität, sondern um ein breit angelegtes Täuschungsmanöver der besorgten Bürger und Bürgerinnen. In diesen Tagen bestätigt Kommissionspräsident Prodi mit seiner Feststellung, die Stabilitätskriterien seien ›dumm‹, die unlauteren Absichten der Euro-Architekten mit kaum zu überbietendem Zynismus … Verbinden wir die unseriöse Grundlagenarbeit zur Währungsunion mit der aktuellen Verschuldungssituation der Mitgliedstaaten der Währungsunion mit der Absage von Prodi an das Stabilitätspaket, dann liegt der Verdacht nahe, daß mit der Einführung des Euro nur ein Ziel verfolgt wurde: den Nationalstaat in seinen Grundlagen zu erschüttern! Mit der forcierten Ost-Erweiterung wird die Crash-Strategie noch erheblich beschleunigt. Fehlen doch — trotz schmerzlicher Eingriffe für die Bevölkerung — auch in diesen Ländern die soliden Fundamente für eine stabile Währungsordnung. Profitieren werden die Internationalisten, die Antreiber zur globalen Wirtschaft und das Großkapital … Eine EU ist gegen den Menschen … Die EU ist ein Konstrukt der transnationalen Konzerne und hat nichts mit dem friedlichen Zusammenführen der europäischen Völker zu tun … Es ist daher zu wünschen, daß die europäischen Nationen Wege und die Kraft finden, sich aus der Umklammerung der EU zu lösen. Dies gilt für die Mitgliedsländer wie für die Beitrittskandidaten und die Schweiz als Nichtmitglied. Europäisierung und Globalisierung sind keine Naturereignisse. Sie werden von Menschen gemacht. Daher gibt es auch Gestaltungsmöglichkeiten für eine Politik und eine Wirtschaft, die sich am Gemeinwohl der Menschen orientieren.«

Viele kleine Argentinien?

In einem Leserbrief an die *Neue Zürcher Zeitung* vom 4. März 2003 schreibt ein gewisser Jan Vicha aus München zum Thema »Wel-

che EU brauchen wir?«, daß die EU an sich eine bestechende Idee
wäre, wenn sie nicht aus der Idee, einen Gegenpol zu Amerika zu
schaffen (und die *Bundesbank* abzuschaffen, d. Verf.) heraus entstanden wäre. De Gaulles pragmatische Idee von einem lockeren »l'Europe
des Nations« hätte man anstreben sollen, wo jedes Land und jedes
Volks seine Souveränität, Freiheit und Würde behält.

Wie dem auch sei, es scheint heute alles so einfach geworden zu
sein, wenn man in Europa herumreist. Man braucht jetzt nicht mehr
dauernd Geld zu wechseln, wenn man von einem Land ins andere reist,
es sei denn, man fahre in die Schweiz oder nach England. Aber wenn
man die heutige Wirtschaftsentwicklung der einzelnen Länder, insbesondere diejenige Deutschlands betrachtet, dann scheint mir, daß das
letzte Wort über den Euro noch keineswegs gesprochen ist. Im Grunde
ist es doch so, daß so unterschiedliche Volkswirtschaften wie beispiels-
weise Deutschland und Portugal, oder nehmen wir Griechenland, nicht
praktisch von einem Tag auf den anderen dieselbe Währung haben
können. Wirtschaftskrisen und Bankenkrisen sind schon oft entstanden
wegen nicht marktkonformer selbstmörderischer Wechselkurse, die
einem oder mehreren Ländern auferlegt wurden. Das Beispiel Argentiniens, das seine Währung an den überbewerteten Dollar geknüpft hat,
zeigt dies eindeutig. Aus diesem Grund ist es vielleicht nicht abwegig
zu spekulieren, daß es als Resultat dieses künstlichen Währungssystems in Europa einige neue Argentinien geben könnte.

Euro contra Dollar oder die Entstehung eines zweiten Tributsystems

Es ist zwar schön, daß der Reisende in Europa, wenn er von
einem Land ins andere fährt, nicht dauernd Geld wechseln muß, aber
der wichtigste Grund für die Entstehung des Euro ist wohl ein ganz
anderer. Man wollte neben dem Dollar-Tributsystem ein Euro-Tribut-
system auf die Beine stellen. Warum ist der Dollar ein Tributsystem?
Das Schicksal unseres heutigen Wirtschaftsystems und unseres Finanzsystems wird bestimmt durch die Beratungen eines John Maynard
Keynes mit Harry Dexter White, als sie gegen Ende des II. Weltkrieges
das Bretton-Woods-Abkommen entwarfen. Sie schufen damit, was
General de Gaulle später als ein »exorbitantes Privileg« bezeichnete,
nämlich das Recht, das man den siegreichen USA gab, daß ihre Dollars
in den Reserven der Notenbanken auf der ganzen Welt gleich waren
wie Gold. Wie man weiß, hat Präsident Nixon dann am 15. Au-

gust 1971 dieses Abkommen gebrochen, indem er sich weigerte, weiterhin Dollars, die sich in den Händen der ausländischen Notenbanken befanden, in Gold umzutauschen. Von 1971 an mußte der Dollar nicht mehr eingelöst werden, und es begann eine Kreditexpansion, welche zu Bedingungen führte, die die Amerikaner zu dem Glauben verleiteten, daß sie in manchen Beziehungen dem Rest der Welt überlegen seien.

Mit den Jahren nahm die Kreditexpansion, oder vielmehr die Schuldenwirtschaft, immer mehr zu, so daß das amerikanische Publikum über derartige Mittel verfügte, daß es begann, immer mehr Güter zu importieren und Aktiven auf der ganzen Welt zusammenzukaufen, bis schließlich ein Handelsbilanzdefizit entstand, das heute in der Größenordnung von über $ 500 Milliarden liegt. Leider führt dieses »exorbitante Privileg« zu einer exorbitanten Verarmung des Restes der Welt. Es ist wichtig zu verstehen, daß dieses Handelsbilanzdefizit nichts anderes darstellt als eine Steuer, welche die USA auf der ganzen Welt erhebt. Da die USA niemals daran denken, diese Dollars, die sie aus dem Nichts kreieren, jemals wieder konvertierbar zu machen, ist dieses Dollar-Reservensystem nichts anderes als ein weltweiter Tribut, den die USA von der Welt absaugen. Es ist total ungerecht und wird zur Verarmung der Welt zum Nutzen der USA führen. Das ist es, was die zwölf europäischen Nationen mit ihrem Euro nachmachen wollen. Dies ist kein besonders humanitärer Zug, sondern was Europa will, ist, ebenfalls ein eigenes Tributsystem aufzubauen, um dieses Geschäft in Zukunft mit den USA zu teilen. Wenn *das* das Ziel der Architekten Europas war, dann sollten sie wenigstens eine starke gesunde Währung anstreben.

Der Irak-Krieg — ein Öl-/Währungs-Krieg

William Clark von der John-Hopkins-Universität schreibt im Januar 2003 in einem Exposé *The Real Reasons for the Upcoming War with Iraq: A Macroeconomic and Geostrategic Analysis of the Unspoken Truth,* daß der eigentliche Grund für den Krieg gegen Irak ein einfacher, aber zugleich schockierender ist. Er besteht darin, daß die USA die OPEC um jeden Preis hindern wollen, daß sich der Euro zu einer alternativen Öltransaktions- und Reservewährung entwickelt. Um dies zu vermeiden, ist es absolut notwendig, daß sie die Hände auf Irak legen, dem Land mit den zweitgrößten Ölreserven der Welt. Saddam Hussein besiegelte sein Schicksal angeblich, als er Ende 2000 be-

schloß, seinen $-10-Milliarden-Reservefonds »Oil for Food« bei der
UNO in Euros zu konvertieren. Dies wurde für Bush II zum Anlaß, daß
ein neuer Golfkrieg angezettelt werden mußte. Der Report zeigt eindeutig die Beweggründe, wie geschockt das Fed beim Gedanken sein
muß, daß zu einem Zeitpunkt, wo sich das U.S.-Handelsbilanzdefizit
der $-500-Milliarden-Grenze nähert, die ölproduzierenden Länder, die
Russen, die Asiaten und die ganze Welt nach und nach beginnen, ihre
Währungsreserven in Euros zu diversifizieren.

Die USA machen den Dollar kaputt — oder das Ende einer Reserve-währung

In der ersten Maiwoche 2003 trafen sich Vertreter des *U.S. Federal
Reserve* und der *Europäischen Zentralbank* (EZB) zu einer Diskussion
der Zinssätze. Dabei zeigte es sich, daß sich die Europäer durch die
Zinssenkungswünsche der Amerikaner nicht mehr beirren lassen würden. Dies war das erste Signal, daß die EU sowohl monetär wie
politisch sich von den USA abkoppeln und keine eigene Kreditexpansion
betreiben würde. Die EZB sagte »Nein«, und das aus gutem Grund.
Zwischen 1900 und 1970 war die U.S.-Staatsschuld von $ 2 Mrd. auf
$ 400 Mrd. gestiegen. Davon entfielen $ 250 Mrd. auf die Bezahlung
von zwei Weltkriegen. Der sogenannte Friedenszeit-Schuldenanstieg
betrug somit nur $ 150 Mrd. Seit 1970 stieg die U.S.-Staatsschuld von
$ 400 Mrd. auf $ 6400 Mrd. an, d. h. der größte Teil des Anstiegs der
U.S.-Schulden (97,5 %) ist seit 1970 entstanden.

Es ist deshalb kein Wunder, wenn es zu einem Abzug aus dem
Dollar kommt. Gemäß letzten Zahlen haben Ausländer im Februar
2003 $ 5 Mrd. an U.S.-Treasury-Papieren und $ 8,6 Mrd. weitere
U.S.-Wertpapiere abgestoßen. Zum Zeitpunkt, wo diese Zeilen ge-
schrieben werden (Mitte Mai 2003) hat der U.S.-Dollar in den letzten
zwölf Monaten gegenüber dem Euro 19 % verloren. Unter diesen
Umständen ist es klar, daß der U.S.-Dollar eines Tages für die anderen
Staaten und Notenbanken der Welt als Reservewährung einfach nicht
mehr akzeptabel ist und im besten Fall diese Rolle in Zukunft mit dem
Euro teilen muß. Und ich sage hier »im besten Fall«, denn sollte der
Dollar plötzlich und massiv einbrechen, dann müßte mit einer Chaos-
Situation gerechnet werden, innerhalb der der ganze internationale
Handel drastisch schrumpfen würde.

Das ist die Hinterlassenschaft der letzten 30 Jahre globaler Papiergeldwirtschaft, während der jede finanzpolitische Disziplin in den Wind geschlagen wurde. Wie ist es dazu gekommen? Drei Ereignisse waren dafür verantwortlich:

1. Die Aufgabe des Goldstandards im Jahre 1914.
2. Am 31. Januar 1934 wertete Präsident Roosevelt eigenmächtig den U.S.-Dollar ab, indem der Preis einer Unze Gold von $ 20.67 auf $ 35.00 angehoben wurde. Für den Rest der Welt bedeutete dies, daß man fortan $ 35 für die Unze Gold bezahlen mußte, statt wie bisher $ 20.67.
3. Am 15. August 1971 beendete dann Präsident Nixon das »Werk« mit der Schließung des Goldfensters. Von diesem Moment an weigerten sich die USA, Dollar gegen Gold einzulösen. Die U.S.-Dollar-Hegemonie, welche aus den Abmachungen von Bretton Woods resultierte, wurde von General de Gaulle bezeichnenderweise als »unbeschränkte Kreditüberzugseinrichtung« oder »ein exorbitantes Privileg« bezeichnet, welches nun schlußendlich zum Ende dieser Dollar-Hegemonie führen wird.

Als Schweizer stand ich anfangs dem Euro negativ gegenüber. In Anbetracht der Tatsache, daß die USA im Begriff sind, die eigene Währung total kaputt zu machen, kann ich den Vätern des Euro eine gewisse Voraussicht nicht absprechen. Der Euro ist nötig als Gegengewicht. Was das Ganze aber auch zeigt, ist, daß es unter dem Goldstandard nie zu einer solchen Währungskatastrophe gekommen wäre. Der Zerfall der Währungsordnung führt zum Währungskrieg und schlußendlich zum Krieg mit den Waffen. Erneut ein Beweis von der »Torheit der Regierenden«, die nicht einsehen wollen, daß einzig der Goldstandard in der Lage ist, Prosperität zu schaffen sowie Frieden und Freiheit zu garantieren.

Die bekannten offiziellen Hauptverkäufer von Gold

Ende 1999 lag die weltweite Gesamtmenge der Goldreserven der Währungsautoritäten bei 33 500 Tonnen und damit um etwa 3200 Tonnen unter dem Niveau von 1975. Von einer Flucht der Zentralbanken aus dem Gold kann folglich keine Rede sein.

Die Wichtigkeit von Goldverkäufen durch Währungsinstitutionen wurde so sehr aufgebauscht, daß das propagandistische Gewicht, das man ihnen gab, eindeutig als Teil des Kriegsplanes gegen das Gold gewertet werden muß. Es gibt erdrückende Beweise dafür, daß das Fed eine gewaltige PR-Kampagne gestartet hat, um Gold in Mißkredit zu bringen.

Am 12. Juni 2000 berichtete *Bloomberg*, daß der Fed-Ökonom Dale Henderson bei einem Mittagessen im *International Precious Metal Institute* (IPMI) in Williamsburg, Virginia, sagte, daß die Zentralbanken der Welt kaum mehr Goldreserven brauchen, da Gold in den letzten vier Jahren fast ein Drittel seines Wertes verloren hätte. Er fügte ferner hinzu, daß Zentralbank-Gold immer weniger wichtig sei und daß die Zentralbanken ihre Goldreserven verkaufen sollten.[162] Dies war Teil eines *Federal-Reserve*-Berichtes, der von Henderson entworfen wurde. Er besagte, daß eine Beschleunigung des Goldverkaufs der Zentralbanken und eine Verringerung der Goldförderung für die einzelnen Länder und die Verbraucher des Metalls, wie zum Beispiel der Schmuckindustrie, von Vorteil seien.[163]

Eine Schlußfolgerung, die sich aus diesen weit hergeholten Aussagen eines Fed-Ökonomen ziehen läßt, ist, daß sich die U.S.-Regierung mit dem Gold auf einen Kampf um Leben und Tod eingelassen hat. Wenn ein Ökonom des *Federal Reserve* ein offizielles Statement abgibt, ist dieses unbedingt mit der aktuellen *Federal-Reserve*-Politik abgestimmt. Andernfalls würde niemand es wagen, überhaupt eine solche Aussage abzugeben. Das erste Mal, als diese Politik etwas sichtbarer wurde, war während der Asien-Krise. Alles brach zusammen, von Aktienmärkten über Währungen bis hin zu Immobilien. Nur Gold saß fest im Sattel; genau wie bei ähnlichen Ereignissen in der Vergangenheit. Aber es war so spürbar, daß es denen, die den U.S.-Dollar zur *einzigen* Weltwährung erheben wollten, nicht entgangen war. Schließlich ist ein Angriff auf den U.S.-Dollar nicht unbedingt die richtige Medizin für den U.S.-Aktienmarkt.

---

[162] Dale Henderson, Vortrag bei der *Conference of the International Precious Metals Institute* (IPMI), Williamsburg, Virginia, 12. Juni 2000, im Internet unter www.LeMetropoleCafe.com, 21. September 2000.

[163] *Federal-Reserve*-Report von Dale Henderson und Ökonomen der *University of Chicago* und des *Amherst College*, Mai 2000, im Internet unter www.LeMetropoleCafe.com.

Es ist ein Teil der Anti-Gold-Manipulationsstrategie, Verkäufer von Gold immer namentlich bekannt zu machen. In manchen Fällen sogar dreimal: Zuerst, wenn der Verkauf angekündigt wird; ein zweites Mal, wenn der eigentliche Verkauf stattfindet, und ein drittes Mal, wenn der Verkauf abgeschlossen wird. Die Käufer bleiben jedoch eigenartigerweise immer anonym.

Vor 40 Jahren wurde ein ehemals sehr konservatives Land, Kanada, zu einem wichtigen Goldverkäufer. Warum sollte all das Gold in den Tresoren der Zentralbank gehalten werden, wo sich doch noch so viel mehr in der Erde befindet? Das Ergebnis dieser kurzsichtigen Politik spiegelt sich im Devisenkurs des kanadischen Dollar wieder, der vor 40 Jahren höher lag als der U.S.-Dollar, und das zu einer Zeit, als der U.S.-Dollar immer noch der König der Währungen war.

Das gleiche Denken herrscht in Australien vor. Es ist kein allzu großes Wunder, daß die australischen Goldminen zu den aggressivsten Hedgern und Terminverkäufern in der Goldminen-Industrie zählen. Unter mysteriösen Umständen verkaufte Australiens Zentralbank, die *Reserve Bank of Australia*, im Jahre 1997 167 Tonnen Gold für eine Gesamtsumme von 2,4 Milliarden australische Dollar.

Zwei andere bedeutende Goldverkäufer waren Belgien und die Niederlande, die »ihr Haus in Ordnung bringen« wollten, bevor die EZB ihre Tätigkeit aufnahm. Belgien kündigte an, daß das Land die Einnahmen aus dem Verkauf von 200 Tonnen Gold zur Reduzierung seiner enormen Schuldenlast verwenden wolle. Gemäß einer Quelle mit höchstem Stellenwert wurden die Belgier »mit vorgehaltener Waffe« zum Verkauf gezwungen. Die sozialistischen Holländer verkauften 400 Tonnen, angeblich, um den Anteil des Goldes an ihren Reserven auf eine Linie mit Deutschland zu bringen. Andere Verkäufer dieser Zeit waren 1991/92 Rußland und der Irak, zwei Länder mit spezifischen eigenen Problemen. Während dieser zwei Jahre wurden offiziell insgesamt etwa 900 Tonnen amtliches Gold verkauft. Einige andere verkauften ebenfalls, und all das Gold fand Käufer!

Wenn Zentralbanken Gold verkaufen, entwerten sich ihre Währungen

Der australische und der kanadische Dollar sind anschaulicher Beweis dafür, was passiert, wenn Gold das Land verläßt. Beide Länder sind reich an natürlichen Bodenschätzen und sollten eigentlich an der Spitze der reichsten Nationen stehen. Doch Gold oder jeglichen anderen Rohstoff im Erdboden zu haben, macht ein Land noch nicht wohlhabend. Das beste Beispiel dafür ist Rußland. Australien und Kanada haben nie Krieg geführt, und doch sind beide Länder astronomisch hoch verschuldet. Besonders Kanada trägt eine erschreckend hohe Schuldenlast. Als Folge davon verloren die Währungen Australiens und Kanadas an Wert. Dabei wurden gleichzeitig die Ersparnisse und Pensionen der Menschen zerstört.

Dabei sollte nicht außer acht gelassen werden: Selbst wenn die Währungen keine Goldbindung mehr haben, so ist es kein Zufall, daß bestimmte Länder höhere Goldreserven haben als andere. In der Schweiz zum Beispiel wurden Goldreserven von den älteren Generationen durch harte Arbeit und Entbehrungen aufgebaut und nicht durch Spekulation. In Ländern, wo das Verschwenden von Goldreserven urplötzlich offizielle Politik wird, müssen wir davon ausgehen, daß eine fundamentale Veränderung der Philosophie stattfindet, eine eindeutige Wende zum Schlechteren.

Diese Situation wird langsam sichtbar im vormals konservativsten aller Länder — in der Schweiz. Die Schweiz ist in den Währungskrieg eingetreten, und damit in den Abwertungskrieg. Die neue Goldpolitik des Landes läßt sich nur vor diesem Hintergrund verstehen: Die Währung verbilligen, um der Exportindustrie zu helfen. Der beste Weg zur Umsetzung einer solchen Politik war schon immer der Verkauf von Gold gegen Papiergeld. Und da dies als Nebeneffekt auch hilft, den Goldpreis zu drücken, schlägt die SNB tatsächlich zwei Fliegen mit einer Klappe. Aber was am wichtigsten ist, sie schlachtet damit die Gans, welche die goldenen Eier legt.

Die Verschwörungstheorie

»Warum verkaufen Zentralbanken eigentlich Gold — oder spielen sie mit diesen Aktionen in die Hände von Short-Verkäufern«, fragt der französische Chronist und Finanzexperte Paul Fabra.[164] Er bezieht sich auf die zunehmende Besorgnis der Öffentlichkeit über Zentralbankverkäufe.

Meiner Ansicht nach ist der Artikel so kristallklar und einleuchtend, daß er in jeder Zeitung der Welt abgedruckt werden sollte. Der Autor war mit Präsident de Gaulle und dem Währungsexperten Jacques Rueff bekannt. Er kommt zu der Schlußfolgerung, daß die Zentralbanken Gold verkaufen, um im Gegenzug immer volatilere Staatsanleihen zu erwerben und damit ein gefährlicheres Spiel als jemals zuvor spielen. »Performance« lautet der Name dieses Spiels an der Wall Street. Indem Zentralbanken Gold verkaufen (ihr einziges Anlagegut mit wirklichem Wert!), um ungedecktes Papiergeld von jemandem anderen zu kaufen, im Tausch für ziemlich magere Renditen, riskieren die Zentralbanken (welche immer liquide sein sollten) Zahlungsunfähigkeit! Paul Fabra fragt:

> »Ist es immer noch möglich, von langfristigen Reserven zu sprechen, wenn der kurzfristige Gewinn Priorität vor Sicherheit genießt? Nein, denn in einer Welt, in der echtes Geld mit ungedecktem Papiergeld ersetzt wird und Währungsreserven mehr und mehr aus ungedecktem Papiergeld anderer Länder bestehen, gleicht das internationale Währungssystem einem Kartenhaus.«[165]

Fabra fährt fort:

> »Niemand ist dabei weiter gegangen als die *Schweizer Nationalbank*, die historisch gesehen für ihre Vorsicht bekannt war. Selbst bevor sie ihr Gold verkaufte, konvertierte sie große Teile ihrer Devisen (hauptsächlich in Form von U.S.-Schatzwechseln) in ausländische Staatsanleihen (amerikanische, deutsche, japanische und niederländische). Im Frühjahr 1999 kündigte die Bank von England an, daß die Erlöse aus ihren Goldverkäufen auf dieselbe Weise verwendet würden. Indem sie in Staatsanleihen investieren, übersehen sie die Tatsache, daß Anleihemärkte gefährliche Plätze geworden sind. Das wurde 1994 ganz klar bewiesen.

---

[164] Paul Fabra, »Les banques centrales jouent-elles à la baisse de l'or?«, *Les Echos* (Paris, 16. Mai 1999).
[165] Ebenda.

Aber ihre schlimmste Aktivität ist sicherlich das billige Verleihen von Gold, das dann durch den Kreditnehmer verkauft und entweder in U.S.-Schatzanleihen mit höherer Verzinsung oder sogar in Aktien investiert wird. Schon jetzt hat dieser sogenannte ›Gold Carry Trade‹ den ›Yen Carry Trade‹ ersetzt, bei dem niedrig verzinsliche Yen auf dem Markt ausgeliehen wurden, nur um sofort wieder verkauft und in hoch verzinsliche U.S.$- oder GB£-Anleihen investiert zu werden. Das Borgen von Waren und Gütern, das seit dem Mittelalter nicht mehr betrieben wurde, war neu erfunden worden, aber dieses Mal ausgestattet mit all den ausgefeilten Techniken des modernen Investmentbankings. Zentralbanken gehen ein hohes Risiko ein, wenn sie ihr Gold [was ja das Vermögen ihrer Länder und Bürger repräsentiert! d. Verf.] für einen mageren Zinssatz von etwa 1,5 bis 1,9 % über Zwischenhändler an Hedge-Fonds oder Goldminen verleihen, bevor diese überhaupt irgendwelches Gold produziert haben. Indem sie ihr Gold auf diese Weise verleihen, welches dann auf Termin oder leer verkauft wird, werden Zentralbanken selber zu Verkäufern à la Baisse und drücken somit ihrerseits auf den Preis ihrer einzigen Anlage von echtem Wert — Gold! Nicht minder abscheulich ist, daß sie damit nicht nur den Wert ihres eigenen Vermögens, sondern zusätzlich auch noch den Wert der Ersparnisse von Millionen Menschen rund um den Globus nach unten drücken.«[166]

Die Torheiten des IWF

Eine der schlimmsten Lügen war der vorgeschlagene Verkauf von Teilen des IWF-Goldschatzes, um angeblich den Volkswirtschaften der Entwicklungsländer zu helfen. Am Montag, dem 15. März 1999, eröffnete der französische Präsident Chirac das Feuer. Am nächsten Tag begann Präsident Clinton zu schießen. Am dritten Tag schloß sich der U.S.-Finanzminister Rubin, ein ehemaliger Partner der Wall-Street-Firma *Goldman Sachs*, den beiden an: »Der *Internationale Währungsfonds* wird aller Wahrscheinlichkeit 5–10 Millionen Unzen Gold

---

[166] Paul Fabra, »Les banques centrales jouent-elles à la baisse de l'or?«, *Les Echos* (Paris, 16. Mai 1999).

verkaufen, um ein Programm zum Schuldenabbau zu finanzieren, wobei diese Verkäufe marktschonend durchgeführt werden sollen.«[167]

Wenn das nicht Manipulation ist, dann weiß ich auch nicht, was es sonst ist. Alle drei hatten zur selben Zeit dieselbe brillante Idee. Daß die meisten dieser Entwicklungsländer zufällig auch Gold produzierende Länder waren, spielte keine Rolle. Eine weitere Verschlechterung am Goldmarkt und ein tieferer Goldpreis konnten in Ländern wie Südafrika, Ghana, Mali, Peru, etc. nur noch weiteren wirtschaftlichen Schaden anrichten.

Der IWF-Vorschlag wurde offen als ein weiterer Akt der Manipulation des Goldmarktes kritisiert. Glücklicherweise stieß der Vorschlag der Clinton-Administration im Kongreß auf starken Widerstand. Er wurde als unangebracht und potentiell aggressiv angesehen. Der Kongreßabgeordnete Jim Saxton vom *Joint Economic Committee* sagte, daß erneute IWF-Verkäufe den Kreditmarkt weiter verzerren und zu Vermögenstransfer zu Lasten von Steuerzahlern zu einigen wenigen ausgesuchten Reichen führen würde, wie zum Beispiel Behörden von unfähigen und oftmals korrupten und brutalen Regierungen, überbezahlten internationalen Bürokraten, welche keine Steuern entrichten, und von Wall-Street-Parasiten.[168]

Dies ist ein Paradebeispiel, wie ganze Nationen durch genau den Mechanismus geschädigt werden, der vorgibt, ihnen zu helfen. So sollte zum Beispiel dieser Schuldenabbau-Vorschlag vor allem Ghana als einem als hochverschuldet klassifizierten HIPC-Land (Heavily Indebted Poor Countries) unter die Arme greifen. Das Problem ist nur, daß Gold 40% der Gesamtexporte Ghanas ausmacht. Aber der Goldpreis würde gerade durch den Verkauf von IWF-Gold, das angeblich die Mittel für das Schuldenabbauprogramm bereitstellen sollte, heruntergedrückt.

Solch ein Manöver destabilisierte auch Südafrika, den größten Goldproduzenten der Welt. Selbstverständlich wurden Goldproduzenten

---

[167] »IMF Folly«, *The Northern Miner* (Don Mills, Canada), 29. März bis 4. April 1999, S. 4.

[168] Aussage des Kongreßabgeordneten Ron Paul, »Clinton Administration Proposal that IMF Sell-Off Gold Holdings«, im Internet unter www.house.gov/banking/31799pan.htm, 17. März 1999.

in den USA, Australien und Kanada ähnlich hart getroffen. Die Wahrheit ist, daß die ganze Manipulation die Minenindustrie und den Steuerzahler Milliarden von Dollar kostete und eigentlich als Verbrechen
angeprangert werden sollte.

Die schwersten Geschütze, die gegen Gold und den Goldpreis
aufgefahren wurden, waren sicherlich zwei Ereignisse, die im folgenden noch detailliert behandelt werden. Diese waren zum einen der
Verkauf von schweizerischem Gold und zum anderen die Auktionsver-
käufe der Bank von England.

Die Medien sind Anti-Gold oder
Was zuletzt glänzt, glänzt am besten

Jahrzehntelang unternahmen die Medien der vorherrschenden
Machtblöcke alles, dem Thema Gold entweder aus dem Weg zu gehen
oder Gold schlecht zu machen. Das deutsch-schweizerische Fernsehen
hatte schon vor Jahren aufgehört, über den Goldpreis zu berichten. Die
Neue Zürcher Zeitung ist nicht besser. Als der südafrikanische Goldmi-
nen-Index 1999 seine Zusammensetzung änderte, wurde die Berichter-
stattung schlicht fallengelassen. Der Kurs der Aktie *Western Areas Ltd.*
wurde eines schönen Tages nicht mehr veröffentlicht, obwohl es sich
um die goldreichste Mine der Welt handelt, die noch 70 Jahre Gold
produzieren wird. Dafür wird neuerdings der Kurs von *Durban Deep*
gebracht, einer marginalen Gesellschaft, über die der Südafrika-Korre-
spondent der *Neuen Zürcher Zeitung* noch nie etwas Gutes zu berichten
hatte. Seitenweise werden die Preise für Derivate und Optionen aufge-
listet, doch den neuen S.A.-Gold-minen-Index sucht man vergeblich.
Zum Glück wird wenigstens der australische Minen-Index immer noch
angegeben.

Selbst *Barron's* hat sich verändert. Es gibt keinen Robert Bleiberg mehr, der ein großer Leitartikler und ein Mann war, der die
Funktion des Goldes als Währungsmetall verstand. Die Leute, die
heutzutage Kommentare übers Gold abgeben, haben keine Ahnung,
was Geld wirklich ist, und es ist zweifellos besser, über sie keine Zeit
zu verlieren. Die *Toronto Globe and Mail* veröffentlichte am 11. Mai
1999 einen Leitartikel mit der Überschrift »Gold No Longer Glitters«.
Der Artikel bejubelte den Goldverkauf der Zentralbanken als »sinnvol-

le und längst überfällige Maßnahme«. Er erwähnte besonders, daß Kanada seit den 1980er Jahren den größten Teil seiner monetären Goldreserven über einen Zeitraum von 15 Jahren verkauft hatte.[169] Professor Antal Fekete von der *Memorial University of Newfoundland* antwortete auf den Artikel in einem Brief an den Redakteur wie folgt:

>»Wie wahr dies ist — und man sieht es dem kanadischen Dollar auch an!
>Während der gleichen Zeitperiode hat der kanadische Dollar im Vergleich zum U.S.-Dollar ein Drittel seines Wertes verloren. Dieser hat wiederum neun Zehntel seiner Kaufkraft eingebüßt, was ganz nebenbei ein direktes Resultat der Nichterfüllung ihrer internationalen Goldverpflichtungen durch die USA im Jahre 1971 war — eine Tat, die in Ihrem Leitartikel beschönigend als ›Auflösung der Goldbindung‹ bezeichnet wird.«[170]

»Goldener Schrott« oder »Ende des Goldenen Zeitalters«

Beide obige Überschriften sind Paradebeispiele für die vielen Anti-Gold-Artikel, die in der bildungsarmen Finanzpresse erschienen. Fast täglich werden neue geschrieben, um die Wahrheit vor der Öffentlichkeit zu verbergen. Doch der preisgekrönte Kommentar mit Titel »Death of Gold« kommt von Kenneth Gooding. Er schrieb, daß »Gold schon immer mehr als ein bloßes Edelmetall war — Menschen verloren sogar ihr Leben dafür. Aber diese Zeiten sind längst vorbei. Gold ist in Ungnade gefallen und ist jetzt ein bloßes Metall und eine schlechte Anlage.«[171] Gooding ist ein Mann, der den größten Teil seines Arbeitslebens damit verbrachte, Gold schlecht zu reden — ein Problem, das wohl nur ein Psychologe erklären kann.

Ein Oskar für die beste und längste Hetze gegen das Gold

Peter L. Bernstein schrieb ein ganzes Buch, um zu beweisen, daß der Goldstandard keinen Sinn mehr macht. Wann immer er konnte,

---

[169] Leitartikel der *Globe and Mail*, Toronto, 11. Mai 1999.
[170] Briefe an den Chefredakteur der *Globe and Mail*, Toronto, Mai 1999.
[171] Kenneth Gooding, »Death of Gold«, *Financial Times*, London, 13./14. Dezember 1997, S. 1.

machte er sich über die Bedeutung des Goldes als Währungsmittel
lustig. Zur Bekräftigung seiner Ansichten bezog er sich sogar auf den
ehemaligen britischen Premierminister Benjamin Disraeli, der einer
Gruppe Glasgower Händler sagte, daß

>»es der größte Irrglaube der Welt sei, die kommerzielle
> Vormachtstellung und den Wohlstand Englands dem Goldstandard
> zuzuschreiben. Unser Goldstandard ist nicht die Ursache, son-
> dern das Resultat unseres kommerziellen Wohlstandes«.[172]

Politiker lagen, was Gold angeht, häufiger falsch als richtig, und
es ist eine historische Tatsache, daß Premierminister Disraeli, der sein
ganzes Leben lang ein großer Romantiker geblieben war, es mit den
Tatsachen nicht immer genau nahm. Dies war keine Tragödie, denn er
hatte einen Rothschild als Berater.[173]

Lassen Sie uns zum Zwecke der Argumentation einen anderen
Historiker, Lord William Rees-Mogg, zitieren:

>»Das Argument, das mich im Falle Gold überzeugte, war,
> daß es funktionierte. (…) Zunächst einmal sollte man die briti-
> sche Geschichte untersuchen. Von der Restauration durch König
> Charles II. im Jahre 1660 bis zum Ausbruch des I. Weltkriegs
> operierte Großbritannien auf einem uneingeschränkten Gold-
> standard. (…) Von 1661 bis 1913, mit Ausnahme der Napoleoni-
> schen Periode, gab es eine vollständige interne und externe Kon-
> vertibilität in Gold, so vollständig, daß alle anderen Formen von
> Geld einfach als bequeme übertragbare Quittungen für Gold
> angesehen werden können. Gold war Geld und Geld war Gold.
> (…) Das britische Preissystem während dieser Zeit war nicht nur
> stabil, sondern hatte eine kräftige Tendenz, sich stets in Richtung
> eines Gleichgewichts einzupendeln. (…) Diese lange Zeitperiode
> kann nicht als ereignislos abgestempelt werden. (…) Tatsache
> bleibt, daß in dieser ganzen Periode von 252 Jahren die Preise um
> 10% von 100% im Jahre 1661 auf 91% im Jahre 1913 gesunken

---

[172] Peter L. Bernstein, *The Power of Gold* (New York: John Wiley & Sons, Inc.,
2000), S. 258.
[173] Robert Blake, *Disraeli* (London: Eyre & Spottiswoode, Publishers Ltd.,
1966).

waren. Mit anderen Worten: Während dieser gesamten Zeit, in der Gold als Geld benutzt wurde, waren die Preise stabil. (Quelle: *The Economist*, 13. Juli 1974.)

Man sollte jedoch nicht nur auf die britische Geschichte schauen. In der Geldgeschichte der USA haben wir kürzere Phasen und häufigeres monetäres Experimentieren. Von 1879 bis 1914 war der Dollar zu einem fixierten Verhältnis, das gesetzlich festgelegt und in der Praxis aufrechterhalten wurde, in Gold konvertierbar. Die graphische Darstellung Nr. 62 im Buch *A Monetary History of the United States* von Friedman und Schwartz zeigt das hohe Maß an Stabilität der Großhandelspreise in dieser Zeitperiode, völlig vergleichbar mit der Stabilität in Großbritannien.«[174]

Bernsteins oberflächliche und unwahre Aussagen können ebenfalls durch die Beispiele Deutschland und Schweiz leicht widerlegt werden. Das deutsche Wirtschaftswunder beruhte auf Ludwig Erhards erfolgreicher D-Mark. Die Schweiz hätte ohne den Schweizer Franken nie das führende Bankenzentrum und eine Industriemacht mit dem höchsten Bruttosozialprodukt pro Kopf auf der Welt werden können. Bernstein wird auch von John Maynard Keynes widerlegt. In seinem *Tract on Monetary Reform* aus dem Jahr 1923 sagte Keynes folgendes:

> »Der heutige individualistische Kapitalismus (…) setzt einen stabilen Wertmaßstab voraus und kann ohne einen solchen nicht effizient funktionieren, ja vielleicht nicht einmal überleben.«[175]

Bernstein scheint auch sonst nicht ganz auf der Höhe zu sein, indem er den Gold-Devisen-Standard von 1922 und den Gold-Dollar-Standard aus dem Jahre 1944 mit dem klassischen Goldstandard des 19. Jahrhunderts verwechselt.[176]

---

[174] Sir William Rees-Mogg, *The Reigning Error* (London: Hamish Hamilton Ltd., 1974), S. 68–71.
[175] John Maynard Keynes in: Tract on Monetary Reform (1923) zitiert in: *The Reigning Error* von Sir William Rees-Mogg, S. 258.
[176] Peter L. Bernstein, *The Power of Gold*, S. 68.

Gold und Kultur

Immer wieder stellt sich die Frage: Werden die Kampagnen der Desinformation gegen das Gold von einzelnen oder von machtvollen Gruppen orchestriert, die das gesamte Gold aufkaufen wollen; oder verhält es sich so, weil Politiker und die Leute, die ihre Kampagnen finanzieren, die Menschen dahingehend beeinflussen wollen, daß sie an Fiat-Money und Papiergeld-Märchen glauben, nur um die Schuldenströme noch stärker fließen lassen zu können? Zuallererst ist es der Finanzsektor und nicht notwendigerweise die Regierung, der den meisten Nutzen aus ungedecktem Papiergeld zieht und deshalb will, daß sich das Karussell lustig weiter dreht. Ist die Welt in diese Falle geraten, oder hat sie sich nur verlaufen, indem die Menschheit die Geld-Lektionen ihrer eigenen Geschichte vergessen hat?

Ist es ein Zufall, daß Handels- und Währungskriege in einer Zeit dominieren, wo Gesetz und Ordnung zu einem Ding der Vergangenheit werden und ganze Nationen politisch und wirtschaftlich destabilisiert sind? Hat die Welt ihren moralischen Bezugsrahmen zur selben Zeit verloren, als ihr Währungssystem zusammenbrach? Oder ist die Welt nur durch einen dummen Zufall in dieses Chaos hineingeschlittert, Stück für Stück und zur gleichen Zeit, wie sie ihre moralischen Wurzeln und ihre Sensibilität für die Geschichte verlor? Wenige Geschichtsbücher befassen sich mit der Geldgeschichte. Was war der Grund für die Kultur, den Aufstieg und Wohlstand der Renaissance, das dunkle Mittelalter ein für alle Mal hinter sich zu lassen? Wie konnte England zu einem Weltreich aufsteigen? Nur durch sein Schwert? Nein, es hatte das bessere Währungssystem, und dieses basierte auf Gold. Eine zweite, noch provokantere Frage: Warum hat England eigentlich sein Weltreich verloren?

Die Bank von Frankreich über Gold

In einer im Mai 1997 veröffentlichten Studie des *World Gold Council* erklärte A. Duchâteau, Abteilungsleiter des Devisen- und Reserven-Management der *Banque de France*, warum Zentralbanken Gold als Garantie für ein vorsichtiges Währungsmanagement halten. Hier ein Auszug seiner Äußerungen:

»Es besteht ein großer Unterschied zwischen der Einstellung von Spekulanten, die Gold wie eine Ware behandeln, etwa wie Öl oder andere Metalle, und der von Währungsbehörden, die Gold mit großer Vorsicht behandeln, da in den Augen der Öffentlichkeit Goldreserven eine der Grundlagen sind, welche das Vertrauen in die Währung solide untermauern.

Goldreserven sind ein Zeichen monetärer Souveränität. Währungsbehörden griffen generell nur in Zeiten besonders dramatischer, wirtschaftlicher und sozialer Krisen auf ihre Goldreserven zurück.

Die Goldreserven der Zentralbanken dienen als Versicherung gegen größere Störungen im internationalen Währungssystem. In dieser Hinsicht ist es aufschlußreich, daß der letzte scharfe Anstieg des Goldpreises Anfang der 1980er Jahre zeitlich zusammenfiel mit der Befürchtung eines Zusammenbruchs des Bankensystems als Resultat der lateinamerikanischen Schuldenkrise. [Siehe auch den Fall des deutschen Kredits an Italien; d. Verf.]«[177]

Pourvu que cela dure ... oder hoffen wir, daß die französische Zentralbank ihre Politik nicht ändert.

Zentralbanken handeln töricht

Meinungen und Psychologie sind auf dem Goldmarkt zwei wichtige Faktoren. Wenn Aktienmärkte florieren, besteht in der Regel kein großes Anlageinteresse an Gold. Dies sind dann optimale Gelegenheiten, den Preis des Metalls zu manipulieren. Wie noch später in diesem Buch berichtet wird, verbreitete sich im November 1996 die Nachricht, daß die Schweiz ihre riesigen Goldreserven flüssig machen würde. Der Goldpreis lag damals bei ungefähr $ 386. Zu diesem Zeitpunkt betrug die von Zentralbanken und offiziellen Institutionen, einschließlich des IWF und der BIZ, gehaltene Gesamtmenge an Gold 34 726 Tonnen. Bei einem Preis von $ 386 pro Unze waren diese offiziellen Reserven mit $ 416 Milliarden bewertet. Am nächsten Tag fiel der Preis auf $ 376 je Unze — ein Buchverlust von mehr als $ 11 Milliarden. Der Goldpreis erholte sich daraufhin nicht mehr und

---

[177] A. Duchâteau, *Central Banking and the World's Financial System* (London: World Gold Council, Mai 1997), Nr. 15, S. 52–54.

sank auf ein Niveau zwischen $ 290 und $ 300 herab, wo er sich stabilisierte und monatelang verharrte. Bei $ 300 pro Unze lag der Gesamtwert aller offiziellen Reserven noch bei $ 324 Milliarden.

Als die *Bank of England* im Frühjahr 1999 ankündigte, daß sie einen großen Teil ihres Goldes auf Auktionen verkaufen wolle, lag der Goldpreis bei ungefähr $ 295 und kämpfte, um die psychologisch wichtige $-300-Hürde zu überspringen. Die Ankündigung führte auf dramatische Weise eine weitere Schwäche herbei, die durch massive Verkäufe von spekulativen Fonds noch verstärkt wurde. Als der Goldpreis den Tiefpunkt bei $ 250 erreichte, war der Gesamtwert der offiziellen Reserven auf $ 270 Milliarden gefallen, d. h., seit der Ankündigung durch die Schweizer war ein Verlust von sage und schreibe $ 146 Milliarden eingetreten.

Dabei wird ein anderer Aspekt völlig übersehen. Es gibt eine riesige und wachsende Differenz zwischen der weltweiten Goldproduktion und der Nachfrage nach Gold. Ohne Zentralbankverkäufe und Ausleihungen wäre der Goldpreis längst nicht so gedrückt. Aufgrund der fortwährenden Wertminderung der Währungen kann mit Gewißheit gesagt werden, daß Gold unter freien Marktverhältnissen (die es nicht gibt) höher bewertet wäre, als es heute der Fall ist. Bei einem Preis von $ 500 hätte das gesamte offizielle Gold einen Wert von etwa $ 540 Milliarden. Das sind über $ 200 Milliarden mehr als der damalige Wert von $ 270 bis 280 Milliarden. Es handelt sich also um einen enormen Betrag, wenn man berücksichtigt, daß Zentralbanken mit Goldausleihungen nur etwa $ 500 Millionen bis maximal $ 1 Milliarde im Jahr verdienen. Mit ihren Goldausleihungen riskieren sie obendrein, ihr Gold nie wieder zu sehen, sollte es bei Deckungskäufen zu Engpässen am Markt kommen (sogenannte »Short Squeeze«).

Was haben die Zentralbankiers wirklich vor?

Kein normaler Geschäftsmann würde vorsätzlich so handeln, daß er den Preis seiner wertvollsten Vermögensanlage selbst drückt. Daher sollten es Zentralbankiers eigentlich besser wissen. Und wahrscheinlich wissen sie es auch besser. Sie wissen auch hundertprozentig, daß ihr zur Schau gestellter Kampf gegen die Inflation nur dazu dient, eine leichtgläubige Öffentlichkeit zu besänftigen und zu täuschen. Woran

Zentralbankiers wirklich interessiert sind, ist ein anhaltendes Funktionieren ihrer jeweiligen Bankensysteme. Diese Vereinbarungen ermöglichen den Banken enorme Einkünfte — 1999 etwa $ 350 Milliarden netto nach Abzug der Zinskosten in den USA allein[178] —, immer vorausgesetzt, daß das Scheingeldsystem erhalten bleibt. Um diese unverdiente und nicht erarbeitete Bonanza weiterhin ausbeuten zu können, muß Goldgeld, d. h., das, was die Menschen in einem freien Markt wählen würden, in Verruf gebracht, zerstört und eliminiert werden.

Der amerikanische Finanzexperte Richard M. Pomboy gab 1997 in einem offenen Brief an die *Financial Times* wie auch an das *Wall Street Journal* eine überzeugende Antwort:

> »Warum tun sie [die Zentralbanken] das? Vor allen Dingen, da viele Zentralbanken Preisschwankungen ihres Goldes nicht verbuchen. Nichtsdestoweniger ist der Wertverlust eine Tatsache, ganz gleich, wie sie ihre Buchführung gestalten. Zweitens, einige westliche Zentralbanken mögen das Gold nicht, weil es diszipliniert und als Wertaufbewahrungsmittel dient. Zudem weil dies im Widerspruch steht zur herrschenden Auffassung, daß die Zentralbankiers selbst das korrekte Gleichgewicht des Geldsystems kennen, welches erforderlich ist, um nicht-inflationäres Wachstum zu erzielen.
>
> Wir leben in einer Ära, in der Papiervermögen nicht hinterfragt werden und das Vertrauen in Zentralbankiers auf dem Zenit steht. Der dritte Grund für diese Goldaktivität könnte sehr wohl der Wunsch westlicher Zentralbanken sein, Gold gegenüber Regierungsanleihen als weniger attraktiv darzustellen, da man ja schließlich die Anleihen braucht, um Defizite zu finanzieren. Schlußendlich werden Zentralbanken und Produzenten dazu ermutigt, über Goldhändler zu verkaufen, die unablässig negative Kommentare über das Gold abgeben, damit sie auch genügend Verkaufsaufträge erhalten.«[179]

---

[178] $ 350 Milliarden repräsentieren das Bruttoeinkommen abzüglich der Zinskosten.

[179] Richard M. Pomboy, »An open letter to central bankers, gold mining companies and gold investors«. Anzeige in der *Financial Times* (London) und dem *Wall Street Journal*, 9. Juni 1997.

Ein japanischer Bankier, der seine Identität nicht preisgeben wollte und den ich 1999 auf einer Konferenz des *World Gold Council* in Paris kennengelernt hatte, vertraute mir an, daß Japan nicht frei sei, Gold zu kaufen, solange U.S.-Kriegsschiffe im Pazifik kreuzen würden, um Japans »Sicherheit« zu gewährleisten.[180] Das Gleiche trifft wahrscheinlich auch für Taiwan zu.

Solche Aussagen sind schwer zu überprüfen, erscheinen jedoch plausibel, wenn man bedenkt, daß kürzlich Länder wie Kuwait, Sri Lanka, Bangladesch, Uruguay (einst so wohlhabend, daß man es die Schweiz von Südamerika nannte) und Jordanien überredet wurden, ihr physisches Gold zu verleihen und zu verkaufen.

»Die Paten des billigen Geldes«

In einem gedanklich klaren Artikel unter dem obigen Titel sagte ein amerikanischer Universitätsprofessor, daß Zentralbanken von sich behaupteten, Bollwerke zum Schutz ihrer Währungen zu sein.[181] In Wirklichkeit waren sie oft die eigentliche Ursache der Krisen, wobei sie sich deren Lösung dann als ihr Verdienst anrechnen ließen. Als die Notenbankiers Mitte der 1920er Jahre die Regeln des Goldstandards brachen und durch einen Gold-Devisen-Standard ersetzten, gestatteten sie damit effektiv ihren Banken, eigenes, nicht einlösbares Scheingeld zu schöpfen. Dies bereitete den Boden für die Weltwirtschaftskrise vor. Heute sind ähnliche Mechanismen am Werk. Zentralbanken verkaufen oder verleihen ihr Gold zu einem Zeitpunkt, in dem die Finanzmärkte einem Kartenhaus ähnlich sind. Dies stellt eine Verantwortungslosigkeit dar.

Aus diesen wenigen Darlegungen können wir nur folgern, daß Zentralbanken keine naturgemäßen Freunde des Goldes sind; oder wie bereits angemerkt, die »Kreditgeber in letzter Instanz«-Rolle, die Daseinsberechtigung des Notenbankwesens, ist mit dem Goldstandard unvereinbar.

Wenn man den Notenbankiers nicht trauen kann und sie nicht in der Lage sind, das Volksvermögen, von Generationen hart erarbeitet, in

---

[180] Siehe auch Paul Volcker und Toyoo Gyohlen, *Changing Fortunes* (NY: New York Times Books, 1992).

[181] »Godfathers of Easy Money«, *Financial Times*, London, 21. Oktober 1998.

vertrauenswürdiger Manier zu verwalten, dann gehören sie einfach nicht an diesen Platz. Ich vermute jedoch, daß sie die Lehren der Geschichte einfach vergessen haben. Doch was treibt die Bullion-Banker an?

Ihr einziges Motiv ist »Geld verdienen«. Sie verdienten sich eine goldene Nase mit dem Gold Carry Trade. Indem sie sich von den Zentralbanken Gold zu einem Zinssatz von ca. 1% liehen, dann das Gold sofort wieder verkauften (wodurch sie den Goldmarkt mit einem künstlichen Angebot überfluteten) und den Erlös in Staatspapiere zu 5% anlegten, konnten riesige Vermögen erzielt werden. Wer könnte ihnen da etwas vorwerfen?

Es war der Vorsitzende des *Federal-Reserve*-Systems selbst, Alan Greenspan, der sie dazu einlud, als er am 24. Juli 1998 vor dem *House Banking Committee* und ein weiteres Mal am 30. Juli 1998 vor dem *Senate Agriculture Committee* erklärte, daß »… die Zentralbanken bereitstehen, Gold in zunehmenden Mengen zu verleihen, falls der Preis steigen sollte«. Indem man erlaubte, den Goldpreis in nie dagewesener Weise zu manipulieren, schufen die Notenbanken die Grundlage für das größte monetäre Trauerspiel der Geschichte.

Niemanden kümmerte es, daß die manipulierenden (eine harte, aber wahre Einschätzung) Regierungen, Notenbanken und Bullion-Banken den Verlauf des freien Marktes vollständig ignorierten. Profitgierigen Bullion-Banken wurde es gestattet, auf Gewinne zu greifen, die eigentlich den Goldminenunternehmen, ihren Aktionären, Minenarbeitern und nicht zuletzt den armen goldproduzierenden Ländern gehört hätten. Während der ganzen letzten 40 Jahre, während deren der Goldmarkt bis zum heutigen Tage offen manipuliert wird, hat keine der Goldminen-Geschäftsleitungen jemals gegen die Unterdrückung des Goldpreises protestiert, und das, obwohl diese doch so offensichtlich ist.

Die Gold-Verschwörung nimmt eine Wendung zum Schlechteren

Aber vergessen wir nicht: Wir befinden uns nach wie vor im Krieg. Diejenigen unter uns, welche die unseligen Erfahrungen mit dem Gold-Pool miterlebt haben, können vergleichen. Wer waren in dieser Zeit die Gegner und Manipulatoren des Goldes? Es war in erster Linie das U.S.-Schatzamt, welches die anderen Notenbanken aufbot, den Goldpreis niedrig zu halten. Wegen des steigenden U.S.-Zahlungsbilanzdefizits, das den Dollar schwächen und folglich das Bretton-Woods-System gefährden würde, spielte Gold erneut seine historische Rolle als Barometer. Als der Goldpreis zu steigen begann, paßte dies den Notenbanken und den nationalen Regierungen ganz und gar nicht. Ganz offen wurde der Verkauf von Gold empfohlen und schließlich auch durchgeführt. Anstatt die Ursachen des Übels zu bekämpfen, zerstörten sie das Barometer.

Die vernunftmäßige Erklärung, weshalb Regierungen und Zentralbanken den Goldpreis immer wieder unterdrücken, ist zunächst einmal darin zu sehen, daß Gold ein politisches Metall ist. Seit es Geld gibt, haben Herrscher oder Regierungen sich immer wieder eingemischt. Heutzutage hat das U.S.-Schatzamt aus verschiedenen Gründen Angst vor Gold. Gold in seiner geschichtlichen Rolle als Währung ist fundamental unvereinbar mit dem modernen Finanzsystem, das auf dem ungedeckten Dollar beruht. Seit dreißig Jahren — seit Präsident Richard Nixon den U.S.-Dollar von seinem goldenen Rettungsanker trennte — haben Abwertungen und Instabilität der Währungen skandalöse Ausmaße erreicht.

Sei 1971 ist keine Papierwährung mehr an Gold gebunden — mit Ausnahme des Schweizer Franken, der erst kürzlich seine Bindung zum Gold verlor. Das Ergebnis ist ein Schuldenaufbau astronomischer Größenordnung. Das heutige globale Papiergeld-System ohne Dekkung beruht auf nichts anderem als auf Vertrauen und der Hoffnung, daß die Schulden eines Tages zurückbezahlt werden. Das einzige, was dieses Vertrauen ernsthaft erschüttern könnte und folglich auch das Fundament des modernen Finanzsystems, wäre ein Anstieg (insbesondere ein scharfer Anstieg) des Goldpreises in U.S.-Dollars. Die Notenbanken, ganz gleich, ob sie nun eine Menge, ein bißchen oder gar kein Gold haben, wollen keinen Anstieg des Goldpreises sehen, weil sie Angst vor der Botschaft haben, welche dieser für die Märkte haben würde. Außerdem würde es ernsthafte Konsequenzen für diejenigen Geschäftsbanken haben, die gold-»short« sind, d. h. à la Baisse verkauft haben.

Sollte Amerika diese Situation ändern? Aufgrund der monetären Abmachungen, welche nach dem Tode des Bretton-Woods-Systems entstanden, ist das U.S.-Handelsbilanzdefizit dramatisch angeschwollen. Wir haben den »Point of No Return« bereits hinter uns gelassen. Und die Lage verschlimmert sich fortlaufend weiter. Unter dem gegenwärtigen, lebensgefährlichen U.S.-Dollar-Standard können Amerikaner alle Güter dieser Welt mit nicht einlösbaren Papierdollars kaufen. Einige dieser Dollar kehren wieder nach Hause zurück, indem sie von ausländischen Investoren an U.S.-Kapitalmärkten angelegt werden. Kann das Land eine negative Sparrate für immer aufrechterhalten? Haben die Amerikaner nunmehr einen Weg gefunden, die Gesetze der Wirtschaft auszuschalten oder auf den Kopf zu stellen? Natürlich nicht. Es ist und bleibt eine beängstigende Situation. Das amerikanische Volk kann Jahr für Jahr damit fortfahren, mehr zu konsumieren, während es immer weniger spart, nur deshalb, weil unsere gegenwärtigen ungerechten internationalen Währungsabmachungen einigen Marktteilnehmern, insbesondere dem Finanzsektor, ermöglichen, auf heimliche Weise den Reichtum anderer abzuschöpfen. Es ist daher verständlich, daß gewisse Regierungsplaner und Bürokraten glauben, daß es das beste wäre, wenn es nur noch eine Währung gibt und jedermann den U.S.-Dollar als Währung übernimmt, womit unser aller Leben sich stark vereinfachen würde.

Ecuador ist das erste Versuchskaninchen, das seine Wirtschaft dollarisiert, indem es den U.S.-Dollar als offizielle Währung angenommen hat. Andere werden vielleicht folgen; auf eigenes Risiko. Wie das kürzliche Beispiel Argentinien gezeigt hat, kann der Versuch, die Wirtschaft zu stabilisieren, indem man den Peso an die U.S.-Währung koppelt, wie ein Schuß nach hinten losgehen. Die Clinton/Rubin-Politik eines starken U.S.-Dollar riß die Wirtschaft Argentiniens buchstäblich in Stücke.

Barry Riley schrieb in der *Financial Times*:

> »Die Währung eines anderen Landes anzunehmen, ohne gemeinsame Richtlinien abzustimmen, ist sehr gefährlich. Solch ein grober Fehler brachte Großbritannien in den frühen 1990er Jahren in ernsthafte Schwierigkeiten, als Deutschland, dessen Konjunktur sich nach der Wiedervereinigung überhitzte, die Zinssätze für den europäischen Wechselkurs-Mechanismus festlegte.

Nun, wir können nicht erwarten, daß sich die U.S.-Regierung irgendwelche Sorgen um die argentinische Wirtschaft macht, da sie kaum Rücksicht auf ihre eigene zu nehmen scheint.«[182]

Die Idee eines Weltwährungssystems, das zunächst aus ein paar wenigen Währungsblöcken (Dollar, Yen, Euro) und später aus einer einzigen Währung für alle besteht, wurde offensichtlich von irgendeinem Regierungs- oder IWF-Ökonomen ausgedacht. Die ganze Welt hätte dann dieselbe Währungspolitik »made in Washington, D. C.«. Dies ist einer der zentralen Gründe für den Krieg gegen das Gold. Gott schütze uns vor diesem alles verschlingenden Monster!

Die Gruppe der Master-Planer, die wegen ihres kurzfristigen Selbstinteresses die Welt so schnell wie möglich globalisieren will, hat sich mittlerweile nun schon so weit von der Realität entfernt und ist aufgrund maßloser Selbstüberschätzung schon so arrogant geworden, daß sie unfähig ist, die gegenwärtige Krise zu lösen, weil sie Gold nicht versteht. Diese Leute haben vergessen, daß es am Ende immer die Märkte sind, die triumphieren, und daß Gold die Wahl des freien Marktes ist. Doch wie bei jedem Krieg wird es am Ende viele Verlierer geben, und die Gewinner werden die sein, die Gold gekauft haben.

In der Zwischenzeit wurde das Waffenarsenal kräftig aufgestockt und verbessert. Der Gold-Pool der 1960er und die Schatzamt- und IWF-Auktionen der 1970er Jahre sind mittelalterliche Waffen im Vergleich zu den ausgeklügelten Systemen von heute. Die alten Waffen waren direkt in der Anwendung und Wirkung, und jeder wußte, was erwartet werden konnte. Die heutige Gold-Verschwörung ist eine heimliche, kalte und erbarmungslose Angelegenheit. Sie hat in den Goldproduktionsländern und der Goldminenindustrie nur Verwüstung hinterlassen.

Die Generäle, die den Kampf gegen das Gold führen, sind die erfahrensten und raffiniertesten, die die Weltfinanz je gesehen hat. Sie kämpfen mit Hilfe ihrer mächtigen Armee, die aus reichen Bullion-Banken und gigantischen Investment-Banken besteht. Sie verfügen sogar über eine Art »Fremdenlegion« in Form ausländischer Zentralbanken. Ihr modernes Waffensystem, der Derivate-Markt, versetzt sie

---

[182] Barry Riley, *Financial Times*, London, 14/15. Juli 2001, S. 20.

in die Lage, auf bloßen Knopfdruck hin eine enorme Feuerkraft freizu-
setzen. Es bleibt nur zu hoffen, daß sich diese Feuerkraft nicht in eine
Atombombe verwandelt.

Eine Gefahr dieser potentiellen »Atombombe« ist, daß die Generäle keine Kontrolle über diese Waffe haben. Eine weltweite Finanzkrise war und ist jederzeit möglich. Diese kann zerstörerischer sein als
jedes andere Drama, das die Menschheit je gesehen und durchlebt hat.
Wir könnten ein finanzielles Erdbeben einer Größenordnung erleben,
das die Welt mitsamt ihrem wirtschaftlichen und politischen Fundament bis ins Mark erschüttert und für immer verändert. Wäre es nicht
weise, daß diese weltklugen Generäle die wahre Gefahr bekämpften?
Gold ist nicht der Feind. Der Feind ist das Fehlen des klassischen
Goldstandards — ein System, das Wohlstand garantiert.

Dramatische Veränderungen an den Goldmärkten der 1980er und 1990er Jahre

In den letzten 40 Jahren hat es keinen freien Goldmarkt mehr
gegeben. In den 1960er Jahren wurde der Goldmarkt auf Geheiß des
U.S.-Schatzamtes, das den Goldpreis weiterhin gedrückt sehen wollte,
vom Gold-Pool der Zentralbanken kontrolliert. Zu jener Zeit diente der
Goldpreis als perfektes Finanzbarometer, das die kommende Dollarkrise signalisierte.

In den 1970er Jahren setzten das U.S.-Schatzamt und die IWF-
Auktionen dem Goldpreis wieder einen Deckel auf. Wie wir wissen,
schlugen alle Versuche fehl. Der Goldpreis, von Präsident Roosevelt
1934 bei $ 35 pro Unze fixiert, kletterte in den 1970er Jahren auf $ 850
pro Unze. Seit 1981 befand sich Gold in einem Bärenmarkt, jedoch
ging die Unterdrückung mit Hilfe von den zumeist unsichtbaren Händen der Regierungen und von Zentralbankverkäufen immer weiter.

Wegen der negativen Erfahrungen, die mit den fehlgeschlagenen
Interventionen der 1960er und 1970er Jahren gemacht wurden, dachte
man generell, daß die USA ihre Goldreserven, die auf gerade einmal
8100 Tonnen zusammengeschmolzen waren, nicht mehr anrühren würden. Man dachte auch, daß die USA es vorziehen würden, wenn sich
die Europäer von ihren Goldschätzen trennten. Dieser Glaube ist kürz-

lich erschüttert worden, weil es scheint, daß seit dem II. Weltkrieg keine einzige Buchprüfung mehr stattgefunden hat. Die offiziellen Angaben werden deshalb angezweifelt. Außerdem begannen sich Analysten Sorgen über Berichte zu machen, nach denen die Bezeichnung des im Besitz des U.S.-Schatzamtes befindlichen Goldes in den letzten zwei Jahren mehrmals geändert worden war.

Sie vermuteten, daß womöglich etwas Mysteriöses mit Amerikas Gold geschehen sei. Mitte der 1990er Jahre begann die U.S.-Regierung eine konzertierte Aktion, die auf den Goldpreis abzielte. Das war zu der Zeit, als das schweizerische Gold ernsthaft zur Zielscheibe wurde. In den letzten Tagen und Wochen von Bretton Woods befand sich die Schweiz unter jenen Ländern, die »frech« genug waren, im Austausch für ihre »überschüssigen« Dollar nach mehr amerikanischem Gold zu fragen. Es war ja damals auch ihr gutes Recht, dies zu tun.

Mit 2590 Tonnen Gold hatte die Schweiz einen der größten Goldschätze der Welt. Wegen dieser goldenen Garantie verfügte sie auch über die stärkste Währung. Einigen größeren Ländern mit schwächeren Währungen war dies ein Dorn im Auge. Dies war einer der Gründe, warum bestimmte Leute in höheren Stellen dachten, es wäre langsam an der Zeit, daß die altmodischen Schweizer endlich moderner werden sollten, indem sie die Hälfte ihres Goldes verkaufen — womit die Feinde des Goldes eine weitere Schlacht für sich entschieden hätten.

Neue Alliierte:
Bullion-Banken, Investment-Banken und Papier-Gold

Bevor der Besitz von Gold und der Handel mit Futures in den USA legalisiert wurden, war der *Winnipeg Commodity Exchange* der erste und einzige Gold-Futures-Markt. Als der Besitz von Gold in den USA am 1. Januar 1975 wieder legalen Status erhielt, änderte sich diese Situation grundlegend, und die Futures-Märkte in den USA und London übernahmen die Macht. Ein Monster war im Begriff heranzuwachsen, das schließlich nicht nur das physische Volumen in den Schatten stellte, sondern auch der Goldpreis-Beeinflussung und -Manipulation Tür und Tor öffnete, und das, ohne physisches Gold überhaupt ins Spiel zu bringen.

Es wird geschätzt, daß das Volumen des Futures-Marktes etwa 800 bis 1000 Tonnen *täglich* zählt, verglichen mit einer *jährlichen* Neuproduktion der Minen der Welt von etwa 2500 Tonnen. Das Werkzeug, welches es ermöglicht, den Goldpreis auf ein unrealistisches Niveau herunterzudrücken, ohne physisches Gold einzusetzen, wird Leverage (Hebelwirkung) durch Derivate genannt. Ein Resultat des Untergangs des Bretton-Woods-Systems ist, daß die Währungsmärkte zu flexiblen Wechselkursen übergingen, und flexible Wechselkurse machten Hedging erforderlich. Der Geist des Menschen aber ist sehr erfinderisch. Mit neuen, immer exotischeren Hedging-Produkten (Derivate) wurden neue Waffen für den Goldkrieg geschaffen.

Gold-Loans/Forward-Sales

Wie jedermann weiß, wirft ein Barren Gold, genau wie eine Banknote, keine Zinsen ab. Zu Beginn der 1980er Jahre fanden einige kreative Wall-Street-Manager Wege, diesen Zustand zu ändern. Sie erfanden das Gold-Loans/Forward-Sales-Geschäft. Sie verkauften diese Idee einigen Besitzern von physischem Gold und auch solchen, die in Besitz von Gold waren, welches erst noch gefördert werden mußte. Zentralbanken mit ihren großen »unproduktiven« Edelmetall-Beständen verliehen ihr Gold zu einem Zinssatz (Gold Lease Rate), der normalerweise zwischen 1% und 2% p. a. lag. Das Gold wurde dann an Minenunternehmen verliehen, die mit billigen Krediten, gewöhnlich im Bereich von 3% bis 4% Zinssatz, versorgt wurden. Diese Zinssätze waren so niedrig, daß die Minengesellschaften nirgendwo günstigere Konditionen finden konnten. Die Bergbau-Unternehmen wußten, daß sie ihre Kredite mit ihrer eigenen Produktion absichern konnten, verkauften sodann das Gold entweder auf dem Kassa- oder Terminmarkt, so daß sie sofort Cash oder aber höhere Preise in der Zukunft erwirtschaften konnten.

Wie man sehen kann, bot dieses neues Geschäft für jeden etwas: Die Zentralbanken sicherten sich einen regelmäßigen Ertrag für ihr Gold, und die Minen erhielten Bares bei gleichzeitiger Absicherung vor fallenden Preisen. Das Geld konnte für Intensivierung der Exploration oder für neue Anlagen und Ausrüstungen verwendet werden, und die Investment-Bankiers kassierten fette Gebühren von beiden Seiten der Transaktion für ein Minimum an Risiko.

Schon bald wurden die ursprünglichen Ideen jedoch in den Hintergrund gedrängt. Anstatt einfach nur abzusichern, wurde das ganze Geschäft zu einer hochexplosiven Spekulationsmaschinerie mit immer neueren Instrumenten, die zusätzlich zu den Gold-Loans und Forward-Sales erschaffen wurden. Zu diesen neuen Instrumente gehörten unter anderen Spot Deferred Sales, Contingent Forwards, Variable Volume Forwards, Delta Hedging, Puts und Calls. Die Investmentbanker, ermutigt von diesem lukrativen Profitzentrum, verloren keine Zeit und ließen kein Baisse-Argument aus, um ihren Kundenstamm stetig und aggressiv auszuweiten. Dabei waren die Australier am aggressivsten. In manchen Fällen verkauften sie bis zu sieben Jahresproduktionen noch zu produzierender Goldreserven auf Termin.

Was weder die Zentralbanken noch die Goldminenunternehmen zunächst realisierten, war, daß diese Aktivitäten sich zu einem Teufelskreis entwickelten, der zu immer niedrigeren Goldpreisen führte. Wenn also jemand den Goldmarkt manipulieren wollte, brauchte er nur Überzeugungsarbeit zu leisten und dafür zu sorgen, daß die Zentralbanken noch mehr Gold verliehen und die Minengesellschaften noch stärker in Absicherungsgeschäfte einstiegen. Dann konnten sie sich zurücklehnen und genüßlich zuschauen, wie sich ihre Kommissionseinkünfte von Tag zu Tag mehrten. Daß sie aber in der Folge den Goldpreis untergruben, kümmerte sie nicht.

Wer waren diese Spieler?

Ihre Namen kommen aus dem Gotha der Bankenelite: *Goldman, Sachs*; *J. P. Morgan*; *Chase*; die Bullion-Banken und große Banken wie die *Deutsche Bank*; *Société Générale de France*; UBS und *Crédit Suisse*. Sie alle konstruierten ein neues, höchst ertragreiches Geschäft, indem sie als Vermittler zwischen den naiven Zentralbanken fungierten, die nur geringfügige Zinsen dafür erhielten, daß nicht nur der Kurs ihrer einzigen sicheren Vermögensanlage gedrückt wurde, sondern sie auch noch das Risiko eingingen, einen Teil oder alles zu verlieren.

Die mageren Einkünfte, die die Zentralbanken aus ihren zweifelhaften Geschäften erzielten (schätzungsweise $ 500 Millionen bis $ 1 Milliarde per annum), waren winzig im Vergleich zu den Hunderten von Milliarden an unrealisierten Buchverlusten, die sie mit dem

Preisverfall ihres eigenen Währungsgoldes erlitten hatten. Man sollte die Notenbanken fragen, warum sie überhaupt Gold, das dem Volk gehört, zu solch niedrigen Zinsen statt zum gängigen Dollarsatz verleihen. Des weiteren sollte man sie fragen, ob sie sich eigentlich des Risikos bewußt sind, das sie mit Goldausleihungen eingehen. Es macht schließlich absolut keinen Sinn, Gold zu solch lächerlichen Zinssätzen zu verleihen und obendrein noch zu riskieren, es zu verlieren.

Durch ihre Handlungen drücken die Notenbanken den Preis von Goldanlagen jeglicher Art, sei es in Form von Ersparnissen der Menschen, seien es Gewinne der Goldminenunternehmen oder konsequenterweise die Preise von deren Aktien. Der Goldpreis wurde so jahrelang auf eine Weise gedrückt, die nichts mit Angebot und Nachfrage am physischen Markt zu tun hatte. Selbst wenn man geltend macht, daß Gold im gegenwärtigen Papiergeldsystem keine monetäre Funktion mehr habe, macht es immer noch keinen Sinn, den Preis nur zum Nutzen gieriger Bullion-Banker und Hedge-Fonds-Manager zu drücken, die à la Baisse spekulieren. Es bleibt Tatsache, daß Gold in Kriegszeiten immer zum Zahlen benutzt werden kann, wenn sonst kein anderes Zahlungsmittel mehr akzeptiert wird. Seit Ende des Jahres 2000 spielt Gold wieder seine nützliche und historische Rolle, Portfolios in unsicheren Zeiten abzusichern. Aus dieser Perspektive gesehen macht die Verschwörung gegen das Gold ebenfalls keinen Sinn.

Für einige Goldminen endete dieses Spiel tödlich. Sie gingen unter oder mußten schließen, obwohl sie unter fairen und ehrlichen Marktbedingungen hätten gedeihen und blühen können. Hunderttausende von Arbeitskräften verloren ihre Arbeit sowie die Chance, ihr Brot mit Menschenwürde zu verdienen. Ihr Einkommen und ihre Ausgaben gingen ihren Volkswirtschaften verloren, was die goldproduzierenden Länder in einem schlechteren Zustand hinterließ als zuvor. Außerdem hätten sich diese Länder keine Unterstützung von solchen Organisationen wie dem IWF erbetteln müssen, einer Organisation, welche keine Gelegenheit ausläßt, den Goldpreis zu drücken. Sie tut dies entweder durch eigentliche Verkäufe oder durch regelmäßige Veröffentlichung von sorgfältig geplanten Pressemitteilungen, die dieselbe Wirkung haben. Es ist extrem scheinheilig, Krokodilstränen über die Armut in Afrika zu vergießen, wenn die Situation ganz wesentlich gemildert werden könnte, indem man schlicht und einfach aufhört, den Goldpreis fortlaufend zu manipulieren.

Die letzten Zentralbanken, die sich dem Leihgeschäft anschlossen, waren die *Deutsche Bundesbank* und die SNB. Da diese beiden Zentralbanken auch zu den fünf größten Besitzern von Gold auf der Welt zählten, waren die Auswirkungen ihrer Ausleihungen auf den Goldmarkt eindeutig negativ.

Die Gold Lease Rate

Die Gold Lease Rate, also der Zinssatz, der für den Verleih von Gold verlangt wird, ist diejenige Rate, zu der die Zentralbanken gewillt sind, ihre Goldreserven zu verleihen oder genauer gesagt, zu riskieren. Die Leasingrate ist manchmal, aber nicht immer, ein guter Indikator für Goldpreisbewegungen, denn sie spiegelt in gewisser Weise die Aktivitäten der verschiedenen Teilnehmer am Goldmarkt wieder. Das war auch der Fall, als einige Zentralbanken am 27. September 1999 im sogenannten »Washington Agreement« beschlossen, das Volumen an Goldverkäufen und Verleih-Aktivitäten für die nächsten fünf Jahre zu limitieren. Die normalerweise zwischen 1 und 2 % schwankende Leasingrate schoß innerhalb weniger Stunden auf 9 % in die Höhe und reflektierte damit eine fundamentale Marktveränderung und möglicherweise den Beginn einer Panik innerhalb der Verleih-Institutionen. Am 11. August 1999 bemerkten Marktteilnehmer und Analysten eine wachsende Anspannung der Marktlage, als die 6-Monats-Leasingrate auf 4,12 % stieg. Der Goldpreis notierte zu diesem Zeitpunkt bei $ 257 je Unze. Die Schlußfolgerung war, daß der Leasing-Markt an Attraktivität verloren hatte. Doch als die Zentralbanken beschlossen, die Verkäufe zu begrenzen, sprang der Goldpreis innerhalb weniger Tage auf über $ 330, und die Leasingrate stieg auf 9 %, was darauf hindeutete, daß eine ernste Krise am Horizont heraufzog. Das war offensichtlich der Moment, in dem sich die dunklen Wolken über dem Goldmarkt aufzulösen begannen. Tatsache bleibt jedoch weiterhin, daß der größte Überhang nicht aus Notenbank-Verkäufen stammte, sondern aus Notenbank-Ausleihungen.

Hedge-Fonds und Investment-Banken unterminieren ebenfalls den Goldpreis

Es dauerte nicht lange, bis die Hedge-Fonds-Branche herausfand, daß der Goldpreis kontinuierlich unter Druck bleiben würde und daß

Leerverkäufe für die Spekulanten ein Paradies darstellten. Es wurden Positionen aufgebaut, die in keiner Relation mehr zu den Grundlagen des Goldmarktes standen. Ein Musterbeispiel dafür, wie falsch solche Fonds liegen können (selbst solche, bei denen Nobelpreisträger im Vorstand sitzen), offenbarte sich beim Kollaps der *Long-Term-Capital-Management*-Gesellschaft (LTCM), als die Russen im Oktober 1998 in Zahlungsverzug gerieten. Dieses Unternehmen hatte die Kunst des Leverage auf die Spitze getrieben. Die New Yorker Fed orchestrierte ihre Rettung, da eine Bruchlandung der LTCM möglicherweise das gesamte Weltfinanzsystem in ähnlicher Weise in Mitleidenschaft gezogen hätte wie damals der Kollaps der österreichischen *Bank Creditanstalt* im Jahre 1931. Das alles enthüllte klar und deutlich, wie es mit der Finanzwelt mittlerweile bestellt war.

Eines der erbärmlichsten und ethisch äußerst fragwürdigen neuen Profit-Zentren, das von Investment-Banken aus der Taufe gehoben wurde, ist der sogenannte »Gold Carry Trade«, eine neue Version und Nachfolger des »Yen Carry Trade«. Banken, Fonds und andere Finanzakteure liehen sich für einen ausgedehnten Zeitraum Yen für nahezu null Zinsen aus, verkauften die Yen und kauften statt dessen U.S.-Schatzwechsel, wodurch sie den höheren Zinsertrag für sich zu Bargeld ummünzten. Wie das Beispiel zeigt, lief alles bestens, solange der Yen-Kurs niedrig war und weiter sank. Als sich dies jedoch änderte, präsentierte sich ein weniger erfreuliches Szenario. Der »Gold Carry Trade« machte da keine Ausnahme. Gold wurde ausgeliehen, anschließend (preisdrückend) verkauft und die Erlöse in U.S.-Schatzwechsel investiert. Ein anderer Geschäftsvorgang, sich Gold zu leihen, war sogar noch schlimmer. Es wurde verkauft und der Gegenwert in Aktien reinvestiert, mitunter im High-Technologie-Sektor. Zum Teil heizte dies die bereits grassierende Manie an den Aktienbörsen zusätzlich an. Solange diese neuen Bank-Praktiken andauerten, blieb der Goldpreis unter einem Dauerdruck. Je größer die negative Stimmung am Goldmarkt, desto zuversichtlicher wurden die Investment-Banker.

Die Torheit der Zentralbanken oder Gold verleihen heißt Gold verkaufen

Die Zentralbanken halfen nach Kräften, diese Spekulationsorgie am Leben zu halten, indem sie immer mehr Gold an Bullion-Banken verliehen. Der einzige Aspekt, den die Zentralbanken dabei übersahen, war, daß Gold verleihen das Gleiche ist wie Gold verkaufen. Sie ignorierten die Möglichkeit, daß sie es vielleicht nie mehr schaffen würden, ihr Gold jemals zurückzubekommen — zumindest nicht in Form physischen Metalls. Der Grund hierfür ist ziemlich elementar: Ist das Gold erst einmal ausgeliehen, wird es sofort verkauft und endet meistens in den Händen von Schmuckbesitzern. Tausende von Tonnen Zentralbank-Gold verschwanden für immer über die Leasing-Route, und Schätzungen über die gesamte Short-Position liegen irgendwo zwischen 5000 und 16 000 Tonnen oder zwei bis sechs Jahresproduktionen. Was haben sich die Zentralbanken eigentlich dabei gedacht?

Julian Baring, Goldminen-Analyst und eine der großen Persönlichkeiten der Goldszene in der City of London, der im September 2000 leider verstarb, hatte das folgende über die Zentralbank-Ausleihungen zu sagen:

> »Die Weisheit der Zentralbanken, Gold an andere auszuleihen, die dann damit den Markt vollstopfen, ist umstritten.«[183]

Zentralbanken und Investment-Banken verursachen eine Katastrophe in der Goldminen-Industrie

> »Notenbank-Verkäufe und -Ausleihungen waren der bei weitem größte Faktor und verantwortlich für den Bärenmarkt des Goldes. Da die Geschäftsleitungen der Goldminenunternehmen fest an die weitergehende Baisse des Goldes glaubten (d. h. endlose Verkäufe der Zentralbanken), ließen sie sich auf Terminverkäufe und andere Absicherungsgeschäfte ein, welche durch die Bullion-Händler arrangiert wurden.«[184]

John Hathaway schrieb 1999 in seiner jährlich erscheinenden *Gold Investment Review*, daß der Goldpreis ohne diesen Druck niemals

---

[183] »Julian Baring, 1935–2000«, *World Gold*, Vol. 3, No. 10 (Oktober 2000), S. 14.
[184] John Hathaway, *Gold Investment Review — Annual Review 1999*, Tocqueville Asset Management, L. P., 11. Januar 2000.

so schwach gewesen wäre. Die Minenindustrie war deshalb aus gleichem Grunde genauso kurzsichtig. Sie verkaufte, was sie noch nicht gefördert hatte, indem sie sich das Metall von den Notenbanken über Bullion-Banken lieh. Durch billige Kredite verführt, startete sie Projekte, die unter normalen Marktgegebenheiten unwirtschaftlich gewesen wäre. Je mehr der Goldpreis fiel, desto schwieriger wurde es aber, rentabel zu bleiben oder zumindest die Verluste im Rahmen zu halten. Um zu überleben, suchten viele Gesellschaften daraufhin Zuflucht beim Abbau ihrer höherwertigen Erze. Sie verkauften so das Edelmetall zum ungünstigsten Preis und zum ungelegensten Zeitpunkt, wodurch sie die Lebensdauer ihrer Minen verkürzten. Auch die Exploration kam unter diesen Umständen praktisch vollständig zum Erliegen.

Zum Zeitpunkt, als die Bank von England im Frühjahr 1999 ihr Verkaufsprogramm ankündigte, wurde es noch offensichtlicher, daß der Goldpreis manipuliert wird. Die Minengesellschaften hatten den Preis auf das tiefste Niveau seit vielen Jahren gedrückt und lösten eine wahre Hedging-Orgie aus. Selbst ein so traditioneller Nicht-Hedger wie *Newmont Mining* wurde damals durch ihre Bank *J. P. Morgan*, einer der Hauptmanipulatoren am Gold- und Derivatemarkt, zum Hedging getrieben.

Spätestens jetzt war klar, daß dieses absurde Theater eines Tages ein Ende haben würde. Der Anfang vom Ende kam im September 1999. Nach Jahren der Spekulation und Leerverkäufen waren die Goldmärkte in einem solchen Ausmaß verzerrt, daß die Zentralbanken aufzuwachen begannen. Sie sahen ein, daß sie, nur schon um ihre eigene Haut zu retten, handeln mußten. Im Washington Agreement kamen 15 europäische Zentralbanken, einschließlich der Schweiz, überein, zukünftige Verkäufe und Ausleihungen während einer Periode von fünf Jahren zu begrenzen.

Unverantwortliches Hedging ruiniert Minenunternehmen und ganze Länder: Die Tragödie von *Ashanti* und Ghana

Der plötzliche Anstieg des Goldpreises zeitigte zwei sofortige Minenopfer: Den großen afrikanischen Produzenten *Ashanti* von Ghana und die *Cambior* von Kanada. Ghana ist eines dieser hoch verschuldeten afrikanischen Länder. 1992 lebten 31 % seiner Bevölkerung in erbärmlicher Armut, und 27% aller Kinder unter fünf Jahren litten an Unterernährung. Gold- und Kakao-Exporte sind die beiden Haupt-Devisenbeschaffer des Landes. Goldpreisschwankungen haben daher eine fast sofortige Auswirkung auf die Wirtschaft des Landes. Von 1993 bis 1997 fiel der Anteil der Kakao-Exporteinnahmen Ghanas von 50% auf 30%. Der Goldanteil stieg in der gleichen Zeit von 15% auf 39% an. Deshalb entstand die Hoffnung, daß höhere Einnahmen aus Goldexporten die Wirtschaft des Landes weniger anfällig machen würden, denn der Kakaopreis fluktuierte zeitweise dramatisch.

Nachbar Mali, das fünftärmste Land der Welt, ist in einer ähnlichen Situation. Dr. Mark Bristow von *Randgold Resources Limited* erwartete für das Jahr 2001 einen Anstieg der Goldförderung Malis von 15% auf 18% des Bruttoinlandsprodukts (BIP). Nach Malis Regierung ist die Goldminen-Industrie nun der größte Arbeitgeber des Landes, und ihre Steuerzahlungen belaufen sich auf etwa 20% der öffentlichen Einnahmen des Landes.

Die Goldreichtümer der westafrikanischen Länder wie Burkina Faso, Ghana, Elfenbeinküste, Mali und Senegal sind legendär. Ghana, das Heimatland des Akan-Volkes, war einst für seine Goldfelder, seine hochentwickelten Goldproduktionstechniken und seine überlegenen Goldschmiede so berühmt, daß die ganze Region »Die Goldküste« genannt wurde. Bereits im 15. Jahrhundert beschrieben portugiesische Handelsleute, wie ein König des Akan-Volkes überreichlich mit Goldketten und anderem Goldschmuck behangen war.

Die Könige von Ghana und Mali unterstrichen ihre edle und würdevolle Erscheinung mit dem Glanz ihrer Kleidung und ihres Goldschmucks. Mansa Musa, ein König von Mali, unternahm 1324 eine Pilgerreise nach Mekka. Er reiste durch Ägypten, wo ihm ein großer Empfang bereitet wurde. Zeitgenössische Chronisten berichteten, daß die Ägypter von seinen enormen Goldschätzen tief beeindruckt waren. Es gab Gerüchte, daß der Goldpreis bei seinem Eintreffen in Mekka absackte, denn er überflutete buchstäblich den Markt mit seinem Gold. Als er nach Mali zurückkehrte, so wurde gesagt, nahm er ägyptische Goldschmiede mit sich, denn er hatte dem Sultan der Mameluken, Al-Dawadari, versprochen, ein Goldmünzen-System einzuführen. Der zerstörerische Einfluß der Kolonialmächte und später der Industrialisierung verursachte den Untergang dieser Feudalkulturen.

Zum Glück befinden sich viele dieser künstlerischen Meisterstücke, Zeugen der außerordentlich hohen afrikanischen Goldschmiedekunst, heute in Museen und Ausstellungen.[185]

Es überrascht nicht, daß Ghana, Mali und die anderen Länder große Hoffnungen hegen, daß sich der Wohlstand ihrer jeweiligen Länder mit der Ankunft moderner Abbaumethoden und von Auslandskapital erhöht. Im September 1999 gab es jedoch ein böses Erwachen, als Ghanas *Ashanti Goldfields Co. Ltd.* fast pleite ging. Seltsamerweise geschah dies zeitgleich mit der Ankündigung des Washington Agreements, einer Ankündigung, die für die Goldproduzenten eigentlich von Vorteil hätte sein sollen.

Wie konnte so etwas geschehen? Der Goldpreis, der seit dem Frühjahr jenes Jahres konstant gefallen war, sprang plötzlich innerhalb Wochenfrist von $ 269 auf $ 307 je Unze. Es hätte eigentlich einen Freudenschrei über den plötzlichen Anstieg des Goldpreises geben sollen, aber statt dessen gab es nichts als Hoffnungslosigkeit, als offensichtlich wurde, daß für einige Teilnehmer — und in diesem Falle war es *Ashanti* — ein steigender Preis dem Ruin gleichkam. *Ashanti* war Tausende von Derivatkontrakten (insgesamt über 2500!) mit nicht weniger als 17 Banken eingegangen, einschließlich *Goldman Sachs*, *Ashantis* hauptsächlichem Finanzberater.

Nach Angaben der *Financial Times* vom 2. Dezember 1999 verkaufte *Goldman* eine große Auswahl an Finanzderivaten an Goldunternehmen.[186] *Goldman* war das führende Mitglied der sogenannten »Großen Vier« Investment-Banken, welche als *Ashantis* Berater fungierten. Die anderen drei waren die *Credit Suisse Financial Products*, *Société Générale de France* und die schweizerische *UBS*.

Das Resultat all dieser professionellen »Beratung« endete für *Ashanti* und Ghana in einer Katastrophe. Ende Juni 1999 verzeichnete *Ashantis* Hedge-Buch ein Plus von $ 290 Millionen. Anfang Oktober hatte sich dieses in einen $ 570 Millionen Verlust verwandelt, und es gab obendrein Einschußforderungen (Margin Calls) in Höhe von $ 270 Millionen. Später erklärten die Banken etwas verlegen, daß diese

---

[185] Timothy F. Garrard, *Afrikanisches Gold* (München: Prestel Verlag, 1989).
[186] Lionel Barber und Gilliam O'Connor, »All things to all men«, *Financial Times* (London), 2. Dezember 1999.

Hedging-Geschäfte »auf Betreiben der Kunden« erfolgt seien. Die traurige Wahrheit bleibt jedoch, daß eine der reichsten Goldminen der Welt durch Gier, Verantwortungslosigkeit, extrem schlechtes Urteilsvermögen und einen Goldmarkt, der jeglichen Kontakt mit der Realität verloren hatte, in den Ruin getrieben worden war. Anschließend wurde ein dreijähriger Zahlungsaufschub ausgearbeitet, weil es sich niemand leisten konnte, *Ashanti* untergehen zu lassen. Dies gab einigen der »Großen Spieler« der Industrie die Gelegenheit, die wertvollsten Stücke aufzupicken.

Das Schicksal von *Ashanti* war einer der Gründe, warum eine Reihe von Beobachtern der Industrie dachte, daß es dem Goldpreis nicht erlaubt werden würde, zu steigen. Ein hoher Goldkurs hätte paradoxerweise das Unternehmen nicht nur vollständig zerstört, sondern auch andere stark gehedgte Minengesellschaften mit in den Strudel gezogen. Und nicht zuletzt hätte dies auch die involvierten Banken in eine äußerst prekäre Situation gebracht — ganz zu schweigen von den ausstehenden Krediten und Ausleihungen der Notenbanken.

Zum ersten Mal in der Geschichte des Goldmarktes hatten wir die absolut absurde Situation, daß fast keiner der größeren Goldproduzenten einen höheren Goldpreis wollte, zumindest nicht zu jenem Zeitpunkt. Die Ausnahmen waren die Halter von Barren oder Münzen und die Aktionäre von Unternehmen wie *Agnico Eagle Mines*, *GoldCorp.* und *Goldfields Limited*. Viel Rätselraten gab es darüber, wie sich *Barrick* aus den Schlingen dieser Situation befreien würde, denn *Barrick* wurde als die »Mutter aller Hedger« angesehen, oft eine der größten Positionen, wenn nicht die größte der noch übrig gebliebenen Goldminen-Fonds und Nummer Eins auf nahezu jeder Kaufliste für Goldminen-Aktien. Wie auch immer, die Tragödie ist und bleibt, daß das Schicksal das Volk Ghanas hart getroffen hat.

Absicherung oder Spekulation?

Die Wörterbuchdefinition des englischen Wortes »to hedge« (absichern, Kurssicherung) liest sich wie folgt:

a) Ein Mittel zum Schutz oder zur Verteidigung;
b) Sich selbst vor Verlust oder Fehlschlag durch entgegenwirkende Ausgleichsmaßnahmen zu schützen;

c) Sich vor Preisschwankungsrisiken abzusichern;
d) Sich selbst finanziell zu schützen, durch den Kauf oder Verkauf von Waren-Termingeschäften zum Schutz vor Verlust aufgrund Preisschwankungen.

Die Wörterbuchdefinition von »spekulieren« wurde so formuliert:

Ein Geschäftsrisiko eingehen in der Hoffnung auf Gewinn, insbesondere durch den Kauf oder Verkauf in Erwartung eines Gewinnes infolge Marktschwankungen.

In seiner reinsten Form befähigt Hedging die Manager von Produktionsunternehmen, ihre Unternehmungen gegen unvorhersehbare Preisschwankungen abzusichern. Da die Finanzmärkte sich jedoch zusehends internationalisierten, reflektierten neu entwickelte Finanzinstrumente diese neuen Marktverhältnisse. Mit Sicherheit kann der Schluß gezogen werden, daß das erstaunliche Wachstum im Handel mit goldbezogenen Finanzinstrumenten mehr mit Plänen zu tun hatte, schnelles Geld zu verdienen, als mit der Eindämmung von Risiken. Wegen der sehr niedrigen Leasingrate zahlte sich das Hedging aus. Wenn das Preisfixing zukünftiger Produktion, wie die Fälle von *Ashanti* und *Cambior* dies zeigen, zwar vor Kursrückgängen schützt, aber die Existenz der Produzenten im selben Atemzug bedroht, falls der Goldpreis ansteigt, dann kann das gewiß nicht als »Hedging« (im Sinne von Absicherung) bezeichnet werden. Es ist pure Spekulation.

Eine glänzende Zukunft?

Im Juni 1999 veröffentlichte der *World Gold Council* einen aufschlußreichen Bericht über die Lage in einigen der ärmsten Länder:

»Es ist eine nichtbeachtete Konsequenz, daß einige der ärmsten und höchstverschuldetsten Länder der Welt wegen der kürzlichen Entwicklung des Goldpreises Rückschläge erlitten haben.
Unter den 42 hochverschuldeten armen Länder (HIPCs) finden sich mehr als 30 Goldproduzenten, von denen zwölf mehr als drei Tonnen im Jahr produzieren. In einigen HIPCs steigt die

Produktion die Gesamtproduktion dieser Länder kann nach vorsichtigen Schätzungen im Jahr 2000 bei rund 200 Tonnen liegen. Gerechnet mit dem vom Mai 1999 vorherrschenden Preis werden damit Exporteinkünfte in Höhe von $ 1,6 Milliarden generiert.

In neun HIPCs liegt der Anteil an Exporteinnahmen aus der Goldproduktion bei mindestens 5%, wobei fünf weitere Länder aller Wahrscheinlichkeit nach in naher Zukunft zu dieser Gruppe stoßen werden, und mittelfristig möglicherweise noch weitere. In einigen Ländern — Ghana, Guyana und Mali — macht Gold mehr als ein Fünftel der Exporteinnahmen aus. Guinea und Tansania werden sich dieser Gruppe voraussichtlich in Kürze hinzugesellen.

Die Länder Afrikas südlich der Sahara, die 33 der 41 HIPCs einschließen, produzieren zur Zeit 25,1% des Weltgoldes. Drei Viertel davon — 18,5% — werden allerdings von Südafrika produziert, doch der Anteil der verbleibenden Länder am globalen Ausstoß hat sich seit 1990 verdoppelt.

Gold bringt diesen bitter armen, südlich der Sahara liegenden Ländern fast $ 7 Milliarden Einkommen pro Jahr aus dem Ausland.

Der negative Einfluß des sinkenden Goldpreises auf diese Länder geht weit über den unmittelbaren Einfluß auf deren Exporterlöse hinaus. Die Goldminen-Industrie löst einen Multiplikatoreffekt aus [was auch auf die USA, Kanada, Australien oder andere goldproduzierende Länder zutrifft; d. Verf.], indem sie zusätzliche Arbeitsplätze schafft, was wiederum Löhne und Steuereinnahmen für die Regierungen bringt. Der Bergbau fördert das Wachstum der gesetzlichen, physischen und finanziellen Infrastrukturen.

In manchen Fällen ist die Goldminen-Industrie eine der wenigen Möglichkeiten, wie ein Land seine Exporte und Produktionskapazität diversifizieren kann, was oft eine kritische Phase im Entwicklungsprozeß darstellt.

Das Paradoxe daran ist, daß das zukünftige Wachstum dieser Nationen von genau denen untergraben wird, die Hilfe und Unterstützung anbieten wollen, nämlich dem IWF sowie den Regierungen von einigen entwickelten Ländern.

Wegen der permanent drohenden Gefahr der Goldverkäufe durch den IWF, die Schweiz und durch Großbritannien ist der Goldpreis stark gefallen. Einige Mitglieder des IWF in Schlüsselposition haben gesagt, sie würden gerne sehen, daß der Fonds volle 311 Tonnen Gold verkauft, um die Entschuldung zu finanzieren. [Beim Schreiben dieses Buches war das schon Geschichte; d. Verf.]

Verkäufe oder nur schon die Drohung von Verkäufen seitens der Zentralbanken und des offiziellen Sektors sind der wichtigste einzelne Faktor, der eine Preiserholung verhindert. Daraus resultiert ein großes Hindernis für den Ausbau der Goldminen-Industrie in unterentwickelten Ländern und mindert aus diesem Grunde die Möglichkeiten für echtes, langfristiges und nachhaltiges Wirtschaftswachstum in den goldproduzierenden HIPCs.«[187]

Das Beispiel des größten Produzenten — Südafrika — näher betrachtet, zeigt, was sich in den letzten Jahren auf dem Arbeitsmarkt abgespielt hat. Nach Angaben der *South African Chamber of Mines* hatte die Goldminen-Industrie Südafrikas 1987 insgesamt 564 000 Arbeitskräfte. Im Jahre 1996, als die schweizerischen Verkaufsdrohungen begannen, hatte sich die Anzahl auf 345 000 verringert und ist seither um weitere 100 000 reduziert worden. Während ein Teil des Stellenabbaus auf das Konto rationellerer Abbau- und Förderverfahren geht, muß der größte Teil davon den niedrigeren Goldpreisen angelastet werden. Wenn man bedenkt, daß im Durchschnitt der Lebensunterhalt von zehn bis zwölf Menschen von einem einzigen Arbeiter der afrikanischen Goldminen-Industrie abhängig ist, kommt man zum Schluß, daß Millionen von Menschen in Mitleidenschaft gezogen werden. Aber erst wenn man den Multiplikator-Effekt mit einbezieht, kann man die tatsächlichen Kosten dieser unverantwortlichen Gold-Verschwörung abschätzen. Überrascht es jetzt noch jemanden, daß die Kriminalität in dieser ansonsten friedfertigen Nation ansteigt?

Wird Hedging die Gans schlachten, die die goldenen Eier legt?

Julian Baring hatte folgenden Kommentar anzubieten:

---

[187] *World Gold Council, A Glittering Future? Gold Mining's Importance to Sub-Saharan Africa and Heavily Indebted Poor Countries* (London, Juni 1999), S. 4.

»Wenn Terminverkäufe von Minengesellschaften für die Aktionäre wirklich so gewinnbringend sind, wie die Minenunternehmen immer wieder behauptet haben, dann hätten ihre Aktien
jedesmal im Wert steigen müssen, wenn ein Terminverkauf angekündigt wurde. Genau dieses aber war nicht der Fall.«[188]

Wirft man einen genaueren Blick auf die Praxis des Hedging,
entdeckt man, daß Hedging sich vielfach in Spekulation verwandelt
hat. Antal Fekete, Professor an der *Memorial University of St. John's*,
Kanada, beschreibt einige der gegenwärtigen Hedging-Praktiken wie
folgt:

»Die ›Hedging-Revolution‹ begann 1985. *Barrick Gold* (damals *American Barrick* genannt) war einer der Pioniere. Hedging
war eine höchst brillante Idee, jedenfalls so, wie sie bei *Barrick*
anfangs entwickelt wurde. Es verwandelte die Goldminen-Industrie in eine Kategorie für sich, insofern, als sie das einzige
Wirtschaftssegment war, dem es gelang, sich mit den eigenen
Schuhriemen aus dem Schuldenmorast zu ziehen.
Barrick's Hedging-Politik, wie in den Jahresberichten des
Unternehmens beschrieben (siehe vor allem die Berichte für
1994, 1995 und 1996), ist streng genommen keine Anwendung
von Hedging, sondern eher eine Übung in Spekulation. *Barrick*
wettete, daß der Goldpreis nie wieder imstande sein würde, die
Kunststücke zu vollbringen, die er seit 1968 mehrfach vorgeführt
hat, nämlich im Preis nach oben zu auszubrechen, um nie wieder
auf das alte Preisniveau zurückzufallen. Sollte der Goldpreis
trotzdem ansteigen, so würden *Barrick* und andere mit ihren
andauernden Leerverkäufen dafür sorgen, daß jeder Preisanstieg
niedergeschlagen würde. Dies war in der Tat eine Revolution.
Der Goldproduzent gab eine äußerst seltsame Figur ab und ent-
puppte sich tatsächlich als der größte Feind des Goldes. Er würg-
te jede Erholung des Preises durch einseitiges Hedging bereits im
Keim ab. Das Resultat von *Barrick's* Neuerung war eine die
ganze Industrie umfassende Leerverkaufskonkurrenz. Dies de-
moralisierte den Markt vor allem auf der Angebotsseite, aber
nicht weniger auf der Nachfrageseite. Die Industrie als ganzes litt

---

[188] »Julian Baring, 1935–2000«, *World Gold*, Vol. 3, No. 10 (Oktober 2000),
S. 14.

darunter: Jeder wollte möglichst schnell vor jedem anderen verkaufen. Aber für potentielle Käufer und alle, die Gold langfristig hielten, war es noch demoralisierender. Am Markt herrschte die Empfindung, daß die Industrie den Pfad zum Ruin hinuntergeführt wurde. Mit ihren Leerverkäufen ruinierten die sogenannten ›Hedger‹ letzten Endes ihren eigenen Markt. Zumindest murksten sie jedes Hausse-Potential ab. Aber noch viel verhängnisvoller, der Markt wurde dadurch auf Baisse eingestimmt. Die machtvolle, immer präsente Gefolgschaft der Spekulanten am Goldmarkt wurde *en bloc* vom Goldkauf vertrieben und gezwungen, sich *Barrick's* Baisse-Strategien anzuschließen oder anzupassen.

Doch selbst von *Barrick's* eigener Warte aus gesehen erscheint das unilaterale, d. h., einseitige Forward-Verkaufen als kurzsichtige und langfristig selbstzerstörerische Politik. Mit dem aggressiven Verfolgen rein kurzfristiger Gewinnorientierung werden alle konservativen Prinzipien außer acht gelassen. Was immer die kurzfristigen Vorteile sein mögen, schlußendlich verkürzt diese Art Politik die produktive Lebensspanne von *Barrick's* Goldminen. *Barrick's* mittel- bis langfristige Stärke scheint dadurch untergraben zu werden. Der sinkende Goldpreis verschlingt die rentablen Goldadern schneller, als selbst die verschwende-rischste Ausbeutung der Bodenschätze dies bewirken würde. *Barrick* mußte angeblich aufgrund des Schwundes von rentablen Goldadern die Produktion in fünf von zehn Werkbetrieben schließen, nicht, weil die Gruben nichts mehr hergaben, sondern weil der Goldpreis fiel. *Zum ersten Mal in der Geschichte war man gezwungen, noch produktive Goldminen in Friedenszeiten zu schließen — nicht wegen zu starken Abbaus, sondern als Resultat eines Einbruchs des Goldpreises.* Diese Minenschließungen stellten eine enorme Kapitalvernichtung in der Form von stillgelegten Goldbergwerken und Ausrüstungen dar. Niemand konnte solch ein Fiasko voraussehen — am allerwenigsten die *Barrick*-Direktoren. Wie konnte all das nur geschehen? Die meisten Beobachter betonen die Tatsache, daß, während es sehr wohl ein physisches Limit für die Produktion von Kassa-Gold gibt, nämlich die Produktionskapazität, dagegen kein Limit bei der »Produktion« von Terminkontrakten existiert. Ihre Fälligkeitstermine können fast nach Belieben immer weiter in die Zukunft verschoben werden. *Barrick's* Antikonservierungs-Minenpraktiken und aggressive Leerverkaufs-Politik waren gleichbedeutend mit einer Überschwemmung des

Marktes mit einer unbegrenzten Anzahl von Gold-Terminkontrakten.«[189]

Barrick's Produktionskosten bei seinen hochwertigsten Goldvorkommen können wohl auf etwa $ 150 die Unze reduziert werden — doch wie lange werden diese hochgradigen Erze noch dauern? »Dank des unilateralen Hedging fallen Gold und Papier nun beide miteinander«[190], sagt Fekete.

Gemäß Fekete liegt die einzige Lösung des Dilemmas im bilateralen, d. h. im beidseitigen Hedging. Diese Art der Transaktion beinhaltet, daß beim Absicherungsprozeß die Politik der Forward-Verkäufe durch eine Politik der Forward-Käufe ergänzt und ausgeglichen wird. Bis jetzt wurde jeder Anstieg des Goldpreises mit Forward-Verkäufen gekontert — doch für eine Gegenentwicklung unternahm man nichts.

»Es ist wichtig zu verstehen, daß im Falle einer Goldmine weder Terminverkäufe noch Terminkäufe etwas mit Spekulation zu tun haben müssen, sondern das sind, was sie in Wahrheit sind — nämlich Absicherungsgeschäfte im Interesse des Unternehmens und dessen Aktionären.«[191]

Im Herbst 2000 fragte ich Professor Fekete, ob er seine Ansicht bezüglich *Barrick* revidiert habe. Er sagte, er hätte seine Meinung überhaupt nicht geändert, ganz im Gegenteil.

»Vielleicht möchten Sie die sehr schwerwiegende Anklage hinzufügen, daß [*Barrick*] Aktionäre, Gläubiger und die allgemeine Öffentlichkeit wissentlich irreführt. Mehrere Jahre hintereinander hat *Barrick* in Jahresberichten, auf Aktionärsversammlungen und Pressekonferenzen kontinuierlich höhere Gewinne ausgewiesen und dies ihrer Fähigkeit zugeschrieben, Preise für neu gefördertes Gold erzielen zu können, die höher waren als die offiziellen Marktpreise während des gesamten fraglichen Jahres.

---

[189] Antal E. Fekete, *Gold Mining and Hedging* (St. John's, Kanada, Memorial University of Newfoundland, 1998), S. 2/3.

[190] Ebenda, S. 3.

[191] Ebenda, S. 4.

Diese Berichte über höhere Gewinne wurden von angesehenen Wirtschaftsprüfern beglaubigt und von der akademischen Welt nie in Frage gestellt, ganz zu schweigen von der Finanzpresse.

Wir wissen zur Genüge, was die Akademiker und die Finanzpresse sagen würden, wenn ein börsennotiertes Unternehmen ankündigen würde, daß es ab sofort die Version eines ›Perpetuum Mobile« des 21. Jahrhunderts herstellt und vermarktet.

Barrick rühmt sich mittels des hochentwickelten Instruments des ›Hedging«, dieses Wunder vollbringen zu können, stetig Gold zu einem höheren Preis zu verkaufen, als der Markt während des ganzen Jahres hergibt. Warum teilen sie dieses ›Geheimnis« denn nicht mit den amerikanischen Bauern? Wäre es nicht herrlich, wenn auch sie konstant höhere Weizenpreise erzielen könnten, als der Markt zu bieten bereit ist? Wo sind die Bauernorganisationen, die lautstark verlangen, daß man auch ihnen das Geheimnis offenbart, wie man einen Stein in Brot umwandeln kann?

Barrick konnte sein einmaliges Geheimnis leider nicht mit irgendjemandem teilen, denn das ›Wunder« ist nur möglich durch Betrug. Wollte man nachsichtig sein, würde man annehmen, daß die Wirtschaftsprüfer einfach nicht verstanden, was sie da beglaubigten. Sonst würden sie nicht ihren guten Ruf für solche Kniffe hergeben, die darauf abzielen, die Öffentlichkeit irrezuführen. Leider lassen die Indizien andere Schlüsse zu. Schon bald könnte nämlich die Wirtschaftsprüferzunft der vollen Mittäterschaft bei dieser betrügerischen Verschwörung bezichtigt werden.

Es ist nicht, es war nie und es wird niemals möglich sein, Gold auf Termin teurer zu verkaufen als zum höchsten Marktkurs, der im jeweiligen Geschäftsjahr erzielt wurde, genauso wenig, wie es möglich ist, Blei mit Gewinn in Gold zu verwandeln.

Was *Barrick* eigentlich praktiziert, ist folgendes: Die Firma verkauft Gold, welches sie langfristig zu niedrigen Zinsen geliehen hat, und investiert die Erlöse in hochverzinsliche U.S.-Schatzpapiere. Dann berechnet sie ihre durch das Zinseinkommen erhöhten Erlöse neu (dank der positiven Spanne zwischen der U.S.-Schatzpapier-Verzinsung und der Gold Lease Rate), so, als wenn diese durch einen höheren Gold-Verkaufspreis pro Unze erzielt worden wären. Warum ist dies klarer Betrug? Weil die Transaktion unvollständig bleibt und die Gewinne nur ›Papier‹-

Gewinne darstellen, solange nicht alle Transaktionen abgeschlossen sind und das geliehene Gold den ursprünglichen Besitzern zurückgegeben wird. Es könnte immerhin sein, daß diese Papiergewinne nie wirklich realisiert werden können. Ferner ist gut denkbar, daß diese Termin-Verpflichtungen eines Tages nur mit schrecklichen Verlusten beendet werden können. Für solch ein Szenario braucht nichts drastischeres einzutreffen als eine Rückkehr des Goldpreises auf höheres Niveau, wo er vor Jahren oder Jahrzehnten schon einmal gehandelt wurde.

Barrick nimmt einfach an, daß ›was hochgeht, auch wieder herunterkommen muß‹. Wenn der Goldpreis steigt, sagen wir um $ 200 pro Unze, dann müsse er pflichtgemäß, zur rechten Zeit, um mindestens genauso viel wieder fallen. Diejenigen mit finanziellem Durchhaltevermögen — und so sieht sich *Barrick* auch — würden in der Lage sein, jeden Sturm zu überstehen, der durch vorübergehende Anstiege des Goldpreises ausgelöst wird. Alle Terminkontrakte könnten immer wieder prolongiert werden — wenn nötig manchmal auch mit Verlust —, bis der Goldpreis schließlich wieder fiele. *Barrick* und andere würden deshalb ihre Transaktionen immer mit Gewinn abschließen können.

Die Wahrheit bleibt jedoch, daß alles, was *Barrick* erreicht hat, ist, daß sie Einschußforderungen ihrer Goldleihgeschäfte unter den Teppich gefegt hat und somit die potentiellen Verbindlichkeiten ihren Aktionären und Gläubigern gegenüber verheimlicht. Darin liegt der Betrug, den die SEC und andere Aufsichtsbehörden der amerikanischen Regierung aufdecken und entlarven sollten. Statt dessen stellen sie sich blind und taubstumm.

Barrick gab es im Jahre 1968 noch nicht. Aber nehmen wir einmal der Diskussion halber an, daß sie damals existiert hätte. Nehmen wir weiter an, *Barrick* hätte geliehenes Gold für $ 38 die Unze verkauft (was den Goldproduzenten zu jener Zeit als eine schrecklich clevere Sache erschienen wäre). In diesem Fall würde *Barrick* immer noch seine Goldkredite revolvieren, d. h. prolongieren, in der aussichtslosen Hoffnung, daß der Goldpreis so gütig sein würde, unter $ 38 pro Unze zu fallen, damit *Barrick* ihre Verlustposition in einen Gewinn umwandeln kann. Aber nach 1968, dem Jahr, in dem das U.S.-Schatzamt seinen vertraglichen Verpflichtungen gegenüber den ausländischen Notenbanken, Gold zum Preis von $ 35 abzugeben, nicht mehr nachkommen konnte, flog der Goldpreis davon, um nie wieder auf das alte

Niveau zurückzukehren. *Barrick* hätte immer noch einen Sack voller Verluste und würde trotzdem von saftigen Gewinnen berichten, denn die mitverschworenen Goldhandelsbanken würden der Firma erlauben, ihre Leerverkaufs-Positionen an Gold zu $ 38 pro Unze fortlaufend umzuschulden. Man könnte hier noch anfügen, daß die Stellung des U.S.-Schatzamtes gegenüber seinen ausländischen Zentralbank-Gläubigern heutzutage sehr viel schwächer ist als im Jahr 1968.

Es ist in der Geschichte schon oft vorgekommen, daß der Goldpreis sprunghaft anstieg, um nie wieder auf das alte Niveau zurückzusinken, von dem aus er gestartet war. Aus diesem Grunde ist jede buchhalterische Annahme, daß eine Verpflichtung, Gold zu einem Zeitpunkt in der Zukunft zu liefern, irgendwann in der Zukunft mit Gewinn abgeschlossen werden kann (wenn man nur bereit ist, lange genug zu warten), einfach ein Schwindel. Dies sollte in einer Gesellschaft nie gestattet sein, in der Gesetzgeber mit Selbstachtung sinnvolle Vertragsgesetze erlassen. Und der Betrug sollte von Wirtschaftsprüfern mit ebensolcher Selbstachtung und staatlichen Aufsichtsbehörden entlarvt werden.

Genauso wie es Getreidesilobetreibern gesetzlich untersagt ist, in ihren Bilanzen und Erfolgsrechnungen die Positionen, die sie am Weizen-Terminmarkt halten, gleich zu behandeln wie physisch real vorhandenes Weizen in ihren Silos, sollte es Goldminen auch nicht erlaubt sein, Gewinne aus dem Verkauf geliehenen Goldes auf dieselbe Weise zu berechnen und zu bilanzieren, wie sie es mit Gewinnen aus neu abgebautem physischem Gold tun. Es gibt eine Eventualverbindlichkeit auf der Terminposition eines Weizensilos; und erst recht gibt es eine entsprechende Eventualverbindlichkeit der Leerverkaufsposition einer Goldmine. Bis zu dem Zeitpunkt, in dem diese Positionen vollständig geschlossen werden, gibt es logischerweise auch keinen Gewinn zu verbuchen. Aber, wie es der Volksmund so treffend formuliert: ›Bis dahin wird noch viel Wasser den Rhein hinunter fließen.‹

Es ist eine ewige Schande für unsere Zivilisation, daß sie dieser widerlichen Verschwörung zwischen den Goldhandelsbanken, den Goldminen, dem Wirtschaftsprüfungswesen und der Regierung (vor den Augen akademischer Kreise und der breiten Bevölkerung) erlaubt, die allgemeine Öffentlichkeit durch den Hokuspokus mit ›Hedging‹ und Forward-Verkäufen so raffiniert zu betrügen.

Solch ein krasser und anhaltender Vertrauensmißbrauch ist nur unter dem Regime der Papierwährungen möglich. Eines der machtvollsten Argumente für den Goldstandard ist deswegen genau dasjenige, welches den Anspruch erhebt, daß unter dem Goldstandard ein fortgesetzter Vertrauensmißbrauch im Umgang zwischen ehrlichen, aufrechten Menschen nicht toleriert wird.«[192]

Am 18. Dezember 2002 gingen *Blanchard & Co.*, die größte amerikanische Detailhandelsorganisation in physischem Gold, und ihre Kundschaft gegen *Barrick Gold Corp.*, Toronto, und *J. P. Morgan Chase & Co.*, New York, wegen ungesetzlicher Manipulation des Goldpreises vor Gericht. *Blanchard & Co.* werfen den Angeklagten vor, mit ihren Leerverkäufen und jahrelanger Unterdrückung des Goldpreises $ 2 Mrd. verdient zu haben. *Blanchard & Co.* ist der Ansicht, daß ihre Kundschaft durch diese gesetzwidrige Manipulation des Goldpreises substantielle Verluste erlitten hat.

Am 12. Februar 2003 wurde die Nachricht bekannt, daß *Barrick Gold Corp.* ihren CEO Randall Oliphant fristlos entlassen hat. Oliphant war einer der Direktoren, welche als die Pioniere des Hedging-Programms der Gesellschaft galten. Als Grund wurde bekannt gegeben, daß die Entlassung erfolgt sei als Antwort auf Bedenken über die in letzter Zeit unbefriedigende Entwicklung der Gesellschaft und der Absicht der Gesellschaft, den früheren »Glanz« wieder zurückzugewinnen. *Barrick*-Aktien waren gegenüber dem letzten Jahr trotz des steigenden Goldpreises um 12 % gefallen, während die Kurse von *GoldCorp* und *Goldfields Ltd.*, zwei Gesellschaften, die nicht hedgen, um 40 % bzw. um 12 % gestiegen sind.

Die Möglichkeit eines Desasters für die Minenindustrie

Goldminenunternehmen verkauften Gold, das sie noch nicht gefördert hatten, indem sie es sich einfach von den Zentral- und Bullion-Banken liehen. Dann verkauften sie das auf diese Weise erworbene Gold und kassierten das Bargeld im Gegenzug für ein Versprechen an den Verleiher, ihm das ausgeliehene Gold mit Hilfe ihrer zukünftigen Minenproduktion wieder zurückzuerstatten. Danach benutzten sie das

---

[192] Antal E. Fekete, E-Mail an den Autor, 3. November 2000.

Bargeld für Investitionen, Verbesserung der Anlagen, Kostensenkungs-maßnahmen und Aktienrückkäufe. Doch irgendwann müssen sie das fehlende Gold aus der Erde graben, um zu ersetzen, was sie sich ursprünglich ausgeliehen und anschließend verkauft hatten.

Dieses tödliche Spiel wurde zuerst in Australien populär, wo Unternehmen 1982 damit begannen, Gold »forward« zu verkaufen. Die Beispiele *Ashanti* und *Cambior* zeigen auf eindringliche Weise, wohin all dies führen kann. Wollen wir hoffen, daß diese beiden Unfälle nicht die sprichwörtliche Spitze des Eisbergs sind. Es ist klar, daß die Industrie sich selbst in eine Situation hineinmanövriert hat, wie sie schlimmer nicht sein könnte. Ted Butler bemerkte dazu recht scharfsinnig:

> »Da so viel zukünftige Produktion schon verkauft ist, wird es in der Minenindustrie Heulen und Zähneklappern geben, wenn eigentlich Freude herrschen sollte.«[193]

Lawrence Parks kam am 18. Juli 2000 zu folgender Schlußfolgerung:

> »Wenn man den gegenwärtigen Trends den Lauf läßt, könnte die Industrie in fünf Jahren nur noch eine Erinnerung sein; die Minen geschlossen, die Arbeiter auf der Straße und die Aktionäre ruiniert. Mit »business as usual« ist es hier längst nicht mehr getan. Die Produzenten müssen dringendst ihre schlimme Lage überdenken und einen neuen Kurs einschlagen. Alte Konzepte, Ansätze und Strategien, die erwiesenermaßen ein Fehlschlag waren, müssen aufgegeben werden.«[194]

Die Studie endet mit einem hoffnungsvollen Ausklang bezüglich der Aussichten einer Auferstehung, jedoch nur, wenn die Gold-produzenten bestimmte Schritte unternehmen, welche die Branche wiederbeleben:

---

[193] Ted Butler, *Gold Digest*, www.Gold-Eagle.com, 16. August 1997.
[194] Lawrence Parks, *The Near Death & Resurrection of the Gold Mining Industry* (Woodside, New York: Taylor Hard Money Advisors, Inc., 2000), S. 1.

»Um die Geschicke der Goldproduzenten wiederherzustellen, ist es notwendig und ausreichend, Gold als Wahl des freien Marktes und der freien Menschen überall auf der Welt wieder als Geld einzuführen, das im In- oder Ausland nicht an Wert verliert; als Geld, das so dauerhaft wie die Sterne ist; als Geld, daß so verläßlich wie die Gezeiten ist, oder wie es [der amerikanische Gewerkschaftsverband] *American Federation of Labor* zum Jahrhundertwechsel beschrieb: Gold ist der Standard jeder großen Zivilisation! [Die großen Tiere in der Industrie wären wahrhaftig gut beraten, in diesem Sinne zu denken, bevor es zu spät ist; d. Verf.]«[195]

Gold und Goldminen-Aktien in den 1990er Jahren

Die Firma *American Investment Services Inc.* faßte die kürzlichen Entwicklungen auf dem Goldmarkt wie folgt zusammen:

»Der Dollarpreis für Gold lag 1999 im Durchschnitt bei $ 278 pro Unze. Das waren 5,3% weniger als der Durchschnittspreis 1998. 1999 war der Durchschnittspreis so niedrig wie seit 20 Jahren nicht mehr.

1999 lag aber die Minenproduktion mehr als 2½-Mal so hoch wie 20 Jahre zuvor, doch das Wachstum hat sich beträchtlich verlangsamt. In Zukunft könnte die Produktion zurückgehen, da niedrige Preise viele potentielle Projekte abgebremst haben. Die Netto-Verarbeitung übertrifft weiterhin die [Neu-] Produktion der Minen um eine erhebliche Marge, wobei die Differenz hauptsächlich aus den Verkäufen offizieller Reserven gedeckt worden ist. Die Ankündigungen solcher Verkäufe und die damit verbundenen Hedging-Aktivitäten scheinen die Ursache der vielen Schwankungen des Goldpreises während des Jahres zu sein.«[196]

---

[195] Lawrence Parks, *The Near Death & Resurrection of the Gold Mining Industry* (Woodside, New York: Taylor Hard Money Advisors, Inc., 2000), S. 9.

[196] *Gold and Mining Investment Guide*, American Investment Services Inc. (Great Barrington, Massachussetts, 31. Mai 2000), S. 34.

Während einem Großteil der 1990er Jahre bewegte sich der Goldpreis innerhalb einer bestimmten Kursbandbreite. Jeglicher Chart läßt aber erkennen, daß die wirkliche Schwäche zeitgleich mit der Drohung der schweizerischen Verkäufe einherging. Die Schweiz wurde vorsätzlich (oder unschuldig) zum größten Baissemanöver der 1990er Jahre verleitet, da sie einen der größten Goldschätze der Welt hatte. Die schweizerische Drohung war das Schwert des Damokles, das jahrelang über dem Markt hing und den Baisse-Spekulanten Milliarden an Gewinnen bescherte, während die Minenindustrie, ihre Aktionäre und Sparer Milliarden von Dollar verloren. Doch es war der Bank von England unter dem Einfluß ihrer eigenen (Labour-)Regierung vorbehalten, dem Goldpreis den Gnadenstoß zu verabreichen.

American Investment Services kam zu dem Schluß, daß es wohl nur zu einer nachhaltigen Erhöhung des Goldpreises kommen kann, wenn westliche Investoren auf den Goldanlagemarkt zurückkehren. Genau diese Gruppe war in den 1970er Jahren als Hauptkäufer aufgetreten, als der Goldpreis innerhalb von nur zehn Jahren von $ 35 auf $ 850 stieg.

In den letzten Jahren bewegten sich die Aktien von Goldminen wie eine Achterbahn auf und ab und erreichten Ende 1997 und Anfang 1998 einen Tiefststand. Vor allem die südafrikanischen Minen unternahmen jede Anstrengung, das Geschäft zu rationalisieren und Kosten zu reduzieren und sich dem tiefen Goldpreis anzupassen. Die *Randgold & Exploration Company Limited*, Johannesburg, startete im Zuge dieses Trends eine regelrechte Revolution. In der Geschichte des Goldminenwesens war dies einmalig. In der Vergangenheit arbeitete die südafrikanische Goldminen-Industrie unter einem kostspieligen System mit veralteten Management-Verträgen. Die Muttergesellschaft (The House) erhielt von den einzelnen Minen der Gruppe Dividenden und erhob überdies Kommissionen für eine Reihe von Dienstleistungen, bis die Golderzlager schließlich erschöpft waren.

Randgold & Exploration waren die ersten, die dieses Arrangement beendeten. In einem erfolgreichen Versuch, die Kosten zu senken und die Effizienz zu steigern, machte man das jeweilige Management sowohl für den Betrieb als auch für den finanziellen Erfolg ihrer Minen allein verantwortlich. Nach fünf Jahren und einer verwirrenden Serie von Fusionen, Übernahmen, Reorganisationen und Ausgliederungen in selbständige Einheiten entwickelte sich *Randgold* immer mehr zu einer Holding-Gesellschaft. Ihr gegenwärtiger Hauptvermögensteil besteht in der 49% Beteiligung an *Randgold Resources*, einem im Westen Afrikas aktiven Explorationsunternehmen, das kürzlich erfolgreich das Morila-Minenprojekt in Mali entwickelt hat, an welchem sich im Jahre 2000 die große *AngloGold Ltd.* beteiligt hat. *Randgold & Exploration* hält auch Anteile verschiedener Unternehmen, aber insbesondere ein Paket von Schürfrechten in verschiedenen Teilen Afrikas.

Randgold & Exploration, welches aus *Rand Mines* hervorging, verlieh all seinen Minen, einschließlich *Durban Deep* und *Harmony*, den Status der Unabhängigkeit. Nur dank dieser Maßnahme konnte die Rettung der über 100 Jahre alten todgeweihten Minen außerordentlich erfolgreich verlaufen. Man restrukturierte viele der angeschlossenen Minenbetriebe und lancierte ein erfolgreiches Explorationsprogramm in mehreren westafrikanischen Ländern. In Mali machte *Randgold Resources* unter Leitung von Roger Kebble und Dr. Mark Bristow die größte Entdeckung des Jahrzehnts bei Morila — mittlerweile ein Joint-Venture mit *AngloGold*, dem größten Goldbergbau-Unternehmen der Welt. Die 1895 gegründete *Durban Roodeport Deep Ltd.* (DRD) war ebenfalls ein sterbendes Unternehmen und im Begriff zu schließen, als die neuen Eigentümer und das Management ein erfolgreiches Modernisierungs- und Expansionsprogramm begannen. Nach einem Wechsel in der Geschäftsleitung im Jahre 2001 verläuft die Entwicklung der Gesellschaft allerdings wieder weniger positiv.

Die Modernisierung der Goldminen-Industrie des Landes erfaßte schon bald alle anderen Gruppen wie *AngloGold* und *Goldfields Ltd.* Sie trafen Schlüsselentscheidungen hinsichtlich Exploration, Modernisierung und Fusionen, die ihnen selbst unter ungünstigsten Industrie-Bedingungen ihr Überleben garantieren. Ganz besonders erfolgreich war *Harmony*, die sich inzwischen zu einem der größten Goldminenunternehmen der Welt entwickelt hat.

Wer sind die Gewinner und Verlierer des Goldkrieges?

Die Geschichte hat immer wieder gezeigt, daß Kriege ausnahmslos mehr Verlierer als Gewinner zurücklassen. Doch die Gewinner gewinnen nie soviel, wie die Verlierer verlieren, denn in einem Krieg

kommt es zwangsläufig zu Zerstörung und Vernichtung. Die Goldkriege machen da keine Ausnahme. Selbst ein kurzer Überblick zeigt,
daß es praktisch keine Gewinner gibt:

Involvierte Parteien	Gewinner	Verlierer
Goldminenunternehmen		X
Goldminen-Aktionäre, -Eigentümer		X
Arbeitnehmer		X
Goldproduzierende Länder		X
Zentralbanken		X
Sparer		X
Weltwirtschaft		X
Weltarbeitsmarkt		X
Steuerzahler weltweit		X
Investment-Banken, Bullion-Banken	X*	X
Goldkäufer, z. B. Juweliere	X	
Goldspekulation, z. B. Hedge-Fonds, Shorters	X**	

* Investment-Banken sind hauptsächlich an Kommissionen interessiert,
und das gegenwärtige Geldsystem hat ihnen eine Bonanza beschert, aus der sie
natürlich so lange wie möglich weiter schöpfen wollen. Wenn es aber eine
florierende Goldminen-Industrie gäbe, würden ihre Kommissionseinkünfte
viel mehr und zudem regelmäßig anfallen, weil es dann viele neue Firmen-
aktivitäten, Gesellschaftsgründungen und Börseneinführungen geben würde.
Aber es sind die Volkswirtschaften aller goldproduzierenden Länder, die vom
erhöhten Geschäftsvolumen der Goldindustrie wie auch von dem damit verbundenen Multiplikator-Effekt, der von einer gesunden Minenindustrie auf die
große Breite fast aller geschäftlichen Aktivitäten ausstrahlt, am meisten profitieren würden.

** Den Hedge-Fonds ist es ebenfalls gestattet, Anlagepositionen in Gold
zu halten oder Goldminenaktien zur Erzielung von Kapitalgewinn zu erwerben. Den Goldmarkt permanent mit Baisse-Transaktionen anzugehen, ist in
dieser Phase äußerst gefährlich. Aus Erfahrung wissen wir, daß kein Fieber so
stark ist wie das Goldfieber.

Die einzigen Gewinner von heute und morgen, die langfristig profitieren werden, sind die Goldkäufer, allen voran die Schmuck-industrie, denn sie kaufen das Gold zu unnatürlich niedrigen Preisen auf. Diejenigen, die jedoch finanziell die größten Gewinne einfahren, sind Finanzinstitute wie *Goldman, Sachs* usw., die auf der Gegenseite der Leer- und Terminverkäufe der Goldindustrie sitzen. Wenn der Preis schließlich explodiert, werden dieselben Häuser, welche vom Fiat-Money-Arrangement profitiert haben, höchstwahrscheinlich das meiste Gold und möglicherweise auch die Goldminen besitzen.

Diejenigen, die bis jetzt am schlimmsten dran waren, sind die Minengesellschaften, ihre Angestellten und besonders ihre Aktionäre aufgrund Milliarden von Dollar verlorener Einnahmen, Dividenden und vor allem verlorener Marktkapitalisierung. Indessen haben die Führungskräfte der Gold-Gesellschaften stets ihre Gehälter kassiert, unabhängig davon, ob die Industrie in einer tödlichen Gefahr schwebte oder nicht. In einem Geschäft mit solch hohem Risiko sollte es auch angemessene Belohnungen für diejenigen geben, die das eigentliche Risiko tragen: die Aktionäre. Gibt es das nicht, stimmen die Aktionäre mit ihren Füßen ab und verlassen das sinkende Schiff. Dies ist nicht nur am Kurs der Goldminen-Aktien weltweit erkennbar, es ist auch ein schlechtes Omen für die Zukunft, denn Minen brauchen ständig frisches Eigenkapital, um Anlagen, Ausrüstungen und Reservemittel wieder zu ersetzen und aufzufüllen. Da die Exploration in den letzten Jahren praktisch zum Erliegen gekommen ist, werden die erschöpften Reserven nicht wieder aufgefüllt. Sollte sich der gegenwärtige Trend fortsetzen, werden viele Minen in wenigen Jahren erschöpft und ge-schlossen sein. Da wir heute am Beginn einer neuen Gold-Hausse sind, besteht berechtigte Hoffnung, daß in der Industrie ein neuer Mut und hoffentlich auch ein neuer Geist aufkommen.

Über die Tatsache, daß es unter diesen Umständen immer weni-ger spezialisierte Goldinvestoren gab, äußerte Julian Baring folgendes:

> »Der Stamm professioneller Goldminen-Investoren leidet an einer derartigen Auszehrung, daß die Minenindustrie nicht erwarten kann, daß er noch eine ernsthafte Kapitalquelle dar-stellt. Die Industrie wird sich anderswo nach Investoren umsehen müssen, aber diese Investoren kennen unsere ›Regeln‹ nicht. Sie wissen wenig oder es kümmert sie auch kaum, wie es um die

Marktkapitalisierung pro Reserveunze im Boden bestellt ist. (…)
Sie wollen mit ihrem Geld einen Gewinn erwirtschaften, der
höher ist, als was sie anderswo kriegen.«[197]

Südafrika könnte den Krieg gewinnen

Südafrika, der größte Goldproduzent der Welt, muß sich über die
anderen Dimensionen des Goldes, seine symbolische Bedeutung und
die praktischen Seiten des Metalls, bewußt werden. Gold ist seit nahezu 3000 Jahren das beste Geld. Es wurde zur Weltwährung unter dem
Goldstandard des 19. Jahrhunderts, als die Währungen der einzelnen
Länder in einer bestimmten Menge Gold definiert waren. Es war diese
Verwendung des Goldes als Geld, die den genialen automatischen
Mechanismus repräsentierte, der ein integriertes Zahlungssystem, Stabilität, Wohlstand, Freiheit und Wirtschaftswachstum garantierte. Wie
wir aus bitterer Erfahrung wissen, hat kein alternatives System auch
nur annähernd an die Wohltat des Goldstandards herangereicht. Eine
freie, internationale und multilaterale Weltwirtschaft erfordert eine
globale Währung. Gold ist die Währung, auf welche die Wahl des
freien Marktes gefallen ist, weil es die am besten funktionierende
Form von Geld ist. Genauso kann es nicht die leisesten Zweifel darüber geben, daß, um das volle Potential der Weltwirtschaft wiederherzustellen, kein Weg an Gold vorbeiführt. Ein globales Währungssystem, oder wie man es heute nennt, eine neue Finanzarchitektur wiederherzustellen, ist ohne Gold nicht nur schwierig, sondern unmöglich.

Dies ist es, was Südafrika (und Rußland genauso) verstehen muß.
Es muß klar erkennen, daß es das wertvollste Produkt herstellt, das als
unverzichtbare Basis für die kommende Weltwährungsreform dienen
wird. Wenn sich das Land an diesen Gedanken gewöhnen kann, dann
sollte es begreifen, daß es für sein Produkt gegen eine unheilige
Allianz kämpfen muß, die fest entschlossen ist, dieses Produkt unbe-
achtet zu lassen oder gar zu zerstören. Es muß sich mit der symboli-
schen Dimension des Goldes vertraut machen, welche nun schon seit

---

[197] »Julian Baring, 1935–2000«, *World Gold*, Vol. 3, No. 10, Oktober 2000,
S. 14.

mehr als 5000 Jahren Zivilisation besteht und alle Zeiten überdauern
wird.

Südafrika sollte ein gesteigertes Bewußtsein bezüglich dieser
Rolle des Goldes erlangen und sich darüber klarwerden, welche Rolle
Südafrika in dieser Arena der Geldmächte zu spielen hat. Es sollte fürs
Gold kämpfen und es nicht der Lächerlichkeit und Verunglimpfung all
jener preisgeben, die so tun, als sei Gold ein verachtenswertes Ding der
Vergangenheit. Jeder Käseproduzent kämpft mehr für sein Produkt.
Das Land sollte endlich zu einer Vorwärtsstrategie übergehen und zur
weltweit führenden Kraft in Goldfragen avancieren. In Zusammenar-
beit mit einem Konsortium von ebenso aufgeschlossenen und voraus-
schauenden Goldminen sollte es eine PR-Kampagne starten, um das
Weltinteresse am Gold und dem Goldstandard wiederzubeleben.

Alle größeren goldproduzierenden Länder Afrikas sollten ein
Interesse an einer Teilnahme an dieser Kampagne haben. Südafrika
sollte sich auch daran erinnern, wie Amerika es als Pionierland schaffte, ohne ausländische Hilfe oder Unterstützung von einer Weltbank
oder einem IWF zur größten Wirtschaftsmacht der Welt aufzusteigen.
Amerika tat dies aus eigener Kraft und mit gelegentlicher Hilfe von
Goldanleihen.

Ein großer Teil der damaligen Finanzierung wurde über goldgedeckte Anleihen getätigt. Das ist es, was Südafrika, Rußland und
andere goldproduzierenden Länder lernen und in die Praxis umsetzen
müssen: Wachstum durch Ausgabe goldgedeckter Anleihen finanzieren, statt Wohlstand zu vergeuden, indem wertvolles Gold zu Aus-
verkaufpreisen verschleudert wird. Das ist es, was diese an natürlichen
Bodenschätzen so reichen Länder machen sollten. Es ist ihre einzige
Chance für Wirtschaftsbelebung und zukünftige Prosperität. Die Schweiz
könnte hierbei als Modell dienen, als leuchtendes Beispiel eines Landes, das den höchsten Lebensstandard der Welt erreicht hat, ohne selbst
Bodenschätze zu besitzen. Südafrika hat den unschätzbaren Vorteil,
über Bodenschätze und Raum zu verfügen.

Gold als Geld verhindert Inflationspolitik und Korruption. Gold
ist eine Vorbedingung für eine freie Gesellschaft. Es ist das liquideste
Produkt, das beste Werterhaltungsmittel, die beste Versicherung und
keine Schuldverpflichtung von irgend jemandem. Nur die feste Veran-

kerung der Wirtschaft in den ewigen Prinzipien der Naturgesetze wird es uns ermöglichen, eine langfristig zufriedenstellende Lösung für die Probleme von Südafrika im besonderen und der Welt als Ganzes im allgemeinen zu finden.

KAPITEL VII:
VERRAT AN DER SCHWEIZ

»Wenn wir die Aufgabe der Geldproduktion der Regierung übertragen, sollten wir stets minderwertiges Geld erwarten.«[198]
Lawrence White, Ökonom

»Die Kunst des Krieges ist für den Staat von zentraler Bedeutung.
Es ist eine Angelegenheit auf Leben und Tod, ein Weg, der
entweder zu Sicherheit oder zum Ruin führt. Deshalb ist sie
Gegenstand der Forschung, die unter gar keinen Umständen von
irgendeinem von uns, weder heute ... und morgen, vernachlässigt
werden kann.«[199]
Sun Tzu (China, etwa 500 v. Chr.)

»Der Preis der Freiheit ist ewige Wachsamkeit.«[200]
Wendell Phillips (1811–1884)

»Im *Alten Testament* sagt uns die *Schöpfungsgeschichte*, daß Gold
ein wertvolles Gut ist. Es kann nicht sein monetärer Charme
gewesen sein, der unsere biblischen Väter anzog — und, zu
dieser Zeit, waren es auch nicht die Zentralbanken, die die Show
abzogen. Daher: ›no charm, no harm‹! Etwas, das Tausende von
Jahren eine solch einzigartige Wertschätzung genossen hat, wird
niemals in einem Zeitraum von wenigen Jahren dahinschmelzen.«[201]
Jean Zwahlen (1995)

---

[198] Lawrence White, *Free Banking* (Brookfield, Vermont: Edward Elgar Publishing, 1993), zitiert aus: Richard M. Salsman, *Gold and Liberty* (Great Barrington, MA: AIER, *Economic Education Bulletin*, 1995), S. 87.

[199] Sun Tzu, *The Art of War*, Neuauflage (London: Hodder & Stoushton, 1981),
S. 15.

[200] Wendell Phillips, Abolitionist (Gegner der Sklaverei), Redner und Kolumnist für *The Liberator* in einem Vortrag vor der *Massachussetts Antislavery
Society* 1852.

[201] Jean Zwahlen, Mitglied des Vorstands der SNB, auf der World Gold
Conference in Lugano, Schweiz, am 9. Juni 1995, während seiner Eröffnungsrede.

Tragische Wendung in der Gold-Verschwörung

In den 1990er Jahren trat die Goldverschwörung in ihre vielleicht letzte und tragischste Phase ein. Die goldreiche Schweiz wurde zur Hauptzielscheibe. Kriegsvorbereitungen werden oft lange vor Beginn der eigentlichen Kampfhandlungen getroffen. Die Grundlage hierfür war nämlich schon viele Jahre zuvor gelegt worden. Damals häuften sich die Vorschläge, denen zufolge sich die neutrale Schweiz stärker internationalen Organisationen anschließen solle. Die Schlacht um das Gold der Schweiz war eröffnet und besiegelt, als das Land 1992 Mitglied des IWF wurde.

Einige Jahre später, 1996, änderte die SNB radikal ihre Goldpolitik. Fast ein Vierteljahrhundert zuvor, nachdem die Schweizer Notenbank im Januar 1973 unter Führung von Fritz Leutwiler den Wechselkurs ihrer Währung freigab, fand eine weitere historische Änderung statt. Diesmal war jedoch die Veränderung ungleich dramatischer. Nur wenige erkannten, welche Auswirkungen dies auf die Zukunft der Schweiz als einer souveränen Nation haben würde. Dasselbe gilt für ihre Stellung als Finanzzentrum mit den damit verbundenen langfristigen Auswirkungen auf ihre Wirtschaft. Jahrzehntelang bildeten die Neutralität des Landes und die Härte ihrer Währung die Basis des Vertrauens der Welt in das schweizerische Bankensystem. Der Grund war recht einfach: Der Schweizer Franken war zu 100% von Gold gedeckt und wurde deshalb als ebenso wertvoll angesehen.

Ende 1996 kam die schweizerische Regierung in Zusammenarbeit mit der SNB zu der überraschenden Feststellung, daß in der heutigen Welt eine 40%ige Reservedeckung ihrer Währung nicht länger notwendig sei. Dies waren die sensationellen Ergebnisse einer gemeinsamen Forschungsgruppe, die gebildet wurde, um einen Plan zur Eliminierung dieser »altmodischen« Bedingung auszuarbeiten, ohne dabei die vorsichtigen schweizerischen Bürger allzu sehr zu schockieren. Für viele besteht nach wie vor kein Zweifel darüber, daß die ausgegebenen Noten durch Gold und kurzfristige Guthaben gedeckt sein müssen, und daß dies einer der Eckpfeiler des weltweiten Respekts war, der dem Schweizer Franken und dem Schweizer Bankenzentrum gezollt wurde.

Nach Angaben des Jahresberichts der SNB von 1995 deckten die Goldreserven der Schweiz nur 43,2% des Nennwertes aller im Umlauf befindlichen Banknoten ab. 1990 waren es noch 46% gewesen. Da sich die Zahl der im Umlauf befindlichen Banknoten von Jahr zu Jahr erhöhte, mußte etwas geändert werden. Der gesetzlich festgelegte Goldpreis von SFr 4595 pro Kilogramm war vollkommen unrealistisch, wenn der Marktpreis bei etwa SFr 15 000 notierte. (Acht Jahre später, zu dem Zeitpunkt, wo dies geschrieben wird, liegt der Preis immer noch bei ca. SFr 15 000.) Die beste Möglichkeit für eine schnelle und saubere Lösung wäre die Heraufsetzung des offiziellen Goldpreises auf Marktniveau — oder wenigstens in die Nähe desselben — gewesen, wie es die französischen und italienischen Zentralbanken bereits vorexerziert hatten. Dies wäre kaum schwieriger zu bewerkstelligen gewesen als Leutwilers historische Entscheidung.[202] 1996 wurde das Szenario, einfach den Preis nach oben anzupassen, undenkbar, da sich die Schweiz 1992 dem IWF angeschlossen hatte. Gemäß den Articles of Agreement des IWF ist die Bindung von Währungen an Gold verboten. Der IWF behauptet zwar, für gesunde Währungsverhältnisse einzutreten. Trotzdem ist es unter den Statuten des Währungsfonds leichter, eine Währung an Schweinebäuche oder Sojabohnen zu binden als an Gold!

Jahrzehntelang war die SNB als so solide wie der Felsen von Gibraltar angesehen worden. Nicht etwa, weil ihr Leistungsausweis über alle Zweifel erhaben gewesen wäre, ganz im Gegenteil, es ist öfters zu schweren Schnitzern gekommen. Doch in ihren Tresoren befanden sich 2590 Tonnen Gold, was eine goldene Garantie darstellte. Es war die viertgrößte Goldreserve der Welt, 8% des gesamten behördlichen Goldes, oder fast so groß wie die Goldreserven Deutschlands, ein Land zehnmal so groß wie die Schweiz.

---

[202] Siehe: *75 Years Swiss National Bank*, 1982, S. 162: »Der Konflikt zwischen Artikel 19 und 22 könnte kurzfristig gelöst werden, indem die SNB autorisiert werden würde, den Wert ihrer Goldbestände näher dem Marktniveau anzupassen. Eine langfristige Lösung bedürfte allerdings einer umfassenden Revision des schweizerischen Währungsgesetzes.«

Die Schweizer Nationalbank beschließt, ihre Unabhängigkeit aufzugeben, wegen eigenen groben Fehlern

Die Dinge änderten sich. Anfang der 1990er Jahre ging es der schweizerischen Wirtschaft nicht gut, und die Arbeitslosigkeit war ungewöhnlich hoch. Die SNB wußte, daß das zweckmäßigste Mittel, den Franken zu schwächen, in der Loslösung vom Gold bestand, d. h. die monetäre Disziplin zu lockern. Die Goldbindung mußte sowieso aufgegeben werden, da sich die Schweiz durch die IWF-Mitgliedschaft deren Regeln unterworfen hatte. Das schien auch nicht allzu außergewöhnlich. U.S.-Präsident Lyndon B. Johnson hatte im März 1965 dasselbe getan, als er seinem Land »Kanonen und Butter« versprach. LBJ lockerte die Bindung zwischen Gold und dem Dollar, und der Kongreß schaffte die Bedingung ab, derzufolge das Fed mindestens eine 25%ige Reserve an Goldzertifikaten für Einlagen von Mitgliedsbanken bereithalten mußte.

Chronologie des schweizerischen Währungsdramas

1992
Die Schweiz schließt sich den Bretton-Woods-Institutionen an

»Jede Kriegsführung basiert auf Täuschung.«[203]
Sun Tzu (China, etwa 500 v. Chr.)

»Die Schweizer Nationalbank hat nicht die Absicht, irgendwelches Gold zu verkaufen.«[204]
Ein Vorstandsmitglied der SNB am 20. Juni 1992

Das Ende der historischen Bindung des Schweizer Franken an Gold wurde also 1992 herbeigeführt und nicht 1996 oder 1999. Die Entscheidung wurde getroffen, als die Schweiz dem IWF beitrat. Gemäß Artikel 2b, Absatz IV der Articles of Agreement des IWF war ein Festhalten an einer goldgedeckten Währung verboten, und die Schweiz ging unter der Führung zweier Bundesräte, des EU-Befür-

---

[203] Sun Tzu, S. 17.
[204] Andrew Smith, *The Swiss Revolution*, »Central Bank Gold: The Picture of Less Reserve« (Zürich: UBS Ltd., 18. April 1997).

worters und Internationalisten Flavio Cotti und des Sozialdemokraten und früheren Handelslehrers Otto Stich in die Knie. Die einzigen, die nicht wußten, was vor sich ging, waren die Schweizer Bürger. Ihnen wurde nie die Wahrheit gesagt.

In den letzten Jahren baute die Regierung und ihre wachsende Bürokratie zum Zwecke der direkten Meinungsbeeinflussung eine mächtige PR-Maschine auf. Es ist heute an der Tagesordnung, daß vor jeder Volksabstimmung diese meinungsbeeinflussende Propaganda-Maschine aufmarschiert, um starken Druck auf die Bevölkerung auszuüben, damit den Vorschlägen der Regierung auch ja Folge geleistet wird. Diese ganze Übung ist nicht nur illegal, sondern geht auch noch zu Lasten des Steuerzahlers. Das ist längst keine Demokratie mehr.

Bevor sich die Schweiz den Bretton-Woods-Institutionen anschloß, »verkaufte« diese Regierungs-Propaganda-Maschine der Öffentlichkeit die Notwendigkeit des Beitritts schonungslos und auf verlogene Art und Weise als eine bessere Form der Entwicklungshilfe. Die Nation, die das Rote Kreuz gegründet hatte, besaß schon immer ein tiefes Verständnis für humanitäre Hilfe. Trotz des starken Drucks fiel die Abstimmung dennoch recht knapp aus. Nur 55,8 % stimmten dafür. Kein überwältigendes Ergebnis, vor allem wenn man berücksichtigt, daß die Mehrheit, einschließlich der gewöhnlich gut informierten Bürger, keine Ahnung hatte, was der IWF eigentlich macht, und es auch bis zum heutigen Tage nicht weiß. Die einzige größere Gruppierung, die sich klar gegen einen IWF-Beitritt aussprach, war die *Schweizerische Volkspartei* (SVP).

Der IWF

Alan Reynolds vom *Hudson Institut* sagte im März 1992 folgendes:

»Im Juli 1944 kamen die USA und Großbritannien mit anderen Wirtschaftsmächten auf der internationalen Konferenz von Bretton Woods in New Hampshire zusammen, um den IWF zu gründen. Sein Ziel sollte darin bestehen, die Währungsstabilität zu fördern. Am 15. August 1971, als Präsident Nixon die Goldkonvertierbarkeit des Dollars suspendierte, war jedoch der zentrale Gedanke, auf welchem die Gründung des IWF beruhte, hinfällig geworden. Dennoch machte niemand den Vorschlag, den

IWF wieder aufzulösen. Statt dessen suchten IWF-Bürokraten
nach einer neuen Existenzberechtigung. Die IWF-Satzung wurde
deshalb überarbeitet, um dessen Weiterbestehen mit einem neu-
en, flexibleren System zu legitimieren. In den Jahren darauf
expandierte der IWF stark die Finanzierungsaktivitäten — im
offensichtlichen Bemühen, eine fortbestehende Rolle zu rechtfer-
tigen und sich neu zu definieren.«[205]

Die Quintessenz des Aufsatzes war, daß der IWF im allgemeinen
keine positive Rolle gespielt hat. Schon im August 1983 kommentierte
Robert M. Bleiberg in *Barron's*, daß der IWF seit Bretton Woods eine
nahezu lückenlose Kette von Fehlleistungen produziert hatte. Der
ehemalige U.S.-Außenminister Henry Kissinger und die ehemaligen
U.S.-Finanzminister George Schultz und William E. Simon sprachen
sich allesamt für eine Abschaffung des IWF aus. Am 24. Oktober 1997
schrieb William Simon im *Wall Street Journal*, daß der IWF unwirk-
sam, unnötig und überholt sei. Er folgerte:

> »Der Kongreß und Senat haben jetzt eine goldene Gelegen-
> heit, die längst überfällige Eliminierung des IWF zu erzwingen.
> Es gibt keinen einzigen Grund mehr, Steuerzahler mit den Kosten
> dieser völlig überholten Institution zu belasten.«[206]

Alan Reynolds meinte, daß wenn der IWF eine positive Rolle zu
spielen habe, diese erst noch definiert werden müsse.

In einer vom *Committee for Economic Research and Education*
(CMRE) veröffentlichten Studie fand die angesehene Ökonomin Anna
J. Schwartz zusammen mit R. Christopher Whalen, dem damaligen
Direktor der Investment-Banking-Abteilung der *Prudential Securities
Inc.* in New York, sowie Walker F. Todd, ehemaliger Rechtsanwalt der
Federal Reserve Bank von Cleveland und Wirtschaftsberater, daß es
aufgrund der Mißerfolge des IWF an der Zeit sei, den Fonds wie auch
den *Exchange Stabilization Fund* des Schatzamtes abzuschaffen.

---

[205] Alan Reynolds, *The IMF's Destructive Recipe of Devaluation and Austerity*
(Indianapolis: Hudson Institute, 1992), S. 4.
[206] William E. Simon, »Abolish the IMF«, *The Wall Street Journal*, 23. Oktober 1997, A18.

Seit Anfang 1992 und infolge der schicksalhaften Entscheidung einer schlecht beratenen schweizerischen Regierung wird der schweizerische Steuerzahler unnötig mit den Kosten der IWF-Mitgliedschaft belastet.

Helvetistan

Von da an wurde die Schweiz in IWF-Kreisen als »Helvetistan« bezeichnet. Die *Neue Zürcher Zeitung (NZZ)* berichtete im November 1992, daß die Länder, mit denen die Schweiz zusammengruppiert worden war, möglicherweise vor einem schwierigen Start stünden.[207] Es war schwer, anderer Meinung zu sein. Um sich einen Sitz im Vorstand des IWF zu sichern, wurde die Schweiz gezwungen, sich mit einer Gruppe von Ländern zusammenzutun, mit denen sie kaum oder gar keine politischen oder wirtschaftlichen Beziehungen pflegte, von kulturellen oder historischen Bindungen ganz zu schweigen. Es waren allesamt zentralasiatische Republiken, die früher noch Teil der Sowjetunion gewesen waren: Aserbeidschan, Kirghisien, Turkmenistan, Usbekistan und Tadschikistan. Es ist interessant, daß zum Zeitpunkt des Schreibens meines Buches *Gold Wars*, aufgrund der nächsten Revision des Quotensystems, der schweizerische Sitz im IWF-Direktorium, wie es den Anschein hat, gar nicht mehr so sicher ist.[208]

Wie konnte die Schweiz ihre Einzigartigkeit opfern und sich einer Organisation unterwerfen, die ihre *raison d'être* (Existenzberechtigung) nach dem Kollaps von Bretton Woods ganz offensichtlich verloren hatte? Den Bretton-Woods-Organisationen 1992 beizutreten, läutete nicht nur das Ende für die einzigartige Währung der Schweiz ein, sondern stellte langfristig auch eine Bedrohung der prominenten schweizerischen Position als eines der großen Finanzzentren der Welt dar. Es sind die *classe politique* und die Großbanken, die letzten Endes, wenn sie ihren Willen durchsetzen könnten, die Souveränität der Schweiz leichtsinnig opfern würden. Nochmals: Entweder wurden der Öffentlichkeit die wahren Gründe des IWF-Beitritts nicht genannt und bewußt verschleiert, oder aber die Regierung verstand damals nicht, was sie tat.

---

[207] »Helvetistan vor der Bewährungsprobe«, *Neue Zürcher Zeitung*, 31. Oktober/1. November 1992, S. 33.

[208] Richard Gerster, »Ist der Schweizer IMF-Sitz in Gefahr?«, *Neue Zürcher Zeitung*, 21. August 2000, S. 13.

Beides ist wahr. Es gab keinen Grund, warum die Schweiz dem IWF hätte beitreten sollen, und die Gründe, die den Wählern genannt wurden, konnten einfach nicht ernst genommen werden. Trotz der traditionellen Neutralität der Schweiz verfolgte die Regierung unentwegt eine Strategie der Internationalisierung der schweizerischen Politik. »Wir müssen Teil der internationalen Gemeinschaft werden« oder »wir können nicht draußen bleiben« waren die griffigen »Argumente« des Bundesrates und der Nationalbank — und sie sind es immer noch.

Ungeachtet der Tatsache, daß die Schweiz bereits Milliarden Schweizer Franken an Steuergeldern ausgegeben hat und ihre Rolle bei der Entwicklungshilfe seit Jahren beständig ausbaut, hatte der Bundesrat das dringende Bedürfnis, jeder nur denkbaren internationalen Organisation beizutreten. Da die Schweiz ein kleines Land ist, ist klar, daß sie niemals viel Einfluß nehmen kann. Nach Jahren der Beobachtung der schweizerischen Politik, des politischen Lebens im Lande und vieler Kontakte zu hochrangigen Politikern bin ich zu der Auffassung gekommen, daß die Regierung der Schweiz von monetären Angelegenheiten keine Ahnung hatte und hat. Sie weiß nicht, was sie tat oder tut. Ich bin zudem überzeugt, daß nur sehr wenige Mitglieder des damaligen Parlaments die tiefere Bedeutung des IWF-Beitritts verstanden. Nicht einer einzigen Person dürfte klar sein, daß die Schweiz im Begriff ist, hiermit politischen und wirtschaftlichen Selbstmord in Zeitlupe zu begehen.

Wie war es möglich, daß die Banken eines kleinen Landes und die schweizerischen Bankinstitutionen zu einem der machtvollsten Bankenplätze der Welt werden, an dem ein großer Teil der internationalen Investment-Portfolios verwaltet werden? Es war nur möglich, weil die Gold-Deckung der schweizerischen Währung das nötige Vertrauen verschaffte. Nach dem Zusammenbruch von Bretton Woods war der Schweizer Franken die einzige Währung auf der Welt, die immer noch durch Gold gedeckt war. Diese einzigartige Anziehungskraft und Stabilitätsgarantie waren es, die den Schweizer Franken zum Brennpunkt des Neides der Befürworter eines Dollarstandards machten. Der Schweizer Franken genoß eine Anziehungskraft, die der U.S.-Dollar nicht hatte. Seine Anbindung ans Gold konnte daher von den Baumeistern einer zukünftigen Neuen Weltordnung (New World Order) nicht länger toleriert werden.

Wie konnten die Schweizer dazu gebracht werden, ihren Goldstandard aufzugeben? Der leichteste Weg war, das Land dem IWF beitreten zu lassen. Warum? Weil der IWF, obwohl er vorgibt, sich für Währungsstabilität einzusetzen, es seinen Mitgliedsstaaten in den Articles of Agreement nicht erlaubt, ihre Währungen an Gold zu binden, und grundsätzlich gegen Gold eingestellt ist. Die beste Lösung war also, die Schweiz einer Organisation beitreten zu lassen, die gegen Gold eingestellt war — dem IWF. So verlor der Schweizer Franken seinen einzigartigen Status. Und deswegen wird das schweizerische Bankwesen seine mächtige Position nach und nach ebenfalls verlieren.

Für die Manipulatoren war dieser Schachzug ein sensationeller Triumph. Sie hatten endlich erreicht, was sie schon so lange angestrebt hatten: die vollständige Beseitigung der monetären Funktion des Goldes. Von da an war es dann nur noch ein kleiner Schritt, die Schweiz davon zu überzeugen, ihr Gold zu verkaufen, womit der Goldpreis noch weiter in den Abgrund gestürzt wurde. Der entscheidende Hebel war eingestellt, und die Manipulatoren brauchten nur noch abzuwarten. Die Goldverschwörung trat damit in ihre entscheidendste Phase.

1995
World Gold Conference — die SNB behält ihre Goldreserven

Am 19. Juni 1995 sagte Jean Zwahlen, eines der drei Mitglieder des Direktoriums der SNB, auf der World Gold Conference in Lugano, daß er nicht glaube, daß der Verkauf oder die Mobilisierung der schweizerischen Goldreserven eine gute Idee sei. In seiner Eröffnungsrede definierte er Gold als ultra-zuverlässig und sagte:

> »Um es ganz offen zu sagen: Die *Schweizer Nationalbank* beabsichtigt in keinster Weise ihre Goldreserven zu verkaufen oder zu mobilisieren. Dafür gibt es mehrere Gründe. Unsere Währungsverfassung, zugegebenermaßen ein Überbleibsel der ›guten goldenen Zeit‹, hält uns vom Abbau oder aktivem Management unseres Goldbestandes ab. Diversifikation von Reserven erfordert nicht automatisch den Verkauf von Gold. In der Vergangenheit wurde Diversifikation in erster Linie durch Erhöhung von Devisenreserven erreicht. (…) Außerdem muß das Gold, das zur Deckung unserer Banknoten dient, in Form von Münzen und Barren verfügbar sein, was somit den Verleih von Gold aus-

schließt. Im weiteren würde uns der Verleih von Gold einem Kreditrisiko aussetzen, welches wir nicht ungesichert lassen könnten. Aber auch jenseits des gesetzlichen Rahmens, den es früher oder später zu aktualisieren gilt, gibt es auch wirtschaftliche und strategische Gründe, das Gold zu horten. Gold, obwohl schon fast vollständig demonetisiert, bleibt ein Geldsurrogat. Nicht, daß ich dem gegenwärtigen Währungssystem, das auf ungedecktem Geld basiert, mißtraue: Papiergeld, inklusive Buchgeld und elektronisches Geld, ist vollkommen verläßlich. Mein Punkt ist jedoch, daß Gold als ultra-verläßlich eingestuft werden muß. Goldreserven sind die letzte Zuflucht des ›Kreditgebers in letzter Instanz‹. Am Ende ist Gold die einzige Reserve, die von niemandem als Verbindlichkeit angesehen wird. Deswegen muß die Kosten-Nutzen-Analyse von Goldreserven ziemlich breit angelegt sein. Dazu gehören Ereignisse, die mit sehr größter Wahrscheinlichkeit nie eintreffen, z. B., daß es zum Schlimmsten kommen sollte. Dabei sollten wir auch die menschliche Natur berücksichtigen. Für Tausende von Jahren stand Gold für Wohlstand und Status, für Vertrauen und Verläßlichkeit. Die Loyalität der *Schweizer Nationalbank* gegenüber Gold stärkt ohne Zweifel ihren Ruf und Glaubwürdigkeit.«[209]

Ein bekannter Goldexperte, der bei der Konferenz in Lugano anwesend war, erzählte mir privat, daß er zugesehen hatte, wie Repräsentanten großer Goldhandels-Banken versuchten, Zwahlen zu Goldausleihungen zu überreden, und wie dieser sich widersetzt hatte.

Der Goldpreis in Zürich am 19. Juni 1995, 16.00 Uhr: $ 391.

Jean Zwahlen trat Ende 1995 von seiner Position bei der Bank zurück.

Der Feind von Innen

Über Jahre hinweg setzten die linksgerichteten Medien, sozialistische Politiker und der generellen Strömung folgende Ökonomen die SNB unter Druck, ihre Aktiven effizienter und gewinnbringender zu

---

[209] Jean Zwahlen, »Gold — Always a Topical Subject«, Eröffnungsrede der *Financial Times* World Gold Conference in Lugano vom 19. Juni 1992.

verwalten. Es gab eine endlose Diskussion darüber, ob das gesetzliche Erfordernis einer partiellen Golddeckung der Währung nicht wesentlich von seiner ursprünglichen wirtschaftlichen Funktion verloren hätte, nämlich als Mittel zur Beschränkung der Geldschöpfung durch die Zentralbank. Eine der schärfsten, aber auch dümmsten Attacken kam von einem Universitätsprofessor. Thomas von Ungern-Sternberg empfand es als ungerecht, daß die Schweizer ihren Gürtel enger schnallen mußten, weil die SNB angeblich unfähig war, mit den Ersparnissen des Landes bessere Erträge zu erzielen. Er rechnete vor, daß die SNB, anstatt nur auf dem Goldschatz zu schlafen, mit einer modernen Anlagepolitik hätte Milliarden verdienen können. All diese Propheten, seien es die Medien, akademische, politische oder Finanz-Kreise, erwiesen sich als der Feind von Innen, weil sie in dummer Weise oder vorsätzlich eine bewährte Politik ändern wollten, die sich über ein Jahrhundert lang als ein absoluter Vertrauensgarant bewährt hatte.

1996–2000
Was hat das Schweizer Gold mit Goethes Faust gemeinsam?

Eine neue Generation von SNB-Beamten trat in Aktion. Sie hatten eine andere Auffassung von Gold. Sie hatten möglicherweise schon einmal etwas vom Goldstandard gehört, aber sie verstanden ihn nicht. Sie hatten weder eine Krise wie die der 1930er Jahre noch eine markante Börsenbaisse erlebt. Die meisten waren nach dem Krieg geboren worden und wuchsen mit einem fast schon religiösen Glauben an den Aktienmarkt auf. Heutzutage reagieren die meisten Investmentbanker ausgesprochen negativ, sobald die Sprache auf das Gold kommt. Viele von ihnen haben bestimmt noch nie in ihrem Leben eine Goldmünze gesehen. Das einzige Gold, das sie je sahen, hängt an ihren Frauen. Gold befand sich seit über 20 Jahren in einem Baissemarkt. Jeder konvertierte zum universellen Glauben, demzufolge sich Aktien, nicht zuletzt wegen der überall vorhandenen, wunderbaren »Liquidität«, sich in einer immerwährenden Hausse befinden würden. Es konnte deshalb nicht überraschen, daß in den Köpfen dieser neuen Generation von Bankiers Gold in der Zukunft eine immer geringere Rolle spielen dürfte.

Der Ball wurde im April 1996 ins Rollen gebracht, als der vor seiner Pensionierung stehende Nationalbank-Präsident Markus Lusser, ursprünglich Rechtsanwalt, die 40%ige Golddeckung der schweizeri-

schen Währung als »ein Relikt der Vergangenheit« bezeichnete. Die bis
dahin noch als konservativ bekannte Zürcher Finanzpresse paßte sich
dem Anti-Gold-Trend an und machte gemeinsame Sache mit der wachsenden Zahl von Kritikern der Portfolio-Management-Künste der Zentralbank. Sie behauptete, daß durch die Mißwirtschaft Milliarden verlo-
rengegangen seien, die rechtmäßig dem Volke gehörten. Die linksge-
richtete Boulevardpresse, Politiker und Ökonomen, die die SNB angriffen, ihre Vermögenswerte nicht professioneller verwaltet zu haben,
waren für die bedauernswerten Notenbankiers keine Hilfe.

Im November 1996 verkündete der Jurist der SNB und Leiter
einer gemeinsamen Arbeitsgruppe, Peter Klauser, die wichtigsten
Untersuchungsergebnisse seiner Gruppe und folgerte:

> »Heutzutage beruht Geld ausschließlich auf dem Vertrauen
> in die amtlichen Stellen, die es herausgeben. Gold ist zu einer
> Ware geworden. (…) Gold ist demonetisiert.«[210]

Klauser begann seinen Vortrag mit einem Zitat aus Goethes *Faust I*,
wo Margarete sagt: »Nach dem Golde drängt, am Golde hängt doch
alles.«[211] Leider zitierte Klauser diesen Text nicht weiter. Im *Faust II*
beschreibt nämlich Johann Wolfgang von Goethe die »Vorzüge« des
Papiergeldes sehr eloquent.[212] Goethe, einer der größten Philosophen
und Dichter aller Zeiten, hatte die Papiergeld-Experimente des John
Law in Frankreich wie auch den Assignaten-Skandal während der
Französischen Revolution genau verfolgt. Er verstand die Funktionsweise eines Papiergeldsystems.

Hier ist ein Beweis seines Scharfsinns und Wissens über wirtschaftliche Belange:

> »*Kanzler*
> Beglückt genug in meinen alten Tagen. —
> So hört und schaut das schicksalschwere Blatt,

---

[210] Peter Klauser, »Geld und Gold, zur Reform der Schweizerischen Währungsverfassung«. Vorlesung an der Universität St. Gallen, Schweiz, 19. November
1999.
[211] Johann Wolfgang von Goethe, *Faust, der Tragödie erster Teil.*
[212] Johann Wolfgang von Goethe, *Faust, der Tragödie zweiter Teil.*

Das alles Weh in Wohl verwandelt hat.
›Zu wissen sei es jedem, der's begehrt:
Der Zettel hier ist tausend Kronen wert.
Ihm liegt gesichert, als gewisses Pfand,
Unzahl vergrabnen Guts im Kaiserland.
Nun ist gesorgt, damit der reiche Schatz,
Sogleich gehoben, diene zum Ersatz.‹

Kaiser
Ich ahne Frevel, ungeheuren Trug!
Wer fälschte hier des Kaisers Namenszug?
Ist solch Verbrechen ungestraft geblieben?

Schatzmeister
Erinnre dich! hast selbst es unterschrieben;
Erst heute Nacht. Du standst als großer Pan,
Der Kanzler sprach mit uns zu dir heran:
›Gewähre dir das hohe Festvergnügen,
Des Volkes Heil, mit wenig Federzügen.‹
Du zogst sie rein, dann ward's in dieser Nacht
Durch Tausendkünstler schnell vertausendfacht.
Damit die Wohltat allen gleich gedeihe,
So stempelten wir gleich die ganze Reihe,
Zehn, Dreißig, Fünfzig, Hundert sind parat.
Ihr denkt euch nicht, wie wohl's dem Volke tat.
Seht eure Stadt, sonst halb im Tod verschimmelt,
Wie alles lebt und lustgenießend wimmelt!
Obschon dein Name längst die Welt beglückt,
Man hat ihn nie so freundlich angeblickt.
Das Alphabet ist nun erst überzählig,
In diesem Zeichen wird nun jeder selig. (…)«[213]

Doch zurück zur SNB und Klauser: Bevor all dies passierte, war Klauser, dessen Bericht ein Beben durch die Goldmärkte sandte, in der Finanzwelt völlig unbekannt. Hinsichtlich seiner Karriere gibt es ein pikantes Detail: Klauser ist auch Aufsichtsratsvorsitzender einer respektablen kotierten schweizerischen Gesellschaft namens *Orell Füssli AG*. Zufällig ist dieses Unternehmen die führende Banknotendruckerei des Landes, und die SNB ist Großaktionär.

---

[213] Johann Wolfgang von Goethe, *Faust, der Tragödie zweiter Teil.*

Am 25. November 1996, kurz nachdem die Neuigkeit aus dem Klauser-Bericht verkündet worden waren, fiel der Goldpreis und *Barron's* kommentierte dies in seiner Commodity-Corner-Kolumne:

> »Die Goldpreise fielen am Donnerstag auf den tiefsten Stand seit 29 Monaten, etwa $ 376 pro Unze, inmitten Nachrichten über mögliche schweizerische Goldverkäufe und technische Verkäufe.«[214]

Am Tag zuvor lag der Goldpreis bei $ 386. Der um $ 10 pro Unze gefallene Preis verkörperte einen Verlust von rund $ 10 Milliarden an einem einzigen Tag für alle Zentralbank-Bestände, ganz zu schweigen von den Gesamtverlusten aller Sparer der Welt. Die Händler freuten sich. Am 27. November 1996 verkündete ein Händler in Diensten der UBS in seinem täglichen Marktbrief, welchen er zynischerweise mit *Precious Thoughts* (Goldene Gedanken) betitelte, folgendes:

> »Herr Klauser kann kaum behaupten, er sei falsch zitiert worden, dieser [Bericht] wird überall gelesen werden und den Goldpreis schnell auf das $-360er-Niveau drücken. Kurz, Schauergeschichte [Worte des Händlers; d. Verf.]: Der Anstieg der offenen COMEX-Terminkontrakte in Richtung 11 000 während eines Rückgangs von $ 2,50 deutet einen weiteren historischen Tag an, an welchem neue, größere, bessere Baissepositionen aufgebaut werden können …«[215]

Im Dezember kam Samuel Schmid, damals Mitglied des Nationalrates und Vorsitzender der sogenannten Goldkommission, in mein Büro und fragte mich nach meiner Meinung zum Klauser-Bericht. (Samuel Schmid wurde in der Zwischenzeit in den Bundesrat gewählt und ist nun eines der sieben Mitglieder der schweizerischen Regierung.) Nachdem ich das Papier studiert hatte, kam ich zum Schluß, daß die erste Pflicht einer Zentralbank darin besteht, die Integrität ihrer Währung zu schützen, und daß meiner Ansicht nach die vorgeschlagenen Veränderungen am Nationalbank-Gesetz genau dies nicht garantieren würden. Ganz im Gegenteil: Die neue Politik, falls angenom-

---

[214] »Commodities Corner«, *Barron's*, 25. November 1996.
[215] Andrew Smith, *Union Bank of Switzerland*, internes tägliches Empfehlungsschreiben für Händler, 27. November 1996.

men, würde eine Reihe von Risiken bergen. Ich riet dem Leiter der parlamentarischen Kommission, sich gegen diese Veränderungen auszusprechen. Goldausleihungen wären eine schlechte Politik und würden den Verleiher einem großen Risiko aussetzen, das keine Zentralbank eingehen sollte. Dies wäre nicht nur hoch riskant, sondern auch wirklich dumm.[216]

Die *Deutsche Bundesbank* und die SNB wurden in einer späteren Phase des Baissemarktes überredet, Gold zu verleihen. Ich schrieb einem Parlamentsmitglied, daß ein hochgerechneter Jahresgewinn von SFr 50 Millionen aus den Aktivitäten der Goldausleihungen oder ein Zinssatz von etwas über 1 % es nicht wert seien, das Volksvermögen zu riskieren. Außerdem würde ein solches Vorgehen den Wert des Goldbestandes des Landes verringern und damit auch das gesamte Weltvermögen. Ferner würde es für die Goldminenindustrie und die Volkswirtschaften befreundeter Nationen ernsthafte Probleme schaffen.

Etwas mehr als ein Jahr nachdem Jean Zwahlen sich so deutlich zugunsten der Goldreserven der Bank ausgesprochen hatte, begrüßte die SNB in einer ziemlich undurchsichtigen Bürokratensprache die vorgeschlagene Beseitigung des Goldreserven-Erfordernisses in ihrem Jahresbericht von 1996.[217]

Leider gelangte der Inhalt der Diskussionen zwischen der Gruppe der »weisen Männer« der SNB und der parlamentarischen Kommission nie an die Öffentlichkeit. Zwei Fragen stellen sich hier. Wenn diese Leute mit öffentlichen Mitteln umgehen, wieso gibt es dann keine Veröffentlichungen ihrer Ergebnisse? Was versuchen sie mit all ihrer Geheimniskrämerei zu vertuschen? Solche Methoden haben mit Demokratie nichts mehr zu tun.

---

[216] Zu jener Zeit war ich immer noch naiv genug zu glauben, die schweizerischen Zentralbankiers wären durch ein patriotisches Interesse an der Währung der Nation motiviert. Da lag ich wohl falsch. Alles was sie wollten, war, die Währung zu entwerten. Überall auf der Welt sind die Zentralbanken in Wirklichkeit Inflationsmaschinen, und sie haben sehr wenig Interesse an stabilem Geld. Tatsächlich, und vor allem in den USA, ist die Zentralbank eine Erfindung der Banken. Sie hoben sie aus der Taufe, gaben ihr eine Lobby und, de facto, kontrollieren sie. Der Zweck einer Zentralbank ist nicht der Schutz der Währung, sondern der Schutz des Bankensystems und seiner Gewinne.

[217] Schweizerische National Bank, 89. Jahresbericht, Bern, 1997, S. 36.

Ein paar Details sickerten allerdings durch. Es wurde bekannt, daß die Gruppe die 40%ige Reserve-Bedingung mit einem Schlag abschaffen wollte. Warum schrittweise, wenn es auch mit einem Sprung geht? Nicht allzu überraschend, daß dies 1992 beschlossen wurde, genau dem Jahr, in dem das Land dem IWF beitrat. Nationalratsmitglied Samuel Schmid war ein schneller Denker und hatte genug Geistesgegenwart, um das Gesetz noch zu blockieren. Er sagte der Regierung und den Leuten der SNB, daß sie entweder eine sofortige Teilrevision und Reduktion der Reservebindung auf 25% haben können oder weitere eineinhalb Jahre warten müßten, bis die neue schweizerische Verfassung zum Volksentscheid bereit sei. »Take it or leave it« wurde ihnen angeboten. Sie nahmen es an, und Anfang März 1997 wurde die Teilrevision des Nationalbank-Gesetzes verabschiedet. Die *Schweizerische Nationalbank* konnte endlich bei den Goldverleihungen und dem Goldpreisdrücken mitspielen. Ein Blick auf die Charts erzählt die ganze Geschichte. Damit war aber auch Samuel Schmids Einsatz für das Schweizer Gold zu Ende gewesen. Schmid, von dem man in eingeweihten Kreisen schon lange wußte, daß er unbedingt Bundesrat werden wollte, erzählte mir, daß er inzwischen Kontakt mit dem Berner Geldtheoretiker Ernst Baltensperger aufgenommen hatte. Professor Baltensperger bewies in einem Zeitungsartikel *Wem nützen Währungsreserven?*[218], daß er die Goldverkäufe durchaus zeitgemäß fand. Baltensperger wurde später zum Berater der Nationalbank ernannt und ist Mitglied der Expertengruppe »Reform der Währungsordnung«. Eine große Gelegenheit war verpaßt. Mit etwas mehr Rückgrat und Überzeugung hätte man sowohl den unfähigen Gesamt-Bundesrat wie auch die schlecht gesteuerte Nationalbank zur Umkehr zwingen können. Aber die Tragik war, daß wirklich keiner etwas verstand. Interviews und direkte Aussagen am Fernsehen haben mich überzeugt, daß Finanzminister Villiger über Währungsgeschichte und -praxis wenig informiert war und somit seinem Land einen äußerst schlechten Dienst erwiesen hat.

Am 18. März 1997 verkündete die Finanzpresse, daß eine Studiengruppe des schweizerischen Finanzministeriums und der SNB mehrere Vorschläge für ein profitableres Management der Währungsreserven ausgearbeitet hätte — mit anderen Worten schwangen sie sich damit in

---

[218] *Finanz & Wirtschaft*, No. 98 vom 17.12.1997, sowie meine Entgegnung in *Finanz & Wirtschaft*, Rubrik Leserbriefe vom 7. Januar 1998.

die luftigen Höhen der modernen Portfolio-Theorie empor.[219] Im 90. Jahresbericht vom 31. Dezember 1997 gibt die SNB eine absolut unbefriedigende Erklärung für die Verringerung des Goldreservenanteils ab. Die Reduktion auf 25 % sei notwendig, weil sonst die Goldausleihungen die SNB durch Verstoß gegen die gesetzlich vorgeschriebenen Limits beeinträchtigt hätten.[220] Solch eine Rechtfertigung ist kaum nachzuvollziehen, doch noch weniger glaubhaft erscheint, daß die SNB überhaupt auf solch falsche Erklärungen zurückgreifen mußte.

Für mich als Schweizer Bürger, dessen elterliche Familien aus der Schweiz stammen, solange es überhaupt schriftliche Quellen gibt, war dies glatter Betrug. Derlei Machenschaften hatten nichts mehr mit traditionellem schweizerischen Denken und Verhalten zu tun. Wir Schweizer waren bei der Übernahme von neuen ausländischen Prozeduren schon immer zurückhaltend, und ganz besonders, wenn es sich um Maßnahmen von solch grundlegender Natur handelt. Natürlich gab es das ständige Gejammer nebst entsprechender Beeinflussung der Massen durch die destruktiven Medien. Für mich aber gibt es nicht den leisesten Zweifel, daß die Anstifter dieser Bewußtseinsveränderung von Übersee kamen. Einige ausländische Master-Planer mit großer Erfahrung und voll brillanter Taktiken werden den schweizerischen Zentralbankiers diese Vorgehensweise wohl schmackhaft gemacht haben; ein Geniestreich, bei dem selbst Clausewitz und Sun-Tzu vor Neid erblassen würden, wären sie noch am Leben. Für diese ausländischen Manipulatoren war die letzte goldgedeckte Währung, der Schweizer Franken, das einzig verbliebene Hindernis auf dem Weg zum Märchenland des globalen ungedeckten Papiergeldes. Wer braucht schon ein kleines Land inmitten der Alpen, das dazu noch die Frechheit hat, so viel Gold und noch dazu die beste Währung zu haben? Der Schatz in den Bergen mußte dem Land durch ein außergewöhnliches Manöver entrissen werden.

Wenn man die nachfolgenden Absätze liest, sollte man sich daran erinnern, daß der Hauptschauplatz, an dem all diese Ereignisse stattfanden, nach wie vor die Gold-Verschwörung war. Es gibt wohl nichts, was den Möchtegern-Meistern der Welt so viele Sorgen bereitet wie die Macht des Goldes. Diese Machtpolitiker interessierten sich in

---

[219] »Hoffen auf höhere Nationalbank-Ausschüttungen — Reduzierte Gold-Deckung«, *Neue Zürcher Zeitung*, 18. März 1997, S. 13.

keiner Weise für den Holocaust und das Schicksal der armen, unschuldigen Menschen, die im II. Weltkrieg ihr Leben lassen mußten. Sie interessierten sich nicht für die individuelle Geschichte einzelner Länder, ihre Sprachen, ihre Kulturen. Sie kennen nur eine Kultur — die Dollarkultur. Quer durch die Geschichte der Menschheit gab es viele ehrgeizige Politiker, die zu den Herren des Universums aufsteigen wollten. Dieser Traum geistert auch heute noch in einigen arroganten Köpfen herum. Um eine Welt zu erschaffen mit nur einer Regierung, einer Zentralbank und einer Währung muß das größte und wichtigste Hindernis auf dem Weg dorthin zerstört werden — und das ist Gold.

Doch wie schon zuvor gesagt: Die Gold-Verschwörung gegen die Schweiz, oder die Schlacht um das schweizerische Gold, war im Prinzip schon 1992 gewonnen, als das Land dem IWF beitrat. Das war der entscheidende Moment, wo die gewöhnlich vorsichtigen und historisch soliden Schweizer nicht aufpaßten. Der Rest konnte von den Machtpolitikern relativ einfach erreicht werden. Doch die dafür verwendeten Waffen waren schmutzig und skandalös. Das Land hätte seine Würde bewahren können, wären da nicht die Großbanken gewesen.

Im Laufe der Jahre waren die schweizerischen Banken sehr erfolgreich in ihrem Expansionsdrang und eröffneten überall auf der Welt Zweigstellen. Heute wird fast die Hälfte aller Geschäfte der großen Banken in den USA abgewickelt. In schwierigeren Zeiten jedoch, wenn Recht und Ordnung einem fortlaufendem Desintegrationsprozeß ausgesetzt sind, ist dies keine besonders kluge Politik. Aufgrund ihres starken Auslandsengagements gehen die schweizerischen Banken unter anderem das große Risiko ein, Opfer von Erpressungen zu werden. Vielleicht hätten sie nie Filialen in großen und mächtigen Ländern wie den USA oder Deutschland eröffnen sollen. Man muß von der Geschichte lernen. Vielleicht hätten die schweizerischen Banken einfach zuhause bleiben und der Versuchung des ganz großen und schnellen Geldes widerstehen sollen. Unser Land [die Schweiz] wäre heute in einer viel besseren Position.

Der Goldkrieg gegen die Schweiz als Finanzzentrum

Die Kriegshandlungen begannen mit Vorwürfen über die Rolle der Schweiz während des Krieges. Ein sensationshungriger U.S.-Sena-

tor aus New York namens Alfonso D'Amato begann die Rolle der
Schweiz während des II. Weltkrieges in Frage zu stellen. Er beschuldigte die Schweiz, mit der deutschen Nazi-Regierung kollaboriert zu
haben. Die Tatsache, daß D'Amato der Präsident des *U.S.*
Senate Banking Committee war, ließ keinen Zweifel mehr aufkommen über
das eigentliche Angriffsziel. Es waren die Schweiz mit ihren Bankge-
heimnis-Gesetzen, das Bankenzentrum und ihr Goldschatz, welche
unter scharfen Beschuß genommen wurden. Pro Kopf gerechnet, hatte
die Schweiz den mit Abstand größten Goldschatz der Welt. Zum
Vergleich: Ende 1996 betrug der Goldbestand zu Marktpreisen 115%
der sich im Umlauf befindlichen Währung, gegenüber lediglich 21%
Deckung des U.S.-Dollar und nur 20% der Deutschen Mark. Dies war
der Grund, warum der Schweizer Franken im Ausland so viel Respekt
genoß.

Es war ein Fall von modernen Konquistadoren, die dieses Mal
jedoch nicht über das Gold der Mayas in Mexiko, der Inkas in Peru und
der Menschen in Kolumbien herfielen, sondern über das Gold der
Schweizer. Dieser Krieg war kein Krieg mit dem Schwert, sondern mit
viel gefährlicheren Waffen — der Verleumdung durch Medien, sowohl
die ausländischen als leider auch die schweizerischen. Die in St. Gallen
ansässige Privatbank *Wegelin & Co.* erklärt hierzu in ihrem *Investment
Commentary*:

> »Besondere Interessengruppen, von einem publizitäts-
> bewußten U.S.-Senator und den Medien unterstützt, erhöhten
> systematisch den Druck auf die schweizerischen Banken und
> unser Land als Ganzes. Die Stimmung wurde durch eine Klage
> vor einem New Yorker Gericht gegen die drei größten Banken der
> Schweiz noch intensiviert, die auf Entschädigungszahlungen in
> Höhe von mehr als 20 Milliarden Schweizer Franken verklagt
> wurden.«[221]

---

[220] Schweizerische Nationalbank, 90. Jahresbericht, Bern, 1998, S. 34: »Weil
die Nationalbank mit der Ausleihe von Gold Gefahr liefe, die Golddeckungs-
vorschrift für den Notenumlauf während der Pensionsdauer nicht mehr einhalten zu können, wurde zudem der Golddeckungssatz für den Notenumlauf von
40 Prozent auf 25 gesetzt (Art. 19 Abs. 2 NBG).«
[221] Wegelin & Co., St. Gallen, *Investment Commentary*, Nr. 179, 4. April 1997,
S. 2.

Mit jedem Tag nahm die Orgie der Beschuldigungen an Lautstär-
ke zu.

Totaler Krieg[222]

Am 19. Juli 1999 schrieb Jane H. Ingraham folgendes:

> »Die *New York Times* und die *Washington Post* brachten eine
> Lawine schockierend beleidigender Beschuldigungen gegen die
> hoch geschätzte schweizerische Bankenindustrie ins Rollen, in-
> dem sie das Leiden der jüdischen Menschen als Köder benutzten.
> Der Anklagepunkt: Schweizerische Banken befänden sich immer
> noch im Besitz von Gold, deponiert von Juden, die Opfer des
> Holocaust waren. Angeführt von dem märchenhaft reichen Edgar
> Bronfman (Mitglied des höchst einflußreichen *Council on Foreign
> Relations*), Besitzer des multinationalen Spirituosenimperiums
> *Seagram* und Präsident des Jüdischen Welt-Kongresses, entwik-
> kelten sich die ›Gelder ohne Erben‹ rasch zu einer ›humanitären‹
> Rettungsmission für ›mißbrauchte‹ Juden, denen Banktüren ›vor
> der Nase‹ zugeschlagen wurden, als sie ihre Ansprüche einziehen
> wollten. Nirgendwo in dieser lang anhaltenden Propagandakam-
> pagne konnte indessen der kleinste Beweis für irgendwelche
> ›nicht abgehobenen Vermögenswerte‹ erbracht werden.«[223]

Gemäß dem *Jewish Bulletin of Northern California* kündigte
Edgar Bronfman bei einem Treffen in Kalifornien am 10. März 1998
an, daß es an der Zeit sei, der Schweiz den »totalen Krieg« zu erklä-

---

[222] William L. Shirer, *The Rise and the Fall of the Third Reich — A History of
Nazi Germany* (New York: Simon & Schuster, 1960, Neuauflage von Crest
Books, 1962), S. 357: »General Ludendorff betonte in seinem Buch *Der Totale
Krieg*, das 1935 in Deutschland veröffentlicht und dessen Titel mit *The Nation
at War* falsch ins Englische übersetzt worden war, die Notwendigkeit, die
Wirtschaft der Nation auf derselben totalitären Basis anzukurbeln wie auch
sonst alles, um angemessene Vorbereitungen für einen totalen Krieg zu tref-
fen.«
Erich Ludendorff (1865–1937) war während des I. Weltkriegs General und
Politiker. Der Gebrauch des Ausdrucks »Totaler Krieg« wurde später dem
Reichspropagandaminister Joseph Goebbels zugeschrieben. Auf öffentlichen
Kundgebungen gegen Ende des Krieges fragte er die fanatischen Massen:
»Wollt ihr den totalen Krieg?«

ren.[224] Um die Schweiz in die Knie zu zwingen, verwendete Bronfman einen Wortschatz, der an einen gewissen Propagandaminister erinnerte, der solch einen giftigen Wortschwall 60 Jahre zuvor ausgespuckt hatte, um die Feinde des Dritten Reiches anzugreifen.

Dabei wurde allerdings übersehen, daß die Schweiz bereits in den 1950er Jahren und ein weiteres Mal 1962 formell alle »eingeschlafenen« Konten von Personen, die möglicherweise im Krieg gestorben waren, untersucht hatte. Die Banken zahlten damals an Überlebende und jüdische Opfer Summen in hohem zweistelligen Millionenbereich aus. Als Direktor einer bedeutenden Privatbank, die sich im Besitz einer jüdischen Familie befand, bin ich ein Zeuge dieser Auszahlungen und bestätige die Ernsthaftigkeit, mit der diese Untersuchung in jeder Bank des Landes durchgeführt wurde. Zusätzlich kann ich bestätigen, daß jeder Mitarbeiter freiwillig Geld für Hilfswerke in Israel gespendet hat.

Trotz alledem war der Druck so stark, daß sich die schweizerische Regierung gezwungen sah, der Einberufung einer unabhängigen Kommission zuzustimmen. Diese Kommission, zusammengesetzt aus bedeutenden Personen, sollte die Akten der Banken erneut überprüfen. Der Leiter der Kommission war kein geringerer als Paul A. Volcker, ehemaliger Vorsitzender des *Federal Reserve*, berühmtes und mächtiges Mitglied des *Council on Foreign Relations* und auch der *Trilateral Commission*. Der *American Spectator* enthüllte, daß das Ganze nichts als ein massiver Betrug und obendrein noch ziemlich durchsichtig sei:

> »Leider existiert keine verläßliche Studie, von wo und wie in den dreißiger Jahren Geld in die Schweiz geflossen ist. Heute, 60 Jahre später eine solche zu erstellen, ist geradezu ein Ding der Unmöglichkeit, auch wenn diese von sogenannten ›eminenten‹ Personen durchgeführt wird.«[225]

---

[223] Jane H. Ingraham, »Goodbye Sovereign Switzerland«, *The New American*, Nr. 15, 1999, im Internet unter www.thenewamerican.com/tna/1999/07-19-99/vol15no15_swiss.htm.
[224] Luzi Stamm, *Der Kniefall der Schweiz* (Zofingen, Schweiz: Verlag Zofinger Tagblatt, 1999), S. 245.
[225] Jane H. Ingraham, »Goodbye Sovereign Switzerland«…

In der Zwischenzeit berichtete das schweizerische *Journal de Genève* über eine erstaunliche Warnung von Seiten Bronfmans:

> »Edgar Bronfman ist der Meinung, daß, wenn die schweizerischen Bankiers die einmalige Gelegenheit, ihren Ruf wiederherzustellen, nicht nutzen, das Ende der Schweiz als eines der großen Bankzentren der Welt vorauszusehen sei, da in einem solchen Falle jedes Vertrauen fehle. Die freie Welt könnte letzten Endes solch ein Bankensystem strafbar finden.«[226]

Goliath gegen David.

Jane Ingraham fährt fort:

> »Die schockierende Wahrheit ist, daß die amerikanisch-europäische Insiderclique die Macht hat, diese außergewöhnliche Drohung tatsächlich durchzusetzen. Daß die Bedrohung vom Schweizerischen Bundesrat verstanden wurde, war bald offensichtlich. Als erstes erfolgte die Ankündigung einer schweizerischen humanitären Stiftung, ausgestattet mit sieben Milliarden Schweizer Franken, deren Zinserträge für die Bedürfnisse von ›Personen‹ in gravierenden finanziellen Schwierigkeiten zur Verfügung stehen sollte. Diese vage Formulierung war notwendig, weil bis dahin über diese angeblichen jüdischen Vermögen nichts Konkretes belegt werden konnte. Kurz gesagt: Die sieben Milliarden hatten nichts mit ›Geldern ohne Erben‹ zu tun. Doch Bronfman und die anderen Kreise, welche die Banken angegriffen hatten, jubelten — und das aus gutem Grunde.«[227]

Der Kniefall der Schweiz

Dies ist der Titel eines sorgfältig recherchierten Buchs von Luzi Stamm[228], einem schweizerischen Rechtsanwalt und konservativen Parlamentsmitglied.

---

[226] Jane H. Ingraham, »Goodbye Sovereign Switzerland«, *The New American*, Nr. 15, 1999, im Internet unter www.thenewamerican.com/tna/1999/07-19-99/vol15no15_swiss.htm.
[227] Ebenda.
[228] Luzi Stamm, *Der Kniefall der Schweiz,* S. 9–12.

»Mit Erstaunen mußte man zur Kenntnis nehmen, daß ausgerechnet die Schweiz angegriffen wurde, die es während des
Krieges geschafft hatte, eine freiheitliche, menschliche und hilfs-
bereite ›Oase der Demokratie im Meer der Tyrannei der Achsen-
mächte‹ zu bleiben ... Ausgerechnet unser Land wurde angegriffen, das damals trotz extremer Zwangslage als eines der ganz
wenigen Länder Flüchtlinge in großem Stil aufnahm, pro Kopf
zum Beispiel 40-mal mehr jüdische Flüchtlinge als die USA ...
Ausgerechnet die Schweizer Banken waren Zielscheibe, obwohl
in der Schweiz Bankkunden geschützt wurden, wogegen andern-
orts nachrichtenlose Vermögen an den Staat flossen und jüdischer
Besitz vereinzelt bewußt zugunsten des Staates verwendet wurde
... Die Kritik kam ausgerechnet aus den USA, die damals die
Zwangslage der Schweiz durch eigenmächtige Blockierung der
Schweizer Guthaben in den USA (6,3 Milliarden Franken, also
wesentlich mehr als alles deutsche Raubgold) mitverursacht hatten ... Unglaublich war in Anbetracht der Faktenlage bereits, wie
sich unser Land kaum zur Wehr setzte und statt dessen mit Schuld-
bekenntnissen, Zahlungen und Zahlungsversprechen reagierte.
Noch viel erstaunlicher war jedoch, in welchem Ausmaß Schweizer Persönlichkeiten lauthals in die ausländische Kritik einstimm-
ten und als selbst ernannte Belastungszeugen und Ankläger gegen
das eigene Land auftraten. Das war nicht nur schlechte Verteidigung, sondern gezielte Schädigung des eigenen Landes.«

Niemand hätte die Schweiz zu irgend etwas zwingen können. Die
Schweiz war in einer Position der Stärke, die von einer schwachen,
kurzsichtigen und über international wichtige Zusammenhänge chronisch schlecht informierten Regierung nicht realisiert und dummerweise geopfert wurde. Es ist unverzeihlich, daß die schweizerische
Regierung nicht einmal auf ihren eigenen Botschafter in Washington,
Dr. Carlo Jagmetti, hörte, der die Regierung in Bern warnend auf das
hinwies, was innerhalb und außerhalb der Schweiz brodelte. Amerika
hätte Stärke respektiert. Jeder kleine korrupte Diktator hätte sich mehr
Gehör verschafft. Aber was hätte man in dieser Lage tun können? Ganz
einfach: Zu jenem Zeitpunkt war die Schweiz im Besitz großer Mengen
von U.S.-Staatspapieren. Nur ein wenig dieses Papiergeldes in Gold zu
konvertieren, hätte eine klare Botschaft gesandt. Außerdem hatte die
Schweiz schon immer hohen Wert auf ein gutes Verhältnis zu den USA
gelegt. Ein Beweis für diese gute Beziehung ist die schweizerische

Vertretung von U.S.-Interessen im Iran seit der damaligen Krise. Die
Schweiz hätte nicht zu irgendwelchen Zahlungen erpreßt werden können, wenn ihre Regierung, das Parlament, die SNB und die großen
Banken verstanden hätten, warum diese Lügenkampagne überhaupt
erst betrieben worden war.

Zusätzlich zu der unverzeihlichen Schwäche, welche die offizielle Schweiz Tag für Tag bot, lag im Hintergrund verborgen ein gewalti-
ger innerer Feind. Es war und ist die unglaublich kurzsichtige Denkweise seitens der Meinungsmacher von heute, hauptsächlich von Seiten der Politiker und Medien. Die Schweizer bezahlten und verloren
unnötigerweise eine Menge an Glaubwürdigkeit, die von früheren
Generationen aufgebaut worden war.

Im Februar und März des Jahres 1997 zahlten schweizerische
Banken, Industrie und die SNB insgesamt 270 Millionen Schweizer
Franken in den sogenannten Holocaust-Fonds ein. Am 12. August
1998, nach einer sorgfältig konzertierten Attacke von einigen
U.S.-Anwälten und dem *World Jewish Congress*, waren die schweize-
rischen Banken zu einer »alles umfassenden globalen Lösung« bereit
und bezahlten $ 1,25 Milliarden aus völlig unbegründeter Angst vor
Sanktionen!

Hätte der Bundesrat und die SNB dem Rat eines der einflußreich-
sten Bankiers des Landes, des ehemaligen Präsidenten der Nationalbank und der BIZ, Fritz Leutwiler, gefolgt, hätte so ein Ergebnis
vermieden werden können. Schon Monate zuvor war Leutwiler mit der
Einrichtung eines speziellen Fonds für Holocaust-Opfer beschäftigt.
Er vermittelte zwischen den schweizerischen Banken und der Industrie
auf der einen Seite und dem *World Jewish Congress* auf der anderen.
Hinter den Kulissen überzeugte er die Großbanken, SFr 100 Millionen
zur Verfügung zu stellen, und von der Industrie kamen Signale, daß
auch sie noch einmal SFr 50 Millionen dazu beisteuern würde.

Als die USA die Schweiz mit Boykott-Drohungen konfrontierte,
kontaktierte Leutwiler die SNB. Er schlug vor, daß die Nationalbank
weitere SFr 200 Millionen zur Verfügung stellen solle. SFr 100 Millionen würden von der Zentralbank in eigener Sache beigesteuert und
weitere SFr 100 Millionen sollten als Vorschuß für Zahlungen der
Schweizerischen Eidgenossenschaft reserviert werden. Nach Gesprä-
chen mit einigen hochrangigen Repräsentanten des *World Jewish*

Congress war Leutwiler der festen Überzeugung, daß SFr 350 Millionen ausreichen würden, die Kritiker der Schweiz zufriedenzustellen.

Winston Churchill über die Rolle der Schweiz im Krieg

»Von allen Neutralen hat die Schweiz den größten Anspruch auf Wertschätzung. Sie war die einzige internationale Kraft, welche die scheußlich getrennten Nationen mit uns verband. Was spielt es da für eine Rolle, ob die Schweiz in der Lage war, uns die Handelsvorteile zu geben, die wir wünschten, oder ob sie den Deutschen zu viele gab, um das eigene Leben zu bewahren? Sie war ein demokratischer Staat, der in seinen Bergen für Freiheit und Selbstverteidigung stand, und trotz ihrer ethnischen Zugehörigkeit hat die Schweiz gesinnungsmäßig größtenteils unsere Partei ergriffen.«[229]

Ein Wall-Street-Banker und Freund der Schweiz

Ein gut informierter Wall-Street-Banker hatte zu dieser Thematik folgendes zu sagen:

»Jemand sollte die ›weisen Herren‹ der *Schweizerischen Nationalbank* daran erinnern, daß eine Nation von vier Millionen Bürgern, eingekreist von der mächtigen Wehrmacht, keine andere Wahl hatte, als mit Deutschland Handel zu treiben. Wenigstens zeigte die ältere Generation ausreichend gesunden Menschenverstand, um auf Zahlungen in Gold zu bestehen, anstatt Reichsmark entgegen zu nehmen.«[230]

Harry Schultz kommt gleich zur Sache:

»Abgesehen von ethischen Aspekten, scheint es kein Zufall zu sein, daß Regierungen eifrig das Thema Nazi-Gold benutzen, um die Schweiz zu diskreditieren und unangemessen Druck auf sie auszuüben, nur um sie zu Kompromissen hinsichtlich ihres Bankgeheimnisses zu zwingen.«[231]

---

[229] Luzi Stamm, *Der Kniefall der Schweiz*; Stamm bezieht sich auf Winston Churchills *Memoirs*, Vol. VI, Teil 1, S. 437.
[230] Joseph J. Cacciotti, persönlicher Brief an den Autor, 12. August 1999.

Ein Zentralbankier als Geldbeschaffer

Der damalige Präsident der SNB, Hans Meyer, ein Oberst der schweizerischen Armee, ist als ein sehr vorsichtiger Mann bekannt. Seine Reden waren nie besonders interessant und seine Kommentare zur Wirtschaft und seine Prognosen zeichneten sich kaum durch besonderen Durchblick aus. Doch zwischen Weihnachten 1996 und Neujahr 1997 hatte er beim Spaziergang mit seinem Hund in der Innerschweiz eine plötzliche Inspiration: Die Solidaritäts-Stiftung! Die Schweiz würde ihr Gold aufwerten und sieben Milliarden Franken in einen Fonds für humanitäre Ziele einzahlen. Der Boulevardpresse gegenüber äußerte er, daß, als er diese Inspiration empfing, es ihm war, als ob so etwas wie ein Licht aufgang. Er hatte das Gefühl, die Schweiz müsse einen großen Sprung vorwärts tun. Als Berater der Regierung mußte er die Idee dem Bundesratsmitglied Kaspar Villiger vorschlagen, dessen Familie mit den Ereignissen im II. Weltkrieg ihre eigenen besonderen Probleme hatte.

Noch mehr monetäre Chronologie der Schweiz in knapper Form

26. Februar 1997: Der Bundesrat beschließt, eine Solidaritäts-Stiftung ins Leben zu rufen.

5. März 1997: Der Präsident des Bundesrates Arnold Koller kündigte den Vorschlag an, eine Solidaritäts-Stiftung für diejenigen, »die ohne ihr eigenes Verschulden große Nöte und Entbehrungen erleiden mußten«[232], zu gründen und die Finanzierung dieses Konzepts durch Aufwertung der Goldreserven zu realisieren. Später wurde bekannt, daß die ganze Idee ziemlich unsorgfältig geplant war und es an einem ernsthaft durchdachten Entwurf mangelte, ungeachtet der Tatsache, daß es sich hier um eine Entscheidung mit unbekannten Auswirkungen und möglicherweise auch explosiver Nachwirkung handelte.

Reuters berichtete am selben Tag um 10:09 GMT: »Schweizer planen Verkauf von Gold …«.

---

[231] Harry Schultz, *The International Harry Schultz Letter*, 24. Februar 1997, S. 6.

[232] Der vollständige Inhalt der Erklärung von Bundespräsident Arnold Koller findet sich in der *Neuen Zürcher Zeitung* vom 6. März 1997, S. 15.

Drei Tage zuvor hatte der Bundesratspräsident verkündet, daß das Familiensilber (d. h. der Goldschatz der Schweiz) nicht in törichter Manier verscherbelt werden solle.

Die Kurse von Goldminen-Aktien, die seit Beginn des Jahres um 20% gestiegen waren, sackten plötzlich in die Tiefe.

6. März 1997: Neue Zürcher Zeitung:
Goldverkaufspläne treffen auf nervöse Märkte: »Es ist, als ob sich McDonalds aus dem Hamburger-Geschäft verabschieden würde.«[233] Der Goldpreis sank auf $ 354.85 oder $ 5 niedriger als der Schlußpreis von $ 359.85 am Vortag, wie von UBS-Händlern richtig vorhergesehen.

17. März 1997: Ankündigung des Bundesrats zur Revision des Schweizerischen Nationalbank-Gesetzes, demzufolge die erforderliche Mindestmenge an Goldreserven von 40 auf 25% zu verringern wäre.[234]

25. März 1997: Fritz Leutwiler griff den Goldfonds an. Leutwiler, einer der meistrespektierten Zentralbankiers der Welt, ehemaliger Präsident der SNB und der BIZ, sagte, der Vorschlag wäre »schlecht durchdacht« und würde Fragen zur Unabhängigkeit der Bank aufwerfen. Er war besorgt, daß eine der unabhängigsten Zentralbanken unter Druck geraten könnte, ihre Goldreserven für politisch motivierte Projekte einzusetzen.[235]

Wie der *World Gold Council* berichtete, glaubte Leutwiler, daß die Zentralbank dem Staat nicht gestatten sollte, ihre »bis dahin hochheilige Reserve« anzufassen. Wegen dieses »wenig durchdachten« Vorschlags hätte die Zentralbank »ihre Unschuld verloren«.[236] Andere, wie der ehemalige Finanzminister Otto Stich, kritisierten den Vorschlag als einen »Zaubertrick«.[237] Leutwiler sagte, daß er verschiedent-

---

[233] »Die Schweiz und die jüngere Zeitgeschichte, Erklärung von Bundespräsident Arnold Koller vor der Bundesversammlung«, *Neue Zürcher Zeitung*, 6. März 1997, S. 15.
[234] Schweizerische National Bank, *90. Jahresbericht*, Bern, 1998, S. 34.
[235] »Leutwiler Assails Gold Fund«, *The Financial Times*, London, 25. März 1997, S. 2.

lich vergeblich versucht hatte mit der SNB in Kontakt zu treten, und daß er über das fehlende Rückgrat von Hans Meyer enttäuscht sei.

Der mächtige Präsident der Zürcher SVP, Christoph Blocher, war völlig gegen die Solidaritäts-Stiftung, und der ehemalige stellvertretende Vorsitzende der SNB, Leo Schürmann, sagte, daß der Start des Euro für den Schweizer Franken einen Härtetest bedeuten würde.[238] In Zeiten von Währungsturbulenzen konnte die Schweiz sich immer auf ihr Gold verlassen und sollte es deshalb nicht verkaufen.

19. Juni 1997: Die Teilrevision des Nationalbank-Gesetzes wurde vom Ständerat verabschiedet.

1. November 1997: Die neue SNB-Gesetzgebung trat in Kraft.

Das letzte Hindernis für SNB-Goldverkäufe: Die Schweizerische Verfassung

Sprach man mit schweizerischen Bürgern, konnte man den Eindruck gewinnen, daß jeder glaubte, es würde einen Volksentscheid über das Schicksal der Goldreserven des Landes geben. Das war aber nicht der Fall. Zumindest nicht in den Köpfen der Bundesratsmitglieder und der SNB-Oberen, die ständig nach Wegen Ausschau hielten, wie sie ihr Endziel der »Befreiung« des schweizerischen Goldes erreichen könnten, ohne die Bevölkerung in diesen Vorgang mit einzubeziehen. Das letzte größere Hindernis, das nun noch verblieb, war die schweizerische Verfassung.

Am 10. Oktober 1997 kam der prominente Nationalrat Dr. U. Schlüer, ein konservatives Mitglied der SVP und des Nationalrates (Kammer des Parlamentes), in mein Büro. Er war ein Mitglied der parlamentarischen Kommission, die für die neue Verfassung zuständig war. Er schien sehr empört zu sein, weil er, als ihm und der Kommission der neue Entwurf vorgelegt wurde, bemerkt hatte, daß

---

[236] »Leutwiler gegen Stiftung aus Goldreserven« und »Der Tabubruch«, *Neue Zürcher Zeitung*, 24. März 1997, S. 7.

[237] »Otto Stich gegen Stiftung«, *Tages Anzeiger*, 10. März 1997, S. 1.

[238] »Noch eine Stimme gegen SNB-Goldveräußerungen«, *Neue Zürcher Zeitung*, 10. April 1997, S. 23.

das Goldreserve-Erfordernis einfach weggelassen worden war. Selbst das Wort Gold war völlig verschwunden. Als er nach den Gründen für diese Abänderung fragte, war die Antwort, daß es nicht länger möglich war, dies in der Verfassung zu behalten, da die Schweiz sich 1992 dem IWF gegenüber verpflichtet hätte, jegliche Golddeckung fallen zu lassen.

Die Propagandamaschine der Regierung wurde ein weiteres Mal angeworfen, und Hunderte von Politikern erzählten der Öffentlichkeit, warum sie für die neue Verfassung stimmen sollten. Die Öffentlichkeit mußte sich schnell entscheiden. Noch nie in der Geschichte der Schweiz wurde den Bürgern so wenig Zeit für die Entscheidung über ein solch wichtiges Thema mit unermeßlichen und unkalkulierbaren Auswirkungen für die Zukunft gegeben. Die Regierung brauchte für die Vorbereitung jahrelang, den Bürgern wurden ganze drei Wochen Zeit gegeben, das verwerfliche Dokument zu studieren. Obwohl es keine überwältigende Mehrheit für die Annahme der Regierungsvorschläge gab, kamen doch nur sehr wenige Menschen zum Schluß, daß dieser Erlaß, die Goldbindung abschaffen, fatal sein und dies die Schweiz für immer verändern würde. Die einzige Partei, die gegen die neue Verfassung stimmte, war wieder einmal die *Schweizer Volkspartei* (SVP).

Souveräne Schweiz adieu

Dies war der Titel eines Artikels von Jane H. Ingraham im *New American*. Ihre Schlußfolgerung war, daß die Bürger der Schweiz ihre finanzielle Stabilität und Unabhängigkeit weggewählt hätten und damit eine vollständige Absorption durch die EU vorbereitet wurde.

Der Artikel beginnt wie folgt:

»Mit kaum hörbarem Gemurmel des Widerspruchs wurde das scheinbar Unmögliche erreicht. Mangels Verständnis entschieden die Schweizer dieses Frühjahr, der einzigartigen Stabilität ihrer Währung ein Ende zu setzen, ebenso wie der Finanzkraft und der Unabhängigkeit ihres Landes. Ohne sich der Konsequenzen einer Abschaffung der Goldbindung des Schweizer Franken bewußt zu sein, stimmten die Bürger der Schweiz — der einzigen direkten Demokratie der Welt — für eine neue Verfassung, welche die traditionelle Goldkonvertibilität (Goldreserven-Erfordernis) aufhebt, die den Schweizer Franken buchstäblich über Generationen hinweg ›so gut wie Gold‹ gemacht hatte.

In der Vergangenheit war den Schweizern immer mindestens ein Monat Zeit gegeben worden, eine einzelne Änderung an der Verfassung genau zu überprüfen und darüber zu debattieren; dieses Mal mußten sie sehr schnell und ohne Debatte über 100 Artikel entscheiden, die grundlegende Veränderungen ihrer Regierungsform, ihres Militärs und ihrer Kultur enthielten. Offensichtlich war Eile notwendig, um zu vermeiden, daß die Schweizer merkten und erkennen konnten, daß ihre Gesetze, Rechte und Bräuche unter internationale Gesetze und Mandate untergeordnet werden sollten, wozu nicht zuletzt eine hinterhältige Attacke auf die traditionelle Familie gehörte.

Kurz, dieses unglaubliche Dokument demontiert die meisten natürlichen Bestandteile des Gemeinschaftslebens wie Freiheit, nationale Identität, Familie und Privatsphäre. An ihre Stelle treten sozialistische Ziele wie das ›Recht‹ auf Arbeit und Wohnung. Weitere Schritte in diese Richtung sind unausweichlich, womit die Weichen für eine völlige Aufnahme in die *Europäische Union* schon bereits gestellt worden sind.«[239]

Man kann Jane Ingraham für diese präzise Analyse nur ein Kompliment machen. Ob es das Werk einiger unbekannter Insider war, wird sich wahrscheinlich nie herausstellen, obwohl die Konsequenzen sehr spürbar sein werden. Der Bundesrat und die SNB müssen nach wie vor die Fragen beantworten: Wer hat dies den Schweizer Bürgern angetan? Wer innerhalb und/oder außerhalb des Landes? Wer waren die Machtpolitiker, die das schweizerische Finanzzentrum kleinkriegen, dann das schweizerische Bankgeheimnis abschaffen und den Goldpreis drücken wollten?

Nach amerikanischen Quellen ist es ein offenes Geheimnis. Natürlich war niemand anwesend, als diese Diskussionen stattfanden. Doch Gerüchten zufolge haben drei prominente amerikanische Figuren (Volcker, Greenspan, Rubin) der schweizerischen Obrigkeit und den Bankiers eingeredet, daß der Verkauf von Gold die perfekte Geste sei, der Welt zu zeigen, daß die Schweizer mit ihrer »zweifelhaften Vergangenheit« endlich abgeschlossen und sich auch von ihrer Vereh-

---

[239] Jane H. Ingraham, »Goodbye Sovereign Switzerland«…

rung des Goldes endgültig distanziert hätten. Wer braucht in einer globalisierten Wirtschaft schon Gold? Das traurige Fazit ist, daß der Übergriff auf die Schweiz als ein hinterhältiger Anschlag gegen die Freiheit angesehen werden muß. Wie keine andere Nation hatte die Schweiz die Flagge der Freiheit immer hochgehalten. Einrichtungen wie das Bankgeheimnis und ihre Stärke in Form einer hohen Goldreserve und einer bewaffneten Demokratie gehörten dazu. In einer Welt, in der die Befürworter einer allmächtigen Weltregierung mit ihren zunehmenden Eingriffen in die Privatsphäre den Ton angeben wollen, will man jedoch nicht mehr tolerieren.

Der Zweck dieses Buches

Aufgabe und Absicht dieses Buches ist es, die Öffentlichkeit zu informieren, daß wir uns inmitten eines tragischen Währungs-, Finanz- und deshalb auch Gold-Krise befinden. Es ist dagegen nicht der Zweck dieses Buches, den sogenannten *Volcker Report* und die Rolle der Schweiz während des Weltkrieges zu besprechen. Wenn die Beschuldigungen gegen die Schweiz während dem II. Weltkrieg kurz erwähnt werden, dann nur im Zusammenhang mit der »Gold-Verschwörung«, und um die diversen Gründe aufzuzeigen, warum und wie die Schweiz in dieses Drama hineingezogen wurde.

Das Ziel der Volcker-Kommission, die von der Schweizerischen Bankiersvereinigung am 2. Mai 1996 genehmigt worden war, hatte jedoch eine Doppelfunktion, indem sie zum einen auf das schweizerische Bankgeheimnis abzielte und somit zum anderen auf die Schweiz als Bankenzentrum. Ähnliche Taktiken werden auch mit Vorliebe von nicht-gewählten EU-Beamten in Brüssel angewendet.

Die Kosten, welche die Umtriebe der Volcker-Kommission den Schweizer Banken unmittelbar zufügten, werden auf über eine Milliarde Schweizer Franken geschätzt. Die potentiell negative Langzeitwirkung dieser unerhörten »Übung« übersteigt jedoch den momentanen finanziellen Verlust bei weitem. Die Höhe dieser Kosten ist nicht hoch genug einzuschätzen, da es hier um das Prestige und den Ruf wie auch um das in die Schweiz gesetzte Vertrauen ging. Letztendlich muß das Ganze als eine direkte Bedrohung für die schweizerische Wirtschaft und ein Angriff auf ihre Freiheit angesehen werden; die Freiheit, ihr Schicksal selbst zu bestimmen.

Ein weiterer Grund für diese Publikation liegt in der Absicht, aufzuzeigen, wieviel Falschheit, Lüge und welche Tricks als Waffen in dieser Gold-Verschwörung benutzt werden. Am unverzeihlichsten aber ist, daß sich die Angreifer der traurigsten aller Waffen bedient haben: der Qualen und des Elends von Millionen von Menschen, die in den Konzentrationslagern der Nazis gestorben sind. Der Verwaltungsrats-Präsident von *Barrick*, Peter Munk, selbst ein jüdischer Flüchtling in der Schweiz während des Krieges, forderte öffentlich, daß diese »Orgie von Beschuldigungen« gegen die Schweiz gestoppt werden müsse. Wie einige angesehene jüdische Persönlichkeiten ebenfalls bestätigten, glich dieser Versuch, die Vergangenheit wiederzukäuen, immer mehr einer gigantischen Geldbeschaffungsmaschine.

In seinem Buch *Between the Alps and a Hard Place* enthüllt Angelo M. Codevilla, wie die wahre Geschichte der Schweiz im II. Weltkrieg unter einer modernen Kampagne moralischer Erpressung begraben wurde. Die Schweiz wurde beschuldigt, Nazi-Deutschland insgeheim unterstützt zu haben und deshalb eine Mitschuld am Holocaust zu tragen. Die Kampagne schuf einen schrecklichen Präzedenzfall, mit dem eine mächtige Interessengruppe — und größerer Geldgeber der Clinton-Gore-Administration — die Macht der U.S.-Regierung ausnutzte, die Geschichte grob zu verzerren und sich einen ebenso unverhofften wie unverdienten Geldgewinn zu sichern. Codevilla sagt, daß in dieser Angelegenheit die eigentlichen langfristigen Interessen der USA untergraben wurden, für die kurzfristige Sache eines bevorzugten Kundenkreises der regierenden Partei, ein wahrhaftig beschämendes Resultat. Er bewies ebenfalls, wie die Anti-Schweiz-Kampagne für ihre schockierenden Behauptungen keinerlei Beweise zu erbringen vermochte, es aber trotzdem schaffte, zwei der größten Banken eines befreundeten Landes und deren Aktionäre um einen Betrag von $ 1,25 Milliarden zu erleichtern.[240]

Einer der aggressivsten Ankläger und Verleumder der Schweiz, der ehemalige Staatssekretär des U.S.-Außenministeriums und Freund des Ex-Präsidenten Clinton, Mr. Stuart Eizenstat, hat vorübergehend einen viel gemäßigteren Standpunkt gegenüber der Rolle der Schweiz

---

[240] Angelo M. Codevilla, Vorwort zu *Between the Alps and a Hard Place: Switzerland in World War II and Moral Blackmail Today* (Washington, D. C.: Regnery Publishing, Inc., 2000).

im Krieg eingenommen. Er sagte, er hätte nun das Gefühl, daß es völlig falsch war, die Schweiz und Nazi-Deutschland in einen Topf zu werfen. Die zweimal wöchentlich erscheinende schweizerische Zeitung *Schweizerzeit* glaubt, daß Eizenstats Gesinnungswandel sich durch seinen neuen und offensichtlich sehr lukrativen Job erklären läßt. Seine neue Firma *Covington & Burling* hält nämlich enge und freundliche Kontakte zur größten schweizerischen Bank, der UBS.[241]

Später zeigte sich, daß der Gesinnungswandel offenbar doch nicht echt war. Ende 2002 veröffentlichte Eizenstat ein Buch unter dem Titel *Imperfect Justice* (Mangelnde Gerechtigkeit), in dem die Schweiz wieder als Hehler von Hitlers Schergen dasteht. Den Umschlag ziert ein weißes Kreuz auf rotem Grund, doch das Wappen wird entstellt: Das Schweizer Kreuz verdecken Goldbarren, geformt zum Hakenkreuz, dem Symbol der Nazis.[242]

Die Goldverkäufe der SNB könnten das finanzielle Marignano für die großen Schweizer Banken und die Wirtschaft bedeuten

Der Name Marignano ist nur für die Schweizer von Bedeutung. In der Nähe von Mailand gibt es eine kleine Stadt mit dem italienischen Namen Melegnano. Der Reisende auf der Autobahn oder in der Bahn wird sie kaum bemerken. Doch für die Schweizer stellt dieser Ort einen der Höhepunkte ihrer Geschichtslektionen in der Schule dar, denn es markierte das Ende einer glorreichen Zeit im 14. und 15. Jahrhundert, als Schweizer Krieger als unbesiegbar galten.

Die freiheitsliebenden Schweizer waren die besten Soldaten dieser Epoche. Sie hatten das österreichische Haus Habsburg aus ihrem Territorium vertrieben, den Herzog Charles von Burgund in drei entscheidenden Schlachten besiegt und nebenbei die Lombardei einschließlich Mailands erobert. Da die Schweiz geographisch hauptsächlich aus Bergen bestand und die Wirtschaft des Landes deswegen kaum Verdienstmöglichkeiten bot, hatten die meisten jungen Menschen keine

---

[241] U. Schlüer, »Stuart Eizenstats Mäßigung«, *Schweizerzeit*, 13. Juli 2001, S. 8.
[242] Siehe *Sonntags Zeitung*, 15. Dezember 2002, Seite 1.

Chance, zuhause einen ausreichenden Lebensunterhalt zu verdienen. Tausende von jungen Männern gingen deshalb jedes Jahr ins Ausland, um Europas Königen und Päpsten als vertrauenswürdige Söldner zu dienen (und für sie zu sterben).

Bis zum heutigen Tage pflegt der Vatikan die Tradition einer Schweizer Garde zu seinem Schutz. Es ist ein Relikt aus dieser Zeit, als Päpste auf schweizerische Söldner angewiesen waren, um Kriege zu führen und Territorien für sich zu erobern. In der berühmten Schlacht von Marignano im Jahre 1515 wurde eine kleine Armee von 20 000 schweizerischen Fußsoldaten durch die Artillerie des französischen Königs Franz I. geschlagen, der in seiner Armee auch fast so viele schweizerische Söldner hatte. Diese Schlacht markierte den Wendepunkt in der Geschichte der Schweiz als militärischer Supermacht. Nach dieser Niederlage beschloß die Schweiz, neutral zu werden und sich in Zukunft von allen politischen Auslandsabenteuern fern zu halten.

Eine ähnliche Situation herrscht auch heute vor. Die Schweizer Großbanken sind heute in jedem Teil der Welt aktiv und deshalb einem erhöhten Risiko ausgesetzt und anfällig für Erpressungen von Seiten einer eifersüchtigen Konkurrenz. Die Schweizer waren in der Vergangenheit erfolgreich, aber sie wurden wahrscheinlich zu groß und mächtig. Früher gab es drei große Banken, heute sind es nur noch zwei. Zwei dieser »Großen Drei« fusionierten aus unersichtlichen Gründen. Die sehr liquide *Schweizerische Bankgesellschaft* (UBS), vormals eine sehr erfolgreiche Bank mit AAA-Bewertung, wurde von dem kleineren *Schweizerischen Bankverein* (SBC), der Liquidität nötig hatte, übernommen![243]

Größe ist nicht alles. Banken müssen nicht unbedingt groß sein. Sie müssen vor allem solide sein, ihren Kunden gute Dienstleistungen

---

[243] Die UBS war einer der großen Verlierer beim Zusammenbruch von *Long Term Capital Management*. Die Bank, einst mit dem besten Management der drei großen schweizerischen Banken, war dabei, sich mit Derivatbelastungen aller Art zu ruinieren. Die Abschreibung von $ 700 Millionen war die größte im spektakulären Drama um LTCM. Siehe auch: Roger Lowenstein, *When Genius Failed — The Rise and Fall of Long Term Capital Management* (New York: Random House, 2000).

anbieten und für ihre Aktionäre rentabel wirtschaften. Das ist eigentlich alles.

Die einzigartige Goldreserve der Schweiz verlieh der Währung und damit auch der Bankenindustrie den nötigen Respekt, den sie brauchte, um das Vertrauen ihrer internationalen Kundschaft zu gewinnen und aufzubauen. Zu dem Zeitpunkt, wo die SNB die Hälfte des Goldschatzes zu Tiefstpreisen los ist, ist damit zu rechnen, daß auch ein Teil des Respekts weg ist. Die Stellung der Schweiz im internationalen Bankgeschäft wird nicht mehr dieselbe sein. Solange es der schweizerischen Wirtschaft gut ging und es auf der Welt genügend Unsicherheit gab, hatte es auch für die Schweizer Banken immer genug Arbeit gegeben, selbst wenn andere Bankenzentren in der Zwischenzeit aufgeholt haben. Doch nun ist der einzigartige und herausragende Ruf als Bankenzentrum vom Bundesrat, der SNB und den großen Banken unnötig verspielt worden, zumindest teilweise.

Kurzsichtiges Denken ist sowohl bei der SNB als auch bei den Großbanken zur Gewohnheit geworden. Was bekommt die SNB im Tausch für das Gold, das sie gerade verkauft? Alles, was sie für ihr Gold bisher erhalten hat, sind leuchtende Pünktchen auf einem Computerbildschirm, die einen potentiellen Anspruch auf ungewisse Werte darstellen. Doch die eigentliche Frage ist, wer nun die wirklichen Gewinner und Verlierer dieser neuen schweizerischen Goldpolitik sind? Die Schweizer Bürger gehören mit Sicherheit nicht auf die Gewinnerseite. Sie wurden betrogen.

Eine noch drastischere Veränderung kann bei den Großbanken beobachtet werden. Sie versuchen in erster Linie, ihr Einkommen aus Gebühren zu maximieren. Was würden die Aktionäre sagen, wenn sie wüßten, daß »ihre« Banken unter den führenden Mitgliedern der sogenannten »Großen Vier« Investment-Banken sind, welche die *Ashanti*-Goldminen-Gesellschaft über ihre Hedging- und Derivate-Politik berieten, kurz bevor sie 1999 kollabierte? Mit anderen Worten: Die Banken waren Teil des Syndikates, das *Ashanti* und Ghana in den Ruin zu treiben half. Ist das die zukünftige Rolle schweizerischer Banken? Wenn dem so ist, was werden sie als nächstes tun? In welchem entfernten Winkel der Erde werden sie als nächstes zuschlagen?

Letzte Generalversammlung, bevor die Goldverkäufe beginnen

Die SNB verlor keine Zeit. Im Juni 1999 wurde ein Gesetz zur Zulassung von Goldverkäufen abgelehnt. Trotzdem wurden 1300 Tonnen »überschüssiges« Gold im Washington Agreement der europäischen Notenbanken vom 26. September 1999 von der SNB zum Verkauf freigegeben.[244] Sie waren mit eingeschlossen, obwohl das Münzgesetz, das der SNB erlaubte, Gold zu verkaufen, erst Ende Dezember, drei Monate nach dem Washington Agreement, vom Parlament verabschiedet wurde!

Was noch schlimmer ist: Es bestand immer noch die Möglichkeit eines Volksentscheids, dessen Zeitlimit erst Ende April 2000 auslief. Der wurde gar nicht erst abgewartet. Dies wirft die Frage auf, wer der SNB das Recht gab, diese 1300 Tonnen in das Washington Agreement mit einzuschließen, bevor das eigentliche demokratische Verfahren zu einem Abschluß kam? Das Ganze war ein weiterer Beweis dafür, wie der Bundesrat und die SNB sich offen über das eigene Volk hinwegsetzten und die Auffassung von der Demokratie in haarsträubender Weise mißachteten.

1999 weitete die SNB ihre Goldverleih-Aktivitäten enorm aus, und zwar von 187 Tonnen 1998 auf 316 Tonnen. Das zeigt, daß sie aus dem Beinahe-Bankrott von LTCM, wobei die UBS etwa SFr 1 Milliarde verlor, nichts gelernt hatte. Ende 1999 hatten die ausstehenden Goldausleihungen einen Gegenwert von ca. SFr 4,7 Milliarden erreicht. Die Erträge dieses neu entdeckten »Profitzentrums« beliefen sich auf magere SFr 57,8 Millionen, oder lediglich SFr 15 Millionen mehr als im Vorjahr, d. h. eine »Verzinsung« von etwas über 1 %. Während sich der Gesamtgewinn der SNB 1999 in Höhe von SFr 4,4 Milliarden hauptsächlich auf den höheren Wert ihrer U.S.-Dollar-Bestände zurückführen ließ, waren die Aussichten für das Jahr 2000 sehr viel trostloser, denn Ende 1999 hatte die SNB eine neue Position in ihren Büchern: über SFr 20 Milliarden in Euros. Wenn die SNB schon ihre Goldpositionen als riskant ansah, dann müßte sie

---

[244] Unter dem Washington Agreement on Gold haben fünfzehn europäische Zentralbanken angekündigt, daß sie ihre offiziellen Verkäufe über die nächsten fünf Jahre auf jeweils 2000 Tonnen begrenzen und über diesen Zeitraum auch keine neuen Netto-Goldverleihgeschäfte tätigen wollten.

vermutlich auch bald herausfinden, daß in ungedecktem Papiergeld ein noch sehr viel höheres Risiko schlummert.

Die Nationalbank spürt die Dollarschwäche

Der Chef der Wirtschaftsredaktion der *Neue Zürcher Zeitung*, G. Schwarz, schrieb folgendes:

> »Ausgerechnet in einer Zeit, da sich die Schweizerische Nationalbank (SNB) von ihren ›überschüssigen‹ Goldreserven trennt, muß man sich, wenn man die ersten Angaben zum Jahresgewinn liest, fragen, was sie eigentlich ohne Gold täte. Natürlich kann das in einem Jahr wieder ganz anders aussehen, aber im abgelaufenen Jahr hat der Goldbestand jedenfalls kräftig zum Jahreserfolg beigetragen.«[245]

Für das abgelaufene Jahr weist die SNB einen fast halbierten Jahresgewinn von SFr 2,2 (4,1) Milliarden aus. Dabei wurden die Zinserträge aus den Reserven 2002 fast ganz durch Wechselkursverluste weggefressen. Jacques Trachsler, Herausgeber vom Finanzbrief *Zyklen Trends Signale*, rechnet monatlich die Verluste der Nationalbank aus den Goldverkäufen aus. Unter Berücksichtigung des Zinsertrages betrugen sie Ende Januar 2003 laut Trachsler SFr 600 Mio.[246]

Ein schwacher Goldpreis wegen der SNB und der Neue Zürcher Zeitung (NZZ)

Da es nicht zu einem Volksentscheid gekommen war, kündigte die SNB bei ihrer jährlichen Generalversammlung an, daß der Goldverkauf am nächsten Tag beginnen würde. Am Tage zuvor veröffentlichte die regierungstreue *Neue Zürcher Zeitung* einen Artikel mit dem Titel »Gold glänzt kaum als Anlagemittel«[247]. Dieser besagte, daß sich die Goldproduzenten in der Defensive befinden, und daß dank der Medien massenhaft Informationen über alternative Investitionsmöglichkeiten (sprich Derivate) verfügbar seien, die Gold für Investoren sehr unattraktiv machen.

---

[245] *Neue Zürcher Zeitung*, Ausgabe vom 7. Januar 2003, Seite 17.

[246] Jacques Trachsler, *Zyklen Trends Signale,* No. 193 vom 30. Januar 2003.

[247] »Gold glänzt kaum als Anlagemittel«, *Neue Zürcher Zeitung*, 28. April 2000, S. 33.

In jener Woche fiel der Goldpreis um einige Dollar auf einen Tiefstand von $ 270. Wenn es je irgendwelche Zweifel an der Einstellung und Position der SNB und der regierungsloyalen *NZZ* in diesem bösartigen Kreuzzug gegen das Gold gab, dann waren diese jetzt gründlich ausgeräumt. Der SNB kann Mißmanagement des Goldvermögens des Landes vorgeworfen werden, aber die *NZZ* muß dafür zur Verantwortung gezogen werden, daß sie die Wahrheit verschwieg, oder noch schlimmer, daß sie die Öffentlichkeit wissentlich irreführte. Eine andere Möglichkeit ist, daß es die Redakteure selbst nicht besser wußten, aber das ist genauso unwahrscheinlich wie ihre Unschuld.

Wie irreführend die *NZZ*-Berichterstattung in bezug auf die SNB ist, wurde am 5. Januar 2001 in einem Artikel mit dem Titel »Goldsegen für die Nationalbank — 25,4 Milliarden Franken Netto Aufwertungsgewinn«[248] erneut unter Beweis gestellt. Die SNB hatte dabei nichts anderes getan, als den Goldpreis am Labor Day (1. Mai in Europa) in ihren Büchern neu festzulegen: vom antiquierten, unrealistischen Preis von SFr 4595 pro Kilo aus dem Jahre 1971 auf den aktuellen Marktpreis von SFr 15 291. Mit anderen Worten: Die führende schweizerische Tageszeitung lobt die Tatsache, daß die SNB (mit einer Verzögerung von fast 30 Jahren) einen Buchgewinn schreibt, obwohl in weiten Kreisen bekannt war, daß dieselbe Nationalbank in Verbindung mit der Bank von England dem U.S.-Schatzamt und dem Gold-Kartell fleißig half, den Goldpreis zu manipulieren und dadurch zu drücken.

Die Scheinheiligkeit der Zeitung geht sogar noch weiter. Erst am Ende des Artikels erwähnt sie, daß die SNB im Jahre 2000 einen Devisenverlust in Höhe von SFr 1,1 Milliarden erlitt, verglichen mit einem Gewinn von SFr 4,7 Milliarden im Jahre 1999. Dies kommt nicht überraschend, denn der »Geldbeschaffer des Solidaritäts-Fonds« Hans Meyer wurde vom smarten Präsidenten der *Europäischen Zentralbank*, dem Holländer Wim Duisenberg, im Jahr zuvor dazu überredet, Euros im Wert von über SFr 20 Milliarden zu kaufen. Meyers Schritt raus aus dem Gold und rein in den Euro geschah zu einem Zeitpunkt, als viele der Überzeugung waren, daß der Euro in absehbarer Zukunft an Wert verlieren und eine schwache Währung bleiben würde.

Was konnte von 2001 erwartet werden? Da die Bush-Administration eine andere Dollarpolitik verfolgt als die Clinton/Rubin-Administration, und weil Greenspan & Co. den notwendigen Fed-Stimulus liefern, um den offensichtlichen Streß in der Bankbranche und die Wirtschaftsflaute zu bekämpfen, scheint der Dollarkurs einer längeren Schwächeperiode entgegenzugehen. Dies dürfte der SNB in Zukunft kaum bessere Resultate bescheren. Unter solchen Umständen spricht die Logik unmißverständlich für Gold. Dies wird natürlich noch nicht erkannt, aber irgendwann wird der sprichwörtliche Groschen schon noch fallen. Überraschenderweise wird in SNB-Berichten nichts über Erfolge von Goldverleih-Aktivitäten erwähnt. In der Zwischenzeit fährt die SNB damit weiter fort, unser Gold zu Schleuderpreisen zu verkaufen.

Der *Bibel* zufolge ist ein Prophet nicht ohne Ruhm, außer im eigenen Land und unter seinesgleichen und im eigenen Haus. Verweisen wir deshalb auf einen Kommentar des Vorsitzenden des *Federal Reserve*, Alan Greenspan, in bezug auf internationale Goldverkäufe der Zentralbanken. Greenspan sprach am 20. Mai 1999 im Rahmen einer Anhörung vor dem *House Banking Committee* über das internationale Finanzsystem und sagte folgendes:

> »Es ist ziemlich offensichtlich, daß Zentralbanken sich darüber im klaren sind, daß, wenn sie Goldverkäufe ankündigen, der Preis sinkt und niedrigere Notierungen ihnen tiefere Erlöse bringen werden. Kein Händler mit nur ein bißchen Selbstrespekt würde je eine solche Dummheit begehen.«[249]

Aber die *Schweizerische Nationalbank* hat es getan!

Ein fester Goldpreis wegen der SNB?

Ein weiterer Zweifel wurde eliminiert. Was die SNB all diese Jahre letztendlich im Sinn hatte und absichtlich herbeiführen wollte, war ein schwacher Schweizer Franken, selbst wenn sie dafür die Ersparnisse der Bevölkerung opfern muß. Das war der wichtigste Grund, warum Gold gehen mußte. Wieviel Druck die Exportindustrie auf die SNB ausgeübt hat, wird wahrscheinlich nie bekannt werden,

---

[248] »Goldsegen für die Nationalbank — Netto 25,4 Milliarden Franken Aufwertungsgewinn«, *Neue Zürcher Zeitung*, 5. Januar 2001, S. 17.
[249] Bloomberg, 20. Mai 1999.

und es spielt im Grunde genommen auch keine Rolle mehr. Kurzfristig mag ein schwacher Schweizer Franken einigen Exporteuren helfen, aber langfristig kommt eine solche kurzsichtige Politik einer nationalen Katastrophe gleich.

Die Zentralbanken wissen sehr genau, daß wir in einer Welt konstanter Währungsabwertungen und anhaltender Währungskriege leben. In solchen Situationen ist Gold die letzte Verteidigungslinie. Die Zentralbanken wissen ebenfalls, daß eine überwältigende Anzahl von Menschen die fortlaufende Rolle des Goldes als Währungsreserve befürwortet. Eine für den *World Gold Council* durchgeführte Studie fand heraus, daß eine große Mehrheit der in Frankreich, Deutschland und Italien befragten Menschen der Meinung war, daß die Zentralbanken ihrer Länder den gegenwärtigen Goldreserven-Anteil beibehalten oder sogar erhöhen sollten.[250]

Es wird bereits spekuliert, daß so gut wie nichts von dem Gold aus diesen schweizerischen Verkäufen tatsächlich physisch auf den Markt kommt. Der amerikanische Rechtsanwalt und Investmentberater Reginald Howe verkündete am 16. April 2000 auf seiner Website, daß er den begründeten Verdacht hege, daß dieses Schweizer Gold höchstwahrscheinlich solches ersetzen wird, das zuvor bereits von Zentralbanken im europäischen Raum im Markt ausgeliehen wurde. Damit können diese ihre physischen Goldbestände wieder auf dasselbe Niveau anheben, wie es in ihren offiziell angegebenen Goldreserven entspricht, und zwar durch Beschaffung von

»(…) ausreichend physischem Gold, um ausstehende Goldkredite in den Büchern der Zentralbanken der Euro-Zone zu decken, denen es direkt über die *Bank für Internationalen Zahlungsausgleich* zufließen wird. Die schweizerischen Verkäufe vermeiden das Risiko peinlicher Zahlungsschwierigkeiten, die ein steigender Goldpreis sonst nach sich ziehen würde, besonders bei einem Goldmarkt, der wegen seiner Terminverkäufe zwei bis vier Netto-Jahresproduktionen short ist. Durch Vermeidung dieses Risikos geben die schweizerischen Verkäufe bei den Zentralbanken der Euro-Zone, die zusammen das meiste monetäre Gold

---

[250] »Gold Reserves and Public Confidence« (London, New York: World Gold Council, 1999).

der Welt besitzen, großen Anlaß zur Freude — jedenfalls dürften sie keinen gewichtigen Grund mehr gegen steigende Goldpreise haben.

Für Ende 1999 wurde von den Ländern der Euro-Zone ein Gesamtbestand an Goldreserven in Höhe von 12 457 Tonnen angegeben (...), wenn wir annehmen, daß davon 10 bis 12% ausgeliehen sind, so ergeben sich 1250 bis 1500 Tonnen. (...) Unter diesen Umständen könnte die Zustimmung für die schweizerischen Goldverkäufe schließlich den letzten Bestandteil für eine reibungslose Abwicklung aller oder der meisten ausstehenden Goldleihgeschäfte in den Büchern sowohl der Zentralbanken in der Euro-Zone als auch der SNB darstellen. Das Kernstück des Planes wäre die Erlaubnis, das ausgeliehene Gold in den Bilanzen der Euro-Zentralbanken durch Gold zu ersetzen, das von den Schweizern gekauft wurde, und daß ausgeliehenes Gold in der Bilanz der SNB durch Gold ersetzt werden kann, das den Holländern oder Österreichern abgekauft wurde. (...) Der Plan würde es auch erlauben, die Goldhandels- und die Geschäftsbanken mit Papierinstrumenten vor einer drohenden Insolvenz zu retten — für den Fall, daß es zu einem starken Anstieg des Goldpreises kommt.«[251]

Wer bohrte die Löcher in den Schweizer Käse?

Die Geheimnistuerei, mit der das Thema Gold bei der SNB und im Finanzministerium gehandhabt wurde, ist nur in einem Land möglich, in dem Filz und Vetternwirtschaft grassieren. In der Schweiz trifft man in den Verwaltungsräten größerer Unternehmen häufig dieselben Leute — in der Regel sind es Politiker, Bankiers, Offiziere der Armee und andere Insider. Es herrscht Club-Atmosphäre, die wirklich schon fast an Inzest grenzt, und wir wissen ja, zu was Inzest führen kann! Vor kurzem wurde von jemandem behauptet, daß ein Sitz im Verwaltungsrat einer größeren Gesellschaft oder Bank für einen Schweizer wertvoller sei als ein Adelstitel. Die Gefahr bei dergleichen ist jedoch, daß schlechte Nachrichten oder eine sich verschlechternde Geschäftslage oft geheim gehalten werden, bis die Krisen schließlich offenkundig werden. Ein kürzliches Beispiel ist *SwissAir*. Es zeigt deutlich, wie eine

---

[251] Reginald Howe, »Gold Unchained by the Swiss; Ready to Rock«, www.goldensextant.com, 16. April 2000.

ehemals erfolgreiche Gesellschaft von schwachen Managern und fahrlässigen Verwaltungsräten, die mit der Branche wenig bis nicht vertraut waren, in kürzester Zeit ins Unglück gestürzt werden kann. Die *Zürich Versicherung*, die *Rentenanstalt* und die *Credit Suisse* sind weitere Beispiele, und die Liste dieser Unglücke wird immer länger. Zum Glück gibt es Männer wie Christoph Blocher, die einen Kreuzzug gegen diese verkrusteten Strukturen führen.

Falls jemals Licht auf den wirklichen Grund fallen sollte, warum die SNB sich von der Hälfte des dem Lande gehörenden Goldes trennt, könnte sich dies durchaus als das tragischste Ereignis in der Geschichte der Schweiz erweisen. Auf der Website von *LeMetropoleCafe* spricht ein Professor von Braun in einem Aufsatz mit dem Titel »Who Put the Holes in the Swiss Cheese?« das Unaussprechliche aus:

> »Die Entscheidung der *Schweizerischen Nationalbank*, in der Endphase eines sehr langen Edelmetall-Baissemarktes die Hälfte ihrer Goldreserven zu verkaufen, war mir persönlich als langjährigem Goldmarkt-Beobachter schon immer mehr als suspekt. Es handelte sich um eine jener Bekanntgaben, die so ziemlich unter Zeitdruck zu stehen schienen, weil die Genehmigung dazu in aller Eile nachgesucht wurde. Die schweizerische Bankbranche existiert schon viel zu lange, als daß sie sich zu überhasteten Beschlüssen verleiten läßt, bei denen es um nichts anderes geht als um den Eckpfeiler ihrer Stabilität, ihr Gold und natürlich ihr Bankgeheimnis. Allerdings muß man fairerweise hinzufügen, daß das Bankgeheimnis nicht mehr das ist, was es einst war. Doch die Hälfte der eigenen Goldreserven zu verkaufen, nun, das ist in der Tat eine völlig andere Geschichte.
>
> Was wußte die SNB, was die schweizerischen Politiker nicht wußten? Diese Frage drängt sich unwillkürlich auf. Könnte es vielleicht sein, daß sie Zugang zu einer großen Menge an physischem Metall brauchte, und zwar für einen völlig anderen Zweck als denjenigen, welcher der leichtgläubigen schweizerischen Bevölkerung erzählt wurde: Die neue Gesetzgebung erlaubt ihnen jedenfalls, soviel Gold zu verkaufen wie ihnen paßt?
>
> Könnte es sein, daß sie Zugang zu einer so großen Menge des physischen Metalls benötigten, um bestimmten schweizerischen Banken zu ermöglichen, die Derivatpositionen abzudecken, die von ihren Bullion-Handelsabteilungen gehalten wer-

den? Waren diese Ausleihungen eine Bedrohung für das schweizerische Bankensystem und konnten diese nur durch die nationalen Reserven, also aus dem Volksvermögen, gedeckt werden?

Die Schweizer haben in letzter Zeit natürlich auf einigen recht großen Bühnen gespielt, mit einer Menge Übernahmen und Fusionen wie z.B. die *Credit Suisse* mit der *First Boston*. Dann war da noch die ziemlich rasche Fusion des *Schweizerischen Bankvereins* mit der UBS, wie es scheint ein Fall von ›kleinerer Fisch schluckt größeren Fisch‹, ferner die vielen UBS-Direktoren, denen einfach auf die Schnelle ›goodbye‹ gesagt wurde. Wir haben nie gehört, was dort wirklich geschah, es kann aber mit Sicherheit davon ausgegangen werden, daß prompt angekündigte und blitzschnell durchgezogene Fusionen, besonders wenn eine kleinere Bank das Management einer größeren übernimmt, in aller Regel bedeuten, daß eine Bilanz dringend etwas Hilfe benötigt hat.

Was stand bei dieser Fusion auf dem Spiel? Könnte es eine Gefährdung durch Gold-Derivate sein? Selbst die Fusion der *Chase Manhattan* mit *J. P. Morgan* wurde in einem ziemlich kurzen Zeitraum abgewickelt. Zuerst sah es aber so aus, als ob für *Goldman Sachs* die erste Wahl *J. P. Morgan* sei, doch nach anfänglicher Due Diligence [Unternehmens- und Faktenüberprüfung[252]] sagten sie danke, nein danke. Sowohl *J. P. Morgan* als auch *Chase Manhattan* sind am Goldmarkt erheblich exponiert, ebenso wie die *Deutsche Bank*, ein weiterer *J.-P.-Morgan*-Freier, der sich aber schnell wieder zurückzog, vielleicht mit etwas Nachhilfe von der *Bundesbank*. Wer weiß, was hinter den Türen der Zentralbanken so alles vor sich geht, vom branchenüblichen Geschwafel einmal abgesehen.

Half die LTCM-Krise der SNB beim Denken nach, als es um ihre eigenen ›lokalen‹ Bankpositionen ging? Die Zustimmung für die schweizerischen Verkäufe wurde im April gegeben, nachdem sie 1999 angekündigt worden waren. Stellen Sie sich dies einmal lebhaft vor!«[253]

---

[252] *Due Diligence* hier: Prüfung der Ertrags- und Geschäftslage sowie der Jahresabschlüsse eines Unternehmens bei Akquisitionen; wird durch externe Experten zur Durchleuchtung aller unternehmensinternen Daten, Planungen und Risiken durchgeführt.
[253] www.LeMetropoleCafe.com, 20. Februar 2001.

Der amerikanische Börsenmakler Joseph J. Cacciotti von *Ingalls & Snyder* in New York bietet in seinem Investmentbrief folgende Interpretation an:

>»Von besonderem Interesse ist die seltsame Reihenfolge von Ereignissen, die zur Fusion von *Chase Manhattan* und *J. P. Morgan & Co.* führten. Diese zwei Läden halten mit Abstand die größten Gold-Derivate-Positionen. Die zur Unterstützung dieser Aktivitäten erforderlichen Angebote an Gold haben begonnen zu versiegen, was eine Fortführung dieses Spiels immer schwieriger gestalten dürfte. Am Donnerstag, dem 7. September, trat JPM's CFO und Führungsfigur der Derivate-Strategie, Peter Hancock, plötzlich von seinem Posten zurück, um von nun an ›eigenen unternehmerischen Interessen nachzugehen‹. Am Montag, dem 11. September, trafen sich die Vorsitzenden von JPM und *Chase Manhattan* für fünf Minuten, um der Fusion zuzustimmen. Fünf Minuten!!?? War bei dem Meeting vielleicht jemand mit dem Gewehr im Anschlag anwesend? Es gibt da die gewisse Dringlichkeit bei der ganzen Affäre, die mich stutzig macht und vermuten läßt, ob nicht möglicherweise gar das Fed die Fusion arrangiert hat. Wenn etwas mit solch großer Hast durchgeführt wird, dann muß es ein echtes Problem geben. Hancocks Rücktritt deutet auf ein Problem in der Derivate-Abteilung hin. Wenn meine Schlußfolgerung richtig ist, macht es Sinn, daß das Fed vielleicht die riesigen Derivate-Positionen der beiden Banken unter ein gemeinsames Dach bringen wollte, für den Fall, daß eine Rettungsaktion notwendig wird. Sowohl vom praktischen als auch vom politischen Standpunkt aus gesehen, wäre es einfacher zu erreichen und zu rechtfertigen, daß eine Wall-Street-›Fat-Cat‹ gerettet wird, statt deren zwei.«[254,255]

---

[254] Joseph J. Cacciotti, Newsletter, 31. Oktober 2000.

[255] Siehe auch »*J. P. Morgan* ends not with a bang but a whimper«, *Financial Times*, 23./26. Dezember 2000, S. 1, wo zum Anlaß der »einst ehrwürdigen«, letzten Aktionärsversammlung der Investmentbank einige Aktionäre ihre Enttäuschung über das miserable und ungezwungene Ende des Hauses *Morgan* zum Ausdruck brachten: »Bill Smith, ein elegant gekleideter junger Mann, der sich als Berater identifizierte, fragte, warum eine Bank, die einst groß genug war, die Finanzen der U.S.-Regierung zu retten, nun verkauft werden sollte. ›In den letzten paar Jahren — was soll ich sagen — haben wir geschwächelt.‹

Professor von Braun fährt fort:

»Der weltweite Derivate-Markt wird auf $ 100 Billionen geschätzt, eine tolle Zahl, die dazu dient, uns daran zu erinnern, daß ein solch großer Derivate-Betrag erforderlich ist, um das Spiel am Laufen zu halten, ein Spiel, bei welchem der ihm zu Grunde liegende Realwert nur ein winziger Teil dieser Summe ist. Ist das nicht hoch interessant? Womit würden die Spieler des Derivate-Spiels ihre Schulden begleichen, um ihren Verpflichtungen nachzukommen, wenn die Dinge schief laufen?«[256]

Keine SNB-Goldverkäufe mehr durch die BIZ

Am 24. März 2001 informierten die schweizerischen Medien, daß die SNB ihr »überschüssiges« Gold direkt über erstklassige Institutionen verkaufen würde, mit denen sie bereits geschäftliche Beziehungen unterhielte. Sie hatte früher via BIZ verkauft und beabsichtige nun bis Ende September weitere 100 Tonnen zu verkaufen.

Auf den ersten Blick ein überraschender Schritt, beim zweiten vielleicht nicht mehr ganz so überraschend. Die in Basel ansässige BIZ, oft als die Zentralbank der Zentralbanken bezeichnet, kam damals in die Kritik. Sie plante, 13,73 % ihrer Aktien von ihren privaten Aktionären zurückzukaufen. Die Aktionäre widersprachen energisch, weil der angebotene Preis viel zu niedrig schien. Als Folge davon wurden am 7. Dezember 2000 (Jahrestag des Angriffs auf Pearl Harbor) die BIZ, fünf Elite-Investmenthäuser sowie Spitzen-Beamte des U.S.-Schatzamtes und des *U.S. Federal Reserve Board*, einschließlich Alan Greenspan, vor dem *U.S. District Court* in Boston von Rechtsanwalt Reginald Howe angeklagt, den Goldpreis verschwörerisch zu drücken.

Aktionärin Evely Y. Davis äußerte ihre Sorgen wie folgt: ›Ich bin schwarz gekleidet — Tunnelschwarz —, weil ich in Trauer bin.‹ Frau Davis sagte voraus, daß sich der Bankgründer J. Pierpont Morgan — anstatt sich in seinem Grabe zu drehen — von den Toten auferstehen würde, um die Fusion zu verfluchen.«

[256] www.LeMetropoleCafe, 20. Februar 2001.

Die BIZ wird nicht nur beschuldigt, am Goldleihgeschäft der Zentralbanken beteiligt zu sein, sondern auch von IWF-Gold. Dies veranschaulicht ein weiteres Mal, was für eine katastrophale Rolle der IWF weiterhin spielt. Einer der größten Coups gegen das Gold gelang ihm 1987, als beim IWF deponiertes U.S.-Gold durch die Bank von England verkauft wurde. Damit trieb man den Goldpreis innerhalb eines Tages um $ 100 in den Keller.[257]

Das *Gold Anti-Trust Action Committee* (GATA), das im Januar 1999 gegründet wurde, ist eine Organisation, die in den letzten Jahren jede Bewegung auf dem Goldmarkt systematisch verfolgt hat. Auch sie glaubt, daß die SNB-Entscheidung, Gold zu verkaufen, getroffen worden war, um ihren eigenen Bullion-Banken aus ihren schiefgelaufenen Gold-Short-Positionen herauszuhelfen. GATA sagte ferner, daß es aus gutem Grunde annimmt, daß die BIZ nun in hohem Maße ein Instrument der Goldverschwörungsclique geworden sei, die hilft, den Goldpreis zu drücken, d. h. die von Howe angeklagte Gruppe. GATA geht davon aus, daß die Schweizer den Verkauf über die BIZ deswegen gestoppt hätten, weil dies ansonsten wie ein Verkauf über das Goldkartell ausgesehen hätte. Oder wie es Bill Murphy vom GATA ausdrückte:»Vielleicht wurde das Schweizer Gold (via BIZ) an die verzweifelten Engländer geschickt anstatt an die schweizerischen Banken.«[258]

Die Zeit wird zeigen, ob irgendwelche dieser Szenarien richtig sind. Der Öffentlichkeit wird wahrscheinlich nie etwas gesagt werden, außer es passiert etwas, das die wahren Gründe ans Tageslicht zwingt. Ein Ereignis, das so etwas auslösen könnte, wäre eine Explosion des Goldpreises. Wir wissen vom ehemaligen Gold-Pool, daß Gold ein mächtiger und furchterregender Gegner ist. Wenn die Zeit reif ist für einen Anstieg des Goldpreises, wird dieser Jahrhundert-Skandal mit einem großen Knall auffliegen. Dies könnte zu einer Zeit geschehen, wenn führende Aktienindizes wie der Dow Jones Industrial oder der Nasdaq auf niedrigere Werte sinken. Es ist vorauszusehen, daß diese Entwicklungen traumatische und langfristige Wirkungen auf die Öffentlichkeit haben werden. In der Zwischenzeit verscherbeln die Schweizer ihr Gold munter weiter zu Niedrigstpreisen.

---

[257] Robert Chapman, »Gold Potpurri«, *The International Forecaster*, 26. März 2001, www.gold-eagle.com.
[258] Jay Taylor, www.gold-eagle.com.

Sich auf den Franken verlassen

Die *Financial Times* begann sich bereits 1999 zu wundern:

>»Hat der Schweizer Franken seinen Ruf als sicheren Hafen
verloren? (…) Gegenüber dem armen alten Euro ist er nur wenig
stärker geworden. Die *Schweizerische Nationalbank* hat auch
klargestellt, daß sie nicht beabsichtige, die Fehler von Mitte der
1990er Jahre zu wiederholen, welche die schweizerische Wirtschaft in die tiefste Rezession seit den dreißiger Jahren gestürzt
hatten. Wie dem auch sei, die SNB steuert einen heiklen Kurs.«[259]

Der französische Ökonom und Finanzpublizist Paul Fabra:

>»*La BNS se met au goût du jour. L'institut d'émission
hélvétique est entré à son tour dans la danse. Il est devenu un
acteur actif non plus seulement des marchés monétaires, mais des
marchés financiers en pleine frénésie.*« (Die SNB paßt sich dem
Geschmack der Zeit an. Die helvetische Finanzinstitution hat
sich dem Tanz angeschlossen. Sie ist nicht nur auf den Währungsmärkten zu einem aktiven Spieler geworden, sondern auch auf
den Finanzmärkten, welche sich in wilder Hektik befinden.)[260]

Was hat das alles zu bedeuten? Die SNB hat ihren guten Ruf
verloren. Fabra denkt, daß die SNB vor vier Jahren ihre Politik vollständig verändert hat und daß die Veränderung nicht zum besseren
erfolgte.

Im Juni 2000 schrieb Fabra, daß in Wirklichkeit die Börse die
Funktionen der Zentralbanken übernommen hat.[261] Dies würde eine
kürzliche Bemerkung erklären, welche Alan Greenspan gegenüber
dem Mitglied des *House Banking Committee*, Dr. Ron Paul, während
der Frage- und Antwort-Session machte. Mr. Greenspan sagte, daß er
die Geldmenge weder genau bestimmen noch lenken könne.[262] Fritz

---

[259] »Lex Column«, *Financial Times*, London, 3. Juli 1999, S. 22.

[260] Paul Fabra, *Les Echos*, 3. Juli 1999, S. 52.

[261] Paul Fabra, »Chronique: La vraie banque centrale, c'est la bourse!«, *Les
Echos*, 16./17. Juni 2000.

[262] U.S. House Committee on Banking and Currency, Hearings on Congress,
17. Februar 2000.

Leutwiler machte vor einigen Jahren eine ähnliche Bemerkung. Als Leutwiler von seinem Posten als Präsident der *Bank für Internationalen Zahlungsausgleich* 1984 zurücktrat, sprach er mit einigen Journalisten über seine Vorstellungen der Zukunft. Seine Worte könnten sich als Prophezeiung erweisen. Er befürchtete nämlich, daß das Wachstum von Computertransaktionen »eine einwandfreie Beurteilung«, ob eine Geschäftsbank solvent sei, erschwere. Dadurch sei es für die Zentralbanken praktisch unmöglich, den Geldumlauf zu messen.[263]

In Sachen »Verrat an der Schweiz« kommt der amerikanische Anwalt Robert Landis zu folgendem Schluß:

> »(...) Zum Nutzen eines Eine-Welt-Apparates, der zum Vorteil des Fed betrieben wird, wurden die Schweizer in die Aushändigung ihres Goldes hineinschikaniert. Die Schweiz steht mit Sicherheit nicht alleine da; die Liste der Opfer der U.S./IWF-Intrigen ist lang. Doch unter den Opfern der entwickelten Länder ist dies einmalig. England machte seinen Teufelspakt à la Faust mehr oder weniger wissentlich; die Schweizer aber wurden betrogen.«[264]

Das monetäre Dünkirchen der Bank von England

Die Ankündigung des UK-Schatzamtes vom 7. Mai 2000, demzufolge die Bank von England 415 Tonnen ihrer Goldreserven verkaufen wolle, erzeugte einen öffentlichen Aufschrei. Gemäß dem *World Gold Council* waren von sieben befragten Briten fünf gegen einen Verkauf ihres Goldes.

In den Tagen und Wochen vor dem Verkauf begann der Goldpreis sich zaghaft zu erholen und stieg beinahe über die $-290er-Marke. Einige Analytiker betrachteten dies als eine kritische technische Hürde. Der Markt hatte sich inzwischen an die endlosen Geräusche über schweizerische Goldverkäufe und IWF-Goldverkaufs-Programme, »um Entwicklungsländern zu helfen«, gewöhnt. Langsam kehrte das Vertrauen wieder zurück. Infolge des zugrundeliegenden Angebot-/Nach-

---

[263] Fritz Leutwiler, *The Economist*, 14. Juni 1997, S. 110.
[264] Robert Landis, privater Brief an den Autor, 6. April 2001.

frage-Verhältnisses von Gold waren höhere Preise sogar naheliegend. Doch die Maßnahme der Briten schlug ein wie eine Bombe. Der Goldpreis fiel sofort um $ 8 auf unter $ 280 je Feinunze. Am 20. Juli sackte der Preis auf ein 20-Jahres-Tief von $ 252.80 ab.

Die für ihre Anti-Gold-Haltung bekannte *Financial Times* kommentierte in ihrer Lex-Kolumne am 9. Mai 1999 etwas hämisch:

»Der Goldrausch hat begonnen — aber in umgekehrter Richtung. Mit ihrer Entscheidung, mehr als die Hälfte der 715 Tonnen UK-Goldreserven auf Auktionen zu verkaufen, rennen die Schlaumeier des Schatzamts in Richtung Türe, gefolgt von den Baissiers anderer Zentralbanken. Es ist eine Sache der Vernunft, daß England versucht, sein Gold besser zu bewirtschaften. Gold macht momentan 43 % der Nettoreserven aus, was unverantwortlich ist. Es mag allerdings recht primitiv erscheinen, wenn man mit einer ganzen Serie von Auktionen auf das Gold haut, anstatt geräuschlos in einen liquiden Markt hinein zu verkaufen. Transparenz sollte sich jedoch am Ende auszahlen, wenn sie die Ängste über geheime, nicht meßbare Verkäufe zu beruhigen vermag.

Aus diesem Grunde ist es merkwürdig, weshalb die britische Regierung 300 Tonnen behält. Mit einem Anteil von 18 % aller Nettoreserven stellt dies eine gewichtige Position einer schlecht rentierenden Ware dar, die sich in den letzten Jahren als miserables Investment erwiesen hat, selbst wenn es [in Zeiten] globaler Krisen immer noch teilweise als werterhaltendes Objekt dienen kann.

Nachdem das Schatzamt schon die Märkte entnervt hat, hätte es auch gleich Nägel mit Köpfen machen und das gesamte Gold verkaufen können.«[265]

Die Folge dieser überraschenden Aktion der Briten war, daß Goldminen-Aktien unter starken Druck gerieten. Diese Situation zwang die Minengesellschaften zu einer Flut neuer und verhängnisvoller Hedging-Verpflichtungen, zu einem Zeitpunkt, wo der Goldmarkt seinen langfristigen Tiefstand erreicht haben könnte. Goldproduzenten wie *AngloGold* und *Goldfields* beschuldigten die Blair-Regierung wegen ihrer Ungeschicklichkeit, da sie damit die Spekulation ermutige,

---

[265] »Lex-Column«, *Financial Times*, London, 8./9. Mai 1999, S. 24.

den Goldpreis weiter unter Druck setze und den Goldmarkt destabilisiere. Der südafrikanische Premierminister Thabo Mbeki protestierte, daß die Entscheidung einen »potentiell verheerenden Effekt« auf Südafrika ausüben würde.[266]

Über Kanzler Gordon Brown wurde gesagt, daß er über Mr. Mbeki's Reaktion überrascht und gekränkt war. Als eine Delegation unter Leitung des südafrikanischen Minenministers, einschließlich führender Gewerkschaftler, ihn in London besuchen wollte, um die Goldverkäufe zu stoppen, hatte Brown keine Zeit, sie zu empfangen, und wälzte das Treffen auf untergebene Minister und Beamte ab.

In einem Brief vom 3. Juni 1999 gab HM's Schatzamt einem durch diese Auktionen besorgten Bankier aus London, für dessen Firma Handel mit Goldminen-, Metall- und Öl-Aktien das tägliche Brot ist, folgende Antwort:

> »Sir, genau wie andere Länder auch, muß das Vereinigte Königreich seine offiziellen Devisen- und Gold-Investments dauernd überprüfen. In den sechziger Jahren stand Gold im Zentrum des internationalen Finanzsystems, aber seitdem ist die Weltwirtschaft vorangeschritten. Als Resultat ist sein besonderer Status deshalb in den letzten Jahren verblaßt. Die Regierung war der Ansicht, daß es finanziell absolut Sinn mache, den Goldanteil an den Nettoreserven des Landes zu reduzieren. — Ziel dieser Restrukturierung ist, durch die Erhöhung des Devisenanteils ein ausgeglicheneres Portefeuille zu erlangen.«[267]

Einige Wochen später, am 11. Juli 1999, erzählte HM's Schatzkanzler Brown Kollegen, daß der Plan, mehr als die Hälfte der britischen Goldreserven zu verkaufen, nicht von ihm stammte.[268]

In meiner Position als Mitglied des Londoner *Carlton Clubs*, welcher der *Konservativen Partei* nahe steht, schrieb ich am 3. Juni

---

[266] »Gold Sales Not My Idea, Says Brown«, *The Sunday Times*, 11. Juli 1999, S. 45.

[267] John Kidman, HM's Treasury, Debt and Reserve Management Team, Brief an A. R. Mahalski, 3. Juni 1999.

[268] »Gold Sales Not My Idea, Says Brown«, *The Sunday Times*, 11. Juli 1999, S. 45.

1999 den folgenden Brief an den Präsidenten des politischen Komitees des Clubs, Rt. Hon. Peter Finlay, MP:

> »Dear Sir, Persönlich glaube ich, daß die *Konservative Partei* beträchtliches Ansehen und Verdienst erwerben könnte, wenn sie gegen die Goldverkäufe, die wahrscheinlich durch ausländische Kreise veranlaßt wurden, Einspruch erheben würde. Warum? Zunächst einmal: Die Bevölkerung Großbritanniens ist in überwältigender Mehrheit gegen den Verkauf der Goldreserven des Landes. Zweitens wissen wir aus der Geschichte, daß das British Empire auf der Basis des Goldstandards aufgebaut wurde. Dieser hatte 250 Jahre, bis zum Ausbruch des I. Weltkrieges, bestanden. Während dieser Zeit gab es zwar Preisschwankungen, aber die Preise waren im Allgemeinen meistens stabil. Sie kehrten immer wieder zum Gleichgewichtspunkt zurück. Der Beweis: der Index stand bei 100 im Jahre 1664 und bei 90 im Jahre 1914. Wir wissen, was dem Pfund und anderen Währungen widerfuhr, seit die Welt zu Beginn des Krieges vom Goldstandard des 19. Jahrhunderts Abschied nahm. Es ist meine Überzeugung, daß, wenn Großbritannien und seine Politiker mehr über Gold gewußt hätten, England sein Empire immer noch besitzen würde.«

Die Antwort war, daß der Anführer der HM's Oppositionspartei, Mr. Hague, meine Ansichten in bezug auf die Verkäufe teile.

In den parlamentarischen Debatten im britischen Unterhaus konnte man, im Gegensatz zu dem zweitklassigen Geschwätz im schweizerischen Parlament, wenigstens einige rhetorische Höhepunkte erleben, insbesondere die Rede von Sir Peter Tapsell. Er sagte, er betrachte die Entscheidung, 415 von 715 Tonnen Gold zu verkaufen, als eine fahrlässige Tat, die gegen Großbritanniens nationales Interesse verstieße. Der Verkauf dieses entscheidenden Elements aus der britischen Währungsreserve wird den Spielraum, unabhängig handeln zu können, schwächen, den Einfluß auf internationale Finanzinstitutionen reduzieren *und zudem das Vereinigte Königreich als Weltfinanzmacht schwächen.* [Hervorhebung in Kursiv durch den Autor.]

> »1. Die Ankündigung des Lordkanzlers hat den Steuerzahler dieses Landes bisher über 400 Millionen Pfund gekostet, was mehr ist, als der Kosovo-Krieg England kostete.

2. Die Entscheidung mindert Großbritanniens Währungs-
unabhängigkeit. Wenn ein Land über Goldreserven verfügt, so
wird dies immer als Bestätigung von Unabhängigkeit und monetärer Souveränität angesehen.

3. Die Entscheidung hat den Beigeschmack einer kurzfristigen Interessenlage. Von Regierungen und Zentralbanken erwartet
man, daß sie im langfristigen Interesse ihrer Länder handeln.

4. Die Entscheidung ist eine Bedrohung für den Londoner
Goldmarkt, denn sie verringert die Fähigkeit des Schatzamtes, für
adäquate Liquidität zu sorgen. Viele Marktteilnehmer sind der
Ansicht, daß, nachdem die Verkäufe abgeschlossen sind, das
Schatzamt nicht mehr genug Gold haben wird, um seine Funktion im Goldmarkt erfüllen und das Zentrum des Weltgoldmarktes
in London behalten und sichern zu können.

5. Ungefähr 20% der Erlöse sollen in Yen investiert werden
— erzählt uns jedenfalls das Schatzamt …

6. Das Konzept des Reserven-Managements, das der Entscheidung zugrunde liegt, weist große Fehler auf. Nach dem
Verkauf wird der Goldanteil an den Gesamtreserven des Vereinigten Königreichs nur noch bei 7% liegen, ein wenig niedriger
als der von Albanien.«[269]

Trotz einer angeblich weltweit wachsenden Pressefreiheit sah
man keinerlei Medienberichte über Englands Gold-Debatte. Der amerikanische Goldmarktexperte Bill Murphy vom GATA hatte den Eindruck, daß die meisten Marktteilnehmer heute glauben, daß orchestrierte Bemühungen seitens bestimmter offizieller Stellen bestanden,
den Goldpreis zu drücken:

> »Da die Pläne der Schweiz und die IWF-Überlegungen
> nicht ausreichten, den Goldpreis unten zu halten, erwies sich die
> U.S.-Marionette England als der schnellste Weg zu einem soforti-
> gen Dumping.«[270]

Der amerikanische Investmentberater James Turk, Herausgeber
des *Freemarket Gold & Money Report*, wurde am 31. Mai 1999 in
Barron's zitiert:

---

[269] Sir Peter Tapsell, Parliamentary Debates (Hansard) Commons, Mittwoch
16. Juni 1999, Vol. 333, Col. 104, S. 45.
[270] www.LeMetropoleCafe.com.

»Seit Monaten behaupte ich, daß Zentralbanken den Goldpreis manipulieren. Mit der Ankündigung der britischen Regierung am 7. Mai kamen weitere Beweise. (…) Dieser Druck auf den Goldpreis paßt ausgezeichnet zu dem anderen Grund, der die Zentralbanken motiviert, den Goldpreis zu manipulieren. Gold ist das Barometer, mit dem das Zentralbank-Management der Währung eines Landes und ihrer Wirtschaft gemessen und beurteilt wird. Ein steigender Goldpreis ist ein Zeichen dafür, daß monetäre Gefahren im Anmarsch sind, wie zum Beispiel Inflation oder Bankenprobleme. Ein fallender oder ein niedrig-und-stabiler Goldpreis wird vom Markt als Zeichen dafür gewertet, daß mit der nationalen Währung und Wirtschaft alles in Ordnung ist. Natürlich hätten es Zentralbanker lieber, wenn ihnen Gold nicht bei jeder Bewegung über die Schulter schauen würde. Deshalb haben sich die Zentralbanker gegen Gold verschworen.«[271]

Bislang waren britische Auktionen jedes Mal überzeichnet. In einigen Fällen kauften große Minengesellschaften das Gold, um ihre Hedge-Positionen zu reduzieren oder aufzulösen.

Der Investmentberater und Anwalt Reginald Howe, Gewinner des Bank-Lips-AG-Preises 1992, schrieb am 29. Februar 2000 über eine monetäre Entwaffnung Englands und zog Parallelen zum II. Weltkrieg, als die Briten Europa verlassen mußten, aber später mit Hilfe der Amerikaner zurückkehren konnten. Aber mit einem so niedrigen Goldbestand wird die Regierung um Premierminister Blair möglicherweise nicht über genug Gold verfügen, um sich der Euro-Zone anschließen zu können, vor allem wenn die »Beitrittsgebühren« verdoppelt werden sollten. In solch einem Fall würde Großbritannien logischerweise nach Westen, in Richtung anderer Verbündeter, Ausschau halten — nämlich der NAFTA (*North American Free Trade Agreement*). Oder, wie es Sir Peter Tapsell formulierte:

»Wer Gold verkauft, verliert letztendlich die Unabhängigkeit und die Währungssouveränität.«[272]

---

[271] »Barron's Mailbag«, *Barron's*, 31. Mai 1999.
[272] Parliamentary Debates (Hansard) Commons, Mittwoch 16. Juni 1999, Vol. 333, Col. 104, S. 45.

Ominöse Parallelen im Schicksal zweier Finanzzentren

Auf den vorangegangenen Seiten habe ich versucht zu erklären, wie es als Ergebnis der neuen Goldpolitik der SNB einen prominenten Verlierer geben würde, und zwar die Schweiz. Die Schweiz mit ihrem Bankenzentrum, ihrer Stellung in der Finanzwelt und ihrer Wirtschaft wird die große Verliererin sein. Wir werden sehen, wie schnell sich diese Vorhersagen erfüllen. Dasselbe scheint auch für London zu gelten, das einst die Finanzhauptstadt der Welt war. Als England noch unter dem Goldstandard lebte, war die »Old Lady of Threadneedle Street«, wie die Bank von England genannt wurde, die mächtigste Zentralbank der Welt.

Alles ist eine Sache des Vertrauens. Solange Gold respektiert wird, ist das Vertrauen hoch. Sowohl die schweizerische als auch die britische Zentralbank erfreuten sich eines hervorragenden Rufes und waren solide Vertreter eines gesunden Zentralbankwesens. Wenn Zentralbanken allerdings anfangen, ihr Gold zu verkaufen, tauschen sie es für Papiergeld ein, das aus dem Nichts geschöpft wurde und logischerweise beständig an Wert verliert. Unter solchen Rahmenbedingungen ist in Zukunft noch mehr Unsicherheit zu erwarten.

Auf seinem Höhepunkt war London das Zentrum der Handels- und Großbanken dieser Welt. Im Laufe der Jahre sind all die vormals so glorreichen Namen im Bankwesen verschwunden, entweder, weil sie fusionierten oder von gigantischen und aggressiven amerikanischen, deutschen und schweizerischen Banken übernommen wurden. Nachdem *Schroders* Anfang 2000 an die *Citicorp* ging und *Robert Fleming* einige Monate später an *Chase* verkauft wurde, ist nur noch eine historische Handelsbank übrig geblieben: *N. M. Rothschild*. Ein anderer berühmter Name, *Baring*, einst als die »5. Macht« bezeichnet, verschwand vor ein paar Jahren innerhalb weniger Wochen aufgrund von unbefugten Spekulationen eines ihrer Derivaten-Händler.

Fed-Vorsitzender Greenspan spricht sich ganz entschieden gegen Zentralbank-Goldverkäufe aus, aber ...

Es gibt heutzutage wohl keinen Zentralbanker auf der Welt, der über ein so tiefgreifendes Verständnis des Goldstandards und der monetären Rolle des Goldes verfügt wie Mr. Greenspan. Sein historischer

Aufsatz »Gold and Economic Freedom« wurde weltberühmt. Es ist eine der besten Beschreibungen, wie Gold und wirtschaftliche Freiheit untrennbar miteinander verbunden sind.

Von Zeit zu Zeit ließ Greenspan nostalgische Bemerkungen darüber fallen, wieviel besser und sicherer ein Goldstandard wäre als das gegenwärtige Nicht-System. Greenspan warnte immer wieder vor einem »Systemrisiko«, das seiner Meinung nach jeden Moment in eine Katastrophe ausufern könnte. Solch ein Drama wäre jedoch, auch gemäß Greenspan, unter einem Goldstandard niemals möglich. Er hat genau deswegen vielleicht die Überzeugung, daß Zentralbankiers, die ihr Gold verkaufen, sich ausgesprochen töricht verhalten. Die folgenden Bemerkungen, die er nach der Goldverkaufs-Ankündigung der Bank von England machte, sind typisch für ihn:

> »Die USA sollten an ihrem Goldbestand festhalten. (...) Gold repräsentiert immer noch die höchste Zahlungsform der Welt. Deutschland konnte 1944 während des Krieges nur mit Gold Materialien kaufen. Papiergeld wird, in extremis, von niemandem entgegengenommen — Gold dagegen wird immer angenommen.«[273]

Leider verloren Greenspans Ansichten in den letzten drei, vier Jahren immer mehr an Klarheit, wenn es um den Verleih von Gold geht. Immerhin erklärte er in diesem Zusammenhang ziemlich klar, daß »... die Notenbanken nicht zögern werden, ihre Ausleihungen zu erhöhen, falls der Goldpreis anziehen sollte«.[274] Diese Aussage drückt nichts anderes aus, als daß Greenspan nichts gegen eine Manipulation des Goldpreises hat. Weil laut Greenspan die Zentralbanken praktisch garantieren, daß der Preis, sofern notwendig, manipuliert wird, kann es für Baissiers, Spekulanten und Manipulatoren aller Art keine bessere Einladung geben. Dies steht in krassem Widerspruch zu Greenspans früheren Ansichten aus seinem Aufsatz *Gold and Economic Freedom*, in dem er sich für freie Märkte aussprach.[275]

---

[273] Alan Greenspan, Aussage vor dem *U.S. House Banking Committee* am 24. Juli 1998 und vor dem *U.S. Senate Committee für Landwirtschaft, Ernährung & Forstwesen* am 30. Juli 1999.

[274] Ebenda.

[275] Ich hatte einmal eine persönliche Begegnung mit Alan Greenspan. Es war zu jener Zeit, als ich Direktor der *Rothschild Bank AG Zürich* war und

Die Bühne war nun für die Manipulation des Goldpreises und den Beginn des größten Geldschwindels aller Zeiten vorbereitet. Hätte man den Goldpreis den Marktkräften überlassen, hätten die meisten Aktienkurse an den Börsen der Welt wohl nie solche schwindelerregenden Höhen erklommen, wie sie es Anfang 2000 taten.

Es bedeutete aber auch noch etwas anderes. Da die USA nie irgendeinen Teil ihres enormen Goldbestandes zu verkaufen schienen[276], waren es Ausländer wie die Bank von England oder die SNB, die den Goldpreis unten zu halten hatten. Solche Erklärungen verursachen auch, daß der Goldpreis konstantem psychologischen Druck ausgesetzt ist. Es gibt weniger Käufer, wenn hochrangige Beamte Tag für Tag davor warnen, daß bestimmte Vermögensanlagen im Wert sinken werden. Zentralbanken tun dies sogar, obwohl sie dabei eine Wertminderung ihres eigenen Vermögens riskieren — ganz zu schweigen von den Ersparnissen von Hunderten von Millionen von Menschen rund um den Globus. In der Zwischenzeit landen die Goldminen-

---

Greenspan noch bei seiner Beraterfirma *Townsend-Greenspan* arbeitete. Ich war von seinem Essay »Gold and Economic Freedom« so fasziniert, daß ich ihn all meinen Kunden zeigte. Für einen von ihnen, einen sehr wohlhabenden deutschen Industriellen, der kein Englisch sprach, übersetzte ich ihn ins Deutsche. Einige Zeit später sponserte eine U.S.-Brokerfirma eine Rede von Greenspan in Zürich. Im vornehmen *Hotel Baur au Lac* sprach er vor der Zürcher Finanzgemeinde über die U.S.-Wirtschaft. Ein Vertreter der U.S.-Brokerfirma und ein Freund von mir stellten mich Greenspan vor, in der Hoffnung, daß er vielleicht erfreut wäre zu hören, daß ein schweizerischer Bankier sich die Mühe gemacht hatte, seinen Essay ins Deutsche zu übersetzen. Zu unserer Überraschung schien Greenspan darüber aber gar nicht so glücklich zu sein. Er verzog das Gesicht, wandte sich abrupt von uns ab und lief forschen Schrittes davon, ohne ein Wort zu sagen.

[276] In letzter Zeit gab es zunehmende Zweifel, ob die USA immer noch im Besitz ihrer angegebenen 261,5 Millionen Unzen Gold sind, welche in Treuhand beim U.S.-Schatzamt gehalten werden. Erstens gab es seit 1955 nie eine unabhängige Buchprüfung der U.S.-Goldreserven. Zweitens wurde im September 2000 eine sonderbare Reklassifizierung im Schatzamt-Report (*Treasury Report*) unternommen. Über 54 Millionen Goldunzen wechselten von der Kategorie »Gold Bullion Reserve« zur Kategorie »Custodial Gold Bullion« ohne wirkliche Erklärung. Noch mysteriöser ist der *Treasury Report* vom Mai 2001 (im Internet unter www.fms.treas.gov/gold/index.html), in dem die Begriffe »Reserve« und »Custodial« (Vormundschaft) vollständig beseitigt und mit »Deep Storage Gold« ersetzt worden sind.

industrie und ganze Nationen im Armenhaus. Millionen verlieren ihre wirtschaftliche Basis, während Arbeitslosigkeit und Elend sich unnötigerweise in den Minenstädten verbreiten.

Am 7. Juni 1999 schrieb Harry Bingham von *Van Eck Global*:

> »Momentan werden nur 23% des weltweiten Goldes von Zentralbanken gehalten, verglichen mit 70%, als die Bestrebungen zur Unterdrückung des Goldes begannen. Das gesamte Gold aller Zentralbanken macht mittlerweile nur noch ein Handelsvolumen von weniger als dreißig Tagen aus, was bedeutet, daß die Wirkung ihrer Verkäufe im besten Fall vorübergehender Natur ist. In Zeiten, wo das Vertrauen in die Zentralbanken tief war, erwiesen sich offizielle Verkäufe als kontraproduktiv, unabhängig davon, bei wem das Gold liegt. Wer das Gold hat, der hat das Geld.«[277]

In der Zwischenzeit setzten die SNB und die Bank von England ihren Ausverkauf fort. Parallel zu ihrem unbekümmerten und rücksichtslosen Umgang mit dem Gold ist der internationale Respekt für beide Nationen im Schwinden begriffen. Das Vereinigte Königreich, einst der Kopf des respektierten und bewunderten Empire, befindet sich seit dem I. Weltkrieg in einem langen und unerbittlichen Verlust an Bedeutung. Jetzt ist die Schweiz an der Reihe. Ihre vormals so starke calvinistische Ethik, welche die moralische und physische Unabhängigkeit des Landes bewahrte, wurde so untergraben, daß das Land buchstäblich zur Beute nahezu jeder arroganten Interessengruppe, Nation oder Gruppe von Nationen wird, die es erpressen möchte. Kein Wunder, daß der Mann auf der Straße sich unruhig und unglücklich fühlt und den Eindruck hat, daß Leute aus hohen Positionen ihn verraten.

Die Situation wandelte sich auch bei der SNB. Im Herbst 2000 trat Hans Meyer vorzeitig von seinem Amt zurück. Als Nachfolger wurde Jean-Pierre Roth mit Hilfe eines häßlichen politischen Manövers gewählt. Der SNB-Vorstand wählte zuerst Bruno Gehrig als Nachfolger, wurde aber später vom Bundesrat überstimmt. In der Vergangenheit äußerte Roth wiederholt die Meinung, daß der schweizerische

---

[277] Harry J. Bingham, *Weekly Gold Market Update*, Van Eck Global, 7. Juni 1999.

Goldbestand ein Risiko darstelle. Die *Neue Zürcher Zeitung* sieht ihn als jemanden, der sich Verdienste erworben hat mit der Art und Weise, wie er das Golddossier handhabe, in anderen Worten mit dem Verkauf des Goldes.[278] Was er getan hatte, war nichts weiter, als sich durch die Verschleuderung des durch die Väter erarbeiteten Volksvermögens auszuzeichnen. Meyer, der damals unter Angabe von fadenscheinigen Gründen vor Ablauf seiner Amtszeit zurücktrat, versucht seither sein Gewissen mit patriotischen 1.-August-Reden reinzuwaschen (der 1. August ist der Schweizerische Nationalfeiertag). Inzwischen hat auch Bruno Gehrig der Nationalbank den Rücken gekehrt und ist in die Privatwirtschaft gewechselt.

Als Schlußfolgerung kann gesagt werden, daß der Beginn des Ausverkaufs der schweizerischen Goldreserven sich jeglicher Vernunft und Logik entzieht. Viele Sachverständige auf diesem Gebiet teilen diese Ansicht. Am 24. April 2001, bei einem Mittagessen im Hause Rothschild in London[279], erzählte mir Robert Guy, viele Jahre Vorsitzender des Londoner Goldfixings, daß die *Marktteilnehmer* nie verstanden, warum die Schweizer ihr Gold verkaufen.

Englands Goldbilanz

Seit einiger Zeit befindet sich der König der Metalle in einer Hausse, die viele Jahre dauern könnte. Je höher der Preis, umso größer die Blamage der Verantwortlichen für die Verkäufe. Periodisch erscheinen nun Kommentare über die skandalöse englische Goldpolitik.

Hier einige Bespiele:

»Das britische Schatzamt verpulvert $ 350 Mio. mit ihrem Goldverkaufsspiel«,

schreibt der Wirtschaftsreporter namens Faisal Islam am 10. Februar 2002 in der Zeitung *The Observer* aus London. Aber es kommt noch schlimmer. In Colins *Financial Pages* steht am 5. April 2003:

---

[278] »Wahl Roths zum SNB-Präsidenten«, *Neue Zürcher Zeitung*, 19. Februar 2000, S. 218.

[279] *N. M. Rothschilds & Sons*, London, ist der Ort, wo das Goldfixing stattfindet. Dies begann 1919 und wird seitdem zweimal täglich, um 10.30 Uhr und um 15.00 Uhr, durchgeführt.

»U.K.-Schatzkanzler Gordon Brown verliert uns £ 850 Mio.
…, ein gemischtes Portfolio bestehend aus Euros, U.S.-Dollars
und Yen, das wir mit unserem verkauften Gold erworben haben,
ist jetzt £ 2,1 Mrd. wert. Hätten wir das Gold behalten, wäre es
jetzt £ 2,95 Mrd. wert. Das verlorene Geld hätte gereicht, um
zwei Schottische Parlamente zu bezahlen sowie 200 Primarschulen,
60 Sekundarschulen, sechs Spitäler auf dem höchsten Stand der
Technik. Es hätte auch gereicht, um 40 000 Krankenschwestern,
45 800 Polizeioffiziere oder 9411 durchschnittliche schottische
Häuser zu kaufen. Brown, der Gegenpart vom Schweizer Finanzminister Villiger, wird heute des öfteren schwerster Unfähigkeit
bezichtigt.«

Und wie steht es nun mit der Schweiz im Jahre 2003?

Anfang des Jahres 2002 trat die Schweiz der UNO bei. Auch bei
diesem Volksentscheid war das Ergebnis wieder nur ein ganz knappes,
nur 55 % waren dafür. Vielen war immer klar, daß die Schweiz in dieser
Organisation nie etwas zu sagen haben wird, wohl aber bei jeder
Gelegenheit zur Kasse gebeten würde. Ein amerikanischer Geschäftsmann äußerte sich mir gegenüber mit folgenden Worten:

»Ist es nun so weit mit der Schweiz? Nun seid ihr in der
UNO. Was kommt als nächstes? Die internationale Finanzclique
hat euch nunmehr vollkommen im Griff. Mit diesem Beitritt hat
sich die Schweiz selbst den Todeskuß gegeben. Als nächstes
werdet ihr der Nato beitreten und dem Euro, der EU, und dann
werdet ihr ein europäisches Nichts sein. Ihr habt freiwillig eure
Einmaligkeit und eure Freiheit aufgegeben.«

Am 22. September 2002 konnte das Schweizervolk über eine
besondere Vorlage abstimmen: Es konnte entscheiden, was mit dem
Verkaufserlös von 1300 Tonnen Gold aus den Reserven der *Schweizerischen Nationalbank* geschehen soll. Soll das viele Geld (etwa 20 Milliarden Franken) in die Kassen der AHV fließen, wie es die Volksinitiative der SVP-Partei verlangt? Oder soll das Geld zinstragend
angelegt werden und der jährliche Ertrag zu je einem Drittel an die
sogenannte »Solidaritätsstiftung«, an die Kantone und an die AHV
ausbezahlt werden? Beide Vorlagen wurden abgelehnt. Während dem

Hirngespinst »Solidaritätsstiftung« der Todesstreich verabreicht wurde, hat sich der Verteilungskampf um diese sogenannten überschüssigen Goldreserven weiter verstärkt, genauso, wie es Fritz Leutwiler prophezeit hatte.

Die Inkompetenten bei der SNB führen Woche um Woche ihre Goldverkäufe zu Tiefstpreisen durch, eine Tonne pro Tag, und wenn der Goldpreis gerade mal fest ist, soll es auch schon vorgekommen sein, daß man noch zwei Tonnen pro Woche hinzugab. Wieviel Kapital wurde dabei schon verludert? Der Finanzexperte Jacques Trachsler (in seiner Publikation *Zyklen Trends Signale* vom 30. Januar 2003) kommt, wie schon vorher gesagt, auf einen Verlust von SFr 600 Millionen. Es ist ja möglich, daß die Herren von der Nationalbank nicht dumm sind, dann allerdings sind sie ganz einfach Mitglieder der international elitistischen Goldmanipulations-Intrige. Sie werden eines Tages vermutlich genau so gegeißelt werden wie der englische Schatzkanzler Brown, und nachdem der Goldmarkt sich erst am Beginn einer langjährigen Hausse befindet, werden sie für immer sehr dumm aussehen.

Dem Weg des Nationalbankgoldes auf der Spur?

So lautet der Untertitel eines ganzseitigen Artikels in der *Neuen Zürcher Zeitung* Mitte September 2002.[280] Dabei wird erzählt, daß ein Teil des Bundesschatzes einem hartnäckigen Gerücht zufolge unter dem Parkplatz zwischen der Nationalbank und dem Bundeshaus in Bern eingelagert ist. Naheliegend sei zudem, daß die SNB ein Golddepot im Zentrum des internationalen Goldhandels unterhält, in London bei der Bank von England. Und zudem ging die Mär um — und man dürfe ihr wohl einigen Glauben schenken —, daß Schweizer Goldbestände auch in den USA, in Fort Knox, gelagert werden.

Richtig ist, daß die Nationalbank und das Finanzministerium sich in Schweigen hüllen, wenn es um den Aufbewahrungsort des Schweizer Goldes geht. Es ist deshalb nicht verwunderlich, daß es immer wieder Gerüchte gibt, die wissen wollen, daß nahezu alles SNB-Gold bereits im Ausland (genauer: in den USA, in einem unterirdischen Fed-Safe in Manhattan) gelagert ist — was übrigens auch für die Goldreserven anderer Länder gilt.

---

[280] Artikel in *Neueste Zürcher Zeitung*, Nr. 213 vom 14. September 2002, S. 15.

Am 9. März 2003 brachte die Boulevard-Zeitung *Blick* in Anbetracht der durch den Irak-Krieg entstandenen Unsicherheit auf der ersten Seite einen Artikel mit der Frage: »Ist unser Gold bei Kriegsherr Bush noch sicher?« Wo ist unser Gold? Genau das wollte der Berner SP-Nationalrat Paul Günter jetzt wissen. In der Fragestunde des Parlaments am Montag den 10. März 2003 stellte der Sicherheitspolitiker dem Bundesrat drei Fragen:

- Ist es richtig, daß die Goldreserven der Schweiz zu einem erheblichen Teil in Fort Knox in den USA liegen?
- Gibt es noch andere Orte und in anderen Ländern wesentliche Goldlager der Schweiz?
- Wie rasch, unter welchen Umständen und vom wem kann dieses Gold allenfalls zurückgezogen werden?

Gemäß einem Artikel im *Tagesanzeiger* vom 11. März 2003 soll Bundesrat Villiger, der schon immer gezeigt hat, daß er von Gold nichts versteht, daraufhin geantwortet haben, daß er nicht wisse, wo das Gold liege, aber falls es in den USA liege, würde ihn dies nicht beunruhigen, handle es sich doch bei diesem Land um einen Rechtsstaat.

Der SP-Nationalrat ist nicht der einzige Parlamentarier, der keine Antwort erhielt. Vor Jahren schon hatte SVP-Nationalrat Dr. Ulrich Schlüer eine Anfrage gewagt und wurde ebenso im Regen stehen gelassen. Vor fünf Jahren, berichtet *Blick*, habe auch der Appenzeller CVP-Ständerat Carlo Schmid, als damals in der Holocaust-Debatte eine U.S.-Sammelklage gegen die Nationalbank drohte, verlangt:

»Alle Goldbestände in den USA müssen zurückgezogen werden!«

Freiheit verliert man in kleinen Dosen

In einem Artikel in *Zeit-Fragen* vom 7. Oktober 2002 habe ich unter diesem Titel folgende Meinung vertreten: »Die Resultate der Volksabstimmung in der Schweiz über den Verkauf des Goldes der Nationalbank sind anders herausgekommen als von der Regierung gewünscht. Das Volk will den Erlös aus Goldverkäufen weder für die

Altersversorgung, noch für eine dubiose Solidaritätsstiftung verwenden. Jetzt muß neu überlegt werden, was mit dem Gold geschehen soll. Unter dem Aspekt des Gemeinwohles und der umsichtigen Staatslenkung wären zwei Schritte nötig. Die Nationalbank müßte die Goldverkäufe sofort einstellen, und dann sollte die frühere Golddeckung des Franken (verbunden mit Austritt aus dem IWF) wieder eingeführt werden. Dies muß mit einer Volksinitiative zur Debatte gebracht werden«.[281]

Der Grund für diese Forderung ist einfach: Die Abstimmung im Oktober 2002 hat deutlich gezeigt, daß das Schweizer Volk seine Goldreserven behalten will. In all den Jahren, seit die Golddiskussion in unserem Lande begonnen hat, habe ich noch nie einen Menschen getroffen, der für den Verkauf unseres Goldschatzes war. Ungeachtet dessen verkauft die Schweizerische Nationalbank weiter unser sogenanntes »überschüssiges« Gold, jeden Tag eine Tonne. Wir wissen, Gold ist Freiheit, und wir verlieren jeden Tag etwas davon. Solange jedoch bei uns niemand zu denken beginnt und solange die SNB weiterhin ihre Befehle aus dem Fed entgegennimmt, wird sich daran auch nichts ändern. Ein deutscher Universitätsprofessor meinte dazu:

»Wenn dieser Skandal eines Tages losbricht, dann wird der Volkszorn keine Grenzen kennen. Dann gibt's Tote.«

---

[281] »Freiheit verliert man in kleinen Dosen«, Artikel in *Zeit-Fragen*, Nr. 41, 7. Oktober 2002, im Internet unter www.zeit-fragen.ch/ARCHIV/ZF_97c/ T01.HTM.

KAPITEL VIII:
WAS GESCHAH MIT DEUTSCHLANDS GOLD?

Ebenso wichtig wie diese Frage ist wahrscheinlich eine weitere Frage: **Wo liegt überhaupt Deutschlands Gold?** Gemäß offiziellen Statistiken besitzt Deutschland mit 3446 Tonnen (oder 110,6 Millionen Unzen), nach den USA, den zweitgrößten Goldschatz der Welt. Als die *Europäische Zentralbank* ihre Tätigkeit aufnahm, transferierte die *Bundesbank* von ihrem Gold im Rahmen der damaligen Vereinbarung 232 Tonnen (24 Millionen Unzen) an das *Europäische Währungsinstitut.*

Zentralbanken sind weltweit überaus zugeknöpft, wenn es um Informationen über ihre Reserven geht, und geben in der Regel nur wenig Auskunft. Ich würde dies als ein sonderbares Verhalten bezeichnen, denn schlußendlich gehört das Gold dem Volk und nicht den Beamten. Leider wird dies auch in der Schweiz nicht viel anders gehandhabt. Die Amerikaner verweigern schon lange jede Auskunft. Immer wieder gibt es Stimmen, welche eine Wirtschaftsprüfung des U.S.-Goldes verlangen. Denn schließlich weiß man ja nicht, wieviel Gold zu Zeiten des Vietnamkrieges von Johnsons Administration heimlich verkauft wurde. Leider gibt man den Interessierten immer wieder zu verstehen, daß eine Bücherrevision viel zu teuer käme. So wurde z. B. die Bezeichnung von nahezu 1700 Tonnen Gold (ca. 21 % der gesamten U.S.-Goldreserven), welche sich in der *U.S. Mint* in West Point, New York, befinden, von »Gold Bullion Reserve« auf »Custodial Gold« umgetauft. Ab September 2000 hieß dieses Gold fortan »Custodial Gold«[282]. Diese Änderung erfolgte ohne jegliche Erklärung. Der amerikanische Goldexperte James Turk vermutet, daß dieses Gold Deutschland gehört. »Custodial Gold« könnte auf deutsch »Treuhand-Gold« oder treuhänderisch verwaltetes Gold bedeuten. Da »Custodian« im Amerikanischen auch »Vormund« bedeutet und »to take into custody« gleichbedeutend ist mit »in Gewahrsam nehmen«, aber auch »Sorgerecht« heißen kann, muß man sich fragen, was für ein Geheimnis sich um dieses Gold rankt. Im Juni 2001 wurde die Bezeichnung nochmals geändert. Das gesamte Gold, das in Fort Knox,

---

[282] Siehe im Internet unter http://207.87.26.43/gold/00-09.html.

West Point oder anderen Depotstellen gelagert ist, wurde von da an
weder »U.S.-Gold-Reserve« noch »Custodial Gold«, sondern neu »Deep
Storage Gold« (deutsch: Gold in Tieflagerung) genannt. Damit ergeben sich neue Fragen: Handelt es sich hier etwa um Gold, das noch gar
nicht gefördert worden ist, sondern noch tief unter der Erdoberfläche
liegt? Und da sind wir wieder bei Goethes *Faust* angelangt, als der
Kanzler zum Kaiser sprach:

> »Zu wissen sei es jedem, der's begehrt: Der Zettel hier ist
> tausend Kronen wert. Ihm gesichert, als gewisses Pfand, Unzahl
> vergrabnen Guts im Kaiserland. Nun ist gesorgt, damit der reiche
> Schatz, sogleich gehoben, diene zum Ersatz.«

James Turk erklärt sich die Zusammenhänge wie folgt[283]: Die
Bundesbank hat 1700 Tonnen ausgeliehen, d. h. die Hälfte ihrer Reserven von 3400 Tonnen. Die anderen 1700 Tonnen wurden mit dem
U.S. Exchange Stabilization Fund geswapt, der seinerseits das Gold an
Bullion-Banken auslieh und der Bundesbank dafür die 1700 Tonnen
zusagte, welche das U.S.-Schatzamt in West Point, New York, liegen
hatte. Das Endresultat wäre, daß die Tresore der *Bundesbank* leer sind!

In jeglicher Hinsicht sind die wenigen Angaben, die man über
den Standort des deutschen Goldes besitzt, für den deutschen Bürger
alles andere als beruhigend. David Marsh, während fünf Jahren Haupt-
korrespondent der *Financial Times* in Bonn, ließ in seinem Buch über
die *Bundesbank* folgendes zum Thema wissen:

> »Die *Bundesbank* ist einmalig unter den wichtigsten gold-
> besitzenden Zentralbanken der Welt, insofern, als sie nur einen
> kleinen Teil, kaum 80 Tonnen, d. h. etwas über 2%, in ihren
> Frankfurter Tresoren aufbewahrt. Der Rest und Großteil ihres
> Goldschatzes liegt in den Tresoren anderer Zentralbanken, der
> *Federal Reserve Bank of New York*, der Bank von England und
> (allerdings in einem viel kleineren Ausmaß) bei der Bank von
> Frankreich.«[284]

---

[283] Im Internet unter www.fgmr.com.
[284] Marsh, David. *The Bundesbank: The Bank That Rules Europe*, London,
William Heinemann Ltd, 1992, S. 61/62.

David Marsh schreibt ferner:

»Während den Jahren des Kalten Krieges betrachtete es die Bundesbank als viel sicherer, das Gold im Ausland zu lagern als in Frankfurt, das von den Russischen Streitkräften in einigen Stunden leicht erreicht werden konnte. Nun, da Deutschland wieder vereinigt ist, wäre es verständlich gewesen, wenn wenigstens ein Teil des Goldes repatriiert worden wäre. Vielmehr ist jedoch anzunehmen, daß man im Interesse der internationalen Finanzdiplomatie das Gold dort belassen hatte, wo es nun einmal eingelagert war.«

Seither ist allerdings viel passiert. Die *Bundesbank* wie auch die *Schweizerische Nationalbank* haben in den letzten Jahren mit Goldausleihungen begonnen. Auf eine schriftliche Anfrage des Mitgliedes des *Deutschen Bundestages*, Martin Hohman, Berlin, antwortet die Parlamentarische Staatssekretärin beim Bundesminister der Finanzen, Dr. Barbara Hendricks, ebenfalls Mitglied des *Bundestages*, am 22. August 2002, daß die *Deutsche Bundesbank* einen großen Teil ihrer Goldbestände in eigenen Tresoren im Inland hält. Was die Goldausleihungen anbetrifft, so führt sie aus, werde vom Gesamtbestand nur ein sehr geringer Teil (im einstelligen Prozentbereich) im Goldleihgeschäft eingesetzt. Wieviel das ist, sagt sie leider nicht. Aufgrund dieser Angabe muß angenommen werden, daß ein großer Teil des deutschen Goldes, seit das Buch von David Marsh erschienen ist, nach Deutschland zurücktransferiert wurde. Hier beginnen nun erhebliche Zweifel, da gemäß Hendricks »... es aus betriebswirtschaftlichen Gründen Sinn macht, das Gold an den ausländischen Handelsplätzen zu belassen, solange die Lagerung dort kostengünstiger ist als der Transport nach Deutschland und der Bau zusätzlicher Tresoranlagen«.[285] Da lobe ich mir die Weitsicht des früheren französischen Präsidenten, General Charles de Gaulle. De Gaulle scheute keine Kosten, um das Gold nach Hause zu bringen, und schickte zu diesem Zwecke ein Kriegschiff nach den Vereinigten Staaten, um das französische Gold im eigenen Hause unterzubringen.

Insgesamt ist die Antwort von Hendricks nicht befriedigend. Alles, was wichtig ist, ist vertraulich und darf nicht offengelegt werden,

---

[285] Schreiben von Frau Dr. Barbara Hendricks MdB, Parlamentarische Staatsekretärin beim Bundesminister der Finanzen, Berlin, vom 22. August 2002.

wie z. B. Antworten auf die Fragen: »Wo wird das deutsche Gold gelagert?« »Wieviel Tonnen Gold wurden ausgeliehen?« »Wieviel Gold wird in den USA gelagert?« »Wieviel Gold wird in Deutschland gelagert?« Kein Wunder, daß in Deutschland hartnäckig das Gerücht umgeht, daß das deutsche Gold in West Point in den USA lagert und es in den Tresoren der *Bundesbank* in Frankfurt kein Gold gibt. Aber auch in bezug auf das Ausleihen von deutschem Gold scheint die Antwort von Hendricks nicht sehr überzeugend, und zwar aus folgendem Grund. Der amerikanische Finanzexperte Frank Veneroso, der sich wie kein zweiter mit den Goldstatistiken auseinandergesetzt hat, schätzt, daß zwischen 10 000 und 16 000 Tonnen die offiziellen Tresore verlassen haben und ausgeliehen oder geswapt wurden. Das heißt, ungefähr die Hälfte des Goldbestandes der Notenbanken ist ausgeliehen.[286] Da man nun aber weiß, daß große Goldbesitzer, z. B. Frankreich, kein Gold ausleihen (beim größten Goldschatz der Welt, den USA, weiß man es nicht), so sind bei den diesbezüglichen Angaben von Hendricks erhebliche Zweifel angebracht.

Eine solche Antwort ist nicht nur unbefriedigend, sondern, wenn man bedenkt, wie hart das deutsche Volk gearbeitet hat, bis ein solcher Goldschatz zustande kam, eigentlich eine Frechheit und grenzt an Bevormundung des Volkes von Seiten des Staates.

Nachdem die Tresore der Reichsbank nach dem Kriege leer waren, mußte man wieder von neuem beginnen. Dies gelang der Bundesrepublik West-Deutschland in den 1960er- und 1970er-Jahren dank ihrer großen Exportüberschüsse. In dieser Zeit, als das Gold bei $ 35 und $ 42 die Unze sehr billig war, bauten die Deutschen eine der größten Goldreserven der Welt auf. Tatsächlich geht der Goldbestand der deutschen Notenbank aber praktisch ausschließlich auf die Jahre 1951 bis 1958 zurück, in denen die deutschen Überschüsse in der EZU (*Europäische Zahlungsunion*) zur Hälfte von ihren europäischen Partnern in Gold ausgeglichen wurden. Die *Bundesbank* hat nie Dollar in Gold transferiert. Sie hat das den USA gegenüber aus politischen Gründen sogar ausdrücklich ausgeschlossen. In Anbetracht des Dollar-

---

[286] »Gold Derivatives, Gold Lending, Official Management of the Gold Price and the Current State of the Gold Market« by Frank Veneroso & Declan Costelloe, Fünftes Internationales Gold-Symposium, Lima, Peru, 17. Mai 2002.

zerfalls und des seither eingetretenen Anstiegs des Goldpreises von
$ 35 auf über $ 300 muß man diese Entscheide im Nachhinein als
katastrophale Fehler bezeichnen. Diese kurzsichtige Politik fiel eindeutig in die Ära von Dr. Karl Blessing, der von 1958 bis 1969
Bundesbankpräsident war.

Die *Bundesbank* könnte sich von ihrem Gold trennen oder Was ist aus der *Bundesbank* geworden?

Ende Januar 2002 begann der Goldpreis zu einer allmählichen
Erholung anzusetzen und stieg von $ 280 die Unze bis auf $ 308 am
8. Februar 2002. Da platzte Ernst Welteke, Präsident der *Bundesbank*,
mit der überraschenden Meldung herein, daß die *Deutsche Bundesbank*
daran denke, einen Teil ihrer Goldreserven nach 2004 (Ablauf des
Washingtoner Abkommens) in Aktien anzulegen. Der Goldmarkt er-
schauderte unter dem Eindruck solcher Nachrichten und der Unzen-
preis fiel prompt auf $ 293 zurück. Das gleiche Spiel wiederholte sich
noch zwei Mal, am 25. März 2002, wieder nach einer Goldpreis-
erhöhung, als Gold gerade im Begriff war, die $-300-Grenze zu über-
springen und nach einer Pressemeldung am 11. April 2002. Aber
dieses Mal gelang Weltekes Trick nicht. Der Goldpreis reagierte kaum.
Ein weiteres Beispiel von Manipulation, da im Markt allgemein vermutet wurde, daß Welteke auf seine Wall-Street-Berater hört, weil
diese infolge ihrer Shortpositionen (d. h. gewisse Goldhandelsbanken
haben sich bei den Zentralbanken Gold ausgeliehen und müssen dieses
wieder zurückgeben) jedes Interesse daran haben, Gold so billig wie
möglich zurückzukaufen. Aber vielleicht haben deutsche Banken eben
auch solche Shortpositionen. Es ist deshalb kein Wunder, wenn die
Menschen an Konspirationstheorien zu glauben beginnen. Wie zu
erwarten, fiel die internationale Kritik an Welteke vernichtend aus.
Trotzdem hat Wim Duisenberg, seines Zeichens Präsident der *Europäischen Zentralbank*, das Ganze abgesegnet, indem er erklärt hat, daß es
nichts Außergewöhnliches sei, wenn Zentralbanken von Zeit zu Zeit
Aktien kaufen.

Notenbanken kaufen Aktien

Als 1997/98, inmitten in der Südostasienkrise, das Währungsinstitut Hong Kongs (*Hong Kong Monetary Authority*) Aktien kaufte,

um die Krisensituation zu beruhigen, da fiel die ganze Welt mit ihrer Kritik über Hong Kong her. Man sah in diesem Prozeß bereits den Beginn einer Nationalisierung. Hong Kong hatte jedoch seine Gründe. Nicht nur war der Hong-Kong-Dollar in größter Gefahr, auch große Auswirkungen auf die chinesische Währung, den Yuan, der ja bekanntlich an den U.S.-Dollar gekoppelt ist, hätten daraus resultiert, und zwar im dümmsten Moment, mit unabsehbaren Folgen für die ganze Region. Später konnten die Aktien bekanntlich mit Gewinn verkauft werden.

Die Amerikaner gingen noch weiter. Am 25./26. Januar 2002 wurde im *Federal Open Market Committee* (FOMC) ganz offen die Frage diskutiert, welche »dringenden, nicht konventionellen Maßnahmen« zu ergreifen wären, falls die Zinssenkungen nicht ausreichen würden, eine längere Rezession zu verhindern. Im September 2002 verkündete die japanische Zentralbank, daß sie die Absicht habe, direkt aus den Beständen der Geschäftsbanken Aktien zu erwerben, um die Volatilität des Aktienmarktes zu mindern und die Stabilität des Finanzsystems zu stärken. Die *Neue Zürcher Zeitung* bemerkt zu Recht in ihrer Ausgabe vom 19. September 2002, daß diese ebenso überraschende Maßnahme Fragen offen läßt nach der Unabhängigkeit der japanischen Zentralbank.[287]

Jahre zuvor hatte sich die italienische Staatsbank, die *Banca d'Italia*, auf einen seltsamen Handel eingelassen, indem sie auf Anraten des Nobelpreisträgers Robert Merton $ 100 Millionen in den Hedge-Fund LTCM (*Long-Term Capital Management*) investierte. Diese Gesellschaft hätte später beinahe einen Zusammenbruch des Weltfinanzsystems ausgelöst, wenn sie nicht auf Geheiß von Alan Greenspan durch ein Konsortium von Banken gerettet worden wäre. Als Gegenleistung für diese Anlage hatte dieser Merton den italienischen Finanzleuten von seiten der Finanzelite Wall Streets Hilfe versprochen, um die Hürde der erforderlichen Konvergenzkriterien für den Beitritt zu Maastricht zu schaffen.[288]

---

[287] Siehe Artikel in *Neue Zürcher Zeitung* vom 19. September 2002, S. 21.
[288] Dunbar, Nicolas, *Inventing Money — The Story of Long-Term Capital Management and the Legends behind it*, Chichester, England, John Wiley & Sones Ltd., 2001.

Notenbanken sind politisch

Während vieler Jahre waren die *Deutsche Bundesbank* und die *Schweizerische Nationalbank* (SNB) die Musterknaben unter den Zentralbanken. Diese lange Episode der Stabilität ist nun abgeschlossen. Seit 1997 spekuliert die SNB mit ihren Reserven, um damit Geld zu verdienen, und zwar so viel wie möglich. Aber auch die *Deutsche Bundesbank* ist nicht wiederzuerkennen im Vergleich zu früher. Obwohl sie sich unter den Notenbanken der Welt den größten Ruf erworben hatte, war die *Bundesbank* nie ganz unabhängig von der Politik der Bonner Regierung. Diese Erfahrung hatte sowohl Wilhelm Vocke (Präsident der *Bank deutscher Länder* von 1948–1957) mit Konrad Adenauer gemacht, wie auch später Karl-Otto Pöhl (Bundesbankpräsident von 1980–1991) mit Helmut Kohl anläßlich der Wiedervereinigung beider deutscher Staaten, als Kohl gegen den Willen der *Bundesbank* einen Umtauschkurs der Währungen durchsetzte, welcher sich in der Folge als der größte Kapitalfehler für Deutschland und die Weltfinanzmärkte erweisen sollte. Dies hat der frühere Reichsbankpräsident Hjalmar Schacht vielleicht am klarsten ausgedrückt, als er am 18. März 1933 in einer Radioerklärung folgendes sagte:

> »Es ist unmöglich, eine Zentralbank zu leiten, ohne mit den politischen Prinzipien der Regierung in Harmonie zu sein.«

Allerdings hat die *Bundesbank* nicht mehr viel zu sagen, denn heute liegt die Macht bei der *Europäischen Zentralbank*, aber sie hat offiziell immer noch sehr viel Gold. Wenn sich die Zentralbanken in Zukunft an der Börse engagieren wollen, muß man sich wirklich fragen, ob diese Institute denn auch an ihre Liquidität gedacht haben, z. B. im Falle einer großen Finanzkrise.

Die Zentralbanken sind schlußendlich die »Kreditgeber in letzter Instanz«, also etwas wie die letzte Rettung, wenn das Bankensystem in Schwierigkeiten gerät. Dann kommt es auf die Zusammensetzung der Aktiven an. Deshalb wird man sich überlegen müssen, ob es heute der richtige Zeitpunkt ist, das wertvolle Gold zu verkaufen und Aktien zu kaufen.[289] Da hatte die alte Reichsbank zu Zeiten des Goldstandards

---

[289] »Qu'est devenue la Bundesbank?« *La chronique de Paul Fabra*, Les Echos, Paris, 5./6. April 2002, Seite 49.

schon andere Prinzipien. Da steht in einem umfangreichen Werk mit dem Titel *Wörterbuch der Volkswirtschaft*, Band II, Seite 301, aus dem Jahre 1898, u. a. folgendes:

> »Schon bedenklicher ist die Anlage eines großen Teiles in Effekten, da diese gerade in politisch unruhigen Zeiten und Krisen oft nur mit Verlust verkäuflich sind.«[290]

Was hat Welteke mit seiner seltsamen Bekanntgabe wirklich gemeint?

Ernst Welteke, Präsident der *Deutschen Bundesbank*, also einer, von dem man annimmt, daß er ein konservativer Mensch sei, macht innerhalb weniger Wochen drei Bekanntgaben, wonach die *Bundesbank* daran denkt, Gold zu verkaufen und mit dem Erlös Aktien zu kaufen. Deutschland ist das Land, in dem die Väter und Großväter der heutigen Generation unter der Hyperinflation der Weimarer Republik gelitten haben, wo ein Laib Brot mehr als eine Million Reichsmark gekostet hat und die Währung am Ende des Dramas zu Toilettenpapier wurde. Die Deutschen haben zu Recht eine tief verwurzelte Angst vor Inflation und Währungszerfall. Deshalb haben sie soviel Gold — und nun das. Alice im Wunderland könnte gesagt haben: Es wird immer kurioser und kurioser.

Ein Ausflug in das Reich der Phantasie?

Der englische Finanzexperte Alf Field stellt da ganz andere Hypothesen in den Raum, gibt aber zu, daß es sich dabei um einen Versuchsballon handelt:

> »Warum wollen die Deutschen plötzlich einen Teil ihres Goldes verkaufen? Es macht doch keinen Sinn. Es macht auch keinen Sinn, daß sie mit ihren Pressemeldungen den Preis drükken wollen. Wenn ich 3500 Tonnen Gold hätte, wäre ich an einem möglichst hohen Goldpreis interessiert. Meiner Ansicht nach

---

[290] Elster, Ludwig, *Wörterbuch der Volkswirtschaft in zwei Bänden*, Jena, Verlag von Gustav Fischer, 1898.

würde die Bundesbank nur Aktien in ihre Reserven aufnehmen, wenn sie unter Zwang handeln muß.«

Nehmen wir an, daß die größte deutsche Bank oder eine Gruppe deutscher Banken (die *Bundesbank* macht ihr Leihgeschäft nur mit deutschen Banken) während mehrerer Jahre von der *Bundesbank* Gold ausgeliehen haben, sagen wir mal 1200 Tonnen, das heißt ein Drittel der deutschen Goldreserve — jedenfalls mehr, als man dem Publikum erzählt hat. Dafür erhält die *Bundesbank* eine Kommission von ca. 1 % p. a. Nehmen wir weiter an, daß die Banken dieses Gold am Markt verkauft haben. Nun, 1200 Tonnen entsprechen 42,2 Millionen Unzen, welche zu ca. $ 300 pro Unze »kühle« $ 12,66 Milliarden ausmachen. Nehmen wir weiterhin an, daß sich die Banken nicht mehr genügend gegen Kursschwankungen absichern können und deshalb die Transaktion liquidieren möchten, oder aber, daß die *Bundesbank* das Gold zurückverlangt. Was machen? Eine Möglichkeit wäre es, an den Markt zu gehen und die 1200 Tonnen zurückzukaufen. Dies ist jedoch keine gute Idee, weil der Goldmarkt langsam aber sicher nach oben tendiert. Ferner würde ein so großer Kaufauftrag den Goldpreis in die Stratosphäre senden. Wenn der Goldpreis von $ 300 auf $ 600 steigt, würden die deutschen Banker einem Verlust von $ 12,6 Milliarden in die Augen schauen. Das wäre ausreichend, um einige von ihnen zahlungsunfähig zu machen. Die Bankengruppe muß jedoch einen Ausweg aus dieser Goldleihe-Transaktion finden und ruft deshalb die *Bundesbank* an: »Es tut uns leid, meine Herren. Sie haben ein Problem.« Sie erinnern sich sicher an das Sprichwort, daß so lautet: Wenn jemand von einer Bank $ 1000 ausleiht und nicht zurückzahlen kann, dann hat er ein Problem. Wenn er sich jedoch von der Bank $ 100 Millionen leiht und nicht zurückzahlen kann, dann hat die Bank ein Problem …

Die *Bundesbank* hat hier ein echtes Problem. Sie hat dem deutschen Publikum keinen reinen Wein eingeschenkt, welch große Quantitäten Gold sie verliehen hat. Und nun muß sie gestehen, daß ein großer Teil des deutschen Goldes weg ist. Das würde beim deutschen Publikum nicht gut ankommen. Der einzige Ausweg für die *Bundesbank* wird deshalb sein, daß sie sich einverstanden erklärt, die Goldleihe-Transaktion in einen richtiggehenden Verkauf von 1200 Tonnen umzuwandeln. Das nächste Problem ist, daß die Banken nicht genügend Cash haben, um der *Bundesbank* die $ 12 Milliarden zu bezahlen. Sie haben diesen Cash in Aktien und Anleihen investiert, die infolge der Baisse alle schlecht stehen. Wenn sie jetzt verkaufen müßten, würde der Markt vollends kollabieren.

Die *Bundesbank* muß deshalb in den sauren Apfel beißen. Sie akzeptiert, daß das Gold weg ist und die Schuldner nicht bezahlen können. Die *Bundesbank* muß deshalb nehmen, was ihr übrig bleibt, und erklärt sich einverstanden, Aktien und Obligationen zu nehmen — anstelle des verschwundenen Goldes. Der naheliegendste Schritt in dieser Saga: Veröffentlichen wir ein paar Pressemeldungen, um das Publikum auf den kommenden »Verkauf« von Deutschlands Goldreserven gegen Aktien und Obligationen vorzubereiten. Wer weiß, vielleicht eine gesuchte Phantasie mit einem Körnchen Wahrheit. Die Konklusion muß dem Leser überlassen werden.[291]

So abwegig ist die Spekulation von Mr. Fields womöglich nicht, seit der amerikanische Anwalt Reginald Howe am 7. Dezember 2000 (dem Jahrestag des Überfalls auf Pearl Harbor) gegen die BIZ, Fed-Chef Alan Greenspan, U.S.-Finanzminister Larry Summers und eine Gruppe von Elitebanken, wozu auch die *Deutsche Bank* gehört, wegen angeblicher Manipulation des Goldpreises Klage eingereicht hat. Howe behauptete, daß *J. P. Morgan & Co. Inc.*, *Chase Manhattan Corp.*, *Citicorp Inc.*, *Goldman Sachs Group Inc.* und die *Deutsche Bank AG* in den vergangenen Jahren regelmäßig jede sich abzeichnende Golderholung an der New-Yorker-Warenbörse COMEX durch massive Verkäufe abgewürgt haben. Diese Klage ist dann allerdings im März 2002 vom amerikanischen Richter Lindsey abgelehnt worden, und zwar nicht etwa, weil sie in der Sache falsch war, sondern man hat einfach verfügt, daß Anwalt Howe nicht klageberechtigt ist.[292]

Howe hat ganz einfach nachgewiesen, wie diese Geschäftsbanken mit dem Ausleihen von Notenbank-Gold glänzende Geschäfte machten. Sie borgten sich bei den Notenbanken zu einem tiefen Zinssatz Gold aus, in der Regel um 1 %, um es dann sogleich zu verkaufen und den Erlös in möglichst hochverzinsliche Wertpapiere anzulegen. Dieses Geschäft, man nannte es den »Gold Carry Trade«, ging jahre-

---

[291] Im Internet unter www.lemetropolecafe.com, vom 15. April 2002 (ajfield@attglobal.net).

[292] Siehe auch Artikel »Konspiration im Herrenclub«, *Der Spiegel* vom 8. Januar 2001, S. 78/79.

lang glänzend, und die Geschäftsbanken verdienten damit Milliarden. Weil aber dadurch ein ständiger Druck auf dem Goldpreis lastete, hatten die Goldminen, ihre Aktionäre sowie die goldproduzierenden Länder als die Leidtragenden schwere Zeiten. Das Ende dieses »Spiels« wurde durch das Washington Agreement der Notenbank vom September 1999 eingeläutet, durch welches Verkäufe, wie auch das Leihgeschäft, beschränkt wurden. Inzwischen schulden diese Geschäftsbanken den Notenbanken zwischen 10 000 und 16 000 Tonnen Gold, welche jetzt zurückbezahlt werden sollten, ohne daß der enge Goldmarkt in eine Hausse ausbricht.

Bye bye Buba

In einem Leitartikel unter diesem Titel in der *Financial Times* vom 17. Dezember 1997 wird beschrieben, wie erfolgreich die *Deutsche Bundesbank* in ihrer Geschichte war:

> »Sie hatte sich über die Jahre einen großen Stock an Glaubwürdigkeit aufgebaut. Auch wenn sie die Hälfte ihrer monetären Ziele verfehlte, so tat dies am Vertrauen des Publikums keinen Abbruch. Sie war über die Jahre gesehen außerordentlich erfolgreich, und das Geheimnis ihres Erfolges war in der Geschichte Deutschlands zu suchen.«

Der Fall der Buba

Dem deutschen Bürger kann es nicht schaden, wenn er sich einige Gedanken darüber macht, warum denn die *Bundesbank* heute keine Bedeutung mehr hat, obwohl sie so erfolgreich war. Die Antwort liegt ebenfalls in der Geschichte Europas. Lassen wir zwei Herren zu Worte kommen, die sich mehr als alle anderen mit dieser Frage befaßt haben. David Marsh sieht es in seinem Buch *The Bundesbank: The Bank That Rules Europe* wie folgt:

> »Obwohl fest auf dem Thron von Europas Geld sitzend, hat die *Bundesbank* Rivalen, welche ihre Vorherrschaft übelnehmen und versuchen, sie herunterzuziehen. Ein wichtiges Motiv hinter der Kampagne für die EWU ist der Wunsch anderer europäischer

Länder — insbesondere Frankreichs — die monetäre Vormachtstellung der *Bundesbank* zu schwächen. Der Enthusiasmus Frankreichs für eine gemeinsame europäische Währung und für eine
europäische Zentralbank basiert auf dem Wunsch, die D-Mark an
Ketten zu legen und sie schließlich zu entmachten.[293]

… Die europäische Währungsunion geht hervor aus der von
Frankreich und Italien angeführten Bemühung, den Deutschen
die Flügel zu stutzen.[294]

… Bis zum letzten Moment hat man in der *Bundesbank*
nicht begriffen, daß die Franzosen und Italiener zu beinahe jedem
Versprechen bereit waren, um sich der Herrschaft der D-Mark zu
entledigen. (In diesem Fall ist gemeint, daß sie sogar einwillig-
ten, daß die EZB nach dem Vorbild der Buba organisiert wird.)«[295]

Bernard Connolly in seinem Werk:[296]

»Führende französische Sozialisten, unter ihnen frühere Mi-
nisterpräsidenten, waren der Ansicht, daß die Maastricht-Verträge
helfen würden, die ›alten Dämonen‹ des deutschen Charakters
unter Kontrolle zu halten.[297]

… Für die französische Elite ist Geld nicht das Schmiermit-
tel der Wirtschaft, sondern ein Machtmittel. Die *Bundesbank* zu
kapern, war deshalb in diesem europäischen Währungskrieg für
sie der Siegespreis. Um dieses Ziel zu erreichen, köderten sie
Deutschland mit der politischen Union, obwohl sie selbst nie die
Absicht hatten, zu ›liefern‹.[298]

… Die *Bundesbank* unternahm keinerlei Anstrengungen,
dem deutschen Publikum zu erklären, was die EWU bedeutete.
Weil Kritik am europäischen Integrationsprozeß so streng ver-
pönt war, schwieg sich die Bank aus. Statt den deutschen Bürgern
zu erklären, um was es wirklich ging, nämlich um den Verlust der
D-Mark, konzentrierte sich die *Bundesbank* auf die Bedingungen,

---

[293] Marsh, David. *The Bundesbank: The Bank That Rules Europe*, London,
William Heinemann Ltd, 1992, S. 15.

[294] Ebenda, S. 261.

[295] Ebenda, S. 247.

[296] Bernard Connolly. *The Rotten Heart of Europe — The Dirty War for
Europe's Money*, Faber and Faber Limited, London, 1995.

[297] Ebenda, S. 147.

[298] Ebenda, S. 4.

welche ihrer Ansicht nach für die EWU erforderlich waren, damit die neue Währungsordnung für den Rest von Europa eine Verlängerung des D-Mark Regimes bedeutete.[299]

... Der frühere *Bundesbank*-Präsident Karl-Otto Pöhl sagte später in einem Interview, daß, wenn die Bevölkerung begriffen hätte, was die EWU bedeutet, nämlich daß in Zukunft nicht mehr die *Bundesbank*, sondern eine neue Institution die monetären Entscheide trifft, er sich einen beträchtlichen Widerstand hätte vorstellen können.«[300]

Die *Europäische Zentralbank* und die zukünftige Einstellung zum Gold

Die *Europäische Zentralbank* ist unter wesentlich anderen Bedingungen gestartet, und zwar zu einem Zeitpunkt, als die Nachfrage nach Informationen und Erklärungen besonders groß war. Um diesen neuen Realitäten gerecht zu werden, wird sie viel Phantasie brauchen, wenn sie die Glaubwürdigkeit erreichen will, derer sich die *Bundesbank* erfreut hat. Phantasie allein wird jedoch in Zukunft nicht genügen.

So schreibt Jürgen Jeske in der *Frankfurter Allgemeine* vom 30. Juli 1997 folgendes:

»Wenn die *Europäische Zentralbank* so erfolgreich werden soll wie die *Deutsche Bundesbank*, bedarf es vor allem eines allgemeinen Respekts gegenüber der Währung, den auch die Politik teilt.«[301]

Und der deutsche Bürger

Das deutsche Volk hat im letzten Jahrhundert zweimal seine Währung verloren. Jetzt hat es die *Bundesbank* und ihre D-Mark

---

[299] Bernard Connolly. *The Rotten Heart of Europe — The Dirty War for Europe's Money*, Faber and Faber Limited, London, 1995.

[300] Ebenda, S. 117.

[301] »Der Weg zur Bundesbank — 40 Jahre Bundesbankgesetz« von Jürgen Jeske, *Frankfurter Allgemeine*, 30. Juli 1997.

verloren. Dazu droht dem deutschen Volk, daß ein großer Teil seines Währungsgoldes weg ist. Da die *Torheit der Regierenden* keine Grenzen kennt, bleibt dem klugen Bürger nicht anderes übrig, als sein Schicksal in die eigenen Hände zu nehmen und sich seine persönlichen Goldreserven anzulegen und mit Vorteil, solange es noch so billig ist, wie zum heutigen Zeitpunkt.

KAPITEL IX:
EPILOG

»Seit den Zeiten Homers ist Gold der unangefochtene Wertmaß-
stab gewesen, nach welchem sich im Außenhandel alle Zahlungen zu richten hatten. Seit 1971 aber hat unter amerikanischem
Einfluß eine weitgehende ›Demonetisierung des Goldes‹ stattgefunden, und die ›wertlose‹, d. h. wertmäßig nicht mehr eindeutig
definierte U.S.-Währung ist an die Stelle des Edelmetalls getre-
ten.«[302]
Erich Leverkus

»Weil aber nach wie vor ein großer Teil der Menschheit dem
Gold mehr vertraut als staatlich verordneten Papierwährungen,
sahen sich westliche Notenbanken am Ende des Jahrtausends
sogar gezwungen, das Goldvertrauen künstlich zu untergraben.
Sie ermutigten Großspekulanten zu Leerverkäufen des gelben
Metalls auf Termin und zeigten sich bereit, ihnen zu den jeweiligen Lieferterminen die fehlenden Mengen aus ihren eigenen
Beständen auszuleihen. Das schien die sicherste Methode zu
sein, den Goldpreis mindestens vorübergehend nach unten zu
drücken. Darüber hinaus verkauften etliche Notenbanken — darunter die Bank von England — unter größtmöglichster Publizität
große Teile ihres Währungsgoldes zu weiter sinkenden Preisen,
um den Anlegern nur ja ihre Vorliebe für das Edelmetall auszu-
treiben. Es war ein Versuch, das seit Jahrtausenden bewährte,
ursprünglich von den sumerischen Himmelsgöttern Sonne und
Mond abgeleitete metallische Geld am Ende seiner Laufbahn
noch zum Teufel zu schicken.«[303]
Erich Leverkus

---

[302] Erich Leverkus, *Evolution und Geist* (Rahden, Deutschland: Verlag Marie
Leidorf, 1999), S. 77/78.
[303] Ebenda.

Gold ist ein politisches Metall

Der Herausgeber des australischen Marktbriefes *The Privateer*, William (Bill) Buckler, beginnt jede Golddiskussion unweigerlich mit der Feststellung, daß man sich vor allen Dingen im klaren sein muß, daß Gold ein politisches Metall ist:

>»Sein Preis wird gesteuert. Dies verhält sich so, weil Gold in seiner historischen Rolle als Währung mit dem heutigen modernen Finanzsystem fundamental einfach nicht vereinbar ist. Bis zum 15. August 1971 hat es nie in der Geschichte eine Epoche gegeben, wo keine Papierwährung an das Gold gebunden war. Die Geschichte des Geldes ist voll von Beispielen von Münzverschlechterung, Notendrucken, Schuldenkrisen und anderen üblen Begleiterscheinungen von Währungsentwertung. Zu jeder anderen Zeitperiode konnten die Menschen immer auf eine andere Währung ausweichen, deren Golddeckung intakt war. Aber seit 1971 gibt es KEIN Ausweichen mehr, weil KEINE Papierwährung mehr eine Verbindung zu Gold hat.
>
>Alle wirtschaftlichen, monetären und finanziellen Katastrophen der letzten 30 Jahre sind ein direktes Resultat dieser Tatsache.
>
>Das globale Papiergeld-System ist sehr jung. Sein fortgesetztes Funktionieren beruht auf dem GLAUBEN, daß die Schulden, auf denen es basiert, eines Tages zurückbezahlt werden. Das eine Ereignis, vor allen anderen, das dieses Vertrauen erschüttern könnte und deshalb das Fundament des modernen Finanzsystems selbst, ist ein Anstieg (vor allem ein starker Anstieg) des Goldpreises in U.S.-Dollars.«

Und das ist der Hauptgrund, weshalb der Goldpreis bis auf den heutigen Tag manipuliert wird. Aber auch in die Aktienbörse wird täglich eingegriffen, vor allem wenn es den Anschein macht, als würde sie demnächst abstürzen. Zu diesem Zwecke wurde in den USA 1987 eine sogenannte *Working Group on Financial Markets*, inoffiziell *Plunge Protection Team* (Kurzbezeichnung: PPT) genannt, geschaffen, welche immer dann eingreift, wenn der Markt sich in eine Richtung entwickelt, die den politischen Interessen der Regierenden oder der Hochfinanz zuwiderläuft, weil ihr Kartenhaus einzustürzen droht.

Eine weitere Organisation, welche ähnliche Ziele verfolgt und sich vor allem mit der Manipulation des Dollars und des Goldes befaßt, ist der seinerzeit von Roosevelt ins Leben gerufene *Exchange Stabilization Fund*, der direkt dem Präsidenten und dem Finanzminister unterstellt ist. Beide Geheimorganisationen arbeiten dabei eng mit den führenden Banken und Wall-Street-Häusern zusammen. Während die Japaner schon lange zugeben, daß sie die Märkte manipulieren, tun die Amerikaner immer noch so, als ob bei ihnen die Welt noch in Ordnung sei. Dabei gibt es heute genügend statistische Untersuchungen, wie insbesondere der Goldpreis in den letzten zehn Jahren manipuliert wurde.

Gibson's Paradox neu betrachtet: Professor Summers analysiert Goldpreise

Dank einer Abhandlung, die er 1966 als junger Ökonom unter dem Titel *Gold and Economic Freedom* geschrieben hat, ist allgemein bekannt, daß Fed-Chairman Alan Greenspan eine anerkannte Autorität auf dem Gebiete des Goldes ist. Was jedoch weitaus weniger bekannt ist, sind Artikel eines anderen jungen Professors, der später in die Dienste der Administration eintrat: Lawrence Summers. Kurz bevor Summers als Unterstaatssekretär im Finanzministerium für Internationale Angelegenheiten in die Clinton-Administration eintrat und später als Nachfolger von Robert Rubin zum Finanzminister ernannt wurde, verfaßte er 1988 in Zusammenarbeit mit Robert Barsky den Artikel »Gibson's Paradox and the Gold Standard«. Die Analyse von Summers und Barsky bestätigt, daß der Goldpreis sich bei Bedingungen des freien Marktes invers zu den Zinssätzen verhält. Wenn Zinsen ansteigen, fällt der Goldpreis, wenn Zinsen fallen, steigt der Goldpreis. Es war Lord Keynes, welcher der Korrelation zwischen den Zinssätzen und dem allgemeinen Preisniveau während der Periode des klassischen Gold Standards den Namen »Gibson's Paradox« gab.

Es war, so sagte Keynes, »one of the most completely established empirical facts in the whole field of quantitative economics«.[304]

---

[304] J. M. Keynes: *A Treatise on Money* (Macmillan, 1930, vol. 2), S. 198.

Die Studie von Summers und Barsky[305] zeigt eindeutig die zuverlässige Beziehung zwischen Zinssätzen und dem Goldpreis während zwei Jahrhunderten. Aber um ungefähr 1995 brach das Verhältnis infolge der zunehmenden Manipulation des Goldmarktes unter der Clinton/Rubin-Ära zusammen und funktionierte nicht mehr. Summers ist heute Präsident der Harvard Universität.

Die Clinton/Rubin-Seifenblase

Mit seiner Politik des starken Dollar schuf Finanzminister Robert Rubin während seiner Amtszeit die größte Börsenblase der Geschichte für die Wall-Street-Kreise, deren Interessen er vertrat. Es war jedoch nie ganz klar, aus was diese »Politik des starken Dollars« eigentlich bestand. Sie war von jeher mehr Polemik als Politik. Und sie bestand vor allem darin, den Dollarpreis des Goldes niedrig zu halten, so daß man die Inflation verstecken, Zinssätze niedrig halten und möglichst viel Kapital in die U.S.-Märkte locken konnte. Sie resultierte in astronomischen Haushaltdefiziten, denen man nun nicht mehr Herr wird. Die verarbeitende Industrie und die Farmer, welche vom Export lebten, siechten dahin, während Amerika sich dem Internet- und Börsenspiel widmete. In anderen Worten: Diejenigen, welche die wirkliche Arbeit produzierten, litten, während jene, die spekulierten, wie nie zuvor profitierten. Und diese Wohltaten wurden ihnen verschafft durch die Herren Rubin und Greenspan.

Das Handelsdefizit oder
Das reichste Land der Welt lebt von der Wohlfahrt

Das schlimmste Beispiel, das klar demonstriert, was passiert, wenn Gold ignoriert wird, ist das Handelsbilanzdefizit der USA. *Blanchard Economic Research* malte zu dieser Thematik ein düsteres Bild:

»Während der siebziger Jahre, als Wirtschaft und Börse unter den gewichtigen, von Washington D. C. ausstrahlenden

---

[305] Summers, Lawrence/Barsky, Robert: *Gibson's Paradox and the Gold Standard*, in: *The Journal of Political Economy*, The University of Chicago Press: Chicago, 1988, im Internet unter http://gata.org/gibson.pdf.

Einflüssen litten, erhöhte sich der Goldpreis von $35 pro Unze auf über $ 800 je Unze im Januar 1980.

Bill Clinton hinterläßt den Vereinigten Staaten das größte Handelsdefizit, das wir je gesehen haben. Immer mehr Ökonomen kommen zu der Erkenntnis, daß dieses ›vergessene‹ Defizit weder wünschenswert noch tragbar ist. Seit Clinton 1993 das Amt des Präsidenten übernommen hatte, erhöhte sich das Defizit jedes Jahr in beträchtlichem Maße. 1992 lag es noch bei $ 39 Milliarden. Im Jahr 2000 bereits bei $ 360 Milliarden — ein Anstieg um nahezu 1000%.«[306] (Unter der Administration Bush hat das Defizit markant zugenommen. Es hat jetzt eine Größenordnung von $ 503 Milliarden p. a. erreicht und ist somit völlig außer Kontrolle. Das Defizit bedeutet, daß die USA für $ 503 Milliarden mehr Waren gekauft und importiert als exportiert haben.)

Mr. David Wyss, Chefökonom von *Standard & Poors*, wird von Blanchard zitiert:

> »Das kann nicht für immer so weitergehen. Langfristig kann man sich nicht jedes Jahr über $ 400 Milliarden aus dem Ausland leihen. Es mag für die nächsten zwei Jahre vielleicht kein Problem sein, aber es ist bestimmt ein Problem in den nächsten fünf Jahren. Im Grunde genommen verkaufen wir das Land an Ausländer.«[307]

Dies ist eine Möglichkeit die Situation zu betrachten, sicherlich aber eine unrichtige, weil Mr. Wyss die Tatsache übersieht, daß Ausländer reales Vermögen in die USA schicken — im Austausch für nicht einlösbares Papiergeld. Die ganze Struktur dieser Defizite ist nichts anderes als ein modernes Tributsystem, indem die USA Tag für Tag, Monat für Monat und Jahr für Jahr die Weltersparnisse »abzockt«, um konsumieren und seine aufgeblasenen Finanzmärkte am Leben halten zu können. Das Handelbilanzdefizit der USA beträgt $ 503 Milliarden pro Jahr. Das Land braucht also $ 1,5 Milliarden täglich an ausländischem Kapitalzufluß und hängt heute buchstäblich am Tropf der Welt. Die Vereinigten Staaten von Amerika können nicht mehr aus

---

[306] *Blanchard Economic Research* in einem Leitartikel bei www.gold-eagle.com am 13. Januar 2001.
[307] Ebenda.

eigener Kraft leben, nur haben es die meisten noch nicht gemerkt. Das ist, was de Gaulle das »exorbitante Privileg« nannte. Der größte Alptraum des Fed ist deshalb die wachsende Konkurrenz des Eurosystems und die Gefahr, daß OPEC seine internationalen Transaktionen vom Dollar- auf den Eurostandard umstellen könnte. Irak tat einen derartigen Switch im November 2000, indem das Land $ 10 Milliarden in Euros anlegte. Es gibt einige Beobachter, welche die Ansicht vertreten, daß dies der Hauptgrund für den Überfall der USA auf Irak gewesen sein muß. Die USA wandten sich demnach nicht gegen Irak, sondern gegen Europa. Die Geschichte zeigt uns hier jedenfalls wieder deutlich, daß so etwas unter dem klassischen Goldstandard niemals möglich gewesen wäre.

Blanchard Economic Research fährt fort:

»Der Grund, weshalb wir das Handelsdefizit so lange aufrechterhalten konnten, ist der, daß Ausländer, die eine Menge Geld mit dem Verkauf von Waren und Gütern an Amerikaner verdient haben, einen Großteil dieses Geldes in U.S.-Aktien und in Papiere des U.S.-Schatzamtes angelegt haben. Die Baisse der Aktienmärkte und eine bevorstehende ›harte Landung‹ der Wirtschaft könnten das alles jedoch empfindlich verändern. Das Ausland würde unsere Märkte weniger attraktiv finden. Somit wird sich die Baisse auf dem Aktienmarkt nur noch weiter verstärken. Noch schlimmer ist allerdings, daß riesige Bestände an U.S.-Schatzpapieren in ausländischem Besitz über unserem gesamten Finanzsystem hängen. Der weitaus größte Teil dieser Schatzpapiere befindet sich in den Händen ausländischer Regierungen und Zentralbanken, insbesondere Japans und vermehrt auch Chinas. Die kommunistischen Chinesen, von denen bekannt ist, daß sie kaum sehr freundschaftliche Gefühle für die USA hegen, sind der Welt drittgrößter Halter unserer Schatzpapiere, mit Beständen von mehr als $ 100 Milliarden. Dies macht unser Finanzsystem im Falle eines Konfliktes verwundbar.«[308]

Mit den Worten von Ernest H. Preeg vom *Hudson Institute*, der ebenfalls in Blanchards Artikel erwähnt wird:

---

[308] *Blanchard Economic Research* in einem Leitartikel bei www.gold-eagle.com am 13. Januar 2001.

»Ausländische Regierungen erhöhten ihre offiziellen U.S.-Dollarbestände von $ 432 Milliarden im Jahre 1989 auf etwa eine Billion im Jahre 1999. Irgendwann in der Zukunft könnten große Eigentümer von Dollarbeständen, wie z. B. Japan und China, mit einem Verkauf ihrer Dollar drohen oder sie in Euros und andere Währungen umtauschen. Sie könnten sie als Hebel gegen die USA benutzen, sei es im Zusammenhang mit wirtschaftlichen oder nationalen Sicherheitsinteressen. Ein japanischer Premierminister sprach öffentlich von der Versuchung, Dollar zu verkaufen, und chinesische Militärstrategen haben Studien über integrierte Kriegsführung gegen die USA veröffentlicht, einschließlich der Finanzmärkte.«[309]

Der Kongreß-Abgeordnete James A. Traficant (Demokrat) aus Ohio hat am 5. Dezember 2000 vor dem *House of Representatives* folgendes ausgesagt:

»Mr. Speaker, Amerikas Handelsdefizit für September erreichte $ 35 Milliarden in einem Monat, $ 35 Milliarden. Die USA bewegen sich auf $ 420 Milliarden Handelsdefizit in einem Jahr zu. Unglaublich. Wenn das so weitergeht, werden die USA einen Crash haben, gegen den 1929 wie ein Blechschaden aussehen wird. Noch schlimmer ist sogar die Tatsache, daß China unserer Wirtschaft $ 100 Milliarden an Cash entnimmt, damit Raketen kauft und diese auf uns richtet. Wir müssen strohdumm sein. Ronald Reagan hatte den Kommunismus fast zerstört, und die Clinton-Administration hat ihn wieder neu erfunden, subventioniert und stabilisiert ihn nunmehr.«[310]

Die Schlußfolgerung von *Blanchard Economic Research* läßt keinen Zweifel am Ausgang dieser Situation aufkommen:

»Sollten Ausländer aufhören, U.S.-Aktien zu kaufen oder noch schlimmer, anfangen, sie abzustoßen, wird die Aktienbaisse noch länger andauern und sich sogar intensivieren. Wenn Ausländer ihre U.S.-Schatzpapiere verkaufen würden, wären die Aus-

---

[309] *Blanchard Economic Research* in einem Leitartikel bei www.gold-eagle.com am 13. Januar 2001.
[310] Ebenda.

wirkungen noch schlimmer. Ein Dumping von U.S.-Schatzpapieren hätte einen steilen Anstieg der Zinssätze, einen Kollaps der Anleihemärkte, ein Abtauchen der Aktien, einen schnell sinkenden Dollar und eine Währungsinflation zur Folge. Mit anderen Worten eine Finanzkrise ohnegleichen. Investoren sollten auf derartige Szenarien vorbereitet sein. Gold korreliert am negativsten mit dem U.S.-Dollar. Deshalb sollte jeder Anleger die durch das Handelsdefizit entstehenden Investitionsrisiken durch eine angemessene Anlage in Gold mindern.«[311]

Es ist nicht auszudenken, meint David Hale in der *Financial Times* vom 20. Mai 2003, was passiert, wenn Chinas Handelsüberschüsse weiterhin so stark zunehmen oder Japans Reserven von $ 500 Milliarden im Jahr 2003 auf $ 600 Milliarden steigen und bis zum Jahr 2008 sogar auf $ 1000 Milliarden zunehmen könnten. Der Dollar wird dann einem solchen Druck nicht standhalten und zusammenbrechen. Unter solchen Umständen liegt konsequenterweise ein Krach an den Finanzmärkten deutlich im Bereich des Möglichen. Gold, der König der Metalle, wird jedoch glanzvoll aus dieser Krise emporsteigen und beweisen, daß es sich nicht endlos herumschubsen läßt. Langfristig gesehen zahlt es sich eben nicht aus, gegen Gold anzukämpfen.

Amerikanischer Mut

Die EU in Brüssel wurde zu einem zentralistischen Koloß mit absoluter und despotischer Macht. Entscheidungen werden von einer Armee nicht-gewählter Bürokraten getroffen und in vielen Fällen von korrupten Beamten. Europa unterzieht sich heute einem der weitreichendsten planwirtschaftlichen Experimente seit dem Untergang der Sowjetunion. Wie die Disziplinarmaßnahmen der EU gegen Österreich im Jahre 2000 gezeigt haben, ist die Freiheit von Nationen, besonders von kleineren Nationen, ganz zu schweigen von einzelnen Bürgern, in der neuen Ordnung passé und ein Ding der Vergangenheit. In diesem neuen Feudalsystem hat jeder seinen Mund zu halten und der vorgegebenen Linie folgen. Die seinerzeitigen Sanktionen gegen das EU-Mit-

---

[311] *Blanchard Economic Research* in einem Leitartikel bei www.gold-eagle.com am 13. Januar 2001.

gliedsland Österreich sind das krasseste Beispiel dafür, was kleineren Ländern passieren kann, wenn sie den nicht-gewählten Oligarchen in Brüssel nicht gefällig sind.

Vor vielen Jahren sah Erzherzog Otto von Habsburg auf weise Art bereits die Richtung voraus, welche die EU einschlagen würde, und sprach in seinem Essay *Ethik und Moral des Geldes* Klartext:

> »[Die EU] entwickelt eine Form von Neo-Feudalismus, der zwar alle Schwächen, aber keine der Tugenden früherer Feudalsysteme besitzt. Alles gehört kollektiven Gruppen, deren bürokratische Verwaltungsbeamten je nach Belieben von ihrer Macht Gebrauch machen.«[312]

In den USA ist dies noch nicht ganz so. Hier finden sich trotz der Konzentration riesiger finanzieller und politischer Macht immer noch mutige Männer, die bereit sind, sich für ehrliche Geschäftspraktiken und Freiheit auszusprechen. Hierzu gehören Bill Murphy und Chris Powell, die Begründer von GATA. Ihr erklärtes Ziel ist es, den Goldmarkt wieder frei und transparent zu machen. Eine weitere bemerkenswerte Organisation ist AIER (*American Institute for Economic Research*), das von dem verstorbenen Oberst E. C. Harwood in Great Barrington, Massachussetts, gegründet wurde. Harwood, den ich kannte und mehrmals getroffen habe, erzählte mir neben anderen Dingen, daß er überzeugt sei, daß:

> »(…) eine moderne Industriegesellschaft nicht ohne eine vernünftige Abrechnungseinheit (stabiles Geld) aufrecht erhalten werden kann, mit der langfristige Abschreibungspläne für Geschäfte und Langzeitverträge berechnet werden und Ersparnisse, Lebensversicherungen und Pensionsfonds in realen statt fiktiven Werten festgehalten werden. Die für eine moderne Industriegesellschaft erforderlichen enormen Kapitalinvestitionen können nur durch ein korrektes Rechnungswesen aufrecht erhalten, ersetzt und gesteigert werden. Ein auf Papierwerten beruhendes Rechnungswesen ist zu einer reinen Fiktion geworden, unfähig, Informationen zu liefern, welche für großvolumige, langfristige Geschäftsunternehmungen erforderlich sind. (…) Von all den

---

[312] Otto von Habsburg: »Ethik und Moral des Geldes«, *Frankfurter Allgemeine Zeitung*, Anhang »Geld und Geist«, 12. April 1988.

möglichen Rechnungseinheiten, welche die Menschheit je benutzte, hat sich Gold bei weitem als die beste herauskristallisiert.«[313]

Dieselbe Denkweise repräsentiert auch Dr. Lawrence Parks von der FAME (*Foundation for the Advancement of Monetary Education*) aus New York. FAME ist eine gemeinnützige Stiftung, die ihre Mission darin sieht, Menschen über Nutzen und Vorteile von ehrlichen monetären Maßen und Gewichten zu unterrichten, im Gegensatz zu willkürlichem — und betrügerischem — (Fiat-)Geld, zu dessen Verwendung wir alle gezwungen sind.

Parks gab in einem kürzlichen Interview folgenden Kommentar:

> »Auf ungedecktem Papiergeld beruhende monetäre Systeme gehen immer unter, weil Habgier und Machtgier keine Grenzen kennen. Diejenigen, die die Möglichkeit haben, Geld aus dem Nichts zu schöpfen und daraus Nutzen zu ziehen, übernehmen sich immer. Das Ergebnis ist im allgemeinen ein starker Trend hin zu einer dirigistischen Regierung, um den Kollaps zu ›reparieren‹, die Wirtschaft zu ›kontrollieren oder regulieren‹ und um zukünftige Zusammenbrüche zu vermeiden. Man überläßt denjenigen, die das ungedeckte Papiergeld erschaffen, gewöhnlich die Kontrolle mit noch mehr Macht.«[314]

Elizabeth Curriers *Committee of Monetary Research & Education* (CMRE) in Charlotte, North Carolina, befand sich ursprünglich in Greenwich, Connecticut. Im Laufe der Jahre hat sie mehr als 50 Schriften von bedeutenden Wissenschaftern und Befürwortern stabilen Geldes veröffentlicht. Das CMRE organisiert regelmäßig Konferenzen und verschafft dabei vielen der besten Wirtschaftswissenschafter, welche zumeist nicht der gerade geltenden Hauptströmung angehören, eine gute Möglichkeit, zusammenzutreffen.

---

[313] James Dines, *The Invisible Crash* (New York: Random House, 1975), S. 88.
[314] Larry Parks, »Economic and Social Perils of our Fraudulent Monetary System«, *J. Taylor's Gold & Technology Stocks*, Vol. 19, Nr. 6, 2000, S. 1–9. Im Internet unter www.miningstocks.com/interviews/larryparks.html.

GATA

Das *Gold Anti-Trust Action Committee* (GATA) wurde von Männern gegründet, die dies auf ihre eigene Initiative hin unternahmen. Der Vorsitzende Bill Murphy, ein erfahrener Warenhändler, der alle Tricks und Kniffe des Geschäfts kennt, und Chris Powell, ein Zeitungsredakteur aus Connecticut, errichteten die Organisation mit dem Ziel, für einen freien und transparenten Goldmarkt zu kämpfen.

Zu den Firmen, welche GATA im Internet fortlaufend bezichtigt, den Goldmarkt zu manipulieren, gehören unter anderem *Goldman Sachs*, *J. P. Morgan Chase*, *Morgan Stanley*, manchmal *Barrick* und nicht zuletzt *Gold Fields Mineral Services*. Ihrer Ansicht nach berichten *Gold Fields Mineral Services* als auch der *World Gold Council* in ihren Statistiken nicht über die wirklichen Verhältnisse am Goldmarkt. Ihre Berichte sind im Interesse des Anti-Gold-Lagers geschönt. Daher muß man sie auch zum Camp der Goldmanipulatoren oder Goldgegner zählen. Am 10. Mai 2000 verteilte Bill Murphy bei einem Treffen mit dem Sprecher des U.S.-Kongresses und anderen Offiziellen in Washington D. C. seinen Bericht *Gold Derivative Banking Crisis*[315] an führende Politiker. Dieses Gutachten informiert über den Ernst der Lage am Goldmarkt und über die potentiellen Auswirkungen auf die Weltfinanzmärkte als Ganzes.

GATA wurde 1999 als eine Gesellschaft im U.S.-Bundesstaat Delaware gegründet, »um gegen illegale, betrügerische Absprachen zur Kontrolle des Goldpreises zu kämpfen«.[316] Die Gründer von GATA reagierten damit auf Aktionen und Zugeständnisse von großen Wall-Street-Investmenthäusern (insbesondere *Goldman Sachs*), des *Federal Reserve* und der Goldhandelsbanken. Sie behaupten, daß die Rettungsaktion von LCTM auf dringliches Geheiß der New Yorker Fed erfolgte. All dies geschehe im Rahmen eines ungeheuerlichen langfristigen Versuchs, den Goldpreis und die Wertpapiermärkte zu manipulieren. Die Vertreter von GATA sind der Ansicht, daß Alan Greenspan selbst

---

[315] Bill Murphy, *Gold Derivative Banking Crisis* (Dallas: Gold Anti-Trust Action Committee, 2000). Im Internet bei www.gata.org erhältlich (GDBC-Bericht).

[316] John D. Meyer, stellvertretender Vorsitzender des GATA-Komitees, in einem persönlichen Brief an den Autor, 16. April 1999.

zugegeben hat, daß das *Federal Reserve* bei der Fixierung des Goldpreises an dieser Manipulation Anteil hat.

>»Mittels einer gut orchestrierten Kampagne der Bullion-
Banken und gewisser führender Finanzhäuser hat eine eigentliche
›Terror-Herrschaft‹ den Goldmarkt in seinen gegenwärtigen de-
moralisierten Zustand gebracht. Hedging ist eine legitime und
notwendige Maßnahme des Risiko-Managements, aber nicht zum
Preis der Zerstörung einer gesamten Industrie. Angesichts des
russischen Zahlungsverzugs im letzten Sommer (1998) und des
darauffolgenden Zusammenbruchs der Kapitalmärkte glauben wir,
daß es klare Beweise dafür gibt, daß sich die Goldausleihungen
als Nachfolger des fehlgeschlagenen Yen-Carry-Trade entwickelt
haben. Während die Carry-Trades den Bullion-Banken und der
Hedge-Fonds-Gemeinde enorme Profite ermöglicht haben, gewann der Gold-Carry-Trade für die Rettung der Finanzgemeinde
eine noch viel zentralere Bedeutung als jemals zuvor. Dies erklärt
die aktuellen Gold-Ausleihungen unter Freunden und Genossen
sowie Wall Streets heftige Versuche, den Goldpreis zu kontrollieren. Verzweifelt versuchen sie den wahren Zustand unserer Märkte
und besonders das derivative Chaos des Gold-Leasing-Marktes
zu verschleiern. Die Goldausleihungen mögen einst eine gewisse
Legitimität gehabt haben, sind aber heute längst zu einem Mechanismus zur Ausbeutung einer ganzen Industrie geworden. All
dies verstößt gegen unsere Gesetze und dient lediglich zur Rettung einer Bande übermäßig fremdfinanzierter Zocker.«[317]

Das Washington Agreement on Gold

Wie bereits erwähnt, fiel der Goldpreis nach Ankündigung der
Bank von England, derzufolge ein Großteil ihrer Goldreserven zum
Verkauf stand, in den Sommermonaten des Jahres 1999 auf nahezu
$ 250. Dann plötzlich, am Montag, dem 28. September 1999, sprang
der Goldpreis in London um $ 11 auf $ 281.10. Einige Wochen später
kletterte der Goldpreis auf $ 317 und schloß am Freitag, dem 1. Okto-
ber 1999 beim zweiten Fixing am Nachmittag bei $ 307.50. Dies war
ein Anstieg von $ 37.50 in einer Woche! Minenaktien zeigten noch

---

[317] John D. Meyer, stellvertretender Vorsitzender des GATA-Komitees, in
einem persönlichen Brief an den Autor, 16. April 1999.

stärkere Kursgewinne; besonders die arg gebeutelten afrikanischen Goldminen waren unter den größten Gewinnern. Doch wie kam es zu diesem plötzlichen Anstieg?

Am Sonntag, dem 26. September 1999, machten fünfzehn europäische Zentralbanken, einschließlich Schweiz, Großbritannien und Schweden, überraschend eine dramatische Ankündigung. Sie erklärten, daß Gold weiterhin ein wichtiges Element der globalen Geldreserven bleiben würde, und daß sie ihre Verkäufe in den nächsten fünf Jahren auf eine Gesamtmenge von 2000 Tonnen beschränken würden. Sie kamen auch überein, ihre Goldausleihungen und ihre Gold-Futures und -Optionen ebenfalls über diese fünf Jahre nicht mehr auszuweiten.

Die Unterzeichner dieses sogenannten Washington Agreement verfügten Ende des Jahres 1999 insgesamt über 15 941 Tonnen Gold. Dies ist beträchtlich mehr als die 12 344 Tonnen in den Tresoren der USA, des IWF, Japans und der BIZ zusammen. Alle außerhalb des Abkommens stehenden Nationen wie Rußland, Taiwan usw. besitzen offiziell insgesamt 5197 Tonnen Gold.

Interessanterweise besaßen Zentralbanken zum Ende des Jahres 1999 offiziell immer noch 33 843 Tonnen Gold, also lediglich 3191 Tonnen weniger als 1975, oder 4300 Tonnen weniger als 1971, dem Jahr, in dem der Gesamtbesitz der Zentralbanken mit 39 102 Tonnen sein höchstes Niveau erreicht hatte. In Hinblick auf diese Zahlen kann man nicht von einer Flucht der Notenbanken aus dem Gold sprechen.

Was jedoch immer noch ein Mysterium ist: Wie konnten 1300 Tonnen schweizerisches Gold im Washington Agreement berücksichtigt werden, wenn die SNB zu jenem Zeitpunkt noch gar keine gesetzliche Ermächtigung zum Verkauf des Goldes besaß? Es wird darauf hingewiesen, daß bis zum 30. April 2000 immer noch die Möglichkeit eines Volksentscheids bestand. Warum die Eile? Dies scheint ganz offensichtlich die neue Methode zur Handhabung bestimmter Dinge in der Schweiz zu sein. Früher oder später werden die schweizerischen Bürger herausfinden, was für Manipulationen zu ihrem Nachteil hinter verschlossenen Türen betrieben werden.

Was war geschehen? Einige legten nahe, daß die europäischen Zentralbanken schließlich erkannten, daß das ausgeliehene Gold vielleicht für immer verloren sein könnte. Eine dramatische Maßnahme war erforderlich, um aus diesem Dilemma wieder herauszukommen. So etwas gab es noch nie, daß sie den Wert ihrer eigenen Bestände gedrückt hatten und das Ganze für eine lächerliche Kapitalverzinsung von nur 1% aus dem Verleihgeschäft. Durch den Verleih setzten sie absurderweise ihre wertvollste Vermögensanlage einem Risiko aus. Schließlich begannen sie zu erkennen, was auf dem Spiel stand: Ihr Gold!

Der Gold-Geist ist der Flasche entwichen

Der *International Harry Schultz Letter* berichtete in seiner Ausgabe vom 10. Oktober 1999 folgendes:

> »Die Zentralbanken taten dies nicht, um den ›Gold Bulls‹ [Gold-Spekulanten à la Hausse] zu helfen. Die Bären wollten sie aber auch nicht erschlagen und erlaubten einige Verkäufe. Sie hatten keine Wahl. Spekulanten (z. B. New Yorker Bullion-Banken und die Anti-Gold-Mafia) hämmerten auf das Gold ein, ohne Rücksicht auf die massive Kluft zwischen Angebot und Nachfrage. (…) Nach Jahren unmoralischer und illegaler Manipulationen durch Bullion-Dealer, Bullion-Banken und Bullion-Broker, unterstützt von gewissen Regierungen, befreite sich Gold von seiner Umklammerung und brach aus. Die Preisfixer haben aber noch längst nicht aufgegeben; sie wollen immer noch keinen freien Goldmarkt, aber sie wissen, daß die königliche Entscheidungsschlacht schon begonnen hat. Der Gold-Geist ist der Flasche entwichen. Goldminen, die massives Hedging betrieben (Gold auf Termin verkaufen oder Puts kaufen), kamen alsbald in Schwierigkeiten. Es kam vor, daß Minen von Bullion-Banken dazu ›gezwungen‹ wurden, indem ihnen mit niedrigeren Bonitätseinstufungen gedroht wurde, wenn sie dies nicht tun würden. Klare Erpressung! Das zeigt, wie unmoralisch diese gierigen Preisfixer sind.«[318]

In manchen Fällen ist bekannt, daß die Banken von den Minen verlangten zu hedgen, bevor überhaupt Kredit-Gespräche geführt wurden!

---

[318] Harry Schultz, *The International Harry Schultz Letter*, 10. Oktober 1999, S. 7.

Goldene Prosperität unerwünscht — bis jetzt noch !

Der Anstieg des Goldpreises Ende September und Anfang Oktober 1999 hielt nicht lange an, denn den hauptsächlichen Mitspielern gefiel das überhaupt nicht.

Den Bullion-Firmen paßte das nicht, weil es ihr Geschäft bedrohte. Den Investoren in Aktien gefiel es nicht, weil es der Börse schadete, zumal Technologie-Titel gerade in die Höhe schossen wie nie zuvor. Die Hedge-Fonds haßten es, weil sie leer verkauft hatten und plötzlich nach Deckung suchen mußten. Den Zentralbanken gefiel es nicht, weil das von ihnen verliehene Gold verkauft worden war — und einiges davon zu niedrigeren Preisen. Sie begannen zu erkennen, daß einige der Kreditnehmer vielleicht nie in der Lage sein würden, ihre Goldausleihungen zurückzuzahlen.

Nicht einmal einige der größeren Goldminenfirmen mochten den Preisanstieg. Das Schicksal von *Ashanti* und *Cambior* könnte also auch andere ereilen. Einige meinten, daß dies nur die Spitze des Eisbergs sei!

Intelligente Menschen, die das Derivate-Chaos und die Aktien-Blase durchschauten, konnten dem Preisanstieg ebenfalls keinen Geschmack abgewinnen, denn sie fürchteten die Konsequenzen einer Bankenkrise und hofften, daß sich doch noch alles irgendwie einrenken und lösen werde.

Als es klar wurde, daß nur ganz wenige einen höheren Goldpreis wünschten, wurde der Preis leise auf $ 275 heruntermassiert.

Der amerikanische Anwalt Reginald Howe erwähnt in Paragraph 55 seiner Klage gegen die Elite des internationalen Bankwesens folgende Aussage, die Mr. Edward A. J. George, Gouverneur der Bank von England und Direktor der BIZ Ende 1999 gegenüber Mr. Nicholas Morrell, Chef der Minengesellschaft *Lonmin PLC*, gemacht hat. Eddie George erzählte:

> »Wir hätten in einen Abgrund geschaut, wäre der Goldpreis weiter gestiegen. Ein weiterer Anstieg hätte eine oder mehrere Goldhandelsbanken zu Fall bringen können. Dabei bestand die

Gefahr, daß diese in ihrem Kielwasser die ganze Branche mitgerissen hätten. Die Notenbanken waren deshalb gezwungen, den Goldpreis unter allen Umständen niederzudrücken, d. h. zu manipulieren. Es war extrem schwierig, den Goldpreis unter Kontrolle zu kriegen, aber nun haben wir es geschafft. Das U.S.-Fed half sehr aktiv mit, den Preis des Goldes runterzubekommen, ebenso wie die Engländer.«

Der zweite Kursanstieg

Am Montag, dem 7. Februar 2000, eröffnete das Goldfixing in Europa mit $ 312/315 pro Unze, nachdem die kanadische Minengesellschaft *Placer Dome* am vorangegangenen Freitag angekündigt hatte, daß sie ihr Hedging-Programm suspendieren werde. Auf den asiatischen Märkten stieg der Goldpreis sogar auf $ 318, den höchsten Stand seit 14. Oktober 1999. Später kündigte auch *Barrick* einige taktische Änderungen in ihrer Hedging-Politik an.

Obwohl es für den Goldpreis sehr wichtig ist, daß Hedging reduziert wird, ist es offensichtlich, daß sich lange Zeit nur sehr wenig geändert hat. Der Herausgeber des *Mining Journal* schrieb in seiner Ausgabe vom März 2000, daß Marktkommentatoren, die davon ausgehen, daß Terminverkäufe bald beendet werden würden, auf Basis einer falschen Auffassung arbeiten. Australische Produzenten erhöhten ihre Hedging-Aktivitäten sogar noch. Hedging bleibt eine Strategie, selbst wenn einige Produzenten eine mäßige Kursverbesserung voraussehen. Es gibt vorläufig noch keinen Grund zu glauben, daß die Verkäufe schon bald enden werden. Das *Mining Journal* kommt zum Schluß: »Verkäufe — müssen bald enden!«[319]

Ein weiteres Mal war Prosperität unerwünscht, und der Goldpreis sank sachte wieder unter die $-300-Marke, wo er in so stoischer Manier verharrte, so daß weder die heißesten Hausse- noch Baisse-Neuigkeiten irgendeine Wirkung zu zeitigen schienen.

---

[319] »World Gold Sales — must end soon!«, Leitartikel im *Mining Journal*, London, Vol. 3, Nr. 3, 2000, S. 3.

Die Schuldenpyramide

Schon vor Jahrzehnten erzählte mein Freund und ehemaliger Zentralbankier John Exter den Menschen, daß man sich alle Schuldner und Gläubiger im Finanzsystem als eine umgekehrte Pyramide vorstellen sollte — ein riesiger Komplex von ›IOU‹-Papierschuldscheinen.

»Das schließt nicht nur jene in der Dollarwährung, sondern die in allen Währungen, ja im gesamten Weltfinanzsystem ein. Ich konzentriere mich heute auf die Dollarschuldner, doch erinnern Sie sich bitte daran, daß es in anderen Währungen ähnliche Schuldnersituationen gibt.

Die Pyramide hat eine abgeflachte Spitze, so daß sie etwas hat, worauf sie stehen kann, wenn man sie umdreht. Sie steht auf einem Block aus Gold, dem Gold in den Tresoren der Zentralbanken dieser Welt. Bevor die Zentralbanken das Goldfenster schlossen, waren alle Schulden innerhalb dieser Pyramide bei den Zentralbanken zu $ 35 pro Unze frei einlösbar. Das machte feste Wechselkurse überhaupt erst möglich. Seitdem hat sich der Goldblock an der Basis der Pyramide enorm vergrößert, fast um das Zwanzigfache, so daß die Pyramide nun auf einer viel breiteren Basis steht. Es ist dies die Art und Weise, wie uns der Markt wieder zum Goldstandard zurückführt und den Wert von Papier im Verhältnis zum Goldpreis zerstört.

Es ist wichtig, die Schuldner in dieser Pyramide nach ihrer Liquidität einzuordnen. Plazieren Sie die Liquidesten in der Nähe der Goldbasis, also unten, wo die Pyramide schmal ist, und die am wenigsten Liquiden an die Spitze oben, wo sie breit ist, und alle anderen dazwischen. Die Pyramide wächst zu schnell und wird überdimensional groß, wann immer zu viele Schuldner illiquide werden, wenn sie sich kurzfristig verschulden und langfristig ausleihen. Die Zahl der illiquiden Schuldner in der Pyramide wächst schneller als die Zahl unten und ihre Zahlungsfähigkeit ist bedroht. Die heutige Schuldenpyramide ist mit Abstand die größte der Geschichte und hat weit mehr illiquide Schuldner als jemals zuvor. Sie stellt die Pyramide von 1929 vergleichsweise geradezu in den Schatten.«[320]

---

[320] »Interview with John Exter«, *Blakely's Gold Investment Review*, Vol. 1, Nr. 1, 1989, S. 9/10.

Was würde John Exter wohl heute sagen, 20 Jahre später, wo die Schulden noch viel höher sind, auf den Aktienmärkten eine gefährliche Blase zu platzen droht und wir uns in einer Welt von Derivaten befinden, in der niemand imstande ist, sie zu bemessen? Aber genau das ist es, was Alan Greenspan mit »System-Risiko« meint! Der legendäre Investor Warren Buffett aus Nebraska drückt es in seinem letzten Geschäftsbericht vom 8. März 2003 (berkshirehathaway.com) wesentlich klarer aus, indem er die derivativen Finanzinstrumente als finanzielle Massenvernichtungswaffen bezeichnet.

Die goldene Pyramide

Der amerikanische Analyst John Hathaway bezieht sich in einem im August 1999 veröffentlichtem Bericht auf John Exters Pyramide und sagt:

> »John Exter war der erste, der auf die Idee kam, daß sich Gold in bezug zu Papierwerten in Form einer Pyramide darstellen läßt. (…)
>
> Währungen waren einst Gold-Derivate. Diese Geldschöpfung der Regierungen war durch physisches Gold gedeckt, welches von Zentralbanken gehalten wurde. Da eine Währung nichts anderes als einen Anspruch auf Gold darstellt, war es in der Tat eine Leerverkaufs-Position gegenüber einem physischen Anlagegut, das relativ einfach zu berechnen war. Die Regierungen kamen auf die Idee, weil sie scheinbar nie mit dem Papierdrucken aufhören können. Selbst der Anschein einer Bindung wurde vor langer Zeit abgeschafft. Seit Währungen keine Golddeckung mehr besitzen und die Welt immer noch den Anschein erweckt zu funktionieren, beteuern neugebackene Zentralbanker, daß Gold überflüssig ist. (…)
>
> Die alte Gold-Pyramide der Währungen wurde durch ein wenig verstandenes Labyrinth an Papieransprüchen auf Gold ersetzt (…).«[321]

---

[321] John Hathaway, »The Golden Pyramid«, Tocqueville Asset Management LP, 20. August 1999. Erhältlich im Internet unter www.tocqueville.com/brainstorms/brainstorm0031.shtml.

Der Rat des Zentralbankiers John Exter

»Also, unterm Strich sieht es für die Weltwirtschaft gar nicht gut aus. Aber für Sie persönlich stehen die Dinge besser [Er meint Goldinvestoren; d. Verf.]. Sie können viel tun, um sich zu schützen. Steigen Sie die Pyramide runter; werden Sie liquide. Die *Federal-Reserve*-Banknoten liegen ganz unten beim Papierteil. Halten Sie genug davon bereit, um die gegenwärtige Liquiditätsklemme zu überstehen, wenn Banken ihre Türen schließen könnten und Cash der König sein wird. Schatzbriefe sind auch gut. Damit können Zinsen verdient werden, aber Sie können damit nicht im Supermarkt einkaufen. Doch die beste Anlage von allen, sei es in der Inflation oder Deflation, wird das Gold am Fundament der Pyramide sein. Akkumulieren Sie davon soviel wie Sie können, entweder das, was über der Erde liegt, wie z. B. Münzen oder Barren, oder das, was in der Erde liegt, wie Minenaktien.«[322]

The Golden Sextant

Reginald H. Howe schrieb im Oktober 1999 in einem Aufsatz:

»Um die potentielle Wirkung des kommenden monetären Sturmes abschätzen zu können, ist ein grundlegendes Verständnis von Gold, Gold-Banking, Inflation und Deflation lebenswichtig. Vergessen Sie den [U.S.-Verbraucherpreis-Index] CPI und andere Preisindizes. Dies sind gewöhnlich zeitlich hinterherhinkende Indikatoren. Vergessen Sie auch all das Geschwätz darüber, ob sich Gold in einer Inflation oder einer Deflation besser entwickelt. Gold ist die Versicherung gegen schwere Währungs- oder Kreditvernichtung, ganz gleich, ob die auslösende Ursache eine Inflation oder eine Deflation war. Inflation und Deflation sind jeweils expandierende und kontraktierende Kreditvolumina, relativ zu einem bestimmten verläßlichen Geldmaßstab gesehen. Historisch gesehen war Gold dieser Maßstab, der sich natürlich in Zeiten von kontrollierter oder versteckter Inflation nicht so gut entwickelte, weil mehr Kredit auf weniger Gold aufgebaut werden kann, ohne daß gleich Alarm geschlagen wird. Eine genaue Mes-

---

[322] »Interview with John Exter«, *Blakely's Gold Investment Review* ...

sung der Inflation vorzunehmen ist heutzutage schwierig, denn das, was als Geld betrachtet wird — Papiergeld in unbegrenzten Mengen —, ist so mit Kredit vermischt, daß die beiden praktisch nicht mehr voneinander zu unterscheiden sind. Ein Geldmarkt-Fonds ist ja in Wirklichkeit nichts weiter als kurzfristige Kredit-verpflichtungen, geschickt angehäuft, damit er so aussieht wie einst ein normales Bankkonto (in einer sicheren Bank) mit einer 40%igen Reserve aus Goldmünzen oder -barren im Tresor der Bank.

Die Gesamtmenge allen reellen Geldes auf der Welt zu messen, ist heute nicht schwieriger als vor einem Jahrhundert. Es ist die Gesamtmenge an physisch gehobenen und greifbaren Goldbeständen, mittlerweile bei etwa 120 000 Tonnen (exklusiv des doppelt gezählten Goldes, das die Zentralbanken zwar verliehen haben, sich aber nach wie vor in ihren Bilanzpositionen findet). Die Abkehr vom klassischen Goldstandard und vom nachfolgenden Quasi-Goldstandard hat nicht das geringste an der dem Gold innewohnenden Natur als echtes, dauerhaftes und natürliches Geld geändert.«[323]

Am Ende eines Jahrhunderts der Hyperinflationen

Peter Bernholz, ehemaliger Professor an der Universität Basel, schrieb im Februar 2000, daß das 20. Jahrhundert das Jahrhundert der Hyperinflationen war. Die vergleichsweise niedrigen Inflationsraten des 19. Jahrhunderts waren vollkommen auf die Überlegenheit der monetären Ordnung eines Bimetall- und später eines Goldstandards zurückzuführen. Unter dem Edelmetall-Standard waren Banknoten auf Verlangen zu einem festen Wechselkurs in Gold oder Silber konvertierbar. Dies begrenzte die Macht von Regierungen, Zentralbanken und den Banken, nach Belieben Geld zu produzieren. Monetäre Expansion wurde durch die Reserve-Verpflichtungen von Gold und Silber begrenzt.[324] Es bestehen keine Zweifel, daß dieses System funktionierte, und zwar besser, als jedes System, das nach ihm kam.

---

[323] Reginald H. Howe, »Real Gold, Paper Gold and Fool's Gold: The Pathology of Inflation«, *The Golden Sextant*, 12. Oktober 1999. Siehe ausführlich im Internet unter www.goldensextant.com/commentary4.html#anchor674427.

[324] Peter Bernholz, »Am Ende eines Jahrhunderts der Hyperinflationen — Golddeckung und Regelbildung als bewährte Stabilisatoren«, *Neue Zürcher Zeitung*, 26./27. Februar 2000, S. 95.

Unabhängige Zentralbank als Alternative

»Eine weitere Bestätigung der These, daß nur die Begrenzung des Einflusses von Politikern und Regierungen durch die Währungsverfassung zu niedrigeren Inflationsraten führt, läßt sich auch im 20. Jahrhundert finden. Betrachten wir z. B. die Entwicklung der Lebenshaltungskosten in einigen Ländern ab 1950, so können wir feststellen, daß Länder wie die Schweiz, Deutschland und die USA, die eine von der Politik weitgehend unabhängige Zentralbank besitzen, einen wesentlich geringeren Anstieg des Preisniveaus zu verzeichnen hatten als Länder, in denen das nicht der Fall war, wie Großbritannien, Frankreich und Italien. Allerdings liegen die Inflationsraten auch bei den erstgenannten Ländern noch immer höher als zur Zeit des Goldstandards. Selbst unabhängige Zentralbanken sind eben nicht so unabhängig vom Druck der Öffentlichkeit und der Politik, wie das bei der Währungsverfassung des weitgehend automatischen Goldstandards der Fall war.

Angesichts dieser Gegebenheiten tauchen gewisse Zweifel auf, ob die Aufhebung der Golddeckung in der Schweiz und der Verkauf eines Großteils der Goldbestände der Nationalbank wirklich so positiv zu beurteilen sind, wie durch ihre Befürworter dargestellt. Es darf ja auch nicht übersehen werden, daß z. B. die auf Dollar lautenden Devisen nichts anderes als Forderungen gegen amerikanische Stellen, z. B. des Schatzamtes sind, die jederzeit gesperrt werden können. Das ist bei Goldreserven der Nationalbank in den Schweizer Bergen nicht der Fall.«[325]

Handeln ist gefragt

Diejenigen, die de facto für unser Weltwährungssystem verantwortlich sind, die Großbanken und die großen Investment-Banken, werden damit nicht einverstanden sein. In dieser Hinsicht habe ich überhaupt keine Zweifel. Sie schlagen enormen Profit aus ungedecktem Papiergeld — in den USA mehr als $ 600 Milliarden allein im Jahr 2000 —, und sie werden diese Einkünfte nicht kampflos aufgeben.

---

[325] Peter Bernholz, »Am Ende eines Jahrhunderts der Hyperinflationen — Golddeckung und Regelbildung als bewährte Stabilisatoren«, *Neue Zürcher Zeitung*, 26./27. Februar 2000, S. 95.

Doch die Frage bleibt: Wollen wir die katastrophalen Fehler des 20. Jahrhunderts wiederholen oder wollen wir aus der Geschichte lernen und
diese Fehler vermeiden? Das ist alles. Die heute vorherrschenden
Denkmodelle reichen hierzu nicht aus und werden auch nie ausreichen. All die bedeutenden Menschen dieser Welt in der Geschichte
waren stets unabhängige Denker. Ihre Visionen brachten die Menschheit vorwärts. Es gibt haufenweise Zitate und weise Worte, die an
dieser Stelle erwähnt werden könnten, aber lassen Sie uns nur zwei
erwähnen. Harry Schultz hat uns eine der besten Definitionen für den
Goldstandard gegeben:

>>**Standards**: *(Gold und andere):*
In den letzten 36 Jahren habe ich es etliche Male geschrieben, und ich möchte es mit Nachdruck erneut vortragen: Ich bin
Pro-Gold, unabhängig vom Preis! Ich kämpfe nicht für Gold, um
aus Goldaktien, Barren oder Münzen Gewinne einzufahren! Die
Bedeutung des Goldes hat gewichtigere Gründe, und es wäre mir
peinlich, mich nur aus Gründen des finanziellen Gewinns für
Gold einzusetzen. Gold ist der unverzichtbare Dreh- und Angelpunkt unserer individuellen Freiheit (und nicht der einer Gruppe
oder Nation). Gold gehört als ein maßgebender Faktor zum Geldsystem. Wir müssen zurück zum Goldstandard. Früher war ich
noch kompromißbereit, indem ich sagte, daß es ein Quasi-Goldstandard auch richten könnte, sozusagen eine modifizierte Bret-
ton-Woods-Version. Und so etwas wird sich wahrscheinlich auch
herauskristallisieren. Aber meiner Ansicht nach sollten wir für
einen reinen Goldstandard kämpfen, für die altmodische Form,
denn sie hat funktioniert! Und nicht nur aus finanzpolitischen
Beweggründen! Der Goldstandard zwang Nationen, ihre Schulden, ihre Ausgaben und ihre sozialistischen Pläne in Grenzen zu
halten. Das bedeutete, daß sich um diese Begrenzungen herum
vernünftige Verhaltensgewohnheiten bildeten, und diese Verhaltensgewohnheiten färbten auf jedermann ab. Die Menschen waren ehrlicher, moralischer, anständiger und freundlicher, weil das
System ehrlich und moralisch war. Ursache und Wirkung. Heute
haben wir Ursache und Wirkung des gegensätzlichen Standards:
Keine Grenzen mehr, was Regierungen tun, kontrollieren und
diktieren können; keine Grenzen für Staatsschulden, Wohlfahrt
oder sozialistische Pläne. Es gibt keine regulierende Instanz, die
die Regierung kontrolliert.

Diese Verhaltensweise färbte auf die Bevölkerung ab und veranlaßte sie, Schulden zu machen und den Respekt vor dem System und aller Moral zu verlieren. Die Folge sind mehr Scheidungen, Betrug, Kriminalität, außereheliche Kinder, zerbrochene Elternhäuser. Wenn das Geld eines Landes seine Basis bzw. Deckung verliert, gibt es keinen Standard für jegliches Verhalten mehr. Geld setzt einen Standard, der sich in jeden Bereich menschlicher Aktivitäten ausbreitet. Keine Deckung des Papiergeldes — keine Moral. Deswegen funktionierte Goldmünzengeld so gut, und deshalb bewegten sich die USA nur sehr langsam und vorsichtig in Richtung Papiergeld und behielten längere Zeit die 100%ige Papier-Dollar-Deckung mit Gold bei. Doch ganz langsam, wie beim scheibchenweisen Schneiden einer Salami, wurde diese Deckung in mehreren Stufen beseitigt, bis schließlich überhaupt keine mehr vorhanden war. Die Auswirkungen dieses Übels umgeben uns alltäglich.

Brutale Spielfilme reflektieren eine brutale Gesellschaft, und eine solche reflektiert Respektlosigkeit innerhalb der Gesellschaft. Mehr und mehr werden wir verdorben, wenn Geld Sicherheit verliert. Die heutige Aktienmarktblase ist Bestandteil dieser Szene, genau wie der morgige Mega-Crash und die Mega-Rezession es sein werden. ›Der Große Bruder‹ wurde erst durch das Fehlen automatischer Kontrollen und den Verlust individueller Freiheit mittels einer nichtkonvertierbaren Währung möglich gemacht. Also, sagen Sie's weiter. Kämpfen Sie für's Gold. Nicht der Profite wegen, obwohl sie nützlich sind und uns beim Kampf für individuelle Freiheit helfen, sondern kämpfen Sie für eine Zukunft, die wieder zu einer gesunden Geisteshaltung auf mannigfaltigen Ebenen zurückführt. Wenn wir einen Goldstandard haben, bekommen wir auch einen goldenen menschlichen Standard! Die beiden sind miteinander untrennbar verflochten. Sie haben allerhöchste Ursache und Wirkung. Gold segnet.«[326]

Charles de Gaulle, Präsident von Frankreich, gab seinem Land das großartigste Geschenk, das er geben konnte: Er gab seinem Land das Vertrauen zurück.

---

[326] Harry Schultz, »GOLD vs. the PRICE of Gold«, *International Harry Schultz Letter*, 18. Juni 2000, S. 3/4.

Am 4. Februar 1965 ließ er wissen:

»Die Zeit ist gekommen, das internationale Finanzsystem
auf eine unbestrittene Grundlage zu stellen, welche nicht den
Stempel irgendeiner speziellen Nation trägt. Auf welche Grundlage? Wahrlich ist es schwer, sich vorzustellen, daß es irgendein
anderer Standard außer Gold sein könnte. Ja, Gold, dessen Eigen-
schaft sich nie ändert, das sich ebenso gut zu Barren oder Münzen formen läßt; das keine Nationalität hat und das seit Ewigkei-
ten und universell als die unveränderliche Währung par excellence
angesehen wurde.«[327]

Kehren Ruhm und Glanz zurück?

Die gegenwärtige Unterdrückung des Goldpreises ist längst völlig überzogen. Sie hat länger angehalten, als es ohne die permanent
negative Medien- und Zentralbank-Propaganda, den Preisdruck durch
Zentralbank-Verkäufe und Ausleihungen, die unbegründete Restrikti-
on für IWF-Mitgliedsstaaten, ihre Währungen an Gold binden zu
dürfen, die Zahlungsmittelgesetze und die Spekulation seitens der
Bullion-Banken möglich gewesen wäre. Aber solange Gold das
Werterhaltungsmittel Nummer Eins bleibt, wird kein Eingreifen seitens einer Zentral- oder Bullion-Bank, oder keine G-7, G-10 oder
G-20-Konferenz der führenden Wirtschaftsnationen mächtig genug
sein, um einen nachhaltigen Einfluß auf den langfristigen Trend des
Goldes auszuüben. Langfristig sind es immer die Märkte, die die
Meister sind. Nichts und niemand ist auf Dauer stärker als der Markt!
Das trifft heute sogar noch mehr zu, wo scheinbar niemand die Not-
wendigkeit sieht, dem verheerenden Nicht-System aus nicht einlösba-
rem Papier/Elektronik-Geld den Rücken zu kehren und zum einzigen
System zurückzukehren, das langfristig Wohlstand garantiert — zum
Gold als Geld.

---

[327] Jacques Rueff, *The Monetary Sin of the West* (New York: Mac Millan,
1972), S. 70–74.

Kapitel X:
Schlussfolgerungen des Autors Ferdinand Lips, Privatbankier, Finanzanalytiker, Aufsichtsrat afrikanischer Goldminengesellschaften, Währungshistoriker, Schweizer Patriot und besorgter Weltbürger

Die Gold-Verschwörung und somit der Gold-Krieg sind nichts anderes als ein III. Weltkrieg. Es ist nicht nur der unnötigste, sondern auch der zerstörerischste aller Kriege. Er sollte sofort beendet werden.

Der III. Weltkrieg hat wohl bereits mit dem Untergang des klassischen Goldstandards des 19. Jahrhunderts begonnen. Wenn die kriegführenden Länder des I. Weltkrieges den Goldstandard nicht so überhastet und unüberlegt aufgegeben hätten, wäre dieser Krieg schon nach sechs Monaten beendet gewesen. Die kriegführenden Nationen hätten nämlich kein Gold mehr zur Finanzierung gehabt, und bei der Erhebung von Kriegssteuern wäre mit einem erheblichen Widerstand zu rechnen gewesen. Ich behaupte mit aller Überzeugung, daß der I. Weltkrieg so lange gedauert hat, weil der Goldstandard abgeschafft wurde. Defizitfinanzierung machte es möglich, daß der Krieg über vier Jahre dauerte, Kapitalvermögen und ein reichhaltiges kulturelles Erbe zerstörte, wobei unnötigerweise die Blüte der europäischen Jugend, Millionen junger Soldaten und unschuldiger Menschen, getötet wurden.

Wenn der I. Weltkrieg nur sechs Monate gedauert hätte, wären die Währungen nicht zerstört worden. Es hätte keinen Versailler Vertrag und keine deutsche Hyperinflation gegeben. Das wenig verstandene Abkommen von Genua aus dem Jahre 1922 war größtenteils für den Boom der 1920er und für den Crash 1929 verantwortlich, welche ihrerseits zu der schweren Krise der 1930er Jahre führten. Ohne die falsche Goldpolitik hätte es nie einen Hitler gegeben. Weder hätte es eine bolschewistische Übernahme durch Typen wie Lenin gegeben, noch hätte Rußland einen Stalin erdulden müssen, mit unzähligen

Millionen Unschuldiger, die ohne Grund umgebracht wurden. Und es
hätte nie einen II. Weltkrieg gegeben.

Die Ignoranz dem Golde gegenüber führte 1944 zum Bretton-
Woods-System und ebenso zu seinem Untergang. Ohne die Wiederholung der Fehler von 1914 oder 1922 hätten wir nie eine inflationäre
Krise in den 1970er Jahren erleben müssen. Die Öl-Krise der Neunzehn-
hundertsiebziger und die auf uns zukommende Öl- und Energie-Krise
des 21. Jahrhunderts sind primär Finanzkrisen. Die Unterdrückung des
Goldes und die unbegrenzte Expansion von Fiat-Falschgeld haben zu
den monetären, wirtschaftlichen und politischen Krisen und Kriegen
des 20. Jahrhunderts geführt. Das Ende von Bretton Woods gebar die
anhaltende und zukünftige Derivate-Krise. Da gewisse einflußreiche
Kreise Goldgeld mißachteten, wurden die Krisen der Welt fälschli-
cherweise, aber sehr wahrscheinlich absichtlich, dem Gold in die
Schuhe geschoben. Das ist der tiefere Grund für die Gold-Verschwörung.

Finanzmärkte können nur unter einem Goldstandard zufriedenstellend funktionieren. Die Geschichte hat gezeigt, daß unter dem
Automatismus des klassischen Goldstandards die Währungsstabilität
am höchsten war. Ungedecktes Papiergeld kann nur zu kurzlebigen
Finanz- und Wirtschaftsblüten führen. Das Endresultat ist Inflation
und Veruntreuung von Ersparnissen auf Kosten von Arbeitern, Rent-
nern und den Armen, die sich gegen diesen arglistigen Betrug nicht
wehren können, Arbeitslosigkeit und schließlich Krieg.

Gut funktionierende, auf der Grundlage eines ehrlichen Geld-
systems beruhende Finanzmärkte garantieren die Bildung von Ersparnissen. Ersparnisse führen zu Kapitalbildung und sind Voraussetzung
eines stetig wachsenden Lebensstandards. Organisches Wachstum im
Einklang mit dem Wachstum der Produktion von Goldminen wird
benötigt, und nicht 10 % und mehr Wachstum pro Jahr, das durch die
Schöpfung von Papier/Computer-Geld finanziert wird.

Reibungslos funktionierende Finanzmärkte, in denen Ersparnisse
zu produktiven Investitionen geleitet werden, ermöglichen der Weltwirtschaft, ihr volles Potential zu erreichen und die Beschäftigung auf
weltweiter Basis auszuweiten. Das katastrophale Problem der Arbeitslosigkeit könnte schlußendlich beseitigt und die zunehmende Kluft

zwischen Arm und Reich begrenzt werden. Eine andere Lösung gibt es nicht. Wenn auf der ganzen Welt Vollbeschäftigung vorherrscht, gibt es weniger Kriege und weniger Masseneinwanderung, denn die Welt ist ein wunderschöner Ort, und ihre Schönheit ist nicht auf ein paar wenige reiche Länder begrenzt. Die Menschen müßten ihr Heimatland nicht mehr verlassen, wo sie ihre kulturellen und religiösen Wurzeln haben. Völkermord und die Vernichtung von Kulturen würden der Vergangenheit angehören.

Regierungen sollten keine Zwangsmittel benutzen, wie z. B. Zahlungsmittelgesetze, um sich in die Gold- und Silbermärkte einzumischen. Die Geschichte hat bewiesen, daß der freie Markt Gold und Silber als Geld gewählt hat. Geld kann und darf nicht auf Vertrauen und Versprechen von Regierungen beruhen, nur Geld, welchem Menschen nach freier Wahl ihr wirkliches Vertrauen schenken: Gold!

Bei ehrlichem Geld haben die Menschen Vertrauen in dessen Wirksamkeit jetzt und in der Zukunft. Aber es ist notwendig, daß sie ihr Schicksal selber in die Hand nehmen und Währungsgeschichte oder in anderen Worten monetäre Archäologie studieren. Was ist falsch gelaufen, und warum ist es falsch gelaufen? Es ist ausreichend historische Dokumentation vorhanden, aber derartiges wird leider nicht an Universitäten gelehrt.

Zum Schluß möchte ich festhalten, daß ich das Gefühl habe, daß die Welt auf eine sogar noch prekärere Situation zusteuert, falls nicht gehandelt wird. Wie die technologischen Fortschritte aller Art verdeutlicht haben, gibt es eine Menge brillanter Köpfe auf der Welt. Es sollte jedenfalls genug davon geben, die uns aus dem gegenwärtigen monetären dunklen Mittelalter herausholen könnten.

Ein positives Herantreten an diese Probleme würde zu Vollbeschäftigung, weltweiter Prosperität und Stabilität führen, aber auch zu einer Renaissance von Kultur und Moral. Gesetz und Ordnung würden zurückkehren. Es wäre nicht das erste Mal, daß derartiges geschieht. Es würde auch zu einem besseren Verstehen der Menschen untereinander führen und die meisten militärischen Konfrontationen beenden. Wie die historische Erfahrung zeigt, ändert sich die menschliche Natur nie. Die Menschheit wird deswegen immer ehrliche Geschäftspraktiken, basierend auf einem Zahlungsmittel, dem sie vertrauen können, schätzen und respektieren: Gold.

Gold wird den Krieg letzten Endes gewinnen, aber warum nicht schon jetzt einen Waffenstillstand fordern? Lassen Sie uns hoffen, daß dies geschieht, bevor es zu spät ist, bevor zuviel Zeit und zu viele Leben vergeudet werden.

Stand der Dinge zur Zeit der Drucklegung dieses Buches

Während dieses Buch in seiner ersten Auflage (in englischer Sprache) im Sommer 2001 fertiggestellt wurde, notierte der Goldpreis unterhalb $ 270 pro Unze; der Metallpreis befand sich somit für viele Minen in der Nähe oder unterhalb den tatsächlichen Produktionskosten. Fast keiner glaubte, daß der Goldmarkt jemals haussieren würde. Wie es der Zyklenanalyst Ian Notley so treffend formulierte: »Goldaktien sind todgeweiht, verlassen, vergessen und von jeder Portfolioverwaltung ausgeschlossen.« Goldaktien-Indizes sind heute so niedrig wie seit 60 Jahren nicht mehr. Die Börsenkapitalisierung der Goldindustrie beträgt ein wenig mehr als $ 20 Milliarden, was gerade etwas mehr als die $ 15 Milliarden Kapitalisierung von *Caterpillar* ist — *Caterpillar* ist sinnigerweise das Unternehmen, welches die schweren Fahrzeuge für die meisten Minenunternehmen bereitstellt. Zum Vergleich lag der Marktwert von *General Electric* bei etwa $ 434 Milliarden, der von *Microsoft* bei $ 358 Milliarden und *Cisco's* bei $ 141 Milliarden. Inzwischen waren die Edelmetallmärkte geradezu ideal für den Beginn einer Akkumulationsphase positioniert. Laut Ian Notley ist noch nicht alles verloren, denn nahezu unbemerkt und fein entwickelt sich eine einmalige Gelegenheit.[328]

Seither ist vieles anders geworden. Ende Juni 2003 beträgt der Börsenwert von *General Electric* bei einem Aktienkurs von $ 29 noch $ 291 Milliarden. *Microsoft* bei einem Aktienkurs von $ 25 ist noch mit $ 273 Milliarden bewertet und *Cisco* bei einem Aktienkurs von $ 17 weist eine Börsenkapitalisierung von $ 119 Mrd. auf. Der Goldpreis liegt heute bei $ 360, und die Goldminen-Indizes sind stark angestiegen. Vom November 2000 bis August 2003 ist der HUI-Index der nicht-gehedgten Goldaktien um 400 % gestiegen, während der XAU-Index der stark-gehedgten Aktien über 100 % gestiegen ist. Die

---

[328] Ian Notley, *Notley's Notes*, 22. Januar 2001, Yelton Fiscal Inc., Ridgefield, CT 06877, USA.

Differenz zwischen den beiden Indizes von sage und schreibe 300 %
könnte man als eine Art »Hedge-Steuer« bezeichnen. Sie zeugt eindeutig davon, daß nur Goldminen-Gesellschaften, die nicht gehedgt haben,
voll am Anstieg des Goldpreises partizipieren. Der Anleger richtet
deshalb sein Interesse mit Vorteil auf diese Kategorie Aktien, weil er
damit die viel besseren Kapitalgewinne erzielen wird. Trotz dieses
starken Anstiegs der Goldminenkurse ist jedoch alles ziemlich heimlich abgelaufen. Kaum jemand hat die Hausse bemerkt. Würde man
eine Umfrage veranstalten, so käme man wahrscheinlich zum Ergebnis, daß höchstens 10 % aller Investoren davon wissen, aber vermutlich
nur 1 % Kapital in Goldminenaktien angelegt hat. Die meisten Investoren sind noch zu gebannt von der vergangenen Technologie-Hausse,
um zu verstehen, daß die nächsten zehn Jahre nicht den Papierwerten,
sondern Gold gehören. Diese relative Verborgenheit der Gold-Hausse
könnte in den nächsten Jahren für die weitsichtigen Anleger, die sich
frühzeitig engagieren, reiche Beute bedeuten, insbesondere wenn eines
Tages die große Masse der Börsenteilnehmer entdeckt, daß Gold noch
lebt und sich die Anleger mit geballter Kraft auf das geringe Angebot
von Goldminenaktien stürzen.

Im allgemeinen haben die Minengesellschaften begonnen, ihre
Hedge-Positionen abzubauen, d. h. sie treten am Markt vermehrt als
Käufer auf. Goldpreisstürze scheinen zwar immer noch nach einem
Masterplan abzulaufen. Beinahe täglich greift diese sogenannte *Working
Group for Financial Markets* in das Marktgeschehen ein. Seitdem
Barrick — von der größten Münzenhandelsorganisation der USA
Blanchard & Co. angeklagt, die Goldmärkte jahrelang manipuliert zu
haben — zugegeben hat, in Gesellschaft von *J. P. Morgan* den Noten-
banken geholfen zu haben, den Goldpreis zu drücken, dürften nun
auch die letzten Zweifel ausgeräumt sein, daß es seit vielen Jahren eine
kriminelle Gold-Verschwörung gibt.

Was wird nun die Grundlage dieses kommenden Bullenmarktes
sein? Zu Zeiten der großen Gold-Hausse der 1970er Jahre war es die
Investment-Nachfrage, die steil anstieg. Wegen des Zusammenbruchs
des festen Wechselkurssystems, der kränkelnden Aktienmärkte, der
explodierenden Inflation und des Kaufkraftverlustes der Währungen
wandten sich Investoren wieder dem Gold zu. Als die realen Zinssätze
wegen der Bemühungen der Fed, die Wirtschaft zu stimulieren, in
negatives Terrain fielen, begannen Investoren langsam, Hintergedan-

ken über ihre Investments aus fixem Einkommen zu hegen. Folglich flossen große Mengen an Kapital ins Gold.

Eine ähnliche Situation scheint sich heute zu entwickeln. Das Geldangebot explodiert wegen noch nie zuvor gesehener Anstrengungen, die Zinssätze fortlaufend zu senken, um weitere Abschwächungen im Aktienmarkt zu vermeiden und um die schwer verschuldeten Konsumenten zu retten. Folglich drängen die realen Zinssätze mit Macht in Richtung negatives Territorium. Negative reale Zinssätze (der U.S.-Dollar und die meisten Aktien sind immer noch kraß überbewertet) werden eine Situation hervorrufen, in der eine stetig wachsende Masse von Kapital angstbeflügelt zum König der Metalle wechseln und somit die Basis für eine neue Gold-Hausse legen wird.

Diese Entwicklung hat in Japan bereits begonnen, wo die verängstigten Sparer ihre Einlagen von den maroden Banken abziehen, Gold kaufen und dieses aus Angst vor Bankenzusammenbrüchen nach Hause nehmen. Der Nikkei-Index ist auf einem 20-Jahres-Tiefstand. Der Immobilienmarkt ist zusammengebrochen, Banken und Versicherungen wackeln. Die Zentralbank hat die höchsten Dollarreserven der Welt angehäuft und fast kein Gold. Im Frühjahr 2003 wurde sogar bekannt, daß die japanische Regierung Sparkapital mit 3 bis 5% besteuern will, um den Konsum anzukurbeln. Auch diese Entwicklung ist positiv für Gold.

Jahrelanges Studium hat mich zu der Überzeugung gebracht, daß es einen starken und kriminellen Plan zur illegalen Unterdrückung des Goldpreises gibt. Bedauerlicherweise sieht es so aus, als wenn diese Machenschaften unter der Bush-Administration weiter fortgeführt werden, wobei diese Administration die Gelegenheit gehabt hätte, mit diesen Mißständen aufzuhören. Auch heute noch wird praktisch jeden Tag am Markt interveniert. Als Gold anfang Februar 2003 auf $ 390 stieg, wurde an der COMEX in aller Eile die Einschußpflicht auf Kreditkäufe um 50% erhöht. Die Entwicklung am Goldmarkt ist absolut abnormal, indem jeder Anstieg sofort im Keim erstickt wird. Dies wird vermutlich noch einige Zeit weitergehen, aber sicher nicht endlos. Mit Finanzinstrumenten allein kann auf die Dauer weder eine Hausse noch eine Baisse aufrecht erhalten werden. Beim Gold kommt der Tag, wo physisch geliefert werden muß und der Schwindel herauskommt.

Für das Gold sprechen heute viele positive fundamentale Gründe. Sie könnten nicht besser sein. Nach wie vor gibt es ein jährliches Defizit zwischen Goldangebot und Goldnachfrage von ca. 1400 Tonnen. Da infolge des tiefen Goldpreises die Explorationstätigkeit vernachlässigt wurde, wird es Jahre dauern, bis dieses Defizit abgebaut wird, wenn überhaupt.

Eine sehr positive Entwicklung ist die Öffnung und Liberalisierung des chinesischen Goldmarktes. Ende Oktober 2002 wurde die *Shanghai Gold Exchange* eröffnet und das bisherige Monopol der Zentralbank abgeschafft. Die sich anbahnende Liberalisierung des Goldmarktes könnte Gold im bevölkerungsreichsten Land der Welt zu einer wahren Renaissance verhelfen.

Seit einiger Zeit ist bekannt, daß der malaysische Premierminister Dr. Mahathir Bin Mohammed Pläne vorantreibt, in der islamischen Welt einen Gold-Dinar als gesetzliches Zahlungsmittel einzuführen.

Das Washingtoner Abkommen der 15 europäischen Zentralbanken, welches eine jährliche Obergrenze von 400 Tonnen für die physischen Verkäufe vorsah, läuft am 26. September 2004 aus, wird aber vermutlich verlängert. Das Abkommen war bis jetzt ein Erfolg, indem es zeigte, daß die europäischen Zentralbanken den amerikanischen Bestrebungen, den Goldpreis vollends in die Hölle zu fahren, einen Riegel vorschoben.

Das Fed unternimmt verzweifelt jede Anstrengung, den U.S.-Aktienmarkt zu stützen und die Fiktion aufrecht zu erhalten, daß alles in Ordnung ist. Tagtäglich wird interveniert. Die größte Gefahr droht jedoch vom Immobilienmarkt. Wenn es am Immobilienmarkt zu einem Krach kommt, dann bleibt nur noch das Gold. Dies ist einer der Hauptgründe, weshalb es jeden Tag schlecht gemacht wird. Die Defizite wachsen bedenklich. Im Mai 2003 mußte der Schuldenlimit des *U.S. Treasury* um $ 984 Milliarden auf $ 7384 Milliarden angehoben werden. Das Fed kämpft gegen den Kollaps das Schuldenstruktur mit dem Risiko, daß der Dollar zerstört wird. Die Schwierigkeiten von *Freddie Mac* und *Fannie Mae* könnten darauf hindeuten, daß diese Unternehmen im Derivatbereich mit vermutlich unlösbaren Problemen konfrontiert sind. Die Lage am Obligationen-Markt ist äußerst gefährlich.

In der letzten Zeit ist deshalb der Dollar gegenüber dem Euro stark gefallen. Den europäischen Zentralbanken, deren Reserven in U.S.-Dollars bestehen, kann dies nicht gefallen. Eine solche Entwicklung ist deflationär. Sie werden deshalb ernsthaft über das Gold nachdenken müssen. Ein tiefer Goldpreis ist nicht in ihrem Interesse.

Die Erfahrung hat gezeigt, daß Gold das höchste und überlegene Wertaufbewahrungsmittel in Zeiten des Zusammenbruchs ist, ganz besonders im Verlaufe von Aktienmarkt-Crashs. Des weiteren ist Gold ein hervorragendes Hedge-Instrument gegen konstanten Kapitalverlust in Zeiten von Währungsturbulenzen. Wir leben in einem Umfeld zunehmender Währungs- und Handelskriege — ein Rennen zur Talsohle —, in dem jedes Land, sogar die Schweiz, den Wert seiner Währung auf den Weltmärkten abschwächen will. In solchen Zeiten ist der beste Schutz wie immer Gold. In jüngster Vergangenheit gab es viele derartige Beispiele, man denke an die kollabierenden Märkte in Asien oder an die Volkswirtschaften von Rußland, Argentinien, Brasilien, Mexiko, Simbabwe und einigen anderen Ländern, in denen Währungen starkem Druck ausgesetzt waren.

Die Weltwirtschaft setzt inzwischen ihren unsicheren Segel-Kurs mit ihrem höchst unstabilen monetären Nicht-System munter fort. Die langen Wellen von Kondratieff, einem Zyklus von Aufschwung und Abschwung, der ca. 60 bis 70 Jahre dauert, zeigen an, daß die Weltwirtschaft nach einer langen Phase der Expansion seit dem Jahre 2000 in eine Periode der Kontraktion eingetreten ist. In dieser Periode der Kontraktion verlieren Aktien, Anleihen und viele Immobilien ihren Charme. Die Menschen, welche hohe Schulden haben, werfen sie dann in ihrer Not und Verzweiflung auf den Markt. Der legendäre *Börsenbrief*-Herausgeber Richard Russell sagte einmal, als er nach der besten Anlage in der Krise gefragt wurde:

> »Die beiden besten Anlagen sind zwei Dinge, welche die Menschen nicht haben: Bargeld und Gold. Gold ist Geld und war immer das beste Geld in der 5000-jährigen Geschichte der Menschheit. Man konnte damit die Notwendigkeiten des Lebens kaufen. Gold ist diametral entgegengesetzt zu Papier.«

Es können noch so viele G-7- oder G-8-Meetings abgehalten werden, niemand wird dennoch die leiseste Ahnung haben, wie die

Krise überwunden und das monetäre System restauriert werden kann. Unglücklicherweise ist das Wissen, wie ein geeignetes Währungssystem aussehen sollte, schon beinahe verloren gegangen. Es sind nur noch ein paar wenige mit Seltenheitswert übrig, die wirklich wissen, daß nur ein ehrliches monetäres System — in dem die Menschen frei wählen können, was sie als Tauschmittel bevorzugen — den verhängnisvollen Währungskrieg der Gegenwart beheben kann. Das Wissen dieser wenigen, die sich die Zeit genommen haben, die Geschichte des Geldes und des Menschen zu studieren, wird eines Tages im Notfall bitter notwendig sein. Wenn die Zeit gekommen ist, wird dieses Wissen dazu dienen, das Leiden der Menschheit zu beenden und der Wirtschaft erneut zu gesundem, inflationsfreiem Wachstum zu verhelfen, indem das Weltfinanzsystem wieder zurück auf eine sichere goldene Bahn gebracht wird.

ANHANG

Die Weisheit von ...

Henry H. Fowler, U.S.-Finanzminister 1965–1968 und Vater der Sonderziehungsrechte: Während seiner Amtszeit beschrieb er wiederholt den U.S.-Dollar als »die stärkste Währung der Welt.«[329]

Arthur F. Burns, Vorsitzender des *Federal Reserve* 1970–1978:

»Wenn es noch lange so weitergeht, würde eine Inflation, anders als die jetzige Rate, die Grundfesten unserer Gesellschaft bedrohen.«

In einem Interview am 29. Juni 1972:

»Der Dollar befindet sich in überhaupt keiner Gefahr.«[330]

James Dines, Analyst, Investmentberater und Autor. Aus seinem Buch *The Invisible Crash*:

»Es ist eine interessante historische Fußnote, daß der Privatbesitz an Gold von Lenin, Hitler, Mussolini, Mao Tse Tung und Franklin Delano Roosevelt verboten wurde.[331]
Die Präsidenten Kennedy und Johnson sagten, Gold sei zur Deckung der U.S.-Währung nicht notwendig und sollte demonetisiert werden, weil sie verstanden, daß Gold eine Bremse an der Notendruckpresse ist.«[332]

---

[329] Henry H. Fowler, in: *The Invisible Crash* von James Dines, S. 50.
[330] Arthur F. Burns, »The Superinflation Squeeze«, *Money Magazine*, August 1979, zitiert aus: *The Invisible Crash* von James Dines, S. 74, 115.
[331] James Dines, *The Invisible Crash,* S. 86.
[332] Ebenda S. 89.

Lenin, sowjetischer Revolutionär, Kollektivist und Staatsmann, soll erklärt haben:

>Wenn wir die Welt erobern, sollten wir das Gold dazu benutzen, auf den Straßen öffentliche Toiletten aus Gold zu bauen.<[333]

Noch aufschlußreicher ist folgende Aussage:

>(…) Der beste Weg, das kapitalistische System zu zerstören, war und ist, die Währungen zu verschlechtern. Durch einen anhaltenden Prozeß der Inflation können Regierungen insgeheim und unbeobachtet einen wichtigen Teil des Wohlstands ihrer Bürger konfiszieren. Mittels dieser Methode konfiszieren sie nicht nur, sondern sie konfiszieren willkürlich; und während dieser Prozeß viele ärmer macht, werden einige dabei reicher.<[334]

John Exter, ehemaliger U.S.-Bankier und Finanzexperte, über Anleihen in einem Fiat-Geld-Nicht-System:

>Anleihen sind Zertifikate für garantierte Plünderung von Ersparnissen unschuldiger Bürger, die von einem festen Einkommen leben.<[335]

---

[333] Vladimir Ilich Lenin, zitiert aus: John Maynard Keynes, *The Economic Consequences of the Peace,* 1919, wiederveröffentlicht in *The Collected Writings of John Maynard Keynes,* Vol. II (London: MacMillan, 1977), S. 148/149. In seinen früheren Schriften zeigte Keynes eine starke Aversion der Inflation gegenüber. Er stimmte mit Lenins Interpretation über die schädlichen Effekte der Inflation überein: »Lenin hatte in der Tat recht. Es gibt kein subtileres und sicheres Mittel, die existierende Basis der Gesellschaft umzudrehen, als die Währung zu verderben. Der Prozeß umkrallt all die versteckten Kräfte von wirtschaftlichen Gesetzmäßigkeiten auf die Seite der Zerstörung, und macht es auf eine Art und Weise, daß nicht ein Mann unter einer Million fähig ist, dies zu diagnostizieren.« (S. 149).

[334] Vladimir Ilich Lenin, zitiert aus: John Maynard Keynes, *The Economic Consequences of the Peace,* 1919, wiederveröffentlicht in *The Collected Writings of John Maynard Keynes,* Vol. II (London: MacMillan, 1977), S. 148/149.

[335] John Exter im Gespräch mit dem Autor, Zürich, Juni 1975; siehe auch James Dines, *The Invisible Crash,* S. 97.

Lyndon B. Johnson, Präsident der USA, in seiner Rede zur Lage der Nation am 4. Januar 1965:

»Unser Handelsbilanzdefizit ist zurückgegangen, und die Stärke unseres Dollars ist unbestritten. Ich gelobe dies so zu bewahren.«[336]

Mit den beiden folgenden Aussagen kommen die Weisheit und das wirtschaftliche Analphabetentum des U.S.-Finanzministers Connally wie auch das eines Präsidenten eines größeren Unternehmens, die für diese Zeit typisch sind, sehr gut zum Ausdruck:

»Als er während eines Fernseh-Interviews gefragt wurde, was er von den Konsequenzen des Dollars halten würde, antwortete Connally, daß eine Abwertung der U.S.-Währung ›für die Vereinigten Staaten sehr, sehr vorteilhaft wäre‹. Er fügte hinzu: ›Ich glaube nicht, daß der Durchschnitts-Amerikaner sich dessen überhaupt bewußt wird.‹«[337]

Bei einer Cocktailparty im Weißen Haus fragte Paul A. Volcker, damals Staatssekretär für Währungsangelegenheiten im U.S.-Schatzamt, den Präsidenten einer größeren U.S.-Firma:

»Wie wäre die Reaktion der Öffentlichkeit auf eine Abwertung des Dollar?«

Antwort des Gesellschaftspräsidenten:

»Ich kenne niemanden, der sich einen Deut darum scheren würde.«

»Paul A. Volcker, Staatssekretär des U.S.-Schatzamts für Währungsangelegenheiten, warnte hier heute die europäischen Nationen, nicht dem Rest der Welt ihre Ideen einer Währungsord-

---

[336] Lyndon Baines Johnson, *State of the Union Message*, 4. Januar 1965; zitiert aus: James Dines, *The Invisible Crash*, S. 105.
[337] James Dines, *The Invisible Crash*, S. 113.

nung aufzupfropfen. Gleichzeitig bestätigte Volcker nochmals mit starkem Nachdruck, daß die Vereinigten Staaten entschlossen seien, den offiziellen Goldpreis von $ 38 pro Unze nicht zu erhöhen und Gold irgendwann einmal als monetäres Metall zu eliminieren.«[338]

Dieser oberflächliche Unsinn blieb nicht nur auf U.S.-Offizielle beschränkt, sondern wurde auch in Europa wiederholt zum Ausdruck gebracht. Viele dieser Männer haben sich entweder geirrt oder das Publikum absichtlich getäuscht. Die meisten negativen Kommentare, die man heute noch über das Gold und Goldaktien liest, gehören in die gleiche Kategorie. Es ist Nichtverstehen und Täuschung. Es gibt keine Industrie, es gibt kein Metall, welche so falsch eingeschätzt werden wie die Goldminenindustrie und das Gold. Wenn sich die Masse jedoch eines Tages dem Gold und den Goldminen zuwendet, dann werden die Gewinne für diejenigen, welche die kommende Gold-Hausse erkannt, daran geglaubt und dementsprechend gehandelt haben, außergewöhnlich hoch sein. Im Investment-Geschäft, wie in allen andern Belangen des menschlichen Lebens, ist es die Geduld, die am ehesten zu Glück und Erfolg führt.

---

[338] James Dines, *The Invisible Crash*, S. 113.

GLOSSAR

Arbitrage: Ausnutzung von Preis-, Zins- oder Kursdifferenzen beim An- und Verkauf von Devisen, Wertpapieren und/oder Edelmetallen an verschiedenen Börsen zur Gewinnerzielung.

Abwertung: Währungspolitische Maßnahme, durch welche der Außenwert einer Währung im Verhältnis zu anderen Währungen herabgesetzt wird. Die Folge: Verschlechterung des Wechselkurses beim Umtausch der abgewerteten Währung in die Währung eines anderen Staates (die ausländische Währung wird teurer, Erhöhung der Exporte). Die Festsetzung einer Abwertung bei festen Wechselkursen erfolgt dabei durch einen hoheitlichen Akt, bei flexiblen Wechselkursen durch Angebot und Nachfrage. Gegenteil einer --> Aufwertung.

Assignaten: 1790–1796 Papiergeld der französischen Revolution, gedeckt durch nationalisierten Grundbesitz. Wurde schrankenlos vermehrt, zuletzt wertlos.

Aufwertung: Währungspolitische Maßnahme, durch welche der Außenwert einer Währung gegenüber anderen Währungen heraufgesetzt wird. Die Folge: Verbesserung des Wechselkurses beim Umtausch der aufgewerteten Währung in die Währung eines anderen Staates (die ausländische Währung wird billiger). Führt für das aufwertende Land zu Verteuerung der Ausfuhren und Verbilligung der Einfuhren. Gegenteil einer --> Abwertung.

Baisse: Starker Rückschlag oder Tiefstand der Börsenkurse. Gegensatz: Hausse.

Bärenmarkt: Synonym für »Baisse« und Gegenteil eines --> Bullenmarktes. Da Bären mit ihrer Tatze von oben nach unten schlagen, stehen sie für sinkende Kurse.

Bank für Internationalen Zahlungsausgleich (BIZ): 1930 in Basel als AG gegründetes internationales Kreditinstitut, dessen Aktionäre die nationalen Zentralbanken sind. Die BIZ soll die Zusammenarbeit der internationalen --> Zentralbanken erleichtern und Hilfestellung bei der Abwicklung internationaler Geldgeschäfte leisten.

Bankgeheimnis, Bankkundengeheimnis: Mitteilungsbeschränkung der Bank über Vermögensverhältnisse der Kunden.

Bimetallismus: Die Anerkennung von Gold und Silber als gesetzliche Zahlungsmittel.

Bretton Woods: Kleiner Ort im U.S.-Bundesstaat New Hampshire, in dem 1944 das Abkommen von Bretton Woods geschlossen wurde. Bei den Verhandlungen waren Großbritannien und die USA federführend. Das System, auf das man sich schließlich einigte, wurde auch als »Gold-Dollar-Standard« bezeichnet, weil der amerikanische Dollar den Rang einer offiziellen Weltreservewährung erhielt. Dafür mußten die USA die Gold-Konvertibilität des Dollars zu einem festgelegten Kurs von 35 U.S.-Dollar pro --> Feinunze Gold garantieren und auf Verlangen der anderen --> Zentralbanken Dollar in Gold umtauschen. Im August 1971 brach Präsident Nixon einseitig dieses Abkommen und »schloß das goldene Fenster«, als Frankreich und Großbritannien eine entsprechende Einlösung forderten. Damit begann die Zeit des --> Fiat-Money-Systems und der --> floatenden, freien Wechselkurse, in der sich der Wert jeder Währung am freien Markt orientierte.

Bullenmarkt: Synonym für »Hausse« und Gegenteil eines --> Bärenmarktes. Da Bullen mit ihren Hörnern von unten nach oben stoßen, stehen sie für steigende Kurse.

Bullion Banks: Bezeichnung für Geschäftsbanken, die bei Goldausleihungen als Intermediär zwischen --> Zentralbanken und Kunden — meist institutionelle und private (Groß-)Investoren, Goldproduzenten und andere Marktteilnehmer — das auszuleihende Gold vermitteln. Der Zinssatz liegt über der »Gold Lease Rate«, um rentabel wirtschaften zu können. Hierzu zählen u. a. folgende internationale Geschäftsbanken: *ABN Amro, AIG International, Barclays Bank, Chase Manhattan, Citibank, Commerzbank, Credit Suisse First Boston, Deutsche Bank, Dresdner Bank, Goldman Sachs, HSBC, J. P. Morgan, MacQuarie Bank, Mitsubishi Bank, Mitsui, MKS, Morgan Stanley, NM Rothschild & Sons, Phibro Bullion, Prudential-Bache, Rabobank, ScotiaMocatta, Société Générale, Standard Bank, Sumitomo, UBS, WestLB.*

Carry-Trade: Die Idee stammt ursprünglich von dem sogenannten »Yen-Carry-Trade«. Banken und Fonds liehen sich am Markt zu extrem günstigen Zinsen Yen, um sie anschließend sofort wieder am Markt zu verkaufen, um sich mit dem Geld z. B. Schatzbriefe zu kaufen. Solange der Yen nicht steigt, ein rentables Geschäft. Genauso funktioniert es auch beim »Gold-Carry-Trade«. Geschäftsbanken (--> Bullion Banks) leihen sich bei den --> Zentralbanken zu extrem günstigen Leihzinsen (1–2% p. a.) Gold, um dieses dann am Markt zu verkaufen, um mit den Verkaufserlösen andere Finanzanlagen zu kaufen. Dieser Weg der Liquiditäts-Beschaffung war für viele Marktteilnehmer in den 1990er Jahren ein lukratives Engagement, da Aktienmärkte weltweit zweistellige Zuwachsraten verbuchten, und bei dem herrschenden Gold-Bärenmarkt ein zusätzlich rentables Geschäft, denn das geschuldete Gold konnte später zu günstigeren Preisen am Markt nachgefragt werden, um es dem Gläubiger zurückzuerstatten.

COMEX *(New Yorker Warenbörse)*: Die weltgrößte Börse für Metall-(-->)Futures [Edelmetall-(-->)Termin-Geschäfte]. Ihre eigentliche Funktion ist die einer Handelsarena für Käufer und Verkäufer von Termingeschäft-Verträgen im Metall- und Finanzsektor, der von der COMEX bedient wird.

Dax 100: Der Dax 100 ist ein Index aus 100 deutschen Aktien, die im Amtlichen Handel oder im Geregelten Markt der Frankfurter Wertpapierbörse notiert sind.

Deflation: Die Deflation ist das Gegenteil von --> Inflation, d. h. eine Phase, während der das Preisniveau von Waren und Dienstleistungen, wie es mit dem jeweiligen Landesindex der Konsumentenpreise gemessen wird, anhaltend sinkt.

Demonetisierung: Aufhebung/Abschaffung (von z. B. Gold oder Silber) als gesetzliches Zahlungsmittel.

Derivate *(von lat. derivatum abgeleitet)*: von der Realwirtschaft völlig abgekoppelte Finanzinstrumente mit Namen wie --> Futures, --> Optionen, --> Swaps etc., deren Werte größtenteils spekulativ sind und die zugrundeliegenden Realwerte um ein vielfaches übersteigen (gegenwärtig bis zum Hundertfachen oder mehr). Durch die Ausnutzung des --> Leverage-Effektes können (Spekulations-)Gewinne erzielt werden.

Desinflation: Länger anhaltende Phase, in der in einer Volkswirtschaft die Inflationsrate rückläufig ist.

Dow Jones Industrial Average: Aktienindex von 30 U.S.-amerikanischen Standardwerten.

Europäisches Währungsinstitut (EWI): Das EWI mit Sitz in Frankfurt und mittlerweile mehr als 200 Mitarbeitern wurde Anfang 1994 unter Beschluß des Maastrichter Vertragswerks (1991) errichtet. Leitung: EWI-Präsident und die jeweiligen 15 Präsidenten der nationalen --> Zentralbanken der EU-Mitgliedstaaten. Funktionen: Vorbereitung der dritten Stufe der Währungsunion, Beobachtung der Konvergenzbemühungen der Mitgliedstaaten, Koordinierung der einzelstaatlichen Geld- und Währungspolitik, Sammlung statistischer Daten der EU, Aufklärung über die geplante Währungsunion und den Euro.

Europäische Währungsunion (EWU): Kernstück des Vertragswerks von Maastricht (1991) mit dem Ziel der Schaffung einer einheitlichen Währung für alle EU-Mitgliedstaaten und Begründung eines Europäischen Systems der Zentralbanken (ESZB), das wesentliche Aufgaben der bisherigen einzelstaatlichen --> Zentralbanken übernehmen soll.

Europäisches Währungssystem (EWS): 1979 gegründetes Abkommen zwischen den Mitgliedsstaaten der Europäischen Union (EU) mit der Aufgabe, die Wechselkurse untereinander zu stabilisieren. Diese dürfen nur innerhalb einer bestimmten Bandbreite um einen festgelegten Leitkurs schwanken. Ist die Abweichung größer, müssen die Notenbanken durch Kauf bzw. Verkauf von Währungen intervenieren, um so den Wechselkurs innerhalb der Bandbreite halten zu können.

Europäische Zahlungsunion (EZU): Die EZU wurde 1950 mit der Aufgabe gegründet, den multilateralen Handels- und Zahlungsverkehr in Westeuropa zu fördern und die Voraussetzungen für die freie Konvertibilität aller Währungen zu schaffen. 1958 erklärten 14 westeuropäische Staaten ihre Währungen für kompatibel, und das Ziel war erreicht. Die EZU wurde aufgelöst und durch das europäische Währungsabkommen ersetzt.

Europäische Zentralbank (EZB): Die Europäische Zentralbank (EZB) mit Sitz in Frankfurt am Main ist die Zentralbank des europäischen Währungsgebietes.

Exchange Stabilization Fund (ESF; Devisenausgleichsfonds): Der ESF begann seine Arbeit am 27. April 1934 mit einem Kapital von $ 2 Mrd. U.S.-Dollar und der Aufgabe, den internationalen Wert dieser Währung zu stabilisieren und anderen Ländern finanzielle Hilfestellung zu geben. Der »Gold Reserve Act« (ebenfalls 1934), schloß den ESF von der Rechenschaftspflicht gegenüber dem U.S.-Kongreß aus. Der U.S.-Kongreß übertrug somit der Exekutiven die exklusive Kontrolle über den ESF, so daß dieser keinerlei öffentlicher, rechtlicher oder parlamentarischer Kontrolle unterliegt. Dieser Milliarden-Fonds (1995: $ 42 Mrd. U.S.-Dollar) kann vom *U.S. Secretary of Treasury* (zur Zeit John Snow), unter Zustimmung des Präsidenten, nach Gutdünken verwendet werden. Als offiziell designierter Bevollmächtigter führt seit 1962 die --> *Federal Reserve Bank of New York* die Aufträge des ESF auf den ausländischen Währungsmärkten aus.

»Fed«: --> *Federal Reserve Bank.*

Federal Reserve Act: Gesetz zur Schaffung der U.S.-Notenbank.

Federal Reserve Bank: Die U.S.-amerikanische »Fed« ist nicht, wie der Name andeutet, eine Bundesbank — also eine Bank, die einer ordentlich gewählten Bundesregierung untersteht und ihr rechenschaftspflichtig ist, sondern eine Privatbank, die die Menge des sich im Umlauf befindlichen Geldes jeweils zu ihren Nutzen und Gunsten beeinflussen kann.

Federal Reserve System: Das Federal Reserve System (--> Fed) ist das Zentralbanksystem der USA.

Fester (fixer) Wechselkurs: Von einer Instanz festgelegter Kurs, der das Verhältnis von Währungen zueinander bestimmt. Das Abkommen von --> Bretton Woods von 1944 bis 1971 basierte auf festen Wechselkursen. Jede Veränderung der Kurse mußte vom --> IWF genehmigt werden. 1973 wurden die festen Wechselkurse durch --> freie (flexible) Wechselkurse ersetzt.

Fiat-Money *(von lat. fiat, machen)*: Eine Währung, die von einer zentralen Autorität »aus dem Nichts« geschaffen wird, meist vom Staat geschaffenes Papiergeld ohne Deckung durch Metallgeld. Alle Landeswährungen sind Fiat-Währungen. Fiat-Money ist Geld, das von Banken erzeugt wird, ohne selbst Leistung zu erbringen. Es wird aber auch keine zukünftige Leistung für das erzeugte Geld versprochen. Vielmehr müssen alle anderen (die Gesellschaft) für dieses erzeugte Buchgeld Leistung erbringen. Der Londoner *Economist* nennt dieses Geld »confetti money«, der ehemalige Bundesbankpräsident Schlesinger »Ersatzgeld«. Manche betiteln es mit »legales Falschgeld«.

Financial Futures: Damit bezeichnet man börsengehandelte Terminkontrakte, deren Basiswert eine Finanzanlage ist.

Freier (flexibler, floatender) Wechselkurs: Kurs einer Währung, der durch das Spiel von Angebot und Nachfrage auf dem ausländischen Devisenmarkt zustande kommt. Gilt seit 1973 für die meisten Landeswährungen.

Glattstellung: In der Bank- und Börsensprache Ausdruck, der das Schließen einer offenen Position bedeutet.

Goldpreis in U.S.-Dollar: Der internationale Goldpreis wird in U.S.-Dollar ausgedrückt und gehandelt. Wer in anderen Währungen rechnet, hat keinen Nutzen, wenn der Goldpreis zum Beispiel um 10 % ansteigt, der U.S.-Dollar aber gleichzeitig um denselben Satz zurückfällt. Der Wertverlauf von Gold kann ganz unterschiedlich sein, wenn in der jeweiligen Heimatwährung des Anlegers gerechnet wird.

Gibson's Paradox: Synonym für die inverse Beziehung von Goldpreis und Langzeit-Zinssätzen (siehe J. M. Keynes, *A Treatise on Money*, Macmillan, 1930), Vol. 2, Seite 198, sowie Lawrence H. Summers mit Robert B. Barsky in einem Artikel mit dem Titel „Gibson's Paradox and the Gold Standard«, veröffentlicht im *Journal of Political Economy* (Vol. 96, Juni 1988, Seiten 528–550).

Gresham's Law (Greshamsche Gesetz): Dieses Gesetz wurde Thomas Gresham (1519–1579), Finanzberater von Königin Elisabeth I., zugeschrieben. Es besagt: Schlechtes Geld vertreibt das gute (bad money drives out good money). Die Erfahrung zeigte, daß, wenn der

Ausgabe vollwertiger Münzen minderwertige folgten, dann alle, die vollwertige Münzen in ihrem Besitz hatten, bestrebt waren, diese zu behalten und die minderwertigen bei ihren Geschäften weiterzugeben.

Haushaltsdefizit: Durch Kredit- bzw. Schuldenaufnahme finanzierter Anteil am jährlichen Haushalt eines Staates. Bei hohen Haushaltsdefiziten herrscht Inflationsgefahr. Die festgelegte Obergrenze für Haushaltsdefizite für den Beitritt und die Mitgliedschaft in der Europäischen Währungsunion liegt bei 3 % des BIP. Die USA haben die kritische Fünf-Prozent-Marke schon überschritten.

Hedging: a) ein Mittel zum Schutz oder zur Verteidigung; b) sich selbst vor Verlust oder Fehlschlag durch entgegenwirkende Ausgleichsmaßnahmen zu schützen; c) sich selbst finanziell durch Kauf oder Verkauf in Warentermingeschäften gegen Verluste aufgrund von Preisschwankungen zu schützen.

Hedge-Funds: Sammelbezeichnung für Investmentvehikel, welche häufig »offshore« domiziliert sind und im Gegensatz zu den traditionellen Anlagefonds vorwiegend alternative Anlagestrategien und -instrumente einsetzen. Dazu gehören namentlich die Ausnützung des Leverage (Hebelwirkung) von Derivaten, die Aufnahme von Krediten zu Anlagezwecken sowie das Eingehen von Short-Positions/Leerverkäufe von Effekten. Aus Gründen der Diversifikation werden sie auch als »Funds of Hedge Funds« aufgelegt.

Inflation: Langsam kontinuierliche (schleichende) oder rasche (galoppierende) Geldentwertung. Gegenteil: --> Deflation.

Internationaler Währungsfonds (IWF): 1945 auf der Grundlage des Abkommens von --> Bretton Woods gegründete autonome Sonderorganisation der UNO mit dem Ziel der Überwachung des internationalen Währungssystems, der Schaffung eines multilateralen Zahlungssystems und Beseitigung von Beschränkungen im Devisenverkehr.

»Keynes-Revolution«: Nach Keynes, John Maynard (1883–1946), englischer Nationalökonom und Börsenspekulant, einer der Urheber des »deficit spending« (Defizit-Schuldenwirtschaft) und Mitschöpfer der Währungsordnung nach dem II. Weltkrieg. Seine Ideen waren eine Mischung von Planwirtschaft, Politik der Vollbeschäftigung und des billigen Geldes und müssen für die Inflation der Nachkriegszeit verantwortlich gemacht werden. Mit Geist und Eleganz lieferte er der inflationären Wirtschaftspolitik die Gedanken und Parolen, die bis heute das Denken von Akademia und Regierungen beherrschen. Das überragende Merkmal dieser Wirtschaftspolitik ist, daß sie der politischen Bequemlichkeit folgt, der Linie des geringsten sozialen Widerstandes, nach dem Motto: »Après nous le déluge« oder um mit Keynes zu reden: »In the long run, we are all dead«, auf deutsch: Auf lange Sicht sind wir alle tot.

Leerverkaufspositionen: Gewinne, die ein Investor dadurch erzielt, daß er etwas »leer« verkauft, d. h. er macht ein --> Termingeschäft mit dem Verkauf von z. B. Aktien, Gold, etc., die er nicht besitzt — von denen er jedoch glaubt, daß er sie mit Gewinn zurückkaufen kann, bevor die Zeit kommt, zu der er sie endgültig verkaufen muß.

Lender of last resort: Der Begriff (deutsch: Kreditgeber in letzter Instanz) bezeichnet die Funktion der Zentralbank, die Banken mit der nötigen Liquidität zu versorgen, damit auch bei krisenhaften Entwicklungen an den Finanzmärkten die Funktionsfähigkeit und die Stabilität des Finanzsystem (Systemrisiken) gewahrt bleiben.

Leverage *(auf deutsch: Hebelwirkung)*: Kreditaufnahme zu Anlagezwecken; auch, Verhältnis von Eigen- zu Fremdkapital. Die Berliner Börse definiert den Leverage-Effekt wie folgt: Ist im Optionsgeschäft das Verhältnis zwischen der größten prozentualen Kursänderung einer --> Option zur prozentualen Kursänderung des zugrundeliegenden Basiswertes. Beim Optionsschein berechnet sich der Leverage-Faktor folgendermaßen: Aktienkurs durch Optionsscheinkurs. Er zeigt das Vielfache an Aktien, an deren Kursentwicklung der Inhaber des Optionsscheins im Vergleich zum Direkterwerber bei gleichem Kapitaleinsatz teilnimmt.

Optionen: Das Recht (aber nicht die Pflicht), Finanzinstrumente (Aktien, Wertpapiere, Gold, etc.) zu einem bestimmten Preis und zu einem bestimmten Datum zu kaufen oder verkaufen. Put-Optionen und Call-Optionen gehören zu den unentbehrlichen Grundbausteinen des modernen Finanzmanagements.

OTC *(over-the-counter):* Außerbörslicher Wertpapierhandel.

Plazierungskraft: Fähigkeit einer Bank, Emissionen bei Investoren zu plazieren.

Plunge Protection Team PPT *(offizieller Name* **Working Group on Financial Markets***):* Auserwählte Gruppe von Regierungsvertretern und Bankern, die von Zeit zu Zeit konzertiert eingreift, um die Aktienmärkte zu stützen. Die Bildung dieser Arbeitsgruppe wurde durch einen »Executive Order« von Präsident Ronald Reagan nach dem Börsencrash vom 19. Oktober 1987 veranlaßt. Das PPT, dem auch der U.S.-Finanzminister, der Vorsitzende des *Board of Governors of the Federal Reserve System*, der Vorsitzende der *Securities and Exchange Commission* (SEC) und der Vorsitzende der *Commodity Futures Trading Commission* angehören, wurde ins Leben gerufen, um ein reibungsloses Funktionieren der Finanzmärkte sicherzustellen. Hauptaufgabe der Arbeitsgruppe ist die Aufrechterhaltung des Investoren-Vertrauens im Falle eines plötzlichen Einbruchs der Aktienkurse und die Abwendung einer Liquiditätskrise. Nach Angaben einiger Händler und Analysten ist die Fed am Aktienmarkt tätig. Gemäß dem Federal Reserve Act von 1913 darf die Fed offiziell aber keine Aktien handeln, sondern lediglich U.S.-Schatzpapiere, staatliche Schuldtitel, Wechsel, ausländische Staatsanleihen, Währungen und Gold.

Schatzwechsel: Kurzfristige Wechsel, die in der Regel keine Zinsen abwerfen und von einer Regierung durch die Zentralbank zu einem Nachlaß-Diskont verkauft werden.

SDRs, Special Drawing Rights, Sonderziehungsrechte: Ein 1969 vom IWF geschaffenes zusätzliches Reservemedium des Weltwährungssystems.

Swaps *(to swap; austauschen)***:** Kombination von einem Kassageschäft mit einem --> Termingeschäft. Man unterscheidet zwischen Devisenswaps, Währungsswaps und Zinsswaps. Swaps dienen vor allem der Sicherung gegen Kurs- und Zinsschwankungen (--> Hedging). Die Nationalbanken setzen Devisenswaps als geldpolitisches Instrument ein. Bei Banken und Wirtschaftsunternehmen ist das Swapgeschäft ein verbreitetes Instrument im Finanzmanagement.

Termingeschäfte: Börsengeschäfte, die zum aktuell notierten Börsenkurs abgeschlossen werden, bei denen aber die Erfüllung des Kaufvertrages, d. h. die Lieferung und Abnahme der Waren, Wertpapiere oder Devisen erst zu einem späteren Zeitpunkt erfolgt.

Terminverkäufe von Gold: zeitliche Vorausverkäufe von z. B. noch nicht abgebautem Gold.

Tonne: Gewichts- und Maßeinheit (hier: metrisch). Eine Tonne entspricht 1000 Kilogramm.

Treasury Bills (T-Bills): Englische Bezeichnung von Schuldverpflichtungen des amerikanischen Staates (auch Schatzanweisungen, Schatzwechsel oder Schatzscheine genannt) mit einer kurzfristigen Laufzeit von 3–12 Monaten.

Treasury Bonds (T-Bonds): Englische Bezeichnung für Schuldverpflichtungen des amerikanischen Staates mit einer mittel- bis langfristigen Laufzeit von meist mehr als 10 und bis zu 30 Jahren. Treasury Bonds werden in Obligationenform ausgegeben.

Treasury Notes: Englische Bezeichnung für Schuldverpflichtungen des amerikanischen Staates mit einer mittelfristigen Laufzeit von ein bis zehn Jahren. Treasury Notes werden in Obligationenform ausgegeben.

Unze/Feinunze: Gewichts- und Maßeinheit, insbesondere für Edelmetalle; einer Unze (engl.: ounce/-oz) entsprechen 31,1034807 Gramm.

Valorisation: Staatliche Maßnahme zur Anhebung des Preises einer Ware zugunsten des Erzeugers.

Volatilität: Allgemein umschreibt der Begriff das allgegenwärtige Phänomen der Marktpreisschwankungen auf Finanzmärkten.

Warenterminbörsen: Orte, wo standardisierte Terminkontrakte (--> Futures und --> Optionen) auf Handelswaren gehandelt werden. Größte und älteste Warenterminbörse ist die *Chicago Board of Trade* (CBOT), gegründet 1848.

Warentermingeschäfte: --> Termingeschäfte mit Commodities.

Zahlungsbilanz: Die Zahlungsbilanz ist eine systematische Aufstellung des Handels- und Kapitalverkehrs eines Wirtschaftsgebietes mit dem Ausland während eines bestimmten Zeitraumes.

Zentralbank: Institut, welches die spezifischen Aufgaben der Geld- und Währungspolitik sowie der Regulierung des (bargeldlosen) Zahlungsverkehrs eines Landes bzw. einer Währungsunion wahrnimmt. Die Erfüllung währungspolitischer Aufgaben erfolgt im Einklang mit den Erfordernissen einer gesunden Entwicklung der Volkswirtschaft unter Einhaltung eines stabilen Geldwertes im Inland. Zentralbank ist, vorab in der Schweiz, synonym mit Notenbank. *Schweizerische Nationalbank* (SNB), *Europäische Zentralbank* (EZB).

Ausgewählte Bibliographie

Bücher, Monographien und Artikel

American Institute for Economic Research (AIER): *Money: A Search for Common Ground*, Lugano, 1984.

—: *The Pocket Money Book*, 1994.

Bernholz, Peter: »Am Ende eines Jahrhunderts der Hyperinflation — Golddeckung und Regelbildung als bewährte Stabilisatoren«, *Neue Zürcher Zeitung*, 26./27. Februar 2000.

Bernstein, Peter L.: *The Power of Gold*. New York: John Wiley & Sons Inc., 2000.

Blanchard, James U.: *Silver Bonanza*, New York: Simon & Schuster, 1993.

Bocker, Hans J.: *Gold-Dossier*, Gescher: Polar Film & Medien, 2000, www.polarfilm.de.

Bresciani-Turroni, Constantino: *The Economics of Inflation*, Northhampton: John Dickens & Co., 1968.

Clark, William (John Hopkins University): *The Real Reasons for the Upcoming War with Iraq: A Macroeconomic and Geostrategic Analysis of the Unspoken Truth*, Januar 2003.

Codevilla, Angelo M.: *Between the Alps and a Hard Place*, Washington, D. C.: Regnery Publishing Inc., 2000.

Connolly, Bernard: *The Rotten Heart of Europe — The Dirty War for Europe's Money*, London und Boston: Faber & Faber Limited, 1995.

Coombs, Charles A.: *The Arena of International Finance*, New York, NY: John Wiley & Sons, 1976.

Davidson, James Dale und William Rees-Mogg: *The Great Reckoning*, New York, NY: Summit Books, 1991.

Defoe, Daniel: *Daniel Defoe, His Life and Recently Discovered Writings*, Hrsg. William Lee, New York, NY: B. Franklin, 1969.

Dines, James: *The Invisible Crash*, New York, NY: Random House, 1977.

Dunbar, Nicolas: *Inventing Money — The Story of Long-Term Capital Management and the Legends behind it*, Chichester, England: John Wiley & Sons Ltd., 2001.

Eizenstat, Stuart: *Imperfect Justice: Looted Assets, Slave Labor, and the Unfinished Business of World War II*, PublicAffairs, Januar 2003.

Elster, Ludwig: *Wörterbuch der Volkswirtschaft* in zwei Bänden, Jena: Verlag von Gustav Fischer, 1898.

Ewert, James E.: *Money*, Seattle, WA: Principia Publishing Inc., 1998.

Exter, John: »The International Means of Payment«, *Inflation and Monetary Crisis*, Hrsg. G. C. Wiegand, Washington, D. C.: Public Affairs Press, 1975.

Fabra, Paul A.: *Capital for Profit*, Savage, MD: Rowman & Littlefield Publishers Inc., 1991.

Fekete, Antal E.: *Whither Gold*, International Currency Prize Essay, Zürich, Schweiz: Bank Lips AG, 1996;

—: *Gold and Interest*, St. John's, NF: Memorial University of Newfoundland, 1997.

—: *Gold Mining and Hedging*, St. John's, NF: Memorial University of Newfoundland, 1998.

—: *The Subjective Theory of Interest*, St. John's, NF: Memorial University of Newfoundland, 1997.

Galbraith, John K.: *The Great Crash 1929*, Boston: Houghton Mifflin Company, 1955.

Gibbon, Edward: *The Decline and the Fall of the Roman Empire*, 1792, Hrsg. William Smith und John Murray, London 1887.

Gleeson, Janet: *The Money Maker*, London: Bantam Books, 1999.

Goethe, Johann Wolfgang von: *Faust, der Komödie erster Teil*.

Goethe, Johann Wolfgang von: *Faust, der Komödie zweiter Teil*.

Graham, Benjamin und Dodd, David L.: *Security Analysis*, New York, NY: McGraw-Hill, 1951.

Grant, James: *The Trouble with Prosperity*, New York, NY: Random House, 1996.

Green, Timothy: *The New World of Gold*, Salford: Walker & Company, 1981.

—: *The Gold Companion*, London: Rosendale Press, 1991.

—: *The Prospect for Gold*, London: Rosendale Press, 1987.

—: *The World of Gold*, London: Rosendale Press, 1993.

Greenspan, Alan: »Gold and Eonomic Freedom«, *Capitalism: The Unknown Ideal*, Hrsg. Ayn Rand, New York, NY: New American Library, 1967, im Internet unter http://www.gold-eagle.com/analysis/ 0003.html.

Halbrook, Stephen P.: *Target Switzerland*, Rockville Center, NY: Sarpedon, 1998.

Hathaway, John: *Gold Investment Review — Annual Review 1999*, Tocqueville Asset Management, 11. Januar 2000.

—: *The Golden Pyramid*, Paris: Tocqueville Finance SA, 20. August 1999. Siehe auch im Internet unter: www.tocqueville.com/brainstorms/brainstorm0031.shtml.

Holzer, Henry Mark: *Government's Money Monopoly*, New York, NY: Books in Focus, 1981.

—: *How the Americans Lost Their Right to Own Gold and Became Criminals in the Process*, Greenwich, CT: Committee for Monetary Research and Education Inc., 1981.

Hoppe, Donald J.: *How to Invest in Gold Stocks*, New York, NY: Arlington House, 1972.

Howe, Reginald H.: *The Golden Sextant*, Zürich, Schweiz: Bank Lips AG, International Currency Prize Essay, 1992.

—: *Gold Unchained by the Swiss; Ready to Rock*, 16. April 2000, im Internet unter www.goldensextant.com.

—: *Real Gold, Paper Gold and Fool's Gold: The Pathology of Inflation,* The Golden Sextant, 12. Oktober 1999, im Internet unter www.goldensextant.com/commentary4.html#anchor674427.

Ingraham, Jane H.: *Goodbye Sovereign Switzerland*, The New American 15, Nr. 15, 1999.

Islam, Faisal: Artikel in *The Observer*, London, 10. Februar 2002.

Jastram, Roy W.: *The Golden Constant*, New York, NY: John Wiley & Sons, 1977.

—: *Silver, The Restless Metal*, New York, NY: John Wiley & Sons, 1981.

Jeske, Jürgen: *Der Weg zur Bundesbank — 40 Jahre Bundesbankgesetz*, Frankfurter Allgemeine, 30. Juli 1997.

Keynes, John Maynard: *The General Theory of Employment, Interest and Money,* London: Macmillan & Co., 1936.

—: *The Collected Writings of John Maynrard Keynes*, Vol. 2, London: Macmillan and Co., 1977.

—: *A Treatise on Money*, London: Macmillan & Co., 1930, Vol. 2.

Kile, Michael: *The Case for Gold in the 1990's*, Perth, Australien: Gold Corporation, 1993.

Klockenbring, Gérard: *Geld — Gold — Gewissen*, Stuttgart: Verlag Urachhaus, 1974.

Koradi, Reinhard: Artikel in *Zeit-Fragen*, 28. Oktober 2002.

Leverkus, Erich: *Evolution und Geist*, Rahden, Deutschland: Verlag Marie Leidorf, 1999.

—: *Freier Tausch und fauler Zauber*, Franfurt/M.: Fritz Knapp Verlag, 1990.

Lips, Ferdinand: *Das Buch der Geldanlage*, Düsseldorf: Econ-Verlag, 1981.

—: *Geld, Gold und die Wahrheit*, Zürich: Fortuna-Verlag, 1993.

—: *Gold Wars — The Battle Against Sound Money as Seen From a Swiss Perspective*, New York, NY: Foundation for the Advancement of Monetary Education FAME, 2002.

—: »Freiheit verliert man in kleinen Dosen«, Artikel in *Zeit-Fragen*, Nr. 41, 7. Oktober 2002, im Internet unter www.zeitfragen.ch/ARCHIV/ZF_97c/T01.HTM.

Interview Jim Puplava/Ferdinand Lips, *Financial Sense Online*, www.financialsense.com, 8. März 2003.

Mackay, Charles: *Extraordinary Delusions and the Madness of Crowds*, London: Richard Bentley, 1841.

Marsh, David: *The Bundesbank: The Bank That Rules Europe*, London: William Heinemann Ltd., 1992.

Mencken, H. L. (Hrsg.): *A New Dictionary of Quotations*, New York, NY: Alfred A. Knopf, 1997.

Menger, Carl: *Grundsätze der Volkswirtschaftslehre*, Wien: Wilhelm Braumüller, 1871.

—: *Principles of Economics*, New York, NY: New York University Press, 1981.

—: *The Origin of Money*, Monograph 40, Greenwich, CT: Committee for Monetary Research and Education Inc., 1984.

Mises, Ludwig von: *Human Action*, New Haven, CT: Yale University Press, 1949.

Murphy, Bill: *Gold Derivative Banking Crisis*, Dallas, Texas: Gold Anti-Trust Action Committee, 2000, im Internet unter www.gata.org.

Palyi, Melchior: *Managed Money on the Crossroads*, Chicago, IL: Henry Regnery Company, 1960.

—: *The Twilight of Gold,* Chicago, IL: Henry Regnery Company, 1972.

—: »A Point of View«, *Commercial and Financial Chronicle,* 24. Juli 1969.

Parks, Lawrence: *The Near Death & Resurrection of the Gold Mining Industry*, Woodside, NY: J. Taylor, Hard Money Advisor Inc., 2000.

—: *Economic and Social Perils of our Fraudulent Money System*, J. Taylor's Gold & Technology Stock's, Vol. 19, Nr. 6, 2000.

Siehe auch im Internet unter www.miningstocks.com/interviews/larryparks.html.

—: *What does Mr. Greenspan Really Think?* Foundation for the Advancement of Monetary Education FAME, New York, NY, 2001. Siehe auch www.fame.org.

Paul, Ron und Lehrmann, Lewis: *The Case for Gold — A Minority Report of the U.S. Gold Commission*, Washington, D. C.: Cato Institute, 1982.

Pick, Franz: *The U.S. Dollar — An Advance Obituary*, New York, NY: Pick Publishing Corporation, 1981.

—: *Pick's Currency Yearbook,* New York: Pick Publishing, 1975.

Rees-Mogg, William: *The Reigning Error*, London, Hamish Hamilton Ltd., 1974.

Reynolds, Alan: *The IMF's Destructive Recipe of Devaluation and Austerity*, Indianapolis, IN: Hudson Institute, 1992.

Ricardo, David: *Complete Works*, Hrsg. Piero Scraffa, Cambridge: Cambridge University Press, 1966.

Röpke, Wilhelm: *Die Lehre von der Wirtschaft*, Erlenbach/Zürich: Eugen Rentsch Verlag, 1958.

—: *Jenseits von Angebot und Nachfrage*, Erlenbach/Zürich: Eugen Rentsch Verlag, 1961.

Rothbard, Murray N.: *The Case Against the Fed*, Auburn, AL: Ludwig von Mises Institute, 1994.

Rueff, Jacques: *L'Age de l'inflation*, Paris: Payot, 1965.

—: *The Monetary Sin of the West*, New York, NY: Macmillan, 1972.

—: *The Inflationary Impact the Gold Exchange Standard Superimposes on the Bretton Woods System*, Greenwich, CT: Committee for Monetary Research and Education CMRE, 1975.

Salsman, Richard M.: *Gold and Liberty*, Great Barrington, MA: American Institute for Economic Research AIER, 1995.

Samuelson, Paul E.: *Economics*, New York: McGraw-Hill, 1973.

Sarnoff, Paul: *The Silver Bulls*, Westport, CT: Arlington House, 1980.

Schlüer, U.: »Stuart Eizenstats Mäßigung«, *Schweizerzeit*, 13. Juli 2001, S. 8.

Schultz, Harry: *GOLD vs. the PRICE of Gold*, International Harry Schultz Letter, 18. Juni 2000.

Schwartz, Anna J., Whalen, Christopher und Todd, Walker F.: *Time to Abolish the International Monetary Fund and the Treasury's Exchange Stabilization Fund*, Monograph Nr. 54, Charlotte, NC: CMRE, Dezember 1998.

Sédillot, René: *Histoire Morale & Immorale de la Monnaie*, Paris: Bordas-Cultures, 1989.

Shirer, William L.: *The Rise and the Fall of the Third Reich — A History of Nazi Germany,* London: Secker & Warburg, 1960.

Somary, Felix: *Erinnerungen aus meinem Leben*, Zürich: Manesse Verlag, 1959.

Stamm, Luzi: *Der Kniefall der Schweiz*, Zofingen, Schweiz: Verlag Zofinger Tagblatt AG, 1999.

Summers, Lawrence/Barsky, Robert: »Gibson's Paradox and the Gold Standard«, in: *The Journal of Political Economy*, The University of Chicago Press: Chicago, 1988, im Internet unter http://gata.org/gibson.pdf.

Sutherland, C. H. V.: *GOLD, Its Beauty, Power and Allure*, London: Thames & Hudson, 1959.

Trachsler, Jacques: *Zyklen Trends Signale*, No. 193 vom 30. Januar 2003.

Veseth, Michael: *Mountains of Debt, Crisis and Change in Renaissance*, Florence, Victorian Britain and Postwar America, New York, NY, Oxford: Oxford University Press, 1990.

Webster, Pelatiah: *Not Worth a Continental*, 1790, Nachdruck Irvington on Hudson, NY: Foundation for Economic Education, 1950.

Welker, Ernest P.: *WHY GOLD?*, Economic Education Bulletin, Great Barrington, MA: American Institute for Economic Research AIER, 1981.

White, Andrew Dickson: *Fiat Money Inflation in France, How it Came, What it Brought and How it Ended*, 1914, Nachdruck Caldwell ID: Caxton Printers Ltd., 1972.

White, Lawrence H.: *Free Banking*, Brookfield, VT: Edward Elgar Publishing, 1993.

Whitting, P. D.: *Die Münzen von Byzanz*, München: Ernst Battenberg Verlag, 1973.

Wormser, René A.: *Conservatively Speaking*, Mendham, NJ: Wayne E. Dorland Company, 1979.

Zweig, Stefan: *The World of Yesterday*, New York, NY: Viking Press Inc., 1943.

Sonstige Quellen

AIER: *American Institute for Economic Research*, Great Barrington, MA 01230.

American Federation of Labor: *The American Federationist*, 1896.

Barron's

Berliner Börse

Cacciotti, Joseph J.: *Investment Letter*, New York, NY: Ingalls & Snyder LLC, 61 Broadway, New York, NY, 10006-2802.

Chamber of Mines, South Africa, P. O. Box 809, Johannesburg 2001, Südafrika.

CMRE, *Committee for Monetary Research and Education*, Inc., 10004 Greenwood Court, Charlotte, NC 28215-9621. cmre@worldnet. att.net.

Finanz & Wirtschaft, Zürich, »Wem nützen Währungsreserven?«, No. 98 vom 17.12.1997 (sowie meine Entgegnung in *Finanz & Wirtschaft*, Rubrik Leserbriefe vom 7. Januar 1998).

FAME, *Foundation for the Advancement of Monetary Education*, Box 625, FDR Station, New York, NY, 10150-0625. www.fame.org.

Financial Times, London.

Freemarket Gold & Money Report von James Turk, P. O. Box 5002, North Conway, New Hampshire 036860, USA.

GATA, *Gold Anti-Trust Action Committee*, Inc., 4718 Cole Ave., Dallas, TX, 75205. www.gata.org.

G&M, *Gold & Money*, Bandulet Verlag GmbH, Kurhausstraße 12, D-97688 Bad Kissingen.

Gold Eagle, www.gold-eagle.com.

Der Goldbrief, J. A. Saiger, Postfach 64, A-5024 Salzburg. goldbrief@gmx.net.

International Harry Schultz Letter, P. O. Box, 622, CH-1001 Lausanne: hsl.mentor@skynet.de.

LeMetropoleCafe.com, ajfield@attglobal.net, vom 15. April 2002.

Les Echos, 46 rue la Boétie, F-75381 Paris Cedex 08. Artikel »Qu'est devenue la Bundesbank?«, La chronique de Paul Fabra, 5./6. April 2002.

Mining Journal London

Neue Zürcher Zeitung

Paribas International Equity Research, rue d'Antin, F-75078 Paris Cedex 02.

Schweizerische Bundesregierung

Schweizerische Nationalbank, www.snb.ch.

Der Spiegel, »Konspiration im Herrenclub«, 8. Januar 2001, S. 78/79.

The Golden Sextant, www.goldensextant.com.

The Dines Letter, James Dines & Co., Inc., P. O. Box 22, Belvedere, CA 94920.

Veneroso, Frank & Costelloe, Declan: *Gold Derivatives, Gold Lending, Official Management of the Gold Price and the Current State of the Gold Market*, Fünftes Internationales Gold Symposium, Lima, Peru, 17. Mai 2002.

Wall Street Journal

World Gold Council, 45 Pall Mall, London, SW1-5JG, www.gold.org.

A Monetary Chronology of the United States, Great Barrington, MA: Economic Education Bulletin, AIER, 1994.

Gold and The International Monetary System in a new Era, World Gold Council Conference, Paris, 19. November 1999, London: World Gold Council, 1999.

A Glittering Future? Gold Mining's Importance to Sub-Saharan Africa and Heavily Indebted Poor Countries, London: World Gold Council, Juni 1999.

INDEX